dictionnaire

de

ALZAC

Balzac
par Gavarni
Phot. Giraudon

Iconographie
Nicole Bourgeois

Félix LONGAUD

ancien élève de l'École normale supérieure

dictionnaire de BALZAC

LIBRAIRIE LAROUSSE

17, rue du Montparnasse, et 114, boulevard Raspail, PARIS (6ᵉ)

Le jardin de la rue Neuve-Sainte-Geneviève (aujourd'hui rue Tournefort), décrit par Balzac dans le Père Goriot. Phot. Bulloz.

AVANT-PROPOS

On lit toujours Balzac, en France comme à l'étranger, et plus que jamais. Dans son livre, *Naissance des bestsellers* (Ed. de Trévise), M. Curt Riess a relevé, parmi vingt « bestsellers » dénombrés depuis un siècle, six auteurs de langue française, dont trois du XIXe siècle : Balzac, Alexandre Dumas, Jules Verne.

Des sondages effectués dans deux bibliothèques municipales différentes, celle d'Albi et celle du XVIe arrondissement de Paris, il résulte que les « sorties » de Balzac (parmi les romanciers du XIXe siècle) sont en tête dans les deux bibliothèques : devant Zola et, nettement plus loin, Hugo (Albi), devant Stendhal, puis Zola et Hugo (Paris, XVIe). A noter que la « clientèle » de Balzac (Al. Dumas et J. Verne figurant naturellement dans la bibliothèque réservée aux enfants) est signalée être de *tous les âges* (Paris, XVIe), et en progression constante, de 1966 sur 1965 et de 1967 sur 1966 (Albi).

Dans leur ouvrage *Quid 1968* (Plon, éd.), M. et Mme Frémy, dénombrant les traductions d'auteurs de toutes langues pendant la décennie 1954-1964, établissent que Balzac, parmi les auteurs français, vient en seconde ligne, avec 653 traductions, derrière Jules Verne (1 123), largement devant Zola (491) et Alexandre Dumas (466). Si l'on tient compte du fait que Dumas et Jules Verne ont une vaste clientèle d'enfants, à qui Balzac est peu accessible, il ne fait aucun doute que, des romanciers du XIXe siècle, Balzac reste le plus lu par les jeunes gens et les adultes.

Sur sa vie, sur son œuvre immense, il existe de très nombreux et excellents ouvrages. Le présent dictionnaire n'a pour but ni de les compléter ni de les remplacer. Il est conçu comme un *guide pratique* à l'intention du lecteur de Balzac ; il doit permettre audit lecteur de trouver rapidement un renseignement essentiel, à charge pour lui, s'il le désire, d'approfondir la question en se référant aux travaux spécialisés dont nous donnons une liste (qui ne saurait évidemment être exhaustive) soit dans la bibliographie en tête de l'ouvrage, soit dans le corps de certains articles. Nous souhaitons que la consultation de ce dictionnaire amène le lecteur à pénétrer plus avant dans la connaissance d'un romancier dont le génie ne s'est pas limité à la rédaction de quelques œuvres considérées comme classiques.

On trouvera donc, répartis dans l'ordre alphabétique : les ouvrages de Balzac ; les personnages fictifs qui y reparaissent ; les personnages ayant réellement existé ; les noms de lieux, les noms communs de personnes ou de choses.

1. Nous avons noté la plus grande partie des œuvres essentielles de Balzac, y compris les œuvres de jeunesse, les articles importants de revue, le théâtre, et, en tout cas, la *totalité* des œuvres, même incomplètes ou ébauchées, qui figurent dans *la Comédie humaine*. Nous indiquons rapidement les changements de titre, les dates de la ou des premières publications, et, pour les romans de *la Comédie humaine*, le numéro que l'auteur leur avait attribué dans le catalogue établi par lui-même en 1845, et qui est resté pour les balzaciens l'ordre traditionnel (il figure p. 24). *Tous ces romans sont résumés.* Si certains d'entre eux sont devenus des classiques, d'autres, et qui sont souvent des chefs-d'œuvre, ne sont parfois connus du lecteur que par leur titre, et il nous a paru indispensable qu'il puisse avoir un aperçu sommaire de leur intrigue. Ce dictionnaire, de par son propos et ses dimensions mêmes, n'est pas une étude littéraire ; cependant, nous avons cru pouvoir indiquer rapidement, le cas échéant, en quoi consistait le caractère original de tel roman, ou en quoi il se rattachait à une préoccupation essentielle du romancier.

2. Le système du « retour des personnages » exige que le lecteur puisse rapidement retrouver tel ou tel d'entre eux (*mais seulement ceux-là*) qu'il rencontre dans ses lectures, ou qu'il pourra rencontrer dans les romans qu'il se propose de lire. Nous avons donc négligé : les personnages tout à fait accessoires, femmes de chambre, portiers, etc., à moins qu'ils ne jouent, comme Asie, un rôle important ; et tous ceux qui, même de tout premier plan, ne reparaissent jamais hors du roman où ils figurent (Eugénie Grandet).

En revanche, nous avons insisté, et parfois longuement, sur des personnages, même secondaires, qui jouissent, si l'on peut dire, d'une étonnante ubiquité romanesque, et qui, comme le docteur Bianchon, se retrouvent dans de très nombreux romans.

On ne s'étonnera donc pas de voir consacrer relativement peu de lignes à un Vautrin, qui ne sort guère du *Père Goriot*, d'*Illusions perdues*, de *Splendeurs et misères des courtisanes*.

Sans établir, ce que les dimensions de cet ouvrage ne permettaient pas, une biographie complète de ces personnages, nous avons tenu à les *situer*, en rappelant éventuellement si leur rôle est essentiel, accessoire, ou seulement épisodique.

Les personnages d'une même famille peuvent se trouver groupés dans un article général relatif à cette famille ; cependant, certains d'entre eux, qui jouent un rôle très important, ont été extraits de la liste, pour faire l'objet d'un article spécial (c'est le cas, par exemple, des Vandenesse).

Les romans où les personnages sont notés comme reparaissant sont toujours mentionnés par le premier mot souche de l'article qui leur est consacré (*Splendeurs*), sauf, évidemment, quand il peut y avoir doute (*Curé de Tours, Curé de village*).

3. Les noms des personnes réelles sont ceux des membres de la famille Balzac, de ses amis (ou ennemis), de ses relations d'affaires, des écrivains ou personnalités qui peuvent avoir eu un rapport important avec sa vie d'homme ou d'écrivain, etc., et de *tous les dédicataires*.

4. Les noms de lieux et les noms de choses ont été choisis parmi ceux qu'évoquent irrésistiblement la vie ou l'œuvre du romancier (*Jardies, canne*, etc.). Les noms communs de personnes désignent des collectivités réelles (*éditeurs*) ou des types romanesques (*lorette*, etc.).

Une illustration abondante permet au lecteur d'avoir une vue plus directe ou plus concrète de tel objet, tel lieu, tel personnage, réel ou fictif, évoqué ou décrit dans le texte. Des cartes permettent, au premier coup d'œil, de situer géographiquement les intrigues des romans ou les domiciles parisiens de l'auteur.

Nous tenons à exprimer notre gratitude à Mlle Sarment, bibliothécaire du centre de documentation du musée Balzac de Paris, qui a bien voulu mettre, avec beaucoup de compétence et de bonne grâce, à notre disposition les ressources importantes de la bibliothèque.

F. L.

N. B. — Le titre des œuvres est toujours imprimé en minuscules précédées d'une majuscule (*Vautrin,* pièce de théâtre); les personnages réels en majuscules romaines (**VIDOCQ**); les personnages fictifs en majuscules italiques (***VAUTRIN,*** personnage).

« **Balzac à Ville-d'Avray.** » Aquarelle de P. **Chardin** (1840). *Coll. Lovenjoul. Phot. Larousse.*

CHRONOLOGIE

DATES		VIE	ŒUVRES
1799	20 mai	Naissance à Tours d'Honoré Balzac. En nourrice pendant trois ou quatre ans.	*(Pour plus de clarté, nous n'indiquons que la date de la première publication, en revue ou en volume. Se référer à l'article relatif à l'œuvre pour les changements de titre ou les rééditions éventuelles.)*
1800	29 sept.	Naissance de Laure Balzac.	
1802	18 avr.	Naissance de Laurence de Balzac (premier emploi de la particule par le père).	
1804		Entrée de Balzac à la pension Le Guay, à Tours.	
1807		Entrée de Balzac chez les Oratoriens de Vendôme.	
	21 déc.	Naissance d'Henri de Balzac.	
1807-1813		Honoré toujours en pension chez les Oratoriens.	*Traité de la volonté* (?)
1813-1814		En pension chez Ganser et Beuzelin, à Paris.	
1814		Retour à Tours, comme externe au collège (à partir de juillet).	
	nov.	Installation de la famille à Paris, rue du Temple. Honoré pensionnaire à l'institution Lepitre.	
1815	sept.	Revient à l'institution Ganser.	
1816	nov.	Inscription à la faculté de droit; cours suivis à la faculté des lettres.	
1817		Stage chez Mᵉ Guyonnet de Merville.	
	août-sept.	Vacances à L'Isle-Adam.	
1818		Stage chez Mᵉ Passez.	
1819		Installation de la famille à Villeparisis.	
	août	Installation de Balzac seul rue Lesdiguières.	*Plan de Cromwell.* *Cromwell.* *Sténie.*
1820	avr.-mai	Séjour à L'Isle-Adam.	*Falthurne* (première version).
	18 mai	Mariage de Laure de Balzac.	

DATES	VIE	DATES	ŒUVRES
1821	Séjour dans la famille à Ville-parisis.		
1er sept.	Mariage de Laurence de Balzac.		
1822 mars	Rencontre de Mme de Berny.	janvier mars	*l'Héritière de Birague.* *Jean-Louis.*
mai-août	Séjour chez les Surville, à Bayeux.	juillet	*Clotilde de Lusignan.*
nov.	Réinstallation de la famille et de Balzac à Paris, rue du Roi-Doré.	novembre	*le Centenaire; le Vicaire des Ardennes.*
1823 juill.-août	Séjour en Touraine, notamment à Saché.	janvier mai	refus par le théâtre de la Gaîté du *Nègre* (mélodrame). *la Dernière Fée.*
1824 mai-juin	Retour de la famille à Ville-parisis.	février avril mai	*Du droit d'aînesse.* *Histoire impartiale des Jé-suites.* *Annette et le criminel.*
août	Installation de Balzac rue de Tournon.		
1825	Rencontre à Versailles avec la duchesse d'Abrantès et Zulma Carraud.		
mars	Balzac se lance dans des affaires d'édition.	mars	*Code des gens honnêtes.*
11 août	Mort de Laurence (Mme de Montzaigle).	septembre	*Wann Chlore* (anonyme).
1826	Achat du fonds d'imprimerie de la rue des Marais.		
1827	Entreprise d'une affaire de fonderie de caractères.		
1828	Liquidation des deux entre-prises d'imprimerie et de fon-derie. Installation rue Cassini.		
sept.-oct.	Séjour à Fougères chez les Pommereul.		
nov.	Séjour chez les Surville, à Versailles.		
1829 19 juin	Mort du père de Balzac.	mars	*le Dernier Chouan* (premier roman signé Balzac).
juin-juill.	Séjour à la Bouleaunière, chez Mme de Berny.		
oct.	Séjour à Maffliers, auprès de Mme d'Abrantès.	décembre	*Physiologie du mariage.*

« Balzac jeune homme. » **Sépia attribuée à Devéria.** *Coll. Lovenjoul. Phot. Larousse.*

DATES	VIE	DATES	ŒUVRES
1830	Création du *Feuilleton des journaux politiques*.	janvier	*Un épisode sous la Terreur ; El Verdugo*.
		mars	*Etude de femme*.
		avril	(dans un volume de *Scènes de la vie privée*) *la Vendetta ; Gobseck ; le Bal de Sceaux ; la Maison du Chat-qui-pelote ; Une double famille ; la Paix du ménage*.
juin-juill.	Séjour avec Mme de Berny à la Grenadière, près de Tours ; voyage avec elle sur la Loire jusqu'au Croisic.		
fin juill.-début sept.	Séjour à Saché.	mai	*les Deux Rêves*.
		juin	*l'Adieu*.
		octobre	*l'Elixir de longue vie*.
		décembre	*Une passion dans le désert*.
1831	Vie mondaine très intense. Début de la correspondance avec Mme de Castries. Nombreux voyages : mars-avril, puis mai-sept., chez Mme de Berny ; à Saché, d'octobre à décembre ; chez les Carraud, à Angoulême, fin décembre.	janvier	*l'Enfant maudit* (début).
		janv.-mars sept.-oct.	*la Femme de trente ans* (commencement).
		février	*le Réquisitionnaire*.
		mai	*les Proscrits*.
		août	*la Peau de chagrin ; l'Auberge rouge ; le Chef-d'œuvre inconnu*.
		septembre	(dans les *Romans et contes philosophiques*) *Jésus-Christ en Flandre* et *l'Eglise*.
		sept.-oct.	première partie (entière) de *la Femme de trente ans* (v. article).
		novembre	*Sarrasine*.
		décembre	*Maître Cornélius ; Premiers Contes drolatiques*.
1832	Vie mondaine et voyages. Juin-juillet : Saché ; juillet-août : Angoulême, chez les Carraud ; septembre-octobre : avec Mme de Castries en Savoie, puis à Genève.	janvier	participation aux *Contes bruns*.
		février	*le Message ; Madame Firmiani*.
		mars	*le Colonel Chabert*.
		avril	premier dixain des *Contes drolatiques*.
	7 nov.	Première lettre de l'Etrangère.	mai	(dans les *Scènes de la vie privée*) *la Grande Bretèche ; la Bourse ; le Curé de Tours*.
		septembre	*la Femme abandonnée*.
		octobre	*la Grenadière* ; (dans les *Nouveaux Contes philosophiques*) *Louis Lambert*.
		décembre	*les Marana* (1re partie).
1833	Toute l'année, correspondance avec Mme Hanska.	janvier	*les Marana* (2e partie).
avr.-mai	Séjour à Angoulême chez les Carraud.	mars-avr.	*Ferragus*.
fin sept.	Rencontre avec Mme Hanska à Neuchâtel, puis de nouveau, fin décembre, à Genève. Apparition dans la pensée du romancier du thème du retour des personnages.	avril	*la Duchesse de Langeais* (1re partie).
		juillet	second dixain des *Contes drolatiques*.
		septembre	*le Médecin de campagne*.
		décembre	(dans les *Scènes de la vie de province*) *Eugénie Grandet ; l'Illustre Gaudissart*.
1834	Suite du séjour à Genève avec Mme Hanska, jusqu'au 8 février.	mars	*Aventures administratives d'une idée heureuse*.

DATES	VIE	DATES	ŒUVRES
1834 avril	Séjour chez les Carraud, près d'Issoudun.	avril	(dans les *Scènes de la vie parisienne*) *Histoire des Treize* comportant la fin de *la Duchesse de Langeais* et le début de *la Fille aux yeux d'or* ; (dans les *Scènes de la vie privée*) *la Recherche de l'absolu*.
juin	Naissance de Marie du Fresnay, issue sans doute de la liaison de Balzac avec Maria. Liaison avec la comtesse Guidoboni-Visconti.		
sept.	Court séjour à Saché.	juin-juill.	*Séraphita* (début).
		décembre	*le Père Goriot* (début) ; (dans les *Etudes philosophiques*) *Un drame au bord de la mer*.
1835	Installation à Chaillot, rue des Batailles.	mars	*le Père Goriot*.
mai-juin	Voyage à Vienne, où Balzac rejoint Mme Hanska.	mai	(dans les *Scènes de la vie parisienne*) fin de *la Fille aux yeux d'or*.
juill.-août	Courts séjours à là Bouleaunière et à Issoudun.	juin	*Melmoth réconcilié* ; *le Contrat de mariage*.
déc.	Fondation de la *Chronique de Paris*.	nov.-déc.	début du *Lys dans la vallée*.
		décembre	*Seraphita*.
1836	Déconfiture de la *Chronique de Paris*.	janvier	*l'Interdiction* ; *la Messe de l'athée*.
juin	Séjour à Saché.	mars	*le Cabinet des antiques* (début) ; *Facino Cane*.
juill.-août	Premier voyage en Italie, avec Mme Marbouty. Mort de Mme de Berny. Abandon définitif du logement de la rue Cassini.	juin	*le Lys dans la vallée*.
		septembre	*l'Enfant maudit* (2e partie) ; réédition des *Œuvres complètes* d'Horace de Saint-Aubin.
		oct.-nov.	*la Vieille Fille*.
		décembre	*le Secret des Ruggieri*.
1837	Second voyage en Italie, de fin février à fin avril.	février	*Illusions perdues* (1re partie).
juillet	Balzac se cache chez les Guidoboni-Visconti pour échapper à la contrainte par corps.	juillet	*les Employés*.
		juill.-août	*Gambara*.
août	Séjour à Saché.	décembre	troisième dixain des *Contes drolatiques* ; *Grandeur et décadence de César Birotteau*.
sept.	Achat des *Jardies*.		
1838 févr.	Voyage à Issoudun chez les Carraud, puis chez George Sand à Nohant.	septembre	*la Torpille* (début de *Splendeurs*).
mars-juin	Voyage en Corse, en Sardaigne et en Italie. Aménagement des *Jardies*, où Balzac s'installe en juillet.	sept.-oct.	fin du *Cabinet des antiques* ; *la Maison Nucingen* ; réédition de *l'Ecole des ménages*.
1839 sept.-oct.	Affaire Peytel. Election de Balzac à la présidence de la Société des gens de lettres ; il songe à l'Académie et s'efface devant Hugo.	janvier	*Une fille d'Eve*.
		janv.-août	*le Curé de village*.
		avril-mai	*Béatrix* (début).
		juin	*Illusions perdues* (2e partie).
		août	*les Secrets de la princesse de Cadignan* ; *Massimilla Doni*.
		sept. et déc.	fragments des *Petites Misères de la vie conjugale*.

DATES	VIE	DATES	ŒUVRES
1840	25 juill. Lancement de la *Revue parisienne,* qui cesse sa publication fin septembre. oct. Abandon des *Jardies ;* installation rue Basse.	janvier 14 mars avril juillet août	*Pierrette.* *Vautrin* (au théâtre de la Porte-Saint-Martin ; interdit après la première représentation) ; le même mois, publication de l'œuvre en volume. *Pierre Grassou.* *Z. Marcas.* *Un prince de la bohème.*
1841	fin avr.- Voyage en Touraine et en Bre- début mai tagne. juill. Liquidation des *Jardies.* oct. Contrat pour la publication de *la Comédie humaine,* avec Furne, Dubochet, Hetzel et Paulin.	janv.-févr. févr.-mars mars-avr. août-sept. nov. et jusqu'en janv. 1842 décembre	*Une ténébreuse affaire.* *la Rabouilleuse* (1re partie). *les Lecamus.* *Ursule Mirouet.* *Mémoires de deux jeunes mariées.* *la Fausse Maîtresse.*
1842	janv. Balzac apprend la mort de M. Hanski, survenue en novembre 1841.	19 mars mai-juin juill.-sept. septembre oct.-nov. juin, sept. et nov.	échec, à l'Odéon, des *Ressources de Quinola* (paraîtront en volume en juin). *Albert Savarus.* *Un début dans la vie.* *Envers de l'histoire contemporaine* (début). *la Rabouilleuse* (2e partie).. premières livraisons de *la Comédie humaine* (rien d'inédit, mais avec l'avant-propos. La publication se poursuivra jusqu'en 1846).
1843	juill.- Voyage (par mer à l'aller, par fin oct. l'Allemagne au retour) pour rejoindre Mme Hanska à Saint-Pétersbourg.	mars mars-avr. mai-juin juin-août 26 sept.	*Honorine.* *la Muse du département.* *Splendeurs et misères des courtisanes* (deux premières parties). *Illusions perdues* (fin). échec de *Paméla Giraud* au théâtre de la Gaîté.
1844	Peu d'événements ; la santé du romancier s'altère.	avr.-mai juin oct.-nov. décembre	*Modeste Mignon.* *Gaudissart II.* *Envers de l'histoire contemporaine* (fragment). première partie des *Paysans* (restés inachevés) ; *Béatrix* (fin).
1845	avril Balzac reçoit la Légion d'honneur ; voyages avec Mme Hanska : début mai, à Dresde, puis à Hombourg (Palatinat) et Cannstatt (Wurtemberg). août Retour à Paris avec Mme Hanska et sa fille Anna, qui y séjournent ; puis voyage avec elles en Touraine et circuit par Strasbourg (v. VOYAGES).	juillet août septembre décembre	*Entre savants* (début). *Comédiens sans le savoir* (fragments). *Un homme d'affaires.* *Petites Misères de la vie conjugale* (fragments).

DATES	VIE	DATES	ŒUVRES
1846			
début mars-fin mai	Voyages avec Mme Hanska (v. VOYAGES).	avril	*Comédiens sans le savoir.*
sept. et oct.	Voyages éclairs à Wiesbaden.	juillet	*Splendeurs et misères des cour tisanes* (3e partie).
sept.	Achat de la maison de la rue Fortunée.	oct.-déc.	*la Cousine Bette* ; fin de publication de *la Coméd humaine.*
oct.	Mariage d'Anna Hanska.		
déc.	Balzac apprend la naissance et la mort de l'enfant qu'il attendait de Mme Hanska.		
1847 février-avr.	Visite et séjour de Mme Hanska à Paris. Installation de Balzac rue Fortunée ; difficultés avec Mme de Brugnol.	mars-mai	*le Cousin Pons.*
		avr.-mai	*le Député d'Arcis* (sous titre : *l'Election* ; inachevé *Splendeurs et misères des cour tisanes* (fin).
28 juin	Rédaction d'un testament.		
sept.	Départ pour l'Ukraine et pour un premier séjour à Wierzchownia.		
1848 16 févr.	Retour de Wierzchownia.	25 mai	succès de *la Marâtre* a Théâtre historique.
juin	Voyage en Touraine.	août	lecture à la Comédie-Fran çaise de *Mercadet* (le Faiseur
sept.	Nouveau départ pour Wierzchownia.	août-sept.	deuxième partie de *l'Envers d l'histoire contemporaine.*
		novembre	publication d'un XVIIe tom supplémentaire de *la Coméd humaine*, contenant *la Cousin Bette* et *le Cousin Pons.*
1849	Séjour toute l'année à Wierzchownia ; graves maladies. En l'absence du romancier, échec de sa candidature à l'Académie française.		
1850 14 mars	Mariage avec Mme Hanska, à Berditcheff.		
mai	Départ pour Paris ; voyage très pénible ; arrivée rue Fortunée le 21 mai. Balzac ne peut pratiquement plus se lever.		
18 août	Visite de V. Hugo au malade, qui meurt le soir même.		
21 août	Obsèques de Balzac à Saint-Philippe-du-Roule.		
1854		juill.-oct.	*les Petits Bourgeois* (achevé par Rabou) ; *les Paysans* (ache vés par les soins de Mme H. d Balzac, sur les notes de so mari).
1855			
1882	Mort de Mme Honoré de Balzac.		

ITINÉRAIRES BALZACIENS

Paris est évidemment la ville où se situent les plus nombreuses intrigues de *la Comédie*. Parmi les œuvres où les personnages évoluent exclusivement — ou presque — dans les limites de Paris ou de sa banlieue immédiate, citons, entre autres : *la Bourse, Grandeur et décadence de César Birotteau, les Comédiens sans le savoir, le Cousin Pons, la Cousine Bette, la Fausse Maîtresse, la Fille aux yeux d'or, Gaudissart II, Gobseck, Un homme d'affaires, l'Interdiction, Madame Firmiani, la Maison du Chat-qui-pelote, la Messe de l'athée, le Père Goriot, Un prince de la bohème, les Secrets de la princesse de Cadignan, Splendeurs et misères des courtisanes.*

Mais on peut dire que la capitale apparaît aussi comme décor, épisodique, occasionnel ou essentiel, de la plupart des intrigues. Rares sont celles où elle ne figure absolument pas (*Jésus-Christ en Flandre, Séraphita,* par exemple). En revanche, de nombreuses intrigues, dont le centre est ailleurs, se nouent, ou se transportent, souvent à plusieurs reprises, ou se dénouent à Paris. L'intrigue tourangelle du *Lys* comporte un épisode parisien, élément essentiel de l'histoire. *Illusions perdues* est un roman aussi parisien qu'angoumois. *La Rabouilleuse* a pour cadre Paris, presque autant qu'Issoudun. Le drame de l'*Auberge rouge* se situe à Andernach, mais il est conté à Paris, et c'est là que se découvre l'identité de l'assassin. Tels personnages d'un roman aussi « provincial » qu'*Ursule Mirouet* se retrouvent à Paris, etc.

La Comédie humaine est sans conteste l'œuvre d'un romancier authentiquement parisien, en dépit de ses origines provinciales.

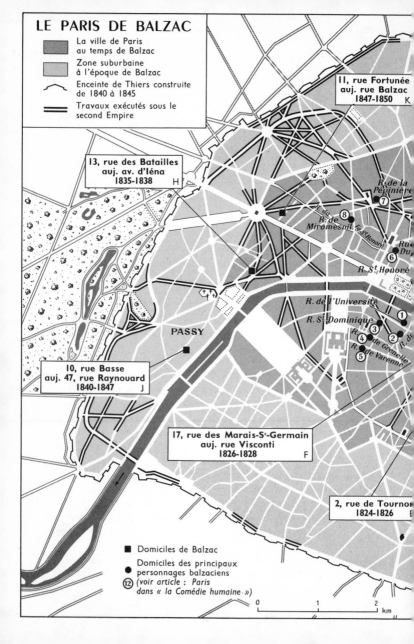

LE PARIS DE BALZAC

La ville de Paris au temps de Balzac

Zone suburbaine à l'époque de Balzac

Enceinte de Thiers construite de 1840 à 1845

Travaux exécutés sous le second Empire

11, rue Fortunée auj. rue Balzac 1847-1850 K

13, rue des Batailles auj. av. d'Iéna 1835-1838 H

R. de la Pépinière

R. au ⑧ R. de Miromesnil

R. St-Honoré

R. Du... ⑥

R. St-Honoré

R. de l'Université ①

R. St-Dominique ③ ②

④ R. de Grenelle

⑤ R. de Varenne

⑦

PASSY

10, rue Basse auj. 47, rue Raynouard 1840-1847 J

17, rue des Marais-St-Germain auj. rue Visconti 1826-1828 F

2, rue de Tournon 1824-1826 E

■ Domiciles de Balzac

● Domiciles des principaux personnages balzaciens

⑫ *(voir article : Paris dans « la Comédie humaine »)*

0   1   2 km

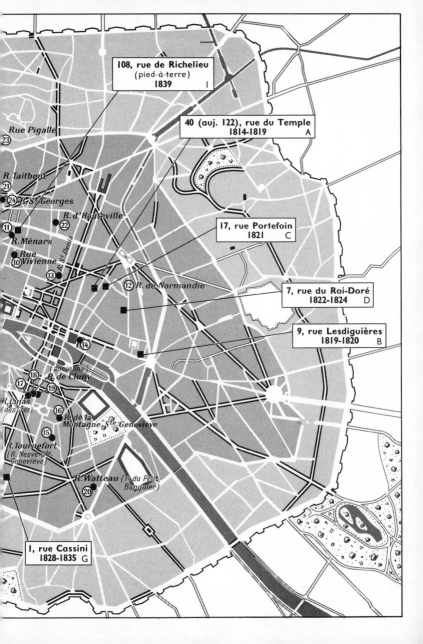

108, rue de Richelieu
(pied-à-terre)
1839   I

40 (auj. 122), rue du Temple
1814-1819   A

Rue Pigalle
㉓

R. Taitbout
㉑
㉔ *R. St-Georges*
          R. d'Hauteville
⑪   ㉒
R. Ménars
Rue Vivienne
⑩
⑬

17, rue Portefoin
1821   C

⑫ *R. de Normandie*

7, rue du Roi-Doré
1822-1824   D

9, rue Lesdiguières
1819-1820   B

⑭

(ancienne) R. de Cluny
⑱
⑰ ⑲
R. Cujas (des Grès)
⑯ *R. de la Montagne Ste-Geneviève*
⑮
R. Tournefort (R. Neuve Ste-Geneviève)

R. Watteau (R. du Petit Banquier)
⑳

1, rue Cassini
1828-1835   G

Il n'a pu être marqué sur cette carte que les itinéraires des plus importants voyages de Balzac. Les villes où il a fait des visites ou des séjours fréquents portent la date de ces visites. Un coup d'œil permet de voir que les préoccupations du romancier l'attirèrent régulièrement aux mêmes lieux. C'est une évidence en ce qui concerne la Russie, et notamment l'Ukraine, et aussi l'Allemagne du Sud, où il rejoignit souvent Mme Hanska. Il a plutôt traversé la Suisse qu'il n'y a séjourné (réserve faite pour le voyage à Neuchâtel) ; elle a été surtout le point de passage (et généralement de retour) des voyages en Italie.

Car c'est visiblement l'Italie que Balzac a le mieux connue, du moins l'Italie du Nord. (C'est la seule présence de Mme Hanska qui l'a attiré plus au sud.) On est cependant surpris de constater que, à de rares exceptions près (*Massimilla Doni*, par exemple), elle apparaît peu dans son œuvre.

Il n'a pas connu l'Espagne, bien qu'il y ait situé le décor, assez vague d'ailleurs, de *El Verdugo* et des *Marana*.

Le plus surprenant est que cet admirateur de Walter Scott et des romanciers « noirs » anglais ne soit jamais allé en Angleterre ; il en eut une fois la velléité, mais le projet n'aboutit pas. S'il se rencontre des Anglais dans son œuvre (comme lady Dudley, héroïne du *Lys*), c'est surtout en France qu'il les observe.

LES VOYAGES DE BALZAC
EN EUROPE

Juillet 1843

HOLLAND
⑦
Dunkerque
Bruxelles
1845
Août

PARIS

Seine
Loire

Chalon
s/ Saône
Oct. 1845

Saône

Garonne

Rhône

⑪

Marseille
Toulon

Ebre

* Genève 1832
1833/34
1846

0   300 km

La carte ci-contre ne saurait évidemment épuiser la liste des villes ou des localités où se déroule l'intrigue de tous les romans de Balzac. Il n'y a été mentionné que les lieux où il a placé l'essentiel de ses intrigues. Cependant, vu leur importance dans les romans où elles apparaissent, les villes de Tours (début du *Lys*) et de Limoges (début du *Curé de village*) méritaient d'être signalées.

Dans certains cas, l'identité des localités a été présumée. On est à peu près d'accord pour estimer que *le Médecin de campagne* se situe à Voreppe (Isère), et divers recoupements permettent d'identifier Châteauneuf-la-Forêt (Haute-Vienne) comme le cadre vraisemblable du *Curé de village*.

La localisation est parfois plus vague. C'est aux environs de Santander que Balzac place l'anecdote contée dans *El Verdugo*.

Lorsque l'intrigue est en partie itinérante, il n'a pas été possible, évidemment, de suivre les personnages sur le chemin qu'ils parcourent. C'est *sur la route* de Paris à L'Isle-Adam qu'a lieu la longue conversation où les voyageurs font assaut de plaisanteries (*Un début dans la vie*). C'est encore sur la route d'Angoulême à Poitiers que Vautrin rencontre Rubempré. Il reste qu'Angoulême est, avec Paris, la ville pivot de l'intrigue (*Illusions perdues*).

Il va sans dire que Paris occupe une place à part dans *la Comédie*.

LE DOMAINE GÉOGRAPHIQU
DE « LA COMÉDIE HUMAINE »

Béatrix
Guérande

Le Croisic
Drame au bord de la mer

Illustre Gaudissart
St-Cyr-s/-Loire
Grenadière — Vouvray
Tours
Curé de Tours
LOIRE
Lys -début
Lys dans la vallée
près de Saché
0   10 km

près de Bastia
Vendetta
CORSE

Santander
(près de) ?
El Verdugo

0   100 km

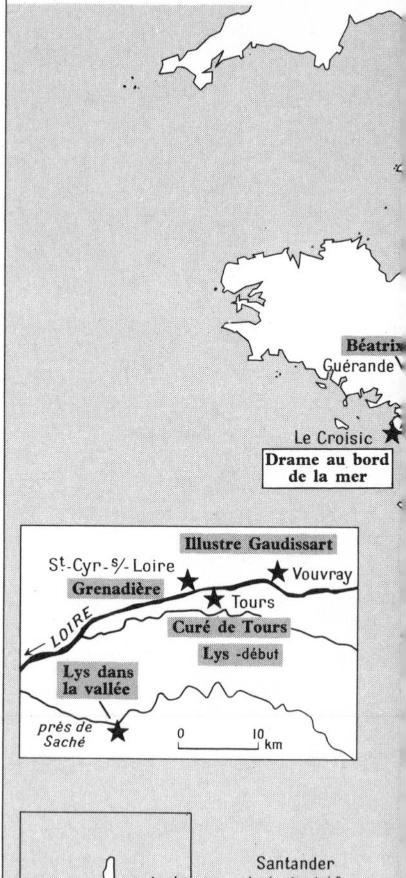

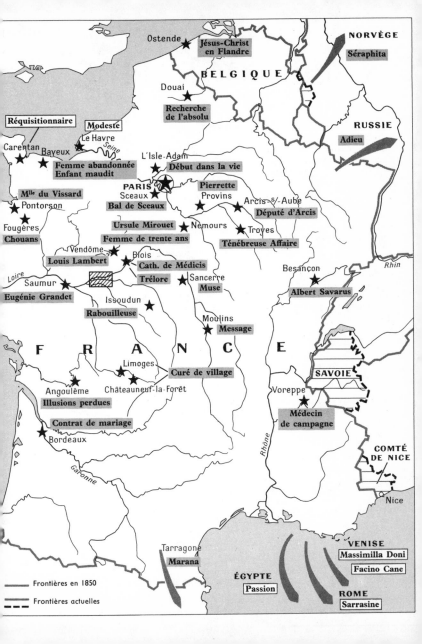

NORVÈGE

Séraphita

Ostende
Jésus-Christ
en Flandre

BELGIQUE

Douai
Recherche
de l'absolu

RUSSIE

Adieu

Réquisitionnaire   Modeste

Le Havre
Carentan Bayeux
Femme abandonnée
Enfant maudit

L'Isle-Adam
Début dans la vie

PARIS
Sceaux
Bal de Sceaux

Pierrette
Provins

Arcis-s/-Aube
Député d'Arcis

Mlle du Vissard
Pontorson

Fougères
Chouans

Ursule Mirouet   Nemours
Femme de trente ans

Troyes

Ténébreuse Affaire

Vendôme
Louis Lambert

Blois
Cath. de Médicis
Trélore

Besançon

Rhin

Loire
Saumur
Eugénie Grandet

Sancerre
Muse

Albert Savarus

Issoudun
Rabouilleuse

Moulins
Message

F R A N C E E

SAVOIE

Limoges
Curé de village

Angoulême
Châteauneuf-la-Forêt
Illusions perdues

Voreppe
Médecin
de campagne

Contrat de mariage
Bordeaux

COMTÉ
DE NICE

Garonne

Rhône

Nice

Tarragone
Marana

ÉGYPTE
Passion

VENISE
Massimilla Doni
Facino Cane

ROME
Sarrasine

— Frontières en 1850

≡ Frontières actuelles

BIBLIOGRAPHIE

PRINCIPALES ÉDITIONS DEPUIS LA MORT DE BALZAC

Réédition chez Mme Houssiaux de l'édition Furne et Cie (20 vol., 1855).

Œuvres complètes (Comédie humaine, Théâtre, Contes drolatiques, Œuvres diverses, un volume de la *Correspondance*), chez Michel-Lévy frères et Calmann-Lévy (24 vol., 1869-1876).

Œuvres complètes (Théâtre, Comédie humaine, Contes drolatiques), Renaissance du Livre (3 vol. in-oct., 1911).

Œuvres complètes, texte présenté par MM. Bouteron et Longnon (Conard éd., 40 vol., dont 3 d'œuvres diverses, 1912-1940).

La Comédie humaine, présentée par M. Bouteron, notices de M. Pierrot (Ed. de la Pléiade, 11 vol., 1955).

L'Œuvre de Balzac, présentée dans un ordre nouveau par MM. Béguin et Ducourneau (*Comédie humaine, Contes drolatiques,* choix du *Théâtre,* des *Œuvres diverses,* des *Œuvres de jeunesse* et de la *Correspondance*) [Club français du Livre, 16 vol., 1950].

Edition de M. Bardèche (Club de l'Honnête Homme, 28 vol., 1956-1962).

Edition des « Bibliophiles de l'Originale » (rue de l'Oratoire, Paris), en cours de publication.

La Comédie humaine, préface de M. Castex, notes de M. Citron (Ed. du Seuil, l' « Intégrale », 7 vol., 1966).

Œuvres de jeunesse, v. article.

Lettres de Balzac à sa famille (1809-1850), publiées par M. Hastings (Albin Michel, 1949).

Lettres à l'Etrangère, v. article.

Correspondance avec Zulma Carraud, publiée par M. Bouteron (Gallimard, 1951).

Correspondance, éditée par M. Pierrot (Garnier, en cours de publication ; 4 vol. parus).

La Comédie humaine, Ed. Rencontre (1er vol., oct. 1968 ; la suite en préparation).

PRINCIPALES ÉTUDES BIOGRAPHIQUES, BIBLIOGRAPHIQUES ET CRITIQUES

ALAIN, *Avec Balzac* (N. R. F., 1937).

L'Année balzacienne (publication régulière, Garnier).

F. BALDENSPERGER, *Orientations étrangères chez Balzac* (Champion, 1927).

M. BARDÈCHE, *Balzac romancier* (Plon, 1945) ; autre édition chez Slatkine, à Genève (1967).

A. BELLESSORT, *Balzac et son œuvre* (Perrin, 1924).

PH. BERTAULT, *Balzac et la religion* (Boivin, 1942) ; *Balzac, l'homme et l'œuvre* (Boivin, 1947).

A. BILLY, *Vie de Balzac* (Flammarion, 1944) ; autre édition au Club des Editeurs (1959).

« La Bouleaunière », près de Grez-sur-Loing, où Balzac fit de nombreux séjours, chez Laure de Berny.
Phot. X.

M. Bouteron, *la Véritable Image de Mme Hanska* (Lapina, 1929); nombreuses études dans les *Cahiers balzaciens*.

R. Bouvier et E. Maynial, *les Comptes dramatiques de Balzac* (Sorlot, 1938); réédition et remise à jour sous le titre : *De quoi vivait Balzac ?* (1949).

Cahiers balzaciens, publication régulière à laquelle a succédé l'*Année balzacienne*.

Donnard, *les Réalités économiques et sociales de « la Comédie humaine »* (Colin, 1961).

Europe (revue), *Colloque Balzac* (Janvier-février 1965).

B. Guyon, *la Pensée politique et sociale de Balzac* (Colin, 1948).

S. de Korwin-Piotrovska, *Balzac et le monde slave* (Champion, 1933).

M. Le Yaouanc, *Nosographie de l'humanité balzacienne* (Maloine, 1959).

Ch. Lecour, *Généalogie des personnages de « la Comédie humaine »* (Vrin, 1966). *Livre du Centenaire.*

F. Lotte, *Dictionnaire biographique des personnages de « la Comédie humaine »* (Corti, 1952).

F. Lotte, publication annotée de l'*Armorial* de la *Comédie humaine*.

F. Marceau, *Balzac et son monde* (N. R. F., 1955).

Cl. Mauriac, *Aimer Balzac* (Grasset, 1945).

A. Maurois, *Prométhée ou la Vie de Balzac* (Hachette, 1965).

G. Mayer, *la Qualification affective dans les romans d'H. de Balzac* (Droz, 1940).

P. Métadier, *Balzac au petit matin* (La Palatine, Paris-Genève, 1964).

G. Picon, *Balzac par lui-même* (Ed. du Seuil, 1957).

A. Ponceau, *Paysages et destins balzaciens* (Ed. du Myrte, 1950).

A. Prioult, *Balzac avant « la Comédie humaine »* (Courville, 1936).

Vicomte Spoelberch de Lovenjoul, *Histoire des œuvres de Balzac* (Calmann-Lévy, 1888); *Un roman d'amour (Balzac et Mme Hanska)* [Calmann-Lévy, 1896].

St. Zweig, *Balzac, le roman de sa vie* (Albin Michel, 1950).

CATALOGUE ÉTABLI PAR BALZAC
POUR *LA COMÉDIE HUMAINE*

(Ordre adopté en 1845 pour une édition complète de 26 tomes.)
Les ouvrages en italique sont ceux qui restent à faire.

Première Partie : ÉTUDES DE MŒURS.
Deuxième Partie : ÉTUDES PHILOSOPHIQUES.
Troisième Partie : ÉTUDES ANALYTIQUES.

Première partie : ÉTUDES DE MŒURS

Six livres : 1. Scènes de la vie privée ; 2. Scènes de la vie de province ; 3. Scènes de la vie parisienne ; 4. Scènes de la vie politique ; 5. Scènes de la vie militaire ; 6. Scènes de la vie de campagne.

SCÈNES DE LA VIE PRIVÉE (4 volumes, tomes I à IV). — 1. *Les Enfants.* — 2. *Un pensionnat de demoiselles.* — 3. *Intérieur de collège.* — 4. La Maison du Chat-qui-pelote. — 5. Le Bal de Sceaux. — 6. Mémoires de deux jeunes mariées. — 7. La Bourse. — 8. Modeste Mignon. — 9. Un début dans la vie. — 10. Albert Savarus. — 11. La Vendetta. — 12. Une double famille. — 13. La Paix du ménage. — 14. Madame Firmiani. — 15. Etude de femme. — 16. La Fausse Maîtresse. — 17. Une fille d'Eve. — 18. Le Colonel Chabert. — 19. Le Message. — 20. La Grenadière. — 21. La Femme abandonnée. — 22. Honorine. — 23. Béatrix ou les Amours forcées. — 24. Gobseck. — 25. La Femme de trente ans. — 26. Le Père Goriot. — 27. Pierre Grassou. — 28. La Messe de l'athée. — 29. L'Interdiction. — 30. Le Contrat de mariage. — 31. *Gendres et belles-mères.* — 32. Autre étude de femme.

SCÈNES DE LA VIE DE PROVINCE (4 volumes, tomes V à VIII). — 33. Le Lys dans la vallée. — 34. Ursule Mirouet. — 35. Eugénie Grandet. — LES CÉLIBATAIRES : 36. Pierrette. — 37. Le Curé de Tours. — 38. Un ménage de garçon en province (la Rabouilleuse). — LES PARISIENS EN PROVINCE : 39. L'Illustre Gaudissart. — 40. *Les Gens ridés.* — 41. La Muse du département. — 42. *Une actrice en voyage.* — 43. *La Femme supérieure.* — LES RIVALITÉS : 44. *L'Original.* — 45. *Les Héritiers Boirouge.* — 46. La Vieille Fille. — LES PROVINCIAUX À PARIS : 47. Le Cabinet des antiques. — 48. *Jacques de Metz.* — 49. *Illusions perdues,* 1ʳᵉ partie : les Deux Poètes ; 2ᵉ partie : Un grand homme de province à Paris ; 3ᵉ partie : les Souffrances de l'inventeur.

SCÈNES DE LA VIE PARISIENNE (4 volumes, tomes IX à XII). — HISTOIRE DES TREIZE : 50. Ferragus (1ᵉʳ épisode). — 51. La Duchesse de Langeais (2ᵉ épisode). — 52. La Fille aux yeux d'or (3ᵉ épisode). — 53. Les Employés. — 54. Sarrasine. — 55. Grandeur et décadence de César Birotteau. — 56. La Maison Nucingen. — 57. Facino Cane. — 58. Les Secrets de la princesse de Cadignan.

— 59. Splendeurs et misères des courtisanes. — 60. La Dernière Incarnation de Vautrin. — 61. *Les Grands, l'Hôpital et le Peuple.* — 62. Un prince de la bohème. — 63. Les Comiques sérieux (les Comédiens sans le savoir). — 64. Echantillons de causeries françaises. — 65. *Une vue du palais.* — 66. Les Petits Bourgeois. — 67. *Entre savants.* — 68. *Le théâtre comme il est.* — 69. *Les Frères de la Consolation* (l'Envers de l'histoire contemporaine).

SCÈNES DE LA VIE POLITIQUE (3 volumes, tomes XIII à XV). — 70. Un épisode sous la Terreur. — 71. *L'Histoire et le roman.* — 72. Une ténébreuse affaire. — 73. *Les Deux Ambitieux.* — 74. *L'Attaché d'ambassade.* — 75. *Comment on fait un ministère.* — 76. Le Député d'Arcis. — 77. Z. Marcas.

SCÈNES DE LA VIE MILITAIRE (4 volumes, tomes XVI à XIX). — 78. *Les Soldats de la République* (3 épisodes). — 79. *L'Entrée en campagne.* — 80. *Les Vendéens.* — 81. Les Chouans. — LES FRANÇAIS EN EGYPTE (1ᵉʳ épisode) : 82. *Le Prophète ;* (2ᵉ épisode) : 83. *Le Pacha ;* (3ᵉ épisode) : 84. Une Passion dans le désert. — 85. *L'Armée roulante.* — 86. *La Garde consulaire.* — 87. SOUS VIENNE, 1ʳᵉ partie : *Un combat ;* 2ᵉ partie : *l'Armée assiégée ;* 3ᵉ partie : *la Plaine de Wagram.* — 88. *L'Aubergiste.* — 89. Les Anglais en Espagne. — 90. *Moscou.* — 91. *La Bataille de Dresde.* — 92. Les Traînards. — 93. Les Partisans. — 94. *Une croisière.* — 95. Les Pontons. — 96. *La Campagne de France.* — 97. *Le Dernier Champ de bataille.* — 98. *L'Emir.* — 99. *La Pénissière.* — 100. *Le Corsaire algérien.*

SCÈNES DE LA VIE DE CAMPAGNE (2 volumes, tomes XX à XXI). — 101. Les Paysans. — 102. Le Médecin de campagne. — 103. *Le Juge de paix.* — 104. Le Curé de village. — 105. *Les Environs de Paris.*

Deuxième partie : ÉTUDES PHILOSOPHIQUES

(3 volumes, tomes XXII à XXIV). — 106. *Le Phédon d'aujourd'hui.* — 107. La Peau de chagrin. — 108. Jésus-Christ en Flandre. — 109. Melmoth réconcilié. — 110. Massimilla Doni. — 111. Le Chef-d'œuvre inconnu. — 112. Gambara. — 113. Balthazar Claës ou la Recherche de l'absolu. — 114. *Le Président Fritot.* — 115. *Le Philanthrope.* — 116. *L'Enfant maudit.* — 117. Adieu. — 118. Les Marana. — 119. Le Réquisitionnaire. — 120. El Verdugo. — 121. Un drame au bord de la mer. — 122. Maître Cornélius. — 123. L'Auberge rouge. — 124. SUR CATHERINE DE MÉDICIS : I. Le Martyre calviniste. — 125. ID. : II. La Confession des Ruggieri. — 126. ID. : III. Les Deux Rêves. — 127. *Le Nouvel Abeilard.* — 128. L'Elixir de longue vie. — 129. *La Vie et les aventures d'une idée.* — 130. Les Proscrits. — 131. Louis Lambert. — 132. Séraphita.

Troisième partie : ÉTUDES ANALYTIQUES

(2 volumes, tomes XXV à XXVI). — 133. *Anatomie des corps enseignants.* — 134. La Physiologie du mariage. — 135. *Pathologie de la vie sociale.* — 136. *Monographie de la vertu.* — 137. *Dialogue philosophique et politique sur les perfections du XIXᵉ siècle.*
[N'étaient pas prévues à ce catalogue, et ne comportent pas de numéro, les œuvres suivantes : Un homme d'affaires ; Gaudissart II ; les Parents pauvres (la Cousine Bette ; le Cousin Pons) ; Petites Misères de la vie conjugale.]

Abbé Troubert (l'), un des titres donnés primitivement au *Curé de Tours.*

ABRANTÈS (Laure **Saint-Martin Permon,** duchesse **d'**) [1784-1838], veuve du maréchal Junot. Elle avait eu ses entrées auprès de l'impératrice Joséphine, et avait continué à tenir un salon après la chute de l'Empire. Tombée dans la gêne, elle se retira à Versailles, où Balzac, dont les parents habitaient alors cette ville, fit sa connaissance en 1826. Il fut tout de suite ébloui d'être admis dans l'intimité d'une femme qui avait si bien connu et de

si près les plus hautes personnalités de l'Empire. Après Mᵐᵉ de Berny, la duchesse représentait pour le romancier une sorte d'ascension dans ses relations nobiliaires. Toutefois, par fidélité à l'égard de Mᵐᵉ de Berny, il semble n'avoir eu d'abord avec la duchesse que des relations platoniques. Elle s'en plaignit. En 1829, il alla la trouver chez le général comte de Talleyrand-Périgord, dans le château de qui elle séjournait alors, à Maffliers, près de L'Isle-Adam.

C'est en partie sur les conseils insistants de Balzac que la duchesse rédigea ses *Mémoires,* dont l'intérêt est certain et l'authenticité, sur plusieurs points, indiscutable.

Les souvenirs personnels de Mᵐᵉ d'Abrantès furent pour Balzac une source inépuisable de documents sur la période napoléonienne. Il est certain que, sans ces renseignements, plusieurs de ses œuvres n'auraient pu être écrites, au moins avec autant de précision.

Académie française. Balzac ne fut jamais de l'Académie. Il en eut pourtant l'ambition avouée dès 1836. Son élection, outre qu'elle eût flatté sa vanité, lui aurait assuré des revenus réguliers, d'autant plus qu'il se voyait membre de la Commission du dictionnaire et touchant d'appréciables jetons de présence. Il ne pouvait pas réussir. L'Académie ne se souciait pas d'accueillir un auteur dont certaines œuvres avaient fait scandale, et qui était connu sur la place de Paris pour les dettes qu'il accumulait sans fin. Son vieil ami Nodier lui-même, qui l'avait vivement soutenu, lui confiait avec consternation qu'il était désolant de voir éloigner systématiquement un auteur du talent de Balzac, alors qu'étaient admis dans

« **Grande Course au clocher académique** », par Granville. Les femmes de trente ans ont noué leurs chevelures pour faire à Balzac un siège triomphal. Par terre, les cœurs en forme de cadenas dont le romancier a su trouver la clé. *Maison de Balzac. Phot. Lauros-Giraudon.*

l'illustre société des aigrefins notoires (mais, sans doute, plus discrets).

Sans entreprendre ici l'histoire des candidatures de Balzac, il convient de signaler que, à plusieurs reprises, il s'effaça devant des concurrents que l'estime ou l'amitié lui faisaient considérer comme plus qualifiés que lui. Il s'effaça devant Hugo, puis devant Vigny. Ceux-ci, à leur tour, essayèrent de patronner sa candidature ; chaque fois en vain. En 1849, alors qu'il était à Wierzchownia, il fut candidat à deux fauteuils successifs (dont celui de Chateaubriand). Il n'obtint que deux voix.

actrice en voyage (Une), œuvre, qui n'a jamais été rédigée, mais qui avait été prévue sous le n° 42 des *Scènes de la vie de province*. Comme celui du n° 68 *(le Théâtre comme il est)*, qui n'a pas été

rédigé non plus, le titre montre bien que Balzac avait toujours été tenté par la description de la vie de l'acteur et de l'actrice, soit à Paris, soit dans des tournées en province. (V. *Frélore [la]*.)

adaptations théâtrales. Il était admis, à l'époque où Balzac écrivait, que les adaptations théâtrales n'apportassent le versement d'aucun droit à l'auteur de l'œuvre originale. Une œuvre romanesque qui avait eu du succès, surtout si elle était signée d'un nom illustre, était immédiatement exploitée pour la scène, et généralement transformée au point d'en être mutilée. *Le Gars**, tiré des *Chouans* par un certain Béraud, est un exemple célèbre de cet état de choses ; mais l'œuvre de Balzac fut victime de bien d'autres manipulations. Le titre était le plus souvent changé.

Eugénie Grandet devenait *les Filles de l'avare ; la Recherche de l'absolu* devenait *le Rêve d'un savant.* De la *Physiologie du mariage,* on fit un vaudeville : *Dieu vous bénisse* (! ??).

Le pire est que ces adaptations obtenaient parfois un certain succès ; et ce succès ne pouvait que renforcer Balzac dans la conviction que pour gagner de l'argent rien ne valait le théâtre. C'est ce qui l'amena à chercher, en écrivant pour la scène, non la notoriété, qui lui fut bien vite acquise, mais la fortune. En fait, ses essais furent malheureux ; et la seule adaptation dont il se chargea lui-même, *Vautrin**, n'aboutit qu'à une seule représentation.

Adieu (l'), publié d'abord sous le titre *Souvenirs soldatesques,* dans le périodique *la Mode,* du 15 mai et du 5 juin 1830, puis transféré, en 1832, dans les *Scènes de la vie privée,* et, en 1835, dans les *Études philosophiques* (n° 117). Dédié au prince de Schwarzenberg. La comtesse Stéphanie de Vandières, qui a accompagné son mari, le colonel comte de Vandières, dans la campagne de Russie, franchit avec lui, lors de la retraite, la Berezina, dans des conditions dramatiques : son amant, Philippe de Sucy, a réussi à lui faire prendre place avec le colonel sur un des derniers radeaux, qui, en abordant la rive, chavire, et un glaçon décapite le colonel. La comtesse adresse un dernier « adieu » à son amant, demeuré sur l'autre rive, où il est fait prisonnier par les Russes. Après six ans de captivité en Sibérie, Philippe de Sucy, rentré en France, recherche vainement la comtesse. Le hasard la lui fait retrouver. Après d'innombrables et douloureuses aventures, la malheureuse a été hospitalisée dans un asile pour aliénés : l'épouvantable drame qu'elle a vécu l'a rendue folle. Elle ne reconnaît même plus son amant. Celui-ci entreprend de lui rendre la raison en reconstituant aussi exactement que possible la scène vécue sur les bords de la Berezina. Il compte sur le choc émotionnel ; en effet, la comtesse fond en larmes, reconnaît Philippe, mais, vaincue par l'émotion, meurt dans ses bras en

lui disant un dernier « adieu ». Inconsolable, Philippe de Sucy, malgré la vie brillante que, devenu général et comte, il pourrait espérer, se brûlera la cervelle. L'intérêt de ce récit est double : Balzac, comme l'indique le titre primitif de l'œuvre, a voulu contribuer au récit de l'épopée napoléonienne en racontant un épisode particulièrement dramatique de la retraite de Russie. Il ne s'est pas attaché à faire œuvre d'historien rigoureux, bien que les sources qu'il a utilisées ne lui aient pas manqué, non plus que les traditions orales qu'il a pu recueillir. Le passage de la Berezina est à considérer comme un remarquable morceau de bravoure où l'auteur apparaît comme plus soucieux de pathétique que de stricte exactitude.

Mais, surtout, le récit développe un thème cher à Balzac : certains sentiments d'une exceptionnelle violence, douleur ou joie, sont capables de provoquer un réel « foudroiement physique » qui amène la mort subite. On retrouve dans son œuvre des exemples de ces morts provoquées par la seule intensité de l'émotion. (V. **Enfant maudit, Femme de trente ans.**)

ADJUDA-PINTO. V. **Ajuda-Pinto.**

AGOULT (Marie **de Flavigny,** comtesse **d'),** femme de lettres française (1805-1876), en littérature **Daniel Stern,** qui eut une liaison célèbre avec Liszt. Elle est l'original, dans *Béatrix,* de l'héroïne qui donne son nom au roman, et elle s'y trouve présentée sous des couleurs peu flatteuses.

AIGLEMONT (famille **d'),** famille dont les divers représentants figurent presque exclusivement dans *la Femme de trente ans,* mais sont évoqués par allusions ou épisodiquement dans d'autres romans. Cette famille comprend :

1. Le général marquis Victor d'Aiglemont, né en 1783 ;

2. La marquise Victor d'Aiglemont, née Julie de Chastillonnet, qui, délaissée par son mari, devient, après une idylle avec un médecin anglais et la mort de ce dernier, la maîtresse de Charles de Vandenesse ;

3. Deux enfants légitimes, Hélène (née en 1817), qui s'enfuit avec l'aventurier Victor, et Gustave, mort du choléra (avait été proposé au docteur Minoret comme mari pour sa pupille Ursule Mirouet, mais ne fut pas agréé) ;

4. Trois enfants adultérins (de Charles de Vandenesse) : Charles, mort noyé dans la Bièvre, à l'âge de six ans, par sa demi-sœur Hélène ; Moïna, mariée au comte de Saint-Héréen, et qui, amoureuse de son demi-frère Alfred de Vandenesse, a, lorsque sa mère veut la détourner de cette liaison, une réplique dont la cruauté tue la malheureuse ; Abel, tué devant Constantine.

Ajaccio. Balzac séjourna dans cette ville en mars-avril 1838, au cours du voyage qu'il entreprit en vue de l'exploitation des mines de Sardaigne*. De là, il s'embarqua sur un rafiot pour Alghero, et apprit en arrivant qu'il avait été devancé.

Son séjour en Corse ne semble pas avoir eu sur sa pensée et son œuvre d'influence appréciable. Il se borna à visiter les lieux que hantait le souvenir du grand homme, pour qui il éprouvait déjà la plus vive admiration.

AJUDA-PINTO (on trouve l'orthographe *Adjuda*) [marquis Miguel d']. Il fut longtemps l'ami de la vicomtesse de Beauséant, qu'il quitta pour épouser Mlle Berthe de Rochefide (*Père Goriot*). Il est souvent fait allusion à cette liaison (*Duchesse, Lys*). Il figure aussi parmi les « erreurs » de Diane de Maufrigneuse (*Secrets*). Très mondain, il fréquente les roués les plus célèbres de Paris (*Gobseck*). Veuf, il se remarie avec Mlle Joséphine de Grandlieu, et contribue à ramener Calyste du Guénic à son épouse (*Béatrix*).

Deux marquises d'Ajuda-Pinto : la mort de la première (Berthe de Rochefide) est évoquée dans *Béatrix* ; le mariage avec la seconde (Joséphine de Grandlieu) dans *Splendeurs*.

Une parente (née Ajuda, sans prénom) devient la duchesse Ferdinand de Grandlieu (*Béatrix*).

Albert Savarus, roman paru dans *le Siècle* du 29 mai au 11 juin 1842. N° 10 (*Scènes de la vie privée*). Dédié à Mme de Girardin.

Fils naturel du comte Savaron de Savarus, qui mourut avant d'avoir pu le reconnaître comme son fils légitime, Albert Savarus, grâce à sa mère, a reçu une excellente instruction. Au cours d'un voyage en Suisse, il s'éprend de la duchesse d'Argaïölo, mariée à un époux beaucoup plus âgé qu'elle. Amoureuse elle-même de Savarus, elle lui promet de l'épouser dès qu'elle sera veuve. La brillante culture du jeune homme lui permet de faire carrière dans l'Administration, puis dans le journalisme. Il veut se montrer digne de celle qu'il aime. Tenté par la carrière d'avocat, il décide de s'établir en province et choisit Besançon, où il prend le nom d'Albert Savaron. Un procès qu'il gagne dans des conditions difficiles le lance, et il devient le plus remarquable avocat de la région. Il écrit une nouvelle, *l'Ambitieux par amour*, qui est le récit de sa rencontre avec celle qu'il aime. Par malheur pour lui, sa demeure, où il vit en ascète, est voisine de l'hôtel où réside Mlle Rosalie de Watteville, jeune fille qui, sous des apparences anodines, cache une volonté de fer et une âme sans scrupule. Dès qu'elle a rencontré Savarus, elle devient amoureuse de lui et décide de l'épouser à tout prix. Elle réussit à détourner sa correspondance avec la duchesse. Celle-ci, devenue veuve, pourrait tenir sa promesse, mais s'y refuse parce qu'elle se croit abandonnée. Elle se remarie avec le comte de Rhétoré, et va jusqu'à faire reprendre le portrait d'elle que Savarus avait placé au-dessus de son bureau. Désespéré, il entre au monastère de la Grande-Chartreuse.

Mlle de Watteville subira le châtiment de sa vilenie. Mutilée et défigurée dans l'accident d'un bateau à vapeur, elle achèvera sa vie misérable.

Le roman comporte également tout un développement politique, surajouté, mais non sans importance. Au cours de son séjour à Besançon, Savarus, pour ajouter à son prestige, a entrepris de se présenter aux élections législatives. C'est l'occasion pour Balzac de décrire des scènes électorales où sont passés plusieurs des éléments auxquels il avait songé pour *le Député de* province (œuvre qui devait compléter le tableau de la vie provinciale, mais qui ne vit jamais le jour. *Le Député d'Arcis* en est une autre résurgence). Mais l'essentiel du roman, c'est bien la destinée de Savarus, et il est évident que, s'il ne s'agit pas d'un roman autobiographique, les rapports avec les préoccupations de Balzac apparaissent clairement. Comment ne pas reconnaître cette belle étrangère, mariée à un vieil époux, et qui épousera le héros dès qu'elle sera libre ? Comment ne pas reconnaître dans cet amoureux qui veut se rendre illustre et digne de la femme aimée le romancier qui veut forcer l'admiration de Mme Hanska ? Des détails même coïncident : Savarus a constamment sous les yeux le portrait de la duchesse, comme Balzac celui de Mme Hanska (maison* de Balzac). Et il n'est pas jusqu'à la vie austère que mène Savarus qui ne fasse songer à la vie d'ascète dont Balzac faisait la description dans ses lettres à l'Étrangère, description... quelque peu romancée.

Et l'ouvrage est un avertissement. La duchesse d'Argaïolo a été la victime d'une odieuse machination, parce qu'elle n'a pas eu confiance en celui qui l'aimait. N'est-ce pas une manière très directe de faire comprendre à Mme Hanska qu'elle ne doit pas se fier aux rapports de ceux — ou de celles — qui dénigraient, auprès de la belle Polonaise, la vie et les mœurs de Balzac ?

Alençon. Balzac, qui a situé dans cette ville l'intrigue des *Chouans* et du *Cabinet des antiques,* a eu l'occasion de s'y rendre, d'abord en 1825, pour s'entendre avec un graveur sur bois en vue de l'illustration des œuvres de La Fontaine, Molière, etc., dont il projetait une édition, ensuite en 1828, en allant à Fougères.

ambitions politiques. Balzac a songé un moment à faire carrière dans la politique. Son *Enquête* sur la politique des deux ministères était en quelque sorte un manifeste électoral. Restait à trouver un siège de député. Il songea, en vue des élections de 1831, à Cambrai, où, selon un de ses anciens collaborateurs de la rue Neuve-des-Marais, qui s'était établi dans

cette ville, il avait sa chance. Il songea aussi à Fougères, ville sur laquelle le général de Pommereul* le documenta politiquement : la position du député sortant y était inattaquable. A Tours, également, d'après les renseignements recueillis, la difficulté était la même. Restait Angoulême, où Balzac avait des relations qui pouvaient le soutenir.

Mais tout cela n'était que vaine spéculation ; car la loi exigeait, pour l'éligibilité, que le candidat payât au minimum 500 francs d'impôt (cens minimum), et Balzac était loin de compte...

C'est pourquoi il avait songé à épouser une certaine Mlle Eléonore de Trumilly, seconde fille d'un baron Mallet de Trumilly, avec la famille de qui les Balzac avaient été en relations à Villeparisis. Ce n'aurait certes pas été un mariage d'amour ; mais si les Trumilly n'avaient pas une grosse fortune, du moins la dot de la jeune personne aurait-elle permis à Balzac d'atteindre le cens obligatoire. Le mariage ne se fit pas, sans doute par suite de l'opposition du père de la jeune fille, qui, ancien émigré, dut trouver les convictions légitimistes du prétendant assez modérées...

AMÉDÉE, prénom par lequel lady Dudley désignait Félix de Vandenesse, qui avait voulu par fidélité réserver son vrai prénom à Mme de Mortsauf. Elle le prononçait *My Dee.*

Ami Grandet (l'), comédie tirée, en 1834, par Alexis de Comberousse*, de la *Duchesse de Langeais* (le rapport entre les deux titres est pour le moins saugrenu).

ananas (plantations d'). Aux *Jardies,* Balzac, séduit par l'exceptionnelle insolation du lieu, avait rêvé de planter cent mille *(sic)* pieds d'ananas, qu'il aurait installés dans des serres. Au prix où se vendait alors l'ananas à Paris, il calculait qu'il aurait très vite réalisé un bénéfice astronomique.

Anatomie des corps enseignants, titre correspondant au n° 133 *(Études analytiques)* d'une œuvre qui devait être l'étude et la critique de tous les problèmes de l'éducation. Il n'en a rien été écrit.

Âne mort (l') et la Femme guillotinée, œuvre de Jules Janin, d'abord anonyme (1829), et dont Balzac fit dans *le Voleur,* en février 1830, une critique spirituelle, mais assez dure.

Anglais en Espagne (les), titre portant le n° 89 (*Scènes de la vie militaire*). L'œuvre ne fut jamais rédigée. La seule histoire afférente à cette période que Balzac ait écrite est *El Verdugo.*

Angoulême. V. *Carraud* (Zulma).

Annette et le criminel, suite du *Vicaire des Ardennes,* parue en 1824 sous la signature d'Horace de Saint-Aubin, devenue *Argow le Pirate* en 1836. Les grandes lignes de l'intrigue sont simples : Argow, le criminel, tombe amoureux d'une jeune fille, Annette, et « marche dans la voie du repentir ». Il épouse celle qu'il aime, mais au moment où il a cru se racheter, il voit son identité découverte, il est condamné à mort et meurt sur l'échafaud. (V. *Œuvres de jeunesse.*)

ANTONIA (Mlle Antonia **Chocardelle,** dite), née en 1815, entretenue par de Trailles (*Homme d'affaires*), est l'amie de quelques autres, dont La Palférine, qui lui adressa une lettre célèbre (*Prince*). Elle figure épisodiquement dans *la Cousine Bette* et dans *Béatrix.*

APPONYI (comte Antoine Rodolphe), diplomate autrichien de famille hongroise (1782-1852). Il fut ambassadeur à Paris de 1826 à 1849. Balzac, sur la recommandation de Marie Potocka, cousine de Mme Hanska, fut admis dans la société du comte et de la comtesse, qui l'honorèrent d'une constante amitié.

AQUILINA, belle courtisane d'origine italienne, d'abord entretenue par Castanier, caissier de la banque Nucingen (*Melmoth*). Dans *la Peau de chagrin,* elle est la maîtresse du banquier Taillefer, et s'offre vainement à Raphaël de Valentin.

arachnitis. V. *maladies.*

argent. L'argent joue dans la vie et l'œuvre de Balzac un tel rôle qu'il est très important d'avoir une idée au moins approximative des valeurs pécuniaires auxquelles il se réfère. Le franc dont il est question est le franc-or. L'écu est de 5 francs, le louis de 20 francs. La plus petite valeur est le sou (5 centimes). Le centime intervient rarement.

On ne commettra pas d'erreur appréciable en estimant que ce franc correspond à une valeur d'achat de 5 à 6 francs actuels (francs de 1958). Encore faut-il tenir compte des oscillations de prix imputables à la conjoncture économique. C'est ainsi que Raphaël, dans *la Peau de chagrin,* prétend avoir pu, dans la période d'austérité de sa vie, vivre avec un franc (1 F) par jour, se décomposant ainsi : 3 sous de pain, 2 sous de lait, 3 sous de charcuterie, 3 sous pour le logement, 3 sous d'huile pour s'éclairer toute la nuit, 2 sous de charbon (en moyenne), 2 sous de blanchissage, en tout 18 sous, plus 2 sous « pour les choses imprévues ».

C'est évidemment très peu, et cela paraît impossible, si l'on se borne à affecter ces dépenses du coefficient 5 à 6. Mais il faut tenir compte du fait que les dépenses alimentaires du personnage ne tendent qu'à l'empêcher de mourir de faim, et qu'il loge dans un galetas.

La mansarde qu'occupait Balzac rue Lesdiguières coûtait 60 francs de loyer *par an;* mais il faut dire que ce logement est de ceux que l'on n'oserait plus mettre en location (rapprocher de ce que rapporte Jules Vallès dans *le Bachelier*).

Si l'on aborde les dépenses somptuaires, on trouve des chiffres moins déconcertants. A l'hôtel des Haricots*, où il a été emprisonné trois jours, et où il a traité des amis, Balzac a dépensé en repas, pantagruéliques il est vrai, près de 600 francs-or.

Et dès qu'il s'agit de valeurs très importantes, il semble qu'il faille, au moins dans les romans, affecter de coefficients prudents les sommes indiquées par Balzac. C'est ainsi que Rubempré, pour acquérir en Charente le domaine dont il porte le titre nobiliaire, a besoin d'un million de francs. Si l'on tient compte de la contre-valeur actuelle de cette somme, ce prix paraît sinon invraisemblable, du moins largement exagéré.

Le coefficient 5, qui paraît raisonnable, ne peut donc indiquer qu'un ordre de grandeur, d'ailleurs avec une approximation suffisante.

Armée assiégée (l'). V. *Sous Vienne.*

Armée roulante (l'), titre correspondant au nº 85 *(Scènes de la vie militaire).* L'œuvre ne fut pas rédigée ; le titre et sa place dans la chronologie semblent suggérer qu'il peut s'agir (?) du passage des Alpes.

armorial de *la Comédie.* Il fut établi par le comte de Gramont*, que Balzac remercie de ce travail, en particulier dans la dédicace de *la Muse.* Le romancier y considère l'œuvre de Gramont comme « une histoire complète du blason français », « un monument de patience bénédictine et d'amitié ». La dédicace évoquée plus haut signale l'habileté et l'esprit de certaines devises : *Pulchre sedens, melius agens* pour les Beauséant, *Ne se vend*

pour les Vandenesse, etc. (V. l'ouvrage de M. F. Lotte, cité en bibliographie.)

Art de payer ses dettes et de satisfaire ses créanciers sans débourser un sou, petite monographie sortie de l'atelier d'imprimerie de la rue du Marais ; une des rares œuvres signées par Balzac qui aient été publiées par cet atelier, consacré à l'impression d'auteurs divers.

ARTHEZ (baron Daniel d'), un des plus grands noms de la littérature de son temps (né en 1794). Rival de Canalis, qui ne l'aimait pas *(Modeste Mignon)* avait hésité entre les œuvres de ces deux grands esprits). Patronna Rubempré dans ses débuts littéraires. Tombé amoureux de la princesse de Cadignan *(Secrets),* il eut avec elle une liaison parfaitement heureuse. Il figure dans divers salons, notamment dans un raout* chez Félicité des Touches *(Autre Étude).*

Armoiries de Balzac, d'après une aquarelle de la comtesse Ida de Bocarmé*. Coll. Lovenjoul, Chantilly. Phot. Larousse.

articles. L'activité de Balzac ne s'est pas seulement manifestée dans le domaine du roman ou, à un moindre degré, du théâtre, mais aussi dans le domaine du journalisme. Nous ne parlons pas seulement des œuvres qui, avant d'être publiées en volumes, ont paru dans diverses publications (cette origine est mentionnée éventuellement en tête de la rubrique relative à chacune d'entre elles), mais des articles, proprement journalistiques, qu'il a fait paraître dans des journaux ou des revues. Certaines de ces publications ont été créées ou rachetées par lui-même, et généralement furent éphémères (Chronique* de Paris, Revue* parisienne). À d'autres, créées ou dirigées par des amis, il a apporté seulement sa collaboration (Caricature*, Mode*, Silhouette). Sa contribution à la Caricature fut particulièrement abondante et régulière.

Ses articles lui sont inspirés souvent par l'amitié ou l'estime (Études* sur M. Beyle), parfois par la nécessité de défendre une cause (Lettre* sur le procès de Peytel, Lettre* adressée aux écrivains français du XIXe siècle). Le plus souvent, il faut le reconnaître, il s'agit de littérature alimentaire, ce qui ne signifie pas que ces articles fussent sans valeur. Ils touchent à peu près à tous les sujets, politiques, littéraires, voire métaphysiques (Lettre* à Charles Nodier). Leur longueur est très inégale. Les plus intéressants sont ceux, généralement très courts, où l'auteur s'est amusé à camper des types dans des descriptions qui seront reprises, adaptées et modifiées, dans divers romans de la Comédie.

Au début de sa carrière journalistique, Balzac a le plus souvent écrit sous divers pseudonymes.

Ces articles ont été réunis dans les tomes I, II et III des Œuvres diverses groupées à la fin de l'édition Conard.

Nous n'avons mentionné à leur place alphabétique que ceux qui, sans être nécessairement les plus remarquables, nous ont paru les plus propres à éclairer tel ou tel aspect de la pensée ou de la manière de Balzac.

Artiste (l'), revue d'abord bimensuelle, puis mensuelle, fondée en 1831, et qui accueillit les œuvres de jeunes littérateurs. C'est là, en particulier, que parut, en février et mars 1833, la Transaction, reprise plus tard sous le titre le Colonel Chabert.

artistes (Des). V. Des artistes.

ASIE. V. Collin (Jacqueline).

aspects physiques. Qui voudrait se faire une idée de l'aspect et du comportement physiques de Balzac en société, d'après le témoignage des contemporains, se trouverait plongé dans d'étranges perplexités : si l'iconographie* nous renseigne sur la stature, la corpulence, les traits du visage, ceux qui ont connu Balzac nous ont laissé de son extérieur des descriptions si contradictoires qu'on a peine à se le représenter. Les « yeux d'or », les mains, dont il était si fier, sont évidemment des caractères physiques dont la permanence s'imposait à tous les observateurs. Mais pour ce qui est de la tenue vestimentaire, les avis diffèrent totalement selon les mémorialistes (v. Billy, Vie de Balzac, t. Ier, pp. 120 sqq). Les uns l'ont vu d'une négligence et même d'une saleté inadmissibles. D'autres ont noté l'élégance de son habillement en société. Il est probable que les uns et les autres avaient également raison, la tenue de Balzac différant totalement selon les circonstances, et selon qu'il voulait se livrer à des promenades de documentation et d'exploration dans Paris, ou briller dans les salons.

Ce sur quoi tous les contemporains sont à peu près d'accord, c'est la vitalité verbale extraordinaire dont Balzac témoignait en société. Rares sont ceux qui y ont vu une vulgarité agressive. La plupart ont été séduits, comme Mme de Pommereul, par l'entrain, la verve joviale, toujours renouvelée, dont il faisait preuve, par le rayonnement de sa personnalité. Cette somptuosité verbale se doublait d'un talent de mime extraordinaire : Jules Claretie, cité par M. Milatchitch (v. Théâtre), a décrit la scène où Balzac, lisant son Mercadet aux artistes qui devaient jouer la pièce, interprétait successivement tous les rôles avec une sûreté et, le cas échéant, une

« furia » si étonnante que « les auditeurs se regardaient effarés et écrasés ».

Une force de la nature, évidemment, et qui l'était aussi bien dans son comportement que dans son œuvre.

De nombreux contemporains ont tracé de Balzac des portraits inégalement bienveillants (v. notamment **Gozlan***, **Gautier*** **[Théophile]**, **Werdet***).

ASSONVILLEZ de ROUGEMENT (M. et Mᵐᵉ **d'**), amis de la famille Balzac. (C'est d'Assonvillez qui avança à Balzac l'argent nécessaire à la réalisation de ses projets d'édition des œuvres de Molière.) Ils reçurent souvent Laure Surville dans leur propriété de Montglas*.

Attaché d'ambassade (l'). Ce titre, qui porte le n° 74 (*Scènes de la vie politique*), correspond à une œuvre qui n'a jamais été rédigée et dont nous ne savons rien.

Auberge rouge (l'), court récit écrit en mai 1831 chez Mᵐᵉ de Berny, publié pour la première fois en août 1831 dans la *Revue de Paris.* N° 123 (*Études philosophiques*).

Le négociant allemand Hermann, se trouvant en visite à Paris dans une grande famille, est prié par la jeune fille de la maison « de raconter une histoire qui fasse bien peur ». Il s'exécute. Au cours des guerres de la Révolution, il se trouva emprisonné et eut comme compagnon de geôle un Français, un certain Prosper Magnan, qui fut condamné et fusillé pour un meurtre qu'il n'avait pas commis. Le vrai coupable était un autre Français, dont le narrateur se rappelle seulement le prénom, Frédéric. En écoutant l'histoire, un des assistants, le banquier Jean-Frédéric Taillefer, se trouve mal, doit se retirer, et meurt peu après. C'est lui qui avait commis le meurtre, assassinant dans une auberge un riche bourgeois allemand pour lui voler sa fortune. Il figure d'ailleurs dans *le Père Goriot*, où divers personnages, et en particulier Vautrin, le soupçonnent déjà d'avoir assis sa fortune sur un vol et un crime.

Type des « histoires à faire peur », comme Balzac aimait à en conter.

Aubergiste (l'), titre correspondant au n° 88 (*Scènes de la vie militaire*). Le projet, dont nous ignorons tout, n'a pas abouti.

AUBRION (marquise **d'**), mère de la jeune fille qu'elle réussit à marier avec Charles Grandet, lorsque, de retour des Indes, elle le rencontra à bord de la *Marie-Caroline. (Eugénie.)*

AURÉLIE (la petite), nom qu'avait pris Mᵐᵉ Schontz au début de ses aventures ; l'adjectif était destiné à éviter la confusion avec une autre courtisane, du même prénom, mais d'une rare vulgarité. (*Béatrix.)*

autoportraits. Les personnages de Balzac sont si souvent des transpositions de modèles vivants qu'on peut s'attendre qu'il se transpose lui-même, et évidemment sous des couleurs flatteuses. Cependant, on peut reconnaître des portraits physiques assez exacts dans les personnages d'Albert Savarus (roman du même titre), David Séchard (*Illusions*) et même Wilfrid (*Séraphita*).

Autre Étude de femme, suite de récits parue en volume en 1842 (sauf le récit n° 4 ; v. **infra**) et constituée d'apports divers. N° 32 (*Scènes de la vie privée*). Dédié à Gozlan.

Un raout chez Mˡˡᵉ Félicité des Touches*. S'y trouvent réunis un certain nombre de personnages déjà rencontrés, ou qu'on rencontre dans d'autres romans de Balzac. La nouvelle se présente comme une conversation coupée de récits en forme de monologues, parfois brièvement commentés par tel (ou telle) assistant(e). On peut y distinguer quatre parties :

1° (récit publié en 1841 dans *l'Artiste*). Le comte Henri de Marsay, Premier ministre, évoque une aventure amoureuse dont il a été le héros et la victime. Jeune, il était follement épris d'une jeune femme que sa discrétion lui interdit de nommer, mais qui est devenue la duchesse Charlotte de XXX. Cette jeune femme lui donnait des preuves d'une passion exclusive, allant jusqu'à lui broder des mouchoirs avec ses cheveux. Un jour, un hasard lui fait constater qu'un duc est entré dans la maison de sa bien-aimée, et y est resté un long moment. Il entre lui-même, et entend la jeune femme lui affirmer avec candeur qu'elle n'a reçu personne. Un autre hasard lui fait découvrir la boutique d'un spécialiste en broderie capillaire. Cet homme, au vu du mouchoir qui lui est montré, reconnaît sans peine un travail sorti de ses ateliers, et que Charlotte avait déclaré avoir fait elle-même. Lorsque, enfin, Marsay a avec celle qu'il aimait une explication décisive, c'est elle qui, renversant la situation, lui dit, avec une « simplicité d'effronterie », avec une « témérité naïve », tout ce que lui-même avait le droit de lui dire.

(Les autres romans où apparaît Marsay nous le montrent, après cette trahison, bien décidé à n'avoir que des aventures passagères, sans s'attacher à aucune femme.)

2° S'instaure ensuite une longue, assez subtile et assez confuse discussion sur la définition de « la femme comme il faut ». Cette conversation avait paru sous ce titre en 1840 dans le recueil collectif *Les Français peints par eux-mêmes.*

3° (récit déjà paru dans les *Contes* * bruns, en 1832, sous le titre : *Conversations entre onze heures et minuit*). Le général marquis Armand de Montriveau est prié à son tour de raconter une sombre histoire. La sienne se situe au moment de la retraite de Russie. Il y a dans l'armée un colonel italien qui a pour maîtresse la femme d'un de ses capitaines, Rosina. Un soir, au cantonnement, au sortir de table, en allant se coucher, il intime à Rosina l'ordre de le rejoindre, et cela en présence du mari, scène qui provoque d'abord la gêne, puis les rires des officiers. Le capitaine ne réagit pas. Le lendemain, au moment du départ, on s'aperçoit que la grange qui abritait les amours du colonel et de Rosina est en flammes. Ni l'un ni l'autre n'ont pu s'échapper. Le mari déclare simplement qu'il est l'auteur de ce sinistre, et personne n'ose lui faire d'observation : « Il n'y a rien de plus terrible que la révolte d'un mouton. »

4° La parole est maintenant au Dr Bianchon, que l'on supplie de raconter une des « histoires terribles » qu'il a dans son

répertoire : c'est *la Grande Bretèche* (récit écrit dès octobre 1831, intégré dans diverses livraisons, puis isolé dans l'édition de 1845 ; c'est sur les indications de Balzac qu'il a été rajouté aux trois premiers récits, disposition devenue traditionnelle). La Grande Bretèche est une gentilhommière située près de Vendôme. Le comte de Merret y vit avec sa femme. Dans une auberge de la ville est logé le comte Bagos de Feredia, noble espagnol pris lors de la guerre d'Espagne, et prisonnier sur parole à Vendôme. Il devient l'amant de la comtesse. Le comte, qui a des soupçons, surprend sa femme de telle manière qu'elle a juste le temps de cacher son amant dans un cabinet attenant à sa chambre. Il lui demande de jurer sur le crucifix qu'il n'y a personne dans le cabinet ; elle s'exécute, et, fort de ce parjure, il fait murer la porte du cabinet. Le prisonnier a le courage de ne pas se manifester, et chaque fois que la comtesse éperdue tente une parole ou un geste, son mari lui dit : « Vous avez juré sur la croix qu'il n'y avait là personne. »

Ces histoires sont d'un intérêt inégal, mais la première est certainement une étude pénétrante de la rouerie féminine. « Il y a toujours un fameux singe dans la plus jolie et la plus angélique des femmes. »

Avant-Propos de *la Comédie humaine*. Cet Avant-Propos, daté de juillet 1842, publié en octobre-novembre de la même année, n'est pas une préface ordinaire. Son analyse permet d'apercevoir les principes qui ont inspiré la conception de *la Comédie humaine.*

Il existe des espèces zoologiques, minutieusement décrites ; il existe aussi des espèces sociales, à cette importante distinction près que si la femelle de l'animal présente relativement peu de différence avec le mâle, la femme représente un être à part, et qu'en outre les arts, les sciences, les objets, le mobilier créent un milieu qui change « au gré des civilisations ». Donc, le romancier étudiera « les hommes, les femmes et les choses ». Il doit surtout faire une histoire que tous les historiens de métier ont complètement négligée, l'histoire des mœurs, et étudier la raison ou les raisons des « effets sociaux » qu'il décrit. Mais il doit avoir aussi des principes, et « écrire à la lueur de deux vérités éternelles : la religion (en l'espèce le catholicisme) et la monarchie ».

L'Avant-Propos se poursuit par une sorte d'autodéfense où il faut relever deux éléments, le second essentiel :

1° *La description* des phénomènes cérébraux et nerveux qui démontrent l'existence d'un nouveau monde moral n'est « nullement en contradiction avec la pensée chrétienne, pas plus que ne l'était la théorie de Galilée » (l'allusion aux phénomènes suprasensibles qui se manifestent dans diverses œuvres de Balzac est claire) ;

2° On a reproché au narrateur l'immoralité de ses personnages. Il les peint tels qu'ils sont, les méchants comme les bons ; et les bons sont nombreux (sur ce point, long échantillonnage, assez naïf, des personnages vertueux de *la Comédie*). L'avant-propos se termine par une justification, à la vérité assez arbitraire, de la classification adoptée par l'auteur, des *Scènes de la vie privée* aux *Études analytiques*.

Aventures administratives d'une idée heureuse, titre qui, dans le catalogue établi par Balzac, correspond au n° 129 (*Études philosophiques*), où il est condensé sous la forme : *la Vie et les aventures d'une idée*. Le manuscrit portait : *Aventures constitutionnelles et administratives...*, etc. Nous n'avons de l'œuvre que le début, paru dans les *Causeries du monde* en mars 1833, et le titre était suivi du sous-titre : ... « recueillies et publiées par le futur auteur de l'histoire de la succession du marquis de Carabas dans le fief de Cocquatrix ».

C'est dire que l'œuvre, si elle avait été écrite intégralement, devait évoluer en pleine fantaisie ; en fait, il serait plus exact de parler de fantasmagorie. Un « fantasque avant-propos » nous présente un salon et des interlocuteurs diserts, parmi lesquels figure Louis Lambert. Il s'agit de savoir si on doit croire « à la vie des idées ». C'est l'opinion d'un savant prussien, qui affirme avoir connu un homme dont on avait pris les idées pour les enfermer dans un bocal, jusqu'au moment où, la prison ayant été brisée, le propriétaire légitime les récupéra à sa grande satisfaction.

Entre alors dans le salon un monsieur étrange, quasi désincarné, qui prétend prouver que « les idées sont des êtres », et que lui-même est « devenu tout idée ». On retrouve là, mais poussée jusqu'au système, la théorie chère à Balzac de l'autonomie matérielle de l'idée en soi.

Dans une seconde partie, inachevée et qui parut après la mort de Balzac, l'homme-idée raconte l'histoire que voici : sous le règne d'Henri IV, un sieur de Lamblerville a eu l'idée d'un canal qui ferait communiquer la Seine et la Loire. Tout le monde, le roi y compris, est enthousiasmé par le projet, mais, « à peine née, ... l'idée eut ses ennemis secrets qui voulurent la violer, la voler, en partager les espérances ». Si bien que le malheureux Lamblerville n'obtint son privilège qu'après l'avoir attendu vingt-sept ans, et encore par l'entremise de Marion de l'Orme.

C'est alors que Louis Lambert a une illumination : le conteur n'est pas un homme, il est une idée, « une idée ayant pris une voix, une idée incarnée ».

Exact, reconnaît l'étrange personnage. Il s'était présenté comme le fils de Lamblerville, sous le nom de Lecanal, comte de Lessonnes, et déclare (ce sont les toutes dernières lignes du récit) qu'il est en réalité Le Canal de l'Essonne, dont Lamblerville avait formé le projet.

Cet atroce jeu de mots a sa justification, si l'on peut dire, dans une histoire réelle : le beau-frère de Balzac, Surville, ingénieur, avait conçu plusieurs projets qui n'aboutirent pas, en particulier celui d'un canal parallèle à l'Essonne ; il en avait conçu de l'aigreur, et s'en était ouvert à Balzac. Nous le savons par Laure Surville elle-même. Il est évident que, sous cette histoire fantastique, se cache un violent pamphlet tendant à dénoncer les hommes qui s'opposent au « triomphe de l'idée », car, « toutes les fois qu'il s'élève quelque chose de grand parmi les hommes, une nuée de vermisseaux accourt pour en ronger la semence ».

Babel, recueil collectif, publié en 1840 par la Société des gens de lettres* et où Balzac a inséré la nouvelle *Pierre Grassou.*

Bal de Sceaux (le), court roman, daté par Balzac décembre 1829, publié en avril 1830. Dédié à son frère Henri de Balzac, n° 5 *(Scènes de la vie privée).* Sous-titre primitif ... *ou le Pair de France,* supprimé ultérieurement.
Mlle Émilie de Fontaine est la fille cadette du comte de Fontaine. Enfant gâtée, très autoritaire, elle a décidé qu'elle n'épouserait qu'un pair de France. Au cours d'un bal, à Sceaux, elle fait la connaissance de Maximilien de Longueville, jeune homme charmant, qui tombe amoureux d'elle et qui lui conviendrait parfaitement, si elle

n'apprenait qu'il vendait du calicot. Elle rompt avec lui. Il s'éloigne. Elle se résigne alors à épouser son grand-oncle, plus que septuagénaire, l'amiral comte de Kergarouët. Maximilien de Longueville perd prématurément son père et son frère ; ces décès font de lui un vicomte et un pair de France. La comtesse de Kergarouët a eu tort d' « écarter le roi de cœur ».
On la retrouvera veuve et mariée à Charles de Vandenesse *(Fille d'Ève).*

BALSSA (ou **BALSA**), nom original de la famille Balzac. Elle était originaire de La Nougayrié, commune de Montirat (Tarn), et était une vieille famille paysanne installée dans la région depuis plusieurs siècles. Le père du romancier était l'aîné d'une famille de onze enfants, dont

Angle de vue de la maison des Balssa, à La Nougayrié, commune de Montirat (Tarn). Cet angle présente la seule partie authentique de la maison.
Phot. Marjo, Albi.

le cadet, Louis, fut accusé d'avoir étranglé une paysanne qu'il avait rendue mère, condamné à mort et guillotiné à Albi.

BALTHAZAR, cartomancien que Balzac était allé consulter et dont il vantait l'extraordinaire prescience. Ce tireur de cartes, à en croire Balzac, lui avait annoncé six semaines à l'avance, en précisant la date, une lettre qui aurait une influence décisive sur sa destinée. Cette lettre, arrivée à la date prévue, annonçait la mort de M. Hanski.

BALTHAZAR CLAËS. V. *Recherche de l'absolu (la).*

BALZAC (Bernard-François), père du romancier. De son vrai nom **Balssa***, né en 1746, il eut l'ambition de sortir de son village natal, fit quelques études, et ayant transformé son nom en Balzac, sans particule, fut d'abord clerc de notaire dans le Tarn, et décida de « monter » à Paris pour y tenter sa chance. Il réussit à y obtenir divers emplois, notamment dans les bureaux du Conseil du Roi, puis dans diverses villes de province, et en particulier à Tours. À Paris, il avait rencontré Mlle Anne-Charlotte Laure Sallambier, jeune fille charmante, cultivée, de famille aisée, et, épris d'elle, l'avait épousée le 30 juin 1797, malgré la différence de leurs âges (trente-deux ans). À Tours, il occupa une situation officielle et mondaine assez brillante : directeur des contributions, administrateur de l'hôpital, adjoint au maire. C'est à Tours que naquirent successivement un enfant qui ne vécut pas, Louis-Daniel, puis Honoré (il ne lui fut pas donné d'autre prénom), et deux filles, Laure, qui deviendra Mme Surville*, et Laurence, qui deviendra Mme de Montzaigle*. C'est au baptême de cette dernière que Balzac père s'attribua d'autorité la particule en signant de Balzac.

Le ménage se transporta ensuite à Paris, rue du Temple, où naquit en décembre 1807 un second fils, Henri, qui était, en fait, le fils de M. de Margonne, ami de la famille, propriétaire du château de Saché, près de Tours. Il fut le préféré de sa mère, ce dont Honoré garda toujours de l'amertume.

Bernard-François Balzac, père du romancier. Peinture anonyme (vers 1797). *Maison de Balzac. Phot. Lauros-Giraudon.*

Bernard-François Balzac était un être curieux, d'une robustesse dont il était très fier, et qui devait lui permettre, selon lui, une longévité exceptionnelle. En fait, il ne mourut qu'à l'âge de quatre-vingt-trois ans, en 1829, et des suites d'un accident de voiture. Au moral, son équilibre s'opposait à l'instabilité et à l'inquiétude de sa femme. Il finit par perdre entièrement le patrimoine de celle-ci et le sien propre, non par légèreté, mais parce qu'il usait, en matière d'affaires, de cette désinvolture dont son fils devait hériter.

BALZAC (Henri **de**), frère du romancier, quatrième enfant de la famille, mais, en fait, fils d'un ami des Balzac, M. de Margonne* (1807-1858). Il mena une vie aventureuse. Parti chercher fortune à l'île Maurice, il y épousa une créole de seize ans plus âgée que lui, fut ruiné par l'abolition de l'esclavage, revint en France, où sa mère, de qui il était le préféré, essaya de lui trouver une situation stable. C'est en France qu'il eut un fils dont Honoré accepta d'être le parrain (on se perd en conjectures sur ce qu'a pu devenir ce second Honoré de Balzac. M. Hastings, avec toutes les précautions d'usage, déclare avoir eu connaissance d'un *coup de téléphone* donné par un mystérieux personnage qui se présentait comme un descendant de Balzac, et ne se manifesta plus). Toujours à la recherche d'une situation, Henri repartit pour l'île Maurice, puis pour l'île Bourbon, pour Madagascar, pour les Comores, où il mourut.

Cette existence aventureuse n'est pas sans avoir compliqué la vie matérielle de Balzac. Mme de Balzac mère essayait toujours de secourir ce fils tant aimé, et les difficultés qu'elle connut à la fin de sa vie, et dont la complexité exaspérait Balzac, s'en trouvèrent aggravées.

BALZAC (Laure **de**). V. *Surville** (Mme).

BALZAC (Laurence **de**). V. *Montzaigle* (Mme **de**).

BALZAC (Louis-Daniel), premier enfant de M. et Mme Balzac, né le 20 mai 1798, un an, jour pour jour, avant Honoré. Il ne vécut que trente-trois jours, et les historiographes de la famille Balzac ne le font pas entrer en ligne de compte dans la descendance de M. et Mme Balzac, considérée traditionnellement comme représentée par Honoré, son frère Henri et ses deux sœurs, Laure et Laurence.

La vie éphémère de ce nouveau-né n'est cependant pas sans avoir eu une influence sur l'enfance* de Balzac. On attribua le décès prématuré de Louis-Daniel à l'insuffisance de l'allaitement maternel, et c'est pour cette raison qu'Honoré fut mis en nourrice dès sa naissance.

BALZAC (Mme Bernard-François), née Anne-Charlotte *Laure* Sallambier, mère du romancier. Elle était née en 1778, d'une famille parisienne. C'est donc à tort que Balzac se considérait obstinément comme Tourangeau, puisque ni son père (d'ori-

gine tarnaise) ni sa mère n'étaient originaires de Tours, où le simple hasard des mutations administratives paternelles le fit naître.

Fort jolie femme, fine, cultivée, légère, croit-on, à l'occasion (la paternité de son quatrième enfant, Henri, est attribuée généralement à M. de Margonne*), elle eut sur la pensée de son fils une influence sinon décisive, du moins importante. Non, certes, par l'excès de son affection : il ne semble pas que Balzac ait reçu d'elle toute la tendresse qu'il attendait. La correspondance de la mère et de l'enfant est assez révélatrice : les lettres qu'elle lui adresse lorsqu'il est en pension à Vendôme* apparaissent plutôt comme une suite de remontrances (qu'il méritait peut-être), dégénérant en jérémiades sentimentales. Lui-même, à plusieurs reprises, a évoqué cette déception de son enfance, en la

« **Madame Balzac jeune.** » **Pastel anonyme (vers 1797).** *Maison de Balzac. Phot. Lauros-Giraudon.*

transposant dans le domaine romanesque (voir, notamment, les confidences de Félix de Vandenesse au début du *Lys*).

Mais Mᵐᵉ de Balzac (la particule lui échut lorsque son mari signa *de Balzac* l'acte de baptême de sa fille Laurence) était portée au mysticisme, et passionnée par tous les problèmes ésotériques (magnétisme, occultisme, etc.). Elle avait dans sa bibliothèque les œuvres de Jacob Bœhme* et de Swendenborg*; le fils se complut dans cette lecture. Il est très difficile de déterminer dans quelle mesure son œuvre en a été influencée. Mais il est certain que, soit par hérédité, soit sous l'influence de sa mère et des lectures de la bibliothèque maternelle, il manifesta très tôt un intérêt passionné pour tous les problèmes psychologiques échappant au contrôle de la science et de la raison. Cet intérêt transparaît dans beaucoup de ses œuvres, dont certaines même (*Ursule, Séraphita*, entre autres) sont fondées sur l'existence de phénomènes suprasensibles ou mystérieux.

Les rapports de Balzac et de sa mère furent souvent assez épineux. Les questions d'argent y jouent un rôle important et assez désagréable. Le père de Balzac n'ayant rien laissé à sa mort, ni de la dot de sa femme, ni de son propre patrimoine, la vie de Mᵐᵉ de Balzac fut vite difficile. Son fils lui emprunte diverses sommes, dont la restitution se fait parfois attendre. Certaines de ces dettes se transforment en la promesse d'une rente, dont le versement est fort irrégulier. Mᵐᵉ de Balzac se plaint, et réclame sur le mode geignard. Balzac, dans ses lettres à Mᵐᵉ Hanska, gémit sur l'incompréhension de sa mère et se pose en victime. Mᵐᵉ de Balzac mène une « vie errante »; elle habite tantôt seule, tantôt avec ses enfants, avec les Surville*, avec Balzac lui-même, chez qui elle restera quelques mois dans la maison de la rue Basse*, qu'elle quittera parce que la vie qu'y mène son fils ne lui plaît vraiment pas. C'est elle, cependant, qui organise minutieusement le mobilier et l'intérieur de la maison de la rue Fortunée*, pour que son fils, qui va épouser Mᵐᵉ Hanska, puisse offrir à son épouse un cadre digne d'elle. Ce qui n'empêche pas le fils de prier sa mère, avec toute la gentillesse possible, de quitter les lieux avant l'arrivée de l'épouse, sous le prétexte qu'il est décent et déférent que la jeune Mᵐᵉ de Balzac fasse à sa belle-mère la première visite (!).

Il faut dire que, si Mᵐᵉ de Balzac hésita longtemps à reconnaître le génie de son fils, elle lui apporta, dans le domaine du secrétariat matériel, en quelque sorte, une collaboration précieuse, surtout à la fin de la vie du romancier. Elle se chargea avec dévouement de ce que nous appellerions maintenant les « public relations ». Incroyable est la quantité de démarches, courses, commissions, etc., dont son fils, surtout dans ses séjours à Wierzchownia, chargeait à distance cette septuagénaire, qui s'acquittait avec exactitude de ses missions.

Elle mourut le 1ᵉʳ août 1854.

BALZAC D'ENTRAGUES (de), illustre famille qui fournit notamment une favorite, Henriette d'Entragues, duchesse de Verneuil, à Henri IV, et de qui Balzac, qui s'était attribué la particule en 1830, affirma tranquillement être le descendant, adoptant par la même occasion ses armoiries.

balzaciens. On ne saurait évidemment énumérer ici tous les chercheurs dont les travaux ont contribué à une meilleure connaissance et à une intelligence plus complète de l'œuvre de Balzac. Un particulier hommage est dû au précurseur, le vicomte Charles de Spoelberch de Lovenjoul (1836-1907). Avec une patience inlassable, et d'autant plus méritoire que Mᵐᵉ Honoré de Balzac était loin d'avoir pris tout le soin désirable des notes de son mari, il a rassemblé, recueilli, groupé, classé une masse de documents dont l'exploration et l'exploitation réservent, encore aujourd'hui, au chercheur des découvertes. Il n'a pas limité à Balzac ses recherches, s'intéressant encore à d'autres romantiques; mais lorsqu'on parle aujourd'hui du « fonds Spoelberch de Lovenjoul », c'est d'abord et presque d'instinct au fonds Balzac que l'on songe. Ce fonds a été transféré du domicile du vicomte, qui habitait Bruxelles, à Chantilly, où il se trouve toujours. Les conservateurs, après la mort du vicomte, en ont été M. Georges Vicaire, M. Marcel Bouteron, et actuellement M. Jean Pommier, de l'Institut, professeur honoraire au Collège de France, eux-mêmes balzaciens éminents.

Les conservateurs ne se sont pas bornés à ... conserver. Le vicomte de Lovenjoul est l'auteur, en particulier, d'une *Histoire des œuvres d'Honoré de Balzac* (v. bibliographie) qui fait toujours autorité. M. Bouteron a établi, en collaboration avec M. Longnon, l'une des plus complètes éditions de l'œuvre du romancier. M. Pommier, entre autres travaux, s'est attaché à l'étude de textes d'une interprétation particulièrement délicate, comme *Louis Lambert* et *l'Église* (v. *Jésus-Christ en Flandre*).

Pour tenir les fervents de Balzac au courant des travaux consacrés au romancier et à son œuvre, une publication régulière s'imposait. Ce furent les *Cahiers balzaciens*, auxquels a succédé, depuis 1961, *l'Année balzacienne*, publication du Groupe d'études balzaciennes (directeur, M. Pommier ; rédacteur en chef, M. Castex, professeur de littérature française à la Sorbonne. Garnier édit.). Travail absolument indispensable au lecteur désireux d'être régulièrement informé des dernières études et recherches sur Balzac et son œuvre.

BARBET, d'abord bouquiniste sur les quais, installé ensuite libraire quai des Grands-Augustins, se trouve en relations avec Rubempré *(Illusions)*. C'est probablement lui qu'on retrouve, toujours libraire, dans *les Petits Bourgeois*, et aussi en négo-ciation avec le baron Bourliac, qu'il essaie de circonvenir pour obtenir la cession des droits de l'ouvrage que celui-ci cherche à faire éditer *(Envers)*.

BARCHOU DE PENHOËN (baron), à qui est dédié *Gobseck*. C'était, chez les Oratoriens de Vendôme, un condisciple de Balzac. Celui-ci indique dans la dédicace que le baron et lui sont, de tous les élèves, « les seuls qui se sont retrouvés au milieu de la carrière des Lettres » (le baron avait quitté l'armée pour se consacrer à des études philosophiques).

BARGETON (de). Tous les membres de cette famille ne figurent que dans *Illusions*, à l'exception de Mme de Bargeton, qui, devenue comtesse Sixte du Châtelet, apparaîtra ailleurs épisodiquement *(Splendeurs)*.

BAROCHE (Pierre-Jules), ministre de l'Intérieur au moment de la mort de Balzac (1802-1870). Il mérite de passer à l'immortalité pour un mot effarant : se trouvant, aux obsèques du romancier, à l'église, à côté de Hugo, il crut exprimer dûment son admiration en déclarant : « C'était un homme distingué. » À quoi Hugo ne put que répondre : « C'était un génie. »

Bataille de Dresde (la), titre correspondant au n° 91 *(Scènes de la vie militaire)*. L'œuvre ne fut jamais rédigée, bien que Balzac ait toujours été intéressé par le projet. Il avait visité en 1843 le champ de bataille.

BAUDOYER (famille), orthographiée *Beaudoyer* dans *le Cousin Pons*. Les aventures du mari, Isidore, né en 1787, et de sa femme, née Élisabeth Saillard, en 1794, sont contées dans *les Employés*, où l'on voit Baudoyer en rivalité avec Rabourdin, et réussissant une carrière flatteuse, grâce aux intrigues de sa femme. Il apparaît aussi dans *le Cousin Pons*, où il est un des successeurs de Crevel dans les faveurs d'Héloïse Brisetout.

BAUVAN. Plusieurs comtes et comtesses :
1. Comte de Bauvan (sans prénom), qui figure dans *les Chouans* (sa femme n'apparaît épisodiquement que comme veuve). Rien qui puisse affirmer leur parenté avec les suivants ;
2. Comte et comtesse de Bauvan, père et mère du suivant, à qui ils marient leur pupille Honorine X, née en 1794 ;
3. Octave, comte de Bauvan, dont l'union avec *Honorine* est l'élément essentiel du récit qui porte ce titre. Réapparaît dans *Splendeurs*, où il intervient dans le procès qui a commencé dans *l'Interdiction*, et de nouveau lorsqu'il essaie de s'entremettre en faveur de Rubempré.

BAZOCHE (amiral comte), gouverneur de l'île Bourbon, à qui *l'Interdiction* a été dédiée par « l'auteur reconnaissant ». Cet adjectif s'explique ainsi : le frère de Balzac, Henri de Balzac*, avait, au cours de sa vie aventureuse, fait un séjour à l'île Bourbon, et Balzac avait été amené à le recommander au gouverneur, sans doute efficacement, comme le prouve le libellé de la dédicace.

Béatrix, roman dont les deux premières parties parurent en feuilleton dans *le Siècle*, en avril et mai 1839, sous le titre *Béatrix ou les Amours forcées*, la troisième beaucoup plus tard, dans *le Messager*, en décembre 1844 et janvier 1845, sous le titre *les Petits Manèges d'une femme vertueuse*, puis en édition séparée, sous le titre *la Lune de miel*, enfin dans *la Comédie*, sous le titre *Béatrix dernière partie*. Nº 23 (*Scènes de la vie privée*). Dédié à Sarah (comtesse Guidoboni Visconti).
Mlle Félicité des Touches, née à Guérande, et seule survivante d'une très vieille famille bretonne, a voulu, pour conserver son indépendance, éviter le mariage. Riche de

remarquables dons artistiques, écrivain de grand talent, Félicité partage sa vie entre Guérande, Paris, où elle tient un des plus brillants salons littéraires de la capitale, et des voyages à l'étranger, notamment en Italie. Déçue par diverses aventures amoureuses, elle se lie en Italie avec le célèbre chanteur-compositeur Conti, pour qui elle écrit, sous le pseudonyme de Camille Maupin, deux opéras. Mais, bientôt, Conti se laisse enlever par la marquise Béatrix de Rochefide, avec qui il vivra en Italie pendant quatre ans. Ils rentrent tous deux aussi las l'un que l'autre de cette liaison (cf. le sous-titre primitif *les Amours forcées*). Au retour, Béatrix s'arrêtera à Guérande chez Mlle des Touches. Elle y rencontre Calyste du Guénic, fils d'un gentilhomme pauvre de Guérande, jeune homme candide, pur et tendre. Félicité des Touches s'est intéressée à lui, a parfait sa culture, et éprouve pour lui un amour qu'elle ne veut pas lui avouer, parce qu'elle s'estime trop vieille pour accepter celui du jeune homme.
Mais elle a vite fait d'observer le jeu de Béatrix. Le jeune Calyste a tout de suite été séduit par cette coquette ; celle-ci le sait, s'amuse à repousser les avances du jeune homme, et l'amène à tel degré d'exaspération amoureuse qu'il tente de la tuer. Elle le quitte sans lui avoir cédé.
Toujours soucieuse, dans le désintéressement de son amour, d'assurer l'avenir et le bonheur de Calyste, et luttant contre l'ardeur de ses propres sentiments, Félicité, après avoir doté le jeune homme, le marie à une jeune fille riche, d'excellente famille, Sabine de Grandlieu. Cette œuvre et ce sacrifice achevés, elle cesse d'être Camille Maupin pour entrer en religion.
Mais Béatrix, quatre ans après le mariage du jeune homme, le rencontre par hasard, le séduit de nouveau ; un « adultère rétrospectif » unit cette coquette à celui dont elle avait repoussé les avances quand il était encore libre. Cette liaison dure un an, à la grande douleur de l'épouse. Heureusement, des interventions pressantes et amicales détacheront le jeune homme d'une femme qui n'est pas digne de lui ; il reviendra à sa femme, à qui il restera définitivement fidèle.

Le détail de l'intrigue est infiniment plus complexe, et il y intervient des personnages qui, sans jouer un rôle déterminant, sont des personnalités fortement marquées. C'est le cas de Claude Vignon*, introduit dans le roman comme un des amants de Félicité, et dont l'original est sans doute Gustave Planche*, pour qui Balzac éprouvait peu de sympathie.

Le nom de Planche mis à part, le seul personnage réel dont on puisse affirmer avec certitude qu'il est bien l'original d'un personnage du roman est George Sand, pour qui Balzac éprouvait une véritable amitié et une grande admiration, et que l'on peut reconnaître sous les traits de Félicité des Touches. Le faux ménage Conti-Béatrix pourrait correspondre à Liszt et Mme d'Agoult. Balzac le dit lui-même dans une lettre à Mme Hanska en février 1840. Il est vrai qu'il se défend trois ans plus tard, dans une lettre à la même Mme Hanska, en avril 1843, d'avoir « portraité » ces deux personnages et fait allusion à leur liaison fameuse. Ce point est, en vérité, accessoire. Le roman vaut surtout par le portrait de Béatrix. Il s'y trouve l'un des plus redoutables caractères de coquette, d'une coquette qui ne cède aux hommages d'un homme qu'au moment où sa liaison avec lui brisera le bonheur du jeune ménage.

BEAUDENORD (Godefroid de), indépendamment du récit de ses aventures dans la Maison Nucingen, intervient dans le Bal, où il essaie vainement de faire la conquête de Mlle de Fontaine, qui ne rêve que d'un pair de France.

BEAUPRÉ (Fanny), actrice du théâtre de la Porte-Saint-Martin, qui fit le bonheur de personnages divers : Camusot (Début), le duc d'Hérouville (Modeste), et accessoirement Lousteau (Muse). C'est une des amies d'Esther Gobseck (Splendeurs).

BEAUSÉANT (famille de), famille dont les personnages principaux sont :
1° le vicomte, puis marquis de Beauséant, dont les réceptions somptueuses, où figure Rastignac, sont évoquées dans le Père Goriot ;
2° la vicomtesse, puis marquise de Beau-

séant, née Claire de Bourgogne, vers 1791, dont les aventures amoureuses constituent l'essentiel de la Femme abandonnée. Mais son rôle est également important dans le Père Goriot. C'est chez elle que Rastignac rencontre Mme de Restaud, et c'est le même Rastignac qui est chargé par elle de réclamer au marquis Miquel d'Ajuda-Pinto, qui vient de l'abandonner, la correspondance qu'elle a échangée avec lui.

BEAUVISAGE (famille). Le mari, Philéas, la femme et la fille Cécile figurent presque exclusivement dans le Député d'Arcis.

BÉCHET (Louise-Marie-Julienne), éditeur, veuve de Pierre-Adam Charlot, connu sous le nom de Charles Béchet. C'est avec elle que Balzac conclut en 1833 un contrat pour les Études de mœurs au XIXe siècle, devant comporter la troisième édition des Scènes de la vie privée, la première édition des Scènes de la vie de province et des Scènes de la vie parisienne.

Louise Béchet, veuve de l'éditeur Charlot, par E. Goyet. Maison de Balzac. Phot. Lauros-Giraudon.

BECKER (Edme), étudiant en médecine (*Interdiction*), n'ayant aucun rapport avec le pasteur Becker, de *Séraphita*, ni avec une famille Becker qui figure dans *la Femme auteur*.

BELGIOJOSO (Cristina **Trivulzio**, princesse **de**), patriote italienne (1808-1871), qui, exilée volontairement en France, y milita pour l'indépendance de son pays. Elle tenait un salon fréquenté par les plus brillants esprits de l'époque, et y reçut Balzac, ce qui n'était pas sans donner quelque humeur à Mme Hanska, de qui Balzac dut calmer les appréhensions.

BELLEFEUILLE (Mlle **de**), nom pris par Caroline Crochard*, du nom d'une terre que lui avait donnée l'oncle de son amant.

BELLOY (Auguste **de**) [1812-1871], ami de Balzac qui lui a dédié *Gambara*. Lorsque le romancier acheta *la Chronique de Paris*, en décembre 1836, Belloy fut de ceux qui aidèrent à financer l'opération, et se chargea de la réédition des *Œuvres complètes* d'Horace de Saint-Aubin*. La dédicace semble indiquer que le sujet fut inspiré à Balzac par Belloy : « Vous avez créé *Gambara*, je ne l'ai qu'habillé. »

Berditcheff, ville d'Ukraine où fut célébré, le 14 mars 1850, en l'église de Sainte-Barbe, le mariage de Balzac et de Mme Hanska.

BERLIOZ (Hector) [1803-1869]. C'est à ce grand compositeur que Balzac a dédié *Ferragus*. Il avait pour lui la plus grande admiration, mais il ne semble pas que leurs relations, qui ne datent que de 1840, aient été aussi personnellement amicales qu'avec des artistes ou des écrivains comme Hugo. Berlioz assista aux obsèques du romancier en 1850.

BERNARD (Pierre-Marie-Charles **de Bernard du Grail,** dit Charles **de**), romancier français (1804-1850). C'est à l'occasion d'un article élogieux sur *la Peau de chagrin*, qui parut dans la *Gazette de la Franche-Comté*, que Balzac fit sa connaissance. Il le fit venir à Paris et en fit un collaborateur de *la Chronique de Paris*. C'est à lui qu'est dédiée *Sarrasine*.

BERNY (Alexandre **de**), sixième fils de Mme de Berny (1809-1882). C'est lui qui reprit en main l'affaire de la fonderie* de caractères qui avait périclité sous la direction de Balzac. Celui-ci lui a dédié *Madame Firmiani*.

BERNY (Laure **Hinner**, Mme **de**) [1777-1836]. (Balzac orthographie souvent le nom dans sa correspondance *Bernis*.) *La Dilecta*, comme l'appela Balzac, était la fille d'un Allemand et d'une femme de chambre de la reine Marie-Antoinette. Elle habitait à Villeparisis, où les Balzac résidaient alors, une maison où elle vivait avec son mari et ses enfants (elle en avait eu neuf, compte non tenu d'une fille adultérine prénommée Julie). C'est en 1821 que Balzac la rencontra ; il fut séduit par l'affection maternelle qu'elle lui témoigna, affection qui lui avait été parcimonieusement manifestée par sa mère ; elle-même fut séduite par la fougue et l'ardeur de cet amoureux, plus jeune qu'elle de vingt

Alexandre de Berny. *Maison de Balzac. Phot. Larousse.*

Madame de Berny, par Henri-Nicolas Van Gorp (vers 1810), « la Dilecta » de Balzac.
Coll. Lovenjoul, Chantilly. Phot. Larousse.

ans. Son influence sur Balzac fut très grande ; elle ne fut pas seulement son amante, mais une véritable amie, qui l'aida de ses conseils, et aussi de son argent, paraissant en commandite dans la société de fonderie de caractères qu'il avait constituée.

Balzac ne lui fut pas toujours absolument fidèle. Mais on doit porter à son crédit les scrupules qu'il manifesta lorsqu'il fit la connaissance de Mme d'Abrantès* ; et les

lettres où il décrivait à l'Étrangère le déclin de Mme de Berny, et où il annonçait sa mort, témoignent d'un sincère et profond chagrin.

BERTHIER (M^e), notaire, apparaît comme tel dans *la Cousine Bette* et *le Cousin Pons*. Il était le successeur de Me Cardot, de qui il avait épousé la fille, Félicie. Lousteau avait posé sa candidature à la main de cette jeune fille, mais avait été éconduit lorsque fut connu son concubinage avec Mme de La Baudraye (Muse).

BIANCHON (Dr Horace) [modèle probable, le Dr Nacquart], un des personnages le plus fréquemment rencontrés de la Comédie. Il figure au chevet d'à peu près tous ceux dont la maladie ou la mort constitue un élément essentiel ou dramatique d'un roman. Conteur remarquable, il a toujours un répertoire d'histoires, souvent impressionnantes, ou même effroyables. Célibataire, n'ayant pas d'intrigue féminine connue, ayant toujours refusé de se lancer dans la politique, il représente le type du médecin entièrement dévoué à son art, d'une perspicacité étonnante, d'une bonté parfaite, demandant généralement deux louis pour ses consultations, mais capable de soigner gratuitement les malades pauvres. On ne peut noter ici que l'essentiel de ses nombreuses interventions.

Né en 1796, fils d'un médecin de Sancerre, et venu à Paris pour y faire ses études, il devient l'élève préféré du fameux Desplein*, pour qui il conservera toujours affection et vénération, et qu'il soignera à son lit de mort (Messe). Il apparaît d'abord comme étudiant en médecine dans la pension Vauquer (Père Goriot), ce qui le met en relation, notamment, avec Rastignac et Vautrin. Très vite, il se fera une situation brillante : médecin de l'Hôtel-Dieu, membre de l'Académie des sciences, professeur à la Faculté de médecine, etc. Dans l'intervalle, il est apparu dans Illusions, comme membre du Cénacle ; il a eu l'occasion de soigner Rubempré, blessé en duel, et sa maîtresse Coralie, qu'il ne peut arracher à la mort. Il assiste également, dans sa très grave maladie, Mme Philippe Brideau (Rabouilleuse) et apparaît à Provins, où il intervient à temps pour sauver la jeune Pierrette Lorrain (Pierrette). Son rôle est important dans Splendeurs. Il est appelé en consultation par Desplein auprès de Nucingen, qui dépérit d'amour pour Esther Gobseck. C'est encore lui, mandé après l'empoisonnement de Peyrade, ne peut que constater son décès ; qui examinera la fille du policier, Lydie Peyrade, enlevée et violée dans une maison

de tolérance, et sombrée dans la folie ; lui toujours qui s'empresse auprès de la comtesse de Sérisy, chez qui le suicide de Rubempré a provoqué une crise.

Il apparaît aussi régulièrement dans la Cousine Bette. Appelé au chevet de Marneffe, il annonce à sa femme que celui-ci est perdu à bref délai, ce dont la future veuve est loin de se plaindre. Mais il aura à la soigner bientôt elle-même, lorsque, remariée avec Crevel, elle est empoisonnée par son amant, Montès de Montejanos. Il soignera aussi la baronne Hulot et la cousine Bette.

Il apparaît au total dans vingt-quatre romans. Le romancier a su lui prêter la bonté, l'indulgence et la compréhension d'un grand médecin. Appelé au chevet de la comtesse de Bauvan, agonisante, et qui a provoqué sa propre mort par ses imprudences volontaires, il consent sur les instances de la mourante à faire croire au mari que la malheureuse succombe à une maladie imaginée pour les besoins de la cause (Honorine). À Sancerre, il reçoit les plaintes de la baronne de La Baudraye, qui incrimine la stérilité de son mari, et il lui suggère de chercher un autre partenaire ; conseil suivi d'effet, et qui aboutit à la naissance d'un enfant adultérin ; Bianchon assiste lui-même le médecin accoucheur (Muse).

Dans les réunions et les raouts, ce brillant causeur a souvent la parole. Les histoires qu'il raconte sont parfois horrifiques. Il a percé le secret de la Grande Bretèche (Autre Étude). Ailleurs (Échantillons), il raconte comment, pour des raisons légales, morales, et de déontologie, il a refusé de faire avorter une jeune femme ; elle s'est adressée à un confrère moins scrupuleux, et elle succombe à une affreuse hémorragie que Bianchon, appelé trop tard, n'a pu enrayer.

On sait que les personnages de Balzac finissaient par lui apparaître comme dotés d'une existence presque indépendante de la pensée de leur créateur. On s'explique donc que certains biographes aient pu prétendre que, à son lit de mort, le romancier se soit écrié : « Appelez Bianchon... Bianchon me sauvera. » L'histoire est très probablement fausse.

BIBI-LUPIN, ancien forçat, devenu chef de la police de la Sûreté. Surtout intéressant par la haine qu'il a vouée à son ancien camarade de captivité, Jacques Collin (Vautrin). Il apparaît essentiellement deux fois : dans *le Père Goriot,* il s'acharne à retrouver la trace de l'ancien forçat évadé, le retrouve à la pension Vauquer, l'identifie grâce à la complicité de deux pensionnaires, et l'arrête. Lorsque Vautrin, ayant pris l'identité de Carlos de Herrera, revient à Paris, c'est encore Bibi-Lupin que l'on lance à sa poursuite. Après l'arrestation de l'abbé Carlos de Herrera, Bibi-Lupin essaie de faire se trahir celui-ci, et n'y parviendrait pas si Jacques Collin ne venait lui-même décliner au juge son identité réelle. Bibi-Lupin voit son ancien camarade de geôle devenir son adjoint, puis le remplacer *(Splendeurs).*

BIDAULT. V. *Gigonnet.*

BIROTTEAU (abbé François), prêtre, d'abord vicaire dans le diocèse de Tours, réfractaire pendant la Révolution, et à ce titre vivant traqué, il reprit sa place lorsque les circonstances le lui permirent. C'est lui qui envoya à son frère cadet César toutes ses économies pour le tirer d'embarras *(Grandeur).* Il assista, comme confesseur, Mme de Mortsauf à ses derniers moments *(Lys).* Pensionnaire à Tours de Mlle Gamard, il fut persécuté par cette dernière au point qu'il dut quitter sa maison, et se vit interdire par son archevêque, sur une fausse accusation *(Curé de Tours).*

BIXIOU (Jean-Jacques), est un peu, comme Blondet, un de ces personnages qui, sans être essentiels, apparaissent souvent dans les intrigues les plus diverses, et surtout dans les réunions et les conversations, où sa drôlerie, son esprit, que nous pouvons appeler « rosserie », son goût de la mystification animent des entretiens pittoresques et souvent drôles. Cousin des Bridau, élève à l'École des beaux-arts, il a pour métier officiel, pendant quelque temps, celui d'employé au ministère des Finances, et pour occupation favorite la caricature, où il excelle. C'est une de ses caricatures qui contribuera à la disgrâce de Rabourdin *(Employés).* C'est à lui que

Balzac confie le soin d'exposer à ses amis l'histoire de l'ascension de Nucingen *(Maison Nucingen).* Il connaît tous les dessous de la vie parisienne. C'est lui qui, sans hésiter, démasque l'incognito de la Torpille (Esther Gobseck), au bal où elle a eu l'imprudence de se rendre *(Splendeurs).* Il est de tous les dîners et festins, celui de Taillefer *(Peau),* ceux d'Esther Gobseck, devenue Mme de Champy, et qui ne lui garde apparemment pas rancune d'avoir démasqué en elle la Torpille *(Splendeurs).* Il se déguise en prêtre pour faire échouer, par ses révélations, le mariage que son ignoble cousin Philippe Bridau, devenu veuf, allait contracter avec Mlle Amélie de Soulanges *(Rabouilleuse).*

BLAMONT-CHAUVRY (prince et princesse *de*), représentants d'une des plus vieilles familles françaises. C'est surtout la princesse, dont le salon est un des plus fermés de Paris, qui est évoquée dans *la Duchesse de Langeais,* épisodiquement dans *Madame Firmiani* et dans *le Lys,* où elle reçoit Félix de Vandenesse sur la recommandation de Mme de Mortsauf.
Le prince apparaît dans *le Cabinet des antiques* et dans *Splendeurs.*
Leur fille (ou petite-fille ?), Jeanne-Clémentine-Athénaïs, deviendra la marquise d'Espard.

BLONDET (Émile), personnage qui, sans jouer un rôle de tout premier plan dans aucun roman, intervient tout au long de *la Comédie* comme interlocuteur ou comparse de héros plus essentiels. Né à Alençon, fils légitime d'un juge (et, en fait, fils naturel d'un préfet), il se lie d'une amitié de jeunesse très tendre avec Virginie de Troisville, qui, devenue comtesse de Montcornet, s'installe à Paris, et dont il devient l'amant, cette fois moins platonique ; elle le reçoit tantôt dans son bel hôtel parisien, tantôt dans sa propriété des Aigues *(Cabinet, Fille d'Ève) ;* il finira par l'épouser après la mort de son mari *(Paysans).* Journaliste, brillant et spirituel causeur, il apparaît dans les salons où Balzac noue certaines de ses intrigues, notamment chez Mlle des Touches *(Autre Étude),* chez la marquise d'Espard *(Secrets) ;* il est également en liaison avec

Rubempré *(Illusions, Splendeurs)*, avec Valentin *(Peau)*, sans oublier sa présence aux dîners de Florine *(Fille d'Ève)*, bref à peu près partout où Balzac a situé des conversations brillantes, où l'esprit et la « rosserie » de Blondet font merveille.

BOCARMÉ (comtesse Ida **de**), née **du Chasteler**, admiratrice de Balzac, qui lui dédia *le Colonel Chabert*. Elle peignait et créa pour lui des écussons destinés aux personnages de *la Comédie*. Mais, ayant eu connaissance de certains commérages qu'elle aurait répandus, Balzac écrivit à Mme Hanska qu'il n'entendait pas « se soucier des bavardages de cette vieille intrigante ».

BOEHME ou **BOEHM** (Jacob), théosophe allemand (1575-1624), un des précurseurs de la pensée mystique moderne. Ses ouvrages sont la traduction philosophique des visions qu'il eut de bonne heure. Et sa pensée se retrouve chez certains philosophes allemands contemporains, comme Hegel. Le mystique Saint-Martin* traduisit une partie de son œuvre en français. Ses livres figuraient dans la bibliothèque de Mme de Balzac* mère, et il est certain que leur lecture contribua à développer chez le jeune Honoré le goût des spéculations ésotériques.

BOIROUGE. Tous les membres de cette famille et des familles alliées et connexes (Bianchon, Chandier, Mirouet, Popinot, etc.) figurent dans *la Muse ou les Héritiers Boirouge*. Le seul Dr Horace Bianchon* peut être considéré comme un personnage reparaissant.

BOLOGNINI (comtesse), née **Vimercati**. Balzac fut reçu chez elle lors de son séjour à Milan en 1837. Il lui dédia *Une fille d'Ève*, pour lui prouver, d'après les termes de la dédicace, qu'il était « Italien par la constance et par le souvenir ».

BONGRAND, famille originaire de Sancerre *(Héritiers)*, représentée surtout dans *Ursule Mirouet* par Honoré Bongrand, né en 1769 ou 1774, et juge de paix à Nemours. On le retrouve dans *Méfaits*. C'est également dans ce dernier roman (ina-

chevé) que figure son fils, Augustin (prénommé Eugène dans *Ursule*), que l'esquisse de *Méfaits* nous montre procureur du roi à Château-Chinon.

Bonhomme Pons (le). V. *Cousin Pons (le)*.

BOREL (Henriette), gouvernante d'Anna Hanska, familièrement Lirette. Balzac la connut lors de son voyage à Saint-Pétersbourg, et s'occupa d'elle très activement lorsque, en 1844, l'éducation d'Anna étant achevée, la gouvernante décida d'entrer en religion à Paris. Il intervint pour lui faciliter l'entrée au couvent des sœurs de la Visitation, et raconte longuement, dans une lettre à Mme Hanska, la cérémonie au cours de laquelle Lirette, devenue sœur Marie-Dominique, prononça ses vœux.

BORGET (Auguste), peintre français (1808-1877), de qui Balzac fit la connaissance lorsqu'il habitait rue Cassini, et à qui il dédia *la Messe de l'athée*.

BOULANGER (Louis), peintre français (1806-1867) qui fut lié avec la plupart des artistes de son temps, notamment avec Victor Hugo. Il exécuta un portrait de Balzac qui fut exposé au Salon de 1837, analysé par Théophile Gautier dans *la Presse*, puis expédié par Balzac au château de Wierzchownia. Dans une lettre envoyée du château à Laure Surville, en 1849, Balzac se plaint de ce que ce tableau « est devenu la croûte la plus hideuse qu'il soit possible de voir », affirme que les couleurs sont mauvaises, que les peintres « ignorent tous quelles couleurs ils emploient », et qu'il est « honteux pour la France d'une pareille toile... reléguée dans une bibliothèque où l'on va peu ».

C'est à Boulanger qu'est dédiée *la Femme de trente ans*.

Bouleaunière (la), propriété située près de Grez-sur-Loing (Seine-et-Marne) et que Mme de Berny* loua pour y passer l'été avec son fils. Balzac fut heureux de s'y réfugier, notamment en 1829, pour échapper à la poursuite de ses créanciers.

V. illustration p. 23

Portrait de Balzac, par Boulanger. *Phot. Arsicoud.*

Bourgeois de Paris (les). V. *Petits Bourgeois (les).*

BOURIGNARD (Gratien-Henri-Victor-Jean-Joseph), forçat évadé, qui n'est autre que *Ferragus.*

Bourse (la), nouvelle parue en 1832, n° 7 *(Scènes de la vie privée),* dédiée à Sofka. Le jeune peintre Hippolyte Schinner, prix de Rome, habite la même maison, rue de Surène, que la baronne Leseigneur de Rouville, veuve d'un capitaine de vaisseau, et sa fille Adélaïde. Un jour, en travaillant, il tombe de son échelle. Adélaïde et sa mère le soignent. Il est tout de suite attiré par la grâce de la jeune fille et revient chez la baronne. Apercevant un mauvais portrait du défunt baron, peint sur papier, il offre de transférer cette œuvre périssable sur toile, et vient présenter son travail aux deux femmes, éperdues d'émotion et de reconnaissance. Mais une chose chagrine le jeune amoureux : tous les soirs, le vieil amiral de Kergarouët, flanqué de son porte-fanion du Halga, vient faire sa partie de piquet et perd régulièrement. Schinner est amené à se poser des questions sur la manière bizarre dont se remplit l'escarcelle de la baronne, d'autant plus que les médisants ne font rien, au contraire, pour le rassurer. Un incident le trouble plus encore : un soir, il oublie sa bourse chez la baronne, et, venu la rechercher, s'entend répondre qu'on ne l'y a pas vue. S'étant confié au vieil amiral, il apprend que celui-ci, pour venir en aide discrètement aux deux femmes, s'arrangeait pour perdre régulièrement. Il revient avec lui un soir pour jouer chez la baronne, et, au moment du règlement des comptes, a la surprise émouvante de trouver sa vieille bourse remplacée par une autre très belle, que la jeune fille a brodée avec amour. Adélaïde deviendra Mme Schinner.

BOUSQUIER (M. et Mme *du*), qui deviennent inexplicablement *du Croisier* dans *le Cabinet.* Le mari, né en 1766 (pas de prénom indiqué), qui ne fait qu'apparaître dans *Entre savants,* est un des personnages principaux de *la Vieille Fille.*

Après son mariage avec Mlle Cormon, il continue à poursuivre de sa rancune les vieilles familles nobles d'Alençon *(Cabinet).* La femme, née Rose-Marie-Victoire Cormon, en 1773, figure successivement dans les deux romans précédemment indiqués; son rôle est essentiel dans le premier. Une fille naturelle de Bousquier, Flavie Minoret, devient Mme Colleville *(Petits Bourgeois).*

BRANDON (lady), épouse de lord Brandon (celui-ci n'est évoqué qu'épisodiquement dans *la Grenadière),* est, sous le nom de *Mme Willemsens,* l'héroïne principale de cette nouvelle. Elle est la mère adultérine de Louis et Marie Gaston. Félix de Vandenesse fait allusion à ses malheurs dans *le Lys.*

BREUGNOT (Mme)*. V. *Brugnol (Mme de).*

bric-à-brac. La mode du bric-à-brac sévissait, aux alentours des années 1830, avec la même frénésie que de nos jours celle des « gadgets ». Balzac en fut contaminé plus que personne. Il est banal de rappeler avec quelle ardeur il accumulait les objets les plus hétéroclites, dont il ne reste malheureusement plus que quelques spécimens au musée Balzac*. Cette « bric-à-bracomanie » s'étendait à tout, spécialement aux meubles et aux tableaux, et se manifestait non seulement à Paris, mais aussi au cours des voyages du romancier, qui achetait à son passage, et souvent sur la cassette de Mme Hanska, tel tableau dont l'acquisition lui paraissait une bonne affaire. Il est curieux de constater que, avec son enthousiasme habituel, il attribuait souvent à ces objets des origines flatteuses ou des signatures contestables, mais qui, pour lui, ne l'étaient pas. Il est curieux aussi de constater que, avec la meilleure foi du monde, il présentait ces achats comme d'excellentes affaires, soit qu'il prétendît les avoir faits pour une bouchée de pain, soit qu'il leur attribuât une valeur de revente arbitraire.

Cette manie prenait parfois des formes étranges. André Billy *(Vie de Balzac)* rappelle que le romancier était volontiers acheteur de mandragores. Dans le même ouvrage d'André Billy, on trouve (II, p. 316) un hallucinant inventaire des richesses accumulées dans la chartreuse Beaujon.

Il est certain que ce goût aberrant du bric-à-brac, ces achats incessants contre lesquels Mme Hanska essaie, souvent en vain, de mettre en garde Balzac, ont lourdement contribué à obérer un budget et une trésorerie en perpétuel déséquilibre. Quant à la transposition littéraire, on la trouve aisément dans *le Cousin Pons*, où le héros, comme son romancier, prend plaisir à accumuler des richesses dans son appartement.

BRIDAU (Joseph), frère de Philippe (de *la Rabouilleuse*), peintre de très grand talent, figure dans le Cénacle de l'écrivain d'Arthez (*Illusions*); chargé par son maître Schinner de décorer le château du comte de Sérisy, il voyage avec celui-ci dans la même diligence (*Début*). On le retrouve comme témoin au mariage de Marie Gaston avec Louise de Chaulieu, ex-baronne de Macumer (*Mémoires*), et aussi lorsqu'il contribue avec ses amis à tirer de la prison pour dettes le sculpteur Steinbock (*Cousine Bette*).

BRIDAU (Philippe), né en 1796, frère aîné du précédent. Après être apparu dans *Illusions*, il est un des personnages essentiels de *la Rabouilleuse*, où sa vie est presque entièrement racontée. Sa femme, née Flore Brazier, en 1787, ne figure que dans ce dernier roman.

BRISETOUT (Héloïse), danseuse, longtemps maîtresse de Crevel, figure dans *la Cousine Bette*, puis dans *le Cousin Pons*.

BROSSETTE (abbé), curé à Blangy (*Paysans*), l'est ensuite dans une paroisse parisienne, où il est amené à conseiller la duchesse de Grandlieu lorsque le gendre de celle-ci, Calyste du Guénic, trompe sa femme avec la marquise de Rochefide (*Béatrix*).

BRUEL (Jean-François *du*) [né en 1797], d'abord employé au ministère des Finances (*Rabouilleuse*), sait habilement s'y faire nommer à de plus hautes fonctions (*Em-

ployés*). Mais c'est surtout dans les lettres qu'il fait sa carrière. Collaborateur de Nathan, il écrit avec lui plusieurs vaudevilles sous le pseudonyme de *De Cursy*. C'est en rendant compte brillamment d'un de leurs vaudevilles que Rubempré se lance dans la carrière journalistique (*Illusions*). Marié à la danseuse Tullia, du Bruel est poussé par elle, à l'instigation indirecte de La Palférine, jusqu'aux plus hautes dignités (*Prince*).

BRUEL (comtesse *du*), née Claudine **Chaffaroux**, plus connue sous son nom de théâtre, **Tullia**. Danseuse à l'Opéra, elle mène d'abord une vie fort peu édifiante, avant d'épouser Jean-François du Bruel (en littérature de Cursy). C'est par amour pour La Palférine qu'elle poussera son mari dans le monde.

BRUGNOL (Mme **de**). De son vrai nom Philiberte Jeanne Louise **Breugnot**, Mme de Brugnol (1803-1874) fut la femme qui servit de prête-nom à Balzac lorsqu'il habitait rue Basse*. Il eut souvent l'occasion de recourir à ce genre de stratagème pour dérouter les créanciers. Mme de Brugnol fut aussi gouvernante — et sans doute plus encore. Elle lui avait été recommandée par Marceline Desbordes-Valmore*. Mais lorsque Mme Hanska vint à Paris pour la première fois, elle fit comprendre à Balzac qu'il devait se séparer de cette compagne, d'ailleurs peu flatteuse. Il fallait pourtant dédommager « la Chouette », comme on l'appela à partir de ce moment-là. D'innombrables négociations s'engagèrent pour lui procurer un mari ou... un bureau de timbre. Balzac crut enfin être débarrassé d'elle, mais il se trompait. « La Chouette » avait détourné une partie de la correspondance reçue de Mme Hanska et entendait en tirer parti en vue d'un chantage avantageux. Après avoir envisagé un procès, Balzac se résigna, sur le conseil de ses amis, à clore cette affaire par la remise d'une somme d'argent (au total, 13 000 francs).

BRYOND DES TOURS-MINIÈRES. V. *Contenson*.

BUISSON, tailleur habitant 108, rue de Richelieu, et chez qui Balzac eut un moment un pied-à-terre en 1838. Buisson habillait régulièrement le romancier, qui le payait d'une manière assez fantaisiste (il est arrivé à lui devoir 14 000 francs); le créancier, sans rancune, garda toujours de l'amitié pour Balzac, qui lui fit d'ailleurs de la publicité en le désignant nommément comme tailleur de plusieurs élégants de *la Comédie,* de Félix de Vandenesse, par exemple.

Facture établie par le tailleur Buisson, pour fournitures à Balzac. Elle est copieuse : on notera le nombre de robes de chambre (blanches comme d'habitude). *Coll. Lovenjoul, Chantilly. Phot. Larousse.*

Cabinet des antiques (le), roman écrit en novembre 1833, et paru, la première partie en mars 1836, dans *la Chronique de Paris*, la seconde en septembre-octobre 1838 en feuilleton dans *le Constitutionnel*, sous le titre *les Rivalités en province*; l'ensemble, en volume, sous le titre primitif, en 1839. N° 47 *(Scènes de la vie de province).* Dédié au baron de Hammer-Purgstall*.

Cette œuvre est en quelque sorte la suite de *la Vieille Fille*, au moins quant à la chronologie de l'intrigue, puisqu'on y retrouve le ménage du Bousquier (formé à la fin de l'œuvre précédente), sous le nom de Du Croisier. Balzac avait donné à ces deux romans le titre commun *les Rivalités*; il s'agit toujours, en effet, de la rivalité de la vieille noblesse et de la bourgeoisie. Mais, ici, le conflit passe au premier plan et apparaît sous une forme aiguë tragique, et constitue l'essentiel de l'intrigue.

La famille d'Esgrignon, qui vit à Alençon, s'enorgueillit d'être de la plus ancienne noblesse. Au moment où commence l'action, elle est représentée par le marquis Charles-Marie-Victor-Ange Carol d'Esgrignon, par sa demi-sœur Marie-Armande-Claire, non mariée, et par son fils unique, Victurnien. Le marquis est le type même du vieux gentilhomme, convaincu que la vieille noblesse détient le droit imprescriptible, au nom des Francs dont elle descend, de mépriser le peuple, « les Gaulois ». Légitimiste intransigeant, il ferme son salon à quiconque n'appartient pas à la plus vieille et authentique noblesse; les libéraux ont, par dérision, surnommé ce salon « le Cabinet des antiques ».

Son fils Victurnien, qui n'a pas connu sa mère, a été élevé par sa tante, Mlle d'Esgrignon. Dans sa tendresse et sa bonté, elle lui a passé tous ses caprices. Lui aussi est imbu des préjugés de son père, mais dans un autre sens : il est convaincu que toutes les frasques que peut commettre un jeune noble sont sans importance, et il commence à Alençon même, en accumulant des dettes, que paie un vieux notaire, Me Chesnel.

Celui-ci (appelé Cheisnel dans *la Vieille Fille*) est entièrement dévoué à la vieille noblesse; pendant la Révolution, il a racheté les terres du marquis pour les lui remettre à la fin de la tourmente. Et c'est lui qui va sauver du déshonneur le jeune Victurnien.

Celui-ci a été envoyé à Paris par son père; au lieu de tenir à la Cour la place que l'ancienneté de sa noblesse lui assignerait, il y mène la vie à grandes guides, et se lie avec la duchesse de Maufrigneuse, qui a tôt fait de le ruiner.

C'est le moment que choisit du Croisier pour tirer vengeance du mépris où l'ont toujours tenu les familles nobles de sa ville. Il a mis en confiance le jeune d'Esgrignon en lui prêtant de l'argent avec une apparente indulgence. Il lui adresse une lettre où il laisse, entre le texte et la signature, un vaste blanc. Pressé par le besoin d'argent, Victurnien utilise ce blanc pour libeller une fausse lettre de change.

Le scandale serait inévitable. Du Croisier a porté plainte. Me Chesnel vient le supplier de retirer cette plainte. C'est en vain qu'il tombe à genoux devant un interlocuteur féroce, et qui triomphe de la vengeance longtemps méditée. Du Croisier énonce des conditions humiliantes, dont la pire serait le mariage de sa propre nièce, Mlle Duval, avec le jeune comte. Mme de Maufrigneuse intervient; elle se rend à Alençon déguisée en homme, pour sauver Victurnien ou « périr avec lui ». Les relations qu'elle a en haut lieu l'y aideront ; ici prend place une étonnante et minutieuse description des subtilités judiciaires qui aboutissent, avec la complicité du juge Camusot (récompensé ultérieurement de sa souplesse par une nomination à Paris ; v. *Interdiction*), à un non-lieu. Du Croisier ne désarme pas. Un duel a lieu entre lui et Victurnien ; le jeune comte est blessé.

C'est, de toute façon, la fin de la grandeur des Esgrignon. Si toute la noblesse prend parti contre « l'infâme du Croisier », les libéraux ne se privent pas de répéter que le jeune comte a commis un faux. Chesnel, épuisé par la lutte qu'il a menée pour sauver l'honneur de la famille, « meurt dans son triomphe comme un vieux chien fidèle », un des « derniers représentants de cette belle et grande domesticité ». Le marquis mourra à son tour. Il a vécu assez longtemps pour assister au départ de Charles X, et constater avec douleur que « les Gaulois triomphent ». Mais son fils, définitivement indésirable à la Cour après son aventure, se résignera à épouser Mlle Duval et ses 3 millions de dot, ce qui, en fin de compte, fait de Du Croisier le vainqueur de cette rivalité. Le nouveau marquis d'Esgrignon, dédaignant sa femme, ira mener à Paris « la joyeuse vie des garçons ». Restée seule pour représenter la grandeur de la maison, Mlle d'Esgrignon demeure, « à soixante-sept ans, la plus douloureuse et la plus intéressante figure du Cabinet des antiques, où elle trône encore ».

Si le récit des intrigues judiciaires permet à Balzac une description pittoresque d'un milieu qu'il connaît bien, la beauté du roman réside dans la grandeur de certains personnages. Le vieux marquis et son fidèle serviteur le notaire sont soutenus par des sentiments qui les font paraître d'un autre âge, mais dont la dignité inspire le respect.

CADIGNAN (famille *de*), très illustre famille, représentée essentiellement dans *la Comédie* par le prince et la princesse de Cadignan, les autres membres de la famille n'apparaissant qu'en personnages secondaires, ou sous d'autres noms ; elle comprend :

1. Le *vieux* prince de Cadignan, né aux environs de 1750, et qui apparaît dans *Modeste* et dans *Splendeurs* ;
2. Son fils aîné, né vers 1776, et qui est le mari de la princesse des *Secrets* (v. *infra*). Officier, duc de Maufrigneuse jusqu'à la mort de son père (1830), il hérite le titre de prince de Cadignan à ce moment-là. Comme mari (très intermittent et discret) de Diane d'Uxelles, il est évidemment un des personnages des *Secrets*. Il mène une vie brillante de fashionable (*Illusions*) et subtilise la jeune Mariette (Marie Godeschal) à Philippe Bridau (*Rabouilleuse*) ; elle est toujours sa maîtresse dans *Un début*. Très dévoué à la Restauration, il est en faveur auprès du roi (*Cabinet*) ; on le voit enfin, dans *Splendeurs*, colonel d'un régiment de la Garde royale. Il suivra son roi en exil. (Le fils du prince et de la princesse, Georges, né en 1815, n'hérite pas du titre dans *la Comédie* et reste seulement duc de Maufrigneuse [v. à ce nom]) ;
3. Une fille du vieux prince deviendra la duchesse de Navarreins (*Secrets*) ;
4. Une nièce du vieux prince deviendra Mme Firmiani, puis Mme Octave du Camps. C'est peut-être (?) la même qui est évoquée dans *Échantillons*.

CADIGNAN (Diane *d'Uxelles*, duchesse *de Maufrigneuse*, puis princesse *de*), née en 1796, épouse du duc de Maufrigneuse, qui lui laissa une liberté totale, dont elle usa largement (on lui attribuait de nombreux amants). Elle subjugua le jeune Victurnien d'Esgrignon, le ruina, au point que celui-ci commit un faux en écritures, qui lui aurait valu la prison si elle-même n'était parvenue à étouffer l'affaire (*Cabinet*). Elle eut ensuite une liaison de deux ans avec Rubempré, qui lui fut enlevé par Mme de Sérisy. Les deux anciennes amantes unirent leurs efforts pour épargner des poursuites à Rubempré (*Splendeurs*). Elle subjugua enfin Daniel d'Arthez, profondément amoureux d'elle, avec qui elle eut une liaison heureuse et sans nuages, qui marque la conclusion de ses aventures sentimentales (*Secrets*).

CADINE (Jenny), actrice et surtout lorette (née en 1815), qui fut « protégée » par le baron Hulot dès l'âge de treize ans (*Cousine Bette*). Elle fut un moment l'amie de Couture, qui lui meubla un joli petit appartement (*Béatrix*). Elle apparaît pour finir aux dernières pages de *Comédiens*, lorsqu'elle offre l'hospitalité de son appartement et de ses charmes, pendant deux jours, au provincial Gazonal.

café, cafetière. Le goût immodéré de Balzac pour le café est presque légendaire. Ce n'était pas seulement une fantaisie de gastronome, ou une manie, mais un besoin réel. Cette boisson lui permettait

Facture établie par l'épicier Bonnemains. Livraisons de café, évidemment, mais aussi de chocolat, de chandelles, et d'une quantité surprenante de pruneaux.
Coll. Lovenjoul, Chantilly.
Phot. Larousse.

La fameuse cafetière, en porcelaine de Limoges, aux initiales du propriétaire, avec une petite couronne. *Maison de Balzac. Phot. Lauros-Giraudon.*

d'affronter des nuits de veille et de travail. Il fut d'ailleurs victime de cette passion, et dut à plusieurs reprises suspendre cette habitude, qui lui procurait de graves troubles nerveux. Toujours très porté sur la qualité de sa nourriture et de sa boisson, il utilisait un mélange de trois variétés de café : martinique, moka et bourbon, dont il achetait chaque spécimen chez des fournisseurs spécialisés. Il tenait à faire lui-même son café, dans des cafetières dont la plus célèbre est conservée comme une relique à la maison* de Balzac.

cafés. Les cafés, au cours du XIXe siècle, et jusqu'à la « belle époque », eurent une importance mondaine, littéraire et sociale qui n'apparaît plus guère de nos jours. Balzac fréquentait les plus célèbres, le Procope, situé au no 13 de la rue de l'Ancienne-Comédie, le café du Divan, au no 3 de la rue Le Peletier, et les cite souvent dans *la Comédie*. La plupart étaient aussi des restaurants. Le Café anglais apparaît entre autres dans *le Père Goriot*, dans *Illusions*; c'est au Café de Paris, situé sur les Boulevards, que le provincial Gazonal est traité par ses amis parisiens (*Comédiens*). Le Tortoni, placé au coin des Boulevards et de la rue Taitbout, et qui a disparu à la fin du XIXe siècle, était renommé pour la qualité de sa cuisine italienne et de ses glaces (v. fin de *la Comédie du diable*).

CAJETANI (Don Michele Angelo), prince **de Teano,** cousin germain par alliance de Mme Hanska (sa femme était une Rzewuska). C'est à lui que'est dédiée l'œuvre dont le titre général est *les Parents pauvres*. La famille était illustre, comptait des prélats et des légats pontificaux. Mais Balzac précise que ce n'est ni au prince ni « à l'héritier d'une illustre maison » qu'il dédie son œuvre, mais au « commentateur de Dante ». Le prince, qu'il avait rencontré à Rome en 1846, lui

avait expliqué *la Divine Comédie*, qui lui avait paru jusque-là « une immense énigme ».

CAMBREMER (Pierre), personnage évoqué dans *Béatrix*, et dont toute l'histoire est racontée dans *Un drame au bord de la mer*.

Campagne de France (la), titre correspondant au no 96 (*Scènes de la vie militaire*). Le roman ne fut jamais rédigé; il est fait allusion à cette campagne dans plusieurs autres romans (v. notamment le récit de Goguelat dans *le Médecin de campagne*).

CAMPS (M. et Mme Octave *de*). Le mari, né vers 1802, ne se rencontre que comme personnage essentiel de *Madame Firmiani*.
Les allusions à l'épouse sont plus nombreuses. Née de Cadignan, elle fut d'abord mariée au receveur général Firmiani. Sous ce nom, elle mena une brillante vie mondaine, fut l'amie de Félicité des Touches, fut rencontrée par Rastignac à un bal chez Mme de Beauséant (*Père Goriot*). À une de ses réceptions, Charles de Vandenesse rencontra Mme d'Aiglemont (*Femme de trente ans*). Veuve, elle

épousa, secrètement d'abord, puis officiellement, Octave de Camps (c'est toute l'intrigue de *Madame Firmiani*). Elle contribue à sauver la jeune comtesse Félix de Vandenesse des intrigues de Nathan (*Fille d'Ève*).

CAMUSOT (baron), riche marchand de soieries qui mena son commerce avec assez d'habileté pour pouvoir se retirer des affaires et se consacrer à la politique, devenir député, baron et pair de France (*Cousin Pons*). Dans l'intervalle, il avait été juge-commissaire de la faillite de Birotteau, et avait fait preuve, à cette occasion, de bonté à l'égard de l'infortuné parfumeur. Il sut également montrer son humanité à l'occasion de la mort de Coralie. Celle-ci avait été sa maîtresse, et l'avait quitté pour Rubempré. Après la mort de la malheureuse, il s'engagea à lui assurer et lui entretenir une tombe décente (*Illusions*).

CAMUSOT DE MARVILLE, né en 1794, du premier mariage du baron Camusot. Magistrat, et d'abord juge d'instruction à Alençon, il se montre assez habile pour clore par une ordonnance de non-lieu l'affaire de Victurnien d'Esgrignon (*Cabinet*). Comptant sur sa souplesse, on le nomme à Paris pour remplacer le juge Popinot dans l'instance entamée par la marquise d'Espard contre son mari (*Interdiction*). Il apparaît dans *la Muse du département*. Mais c'est surtout dans l'instruction de l'affaire Carlos de Herrera-Rubempré qu'il joue un rôle de premier plan (*Splendeurs*). On le retrouve dans *le Cousin Pons*, où il hérite des richesses que possédait Pons.

CAMUSOT DE MARVILLE (Mme), née Marie-Cécile-Amélie **Thirien**, en 1798, plus intrigante que son mari, sut assurer la carrière de celui-ci. Jeune fille, on la voit suivre des cours de dessin dans *Vendetta* : après son mariage, elle joue un rôle efficace à Alençon, où elle persuade Camusot de clore l'affaire d'Esgrignon par un non-lieu (*Cabinet*). À Paris, elle continue ses intrigues dans *Splendeurs*, essayant de faire interdire le marquis d'Espard, et de se venger de Rubempré,

dont l'intervention l'en avait empêchée. Sa vanité et sa cupidité se manifestent dans *le Cousin Pons*, lorsqu'elle se brouille avec le malheureux musicien, coupable, selon elle, d'avoir fait échouer un projet de mariage de sa fille Cécile Camusot, et lorsqu'elle manœuvre pour recueillir la succession de Pons.

Les Camusot de Marville avaient deux enfants, Charles, mort en bas âge, et Cécile, qui deviendra la vicomtesse Popinot.

CANALIS (Constant-Cyr, Melchior, baron de), poète, né en 1800, qui apparaît à diverses reprises, mais essentiellement dans trois romans qui jalonnent sa vie : dès le début de sa carrière, il est présenté comme un brillant espoir des lettres et comme l'amant officiel de la duchesse Henri de Chaulieu (*Illusions*). Sa réputation lui vaut l'amour de tête de Modeste Mignon, mais c'est son secrétaire qui épousera la jeune fille (*Modeste*). Canalis fera un mariage d'argent en épousant, en même temps qu'une dot considérable, la fille de Moreau, ancien intendant du comte de Sérisy, et devenu marchand de biens (*Début*). Sa notoriété et son ambition le mènent aux honneurs (ministre, pair de France, commandeur de la Légion d'honneur, membre de l'Académie française), et il sera montré au provincial, dans les couloirs de la Chambre, comme un spécimen de l'éloquence politique (*Comédiens*).

CANDOLLE (Augustin Pyrame **de**), célèbre botaniste, d'origine provençale, mais d'une famille qui s'était fixée à Genève (1778-1841). C'est en France qu'il fit ses études et commença sa carrière ; il revint dans sa ville natale, où Balzac, sur la recommandation de Geoffroy Saint-Hilaire, fut reçu par lui, au début de 1834. Le romancier, qui était très scrupuleux sur la précision de sa documentation, lui demanda des renseignements sur la flore de la Norvège, en vue de la rédaction de *Séraphita*.

CANEL (Urbain), éditeur, qui publia plusieurs des premières œuvres de Balzac. Son nom est associé à la première tentative commerciale du romancier, qui entra en société avec lui pour une édition des œuvres complètes de La Fontaine.

canne. Parmi les objets que la manie du bric-à-brac* poussait Balzac à acheter figurent en tout premier lieu les cannes. Le port de cet accessoire était devenu pour Balzac une douce manie; il est juste de dire que, les gravures du temps nous le prouvent, la canne faisait partie de la panoplie de l'élégant et du « lion ». Mais elle était pour Balzac une compagne inséparable, si bien que les portraits, charges ou caricatures le représentent, sous son aspect d'homme du monde, s'appuyant sur sa canne. On pourrait presque dire *la canne.* Car la plus fameuse, qui date de

d'une pareille canne : « Un homme d'esprit ne se donne pas un ridicule gratuitement. » Le mystère était pourtant simple : Balzac adorait être remarqué, et au besoin scandaliser le public par des excentricités. S'il faut l'en croire, le but fut atteint; il note avec satisfaction, dans une lettre à Mme Hanska, que « ce bijou » menace « d'être européen », que « tout le dandysme de Paris en a été jaloux », et que « jamais la queue du chien d'Alcibiade n'a été si remueuse *(sic)* ». Après la mort de Balzac, sa veuve fit don de la canne au Dr Nacquart.

CARABINE, de son vrai nom *Séraphine Sinet*, née en 1820. Très belle et illustre

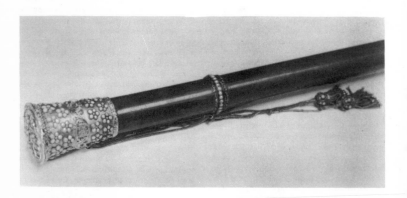

1834, devint à ce point célèbre qu'elle inspira à Mme de Girardin une œuvrette spirituelle : *la Canne de M. de Balzac.* L'auteur se pose la question, que la vue de cet accessoire ne pouvait manquer de suggérer : « Quelle raison avait engagé M. de Balzac à se charger de cette massue ? » Le mot est joli, encore qu'un peu méchant; mais il est exact. Cette canne était énorme. Œuvre du joaillier Lecointe, elle avait coûté près de 1 000 francs. Le pommeau, incrusté de turquoises, portait les armes des Balzac d'Entragues*. S'y rattachait une chaîne d'or qui était un don de Mme Hanska. Mme de Girardin se demande quel mystère cache le port

Cette canne méritait-elle d'être comparée à une massue, comme le fait un peu méchamment Mme de Girardin ? *Phot. Bulloz.*

lorette que l'on rencontre souvent dans *la Cousine Bette.* Elle fut longtemps la maîtresse de Du Tillet. Plusieurs années après, les cicerones du provincial Gazonal la lui signalent comme le modèle parfait de la « marcheuse » *(Comédiens).*

caractère de femme (Un), œuvre dont il n'existe que des fragments manuscrits; écrite à Wierzchownia en 1847 ou au début de 1848, elle ne figure évidemment pas dans le plan de *la Comédie.* Au surplus, les personnages, dont Balzac avait dressé la liste avant d'entamer la rédaction de l'ouvrage, sont tous des personnages nouveaux, dont aucun ne figure dans *la Comédie*. Une autre particularité réside dans le fait que l'auteur a tracé le plan de l'ouvrage en tête du manuscrit. Celui-ci commence par la présentation du colonel baron Sautereau ; officier de l'Empire en demi-solde, suspect parce qu'il a participé au complot du 20 mai 1815, il est envoyé en résidence surveillée à Belley, ville dont il est d'ailleurs originaire. Dans la diligence qui l'y amène, il rencontre son oncle, président du tribunal local, qui, en lui faisant un tableau de la situation politique et sociale de Belley, lui conseille la prudence. C'est au cours de cet exposé qu'est présentée celle dont l'œuvre nous eût dépeint le caractère, Mme Chambrier, nièce de l'évêque de Belley, Mgr d'Escalonde, et qui, pour cette raison, se fait appeler Mme Chambrier d'Escalonde. Le manuscrit s'arrête sur un début de chapitre, où sont présentés l'évêque et son grand vicaire, l'abbé Veyraz...

Le ton, le mouvement général de cette œuvre à peine commencée, rappelle irrésistiblement celui de *la Comédie*.

CARDOT (Jean-Jérôme-Séverin), le *père*, né en **1755**. Il fit rapidement une grosse fortune, et céda sa maison de commerce à son gendre Camusot. Il fit la fortune et la carrière de la jeune Florentine, qu'il avait remarquée à la sortie de sa leçon de danse, alors qu'elle n'avait que treize ans (*Début*). Il continua longtemps sa vie de libertin, y associant éventuellement son gendre, avec qui il soupait chez Florine (*Illusions*).

CARDOT (M^e), fils du précédent, né en 1794, notaire de plusieurs personnalités figurant dans divers romans. Protecteur de Malaga, il reçoit chez elle (*Muse*), et c'est dans le salon de la lorette qu'est racontée une aventure financière de Maxime de Trailles (*Homme d'affaires*).
Mme Cardot et sa fille Félicie, qu'il fut question de marier à Lousteau, n'apparaissent pratiquement que dans *la Muse*,

ainsi que les deux fils du ménage (personnages accessoires).

Caricature (la), journal satirique hebdomadaire, fondé en novembre 1830, très hostile au gouvernement de Louis-Philippe, et qui comportait, outre plusieurs pages de textes, des lithographies dues à des dessinateurs illustres, Daumier, Gavarni, Raffet, entre autres. La caricature était alors un genre très en honneur, et l'influence du caricaturiste sur le public était réelle. Dans une des pages qu'il a fournies à ce journal, Balzac déclare que la caricature se vendra toujours, car « en notre bienheureux pays on se passerait plus volontiers de manger que de médire ».

C'est probablement à ce journal que Balzac a donné le plus grand nombre d'articles ; ce ne sont généralement pas les plus importants ni les plus caractéristiques ; dans l'ensemble, ils sont courts ou très courts (une petite page parfois) ; ils traitent de sujets variés, sur le mode satirique, ou même (le titre du journal y prêtait) caricatural. Cette collaboration a duré de 1830 à 1832. Il arrive (rarement) que Balzac signe de son nom en toutes lettres ; parfois, il abrège la signature en Henri B... Le plus souvent, il utilise un de ses habituels pseudonymes* le comte Alex. ou Alexandre de B..., Alfred Coudreux, Eugène Morisseau.

La série des nombreux articles qu'il a donnés à *la Caricature* figure au tome II des *Œuvres diverses*, dans l'édition Conard. Nous n'avons mentionné que les titres de ceux, peu nombreux, qui nous ont paru présenter un intérêt essentiel pour la connaissance *générale* du romancier et de son œuvre.

C'est *la Caricature* qui inséra, en décembre 1830, *la Danse des pierres*.

CARIGLIANO (maréchal duc et duchesse de). Le duc, vieux et glorieux soldat de l'Empire, ne joue qu'un rôle effacé (*Maison du Chat* et, très épisodiquement, *Sarrasine* et *Contrat*).
La duchesse, née Malin de Gondreville en 1778, se rencontre, au contraire, souvent dans *la Comédie*, même si elle ne joue

nulle part un rôle de premier plan. Elle a pour amants successifs Théodore de Sommervieux, puis le colonel d'Aiglemont *(Maison du Chat)*. C'est chez elle que Rastignac assiste à son premier bal *(Père Goriot)*. Son salon est célèbre, ses relations sont brillantes *(Cabinet, Illusions, Employés)*. On la retrouve encore dans *la Peau de chagrin* ; on la voit réapparaître au château de Gondreville *(Député)* et s'intéresser au sort de la baronne Hulot d'Ervy *(Cousine Bette)*.

CARRAUD (Mme Zulma) [1796-1889]. Elle fut toute sa vie pour Balzac une amie profondément sincère et dévouée, de qui les conseils ne manquèrent jamais au romancier, bien qu'il n'en tînt pas toujours compte.

Elle était née Tourangin, originaire d'Issoudun, et avait épousé un officier d'artillerie, professeur à Saint-Cyr ; c'était une amie d'enfance de Laure Surville (Laure de Balzac), qui habitait en 1825 à Versailles, où Balzac fit la connaissance des Carraud. Le mari fut nommé en 1831 à Angoulême, comme inspecteur de l'Arsenal, et le ménage résidait à la Poudrerie, à quelques kilomètres de la ville. Balzac s'y rendit fin décembre 1831, et de nouveau en 1832 ; il y fit cette année-là un séjour de deux mois (juillet-août), pendant lequel il travailla d'ailleurs avec acharnement. On l'y revoit encore en avril-mai 1833. Ce n'est pas par hasard que l'intrigue d'*Illusions perdues* commence et s'achève à Angoulême : Balzac avait demandé à Zulma Carraud une documentation très précise sur cette ville.

Cette même année 1833, les Carraud quittent Angoulême pour aller s'installer près d'Issoudun, au château de Frapesle, hérité du père de Mme Carraud (Balzac utilisera ce nom pour un château imaginaire du *Lys*). En avril 1834, Balzac va leur rendre une courte visite. En 1838, il passe à Frapesle le mois de février ; en revenant, il rend visite à George Sand à Nohant.

Quant aux sentiments que Balzac éprouvait à l'égard de cette vieille amie, ils sont clairement exprimés, en particulier dans une lettre à Laure Surville d'octobre 1838. Évoquant le souvenir de Mme de

Berny, il écrit : « Je suis seul contre tous mes ennuis (...). Je n'ai plus de conseil pour les difficultés de la vie (...) ; à force de voir faire la littérature, tu l'aurais comprise, tu l'aurais apprise (...), car le sens littéraire s'acquiert. Il n'y a que madame Zulma qui ait, dans les personnes à qui je pourrais me fier, la haute intelligence nécessaire à jouer un pareil rôle. »

CASA-REAL (maison *de*), vieille famille noble espagnole, dont il est question dans *la Recherche de l'absolu*, et dont Mme Évangéline *(Contrat)* est une descendante.

CASTELLANE (comte Jules *de*) [1782-1851], à qui sont dédiés *les Comédiens sans le savoir*. Balzac l'avait connu entre autres par l'intermédiaire de la duchesse d'Abrantès.

CASTÉRAN, famille noble de Normandie, dont les nombreux représentants figurent, avec une généalogie peu claire, dans divers romans de *la Comédie*, mais sans y

Portrait de François-Michel Carraud, par Viénot. Coll. *Philippe Hériat.* Phot. *Larousse.*

Portrait
de Zulma Carraud
et de son fils,
par Viénot
(1827).
Collection
Philippe Hériat,
descendant
de
Zulma Carraud,
qui a
bien voulu
en autoriser
la reproduction.
Phot. Larousse.

jouer jamais un rôle de premier plan. Elle comprend :

1. Le marquis et la marquise, habitant Alençon (*Vieille Fille, Cabinet*) ;

2. Leur fils, comte de Castéran, préfet dans *les Paysans* ; sa femme est la fille du marquis de Troisville ;

3. Béatrix-Maximilien-Rose de Castéran, fille du marquis et de la marquise, née en 1808, et qui deviendra la marquise de Rochefide (*Béatrix*) ;

4. Une certaine Blanche de Castéran (filiation énigmatique), entrée en religion après avoir été séduite par le duc de Verneuil et après avoir mis au monde une fille, Maria, qui sera Mlle de Verneuil, future marquise Alphonse de Montauran (*Chouans*) ;

5. Une demoiselle de Castéran-la-Tour (branche collatérale ?), qui épousera Milaud de La Baudraye (*Muse*).

CASTRIES (Claire - Clémence - Henriette - Claudine **de Maillé,** marquise **de**), née en 1796, avait épousé le marquis en 1816. Par sa mère, une Fitz-James, par son père, le duc de Maillé, elle descendait des plus hautes familles. Son mariage ne fut pas heureux : dès 1822, elle eut une liaison avouée avec le jeune prince Victor de Metternich, fils de l'homme d'État autrichien, et de qui elle eut un fils. En septembre 1831, Balzac reçut une lettre anonyme (Mme Hanska ne devait pas être, un peu plus tard, la seule, parmi les innombrables épistolières qui exprimèrent leur admiration au romancier, à entamer la correspondance par une lettre anonyme), où on lui parlait de ses œuvres, notamment de *la Peau de chagrin* et de la *Physiologie du mariage*. La marquise ayant renoncé à l'anonymat, il fut reçu chez elle. Après Mme et la duchesse d'Abrantès, elle représentait une aristocratie dont la fréquentation comblait la vanité de Balzac. Il en vint à adopter les idées du parti légitimiste, à se lier avec le duc de Fitz-James, oncle de la marquise, à devenir collaborateur de *la Quotidienne*, même à envisager, sans succès, une candidature comme candidat légitimiste à Chinon. Mais il tenait surtout à conquérir la belle marquise. Elle part pour Aix-les-Bains; il la rejoint, et, sur la proposition de Fitz-James, il décide de se rendre avec elle à Rome, en passant par Genève. Dans cette ville, l'amoureux platonique, et qui ne voulait plus le rester, émet des exigences que la marquise repousse. C'est la rupture, de laquelle Balzac gardera une rancune féroce : *la Duchesse de Langeais* est la transposition littéraire de cette déception et de cette rancœur.

Catéchisme social, suite de notes constituant un « Essai sur le pouvoir », qui n'ont pas été mises en forme par Balzac, et que M. Guyon (Renaissance du Livre, 1933) a éditées d'après le texte manuscrit conservé dans le fonds Spoelberch de Lovenjoul. On ne peut, dans cet ensemble assez inorganique, découvrir un système social ou politique cohérent. Ce que l'on aperçoit des idées de l'auteur rejoint généralement les théories qu'il a exposées dans divers romans, notamment sur la religion, qui repose « sur un sentiment inné chez l'homme ».

Cénacle (le), groupe d'intellectuels qui figure dans *Illusions*, et qui réunit neuf membres : un président (Lambert, puis d'Arthez), Bridau (Joseph), Giraud, Ridal, Bianchon (Dr), Rubempré, Mayraud et Chrestien.

Centenaire (le) ou les Deux Beringheld, roman paru en novembre 1822 chez Pollet, sous la signature d'Horace de Saint-Aubin (premier emploi de ce pseudonyme par Balzac). Le premier titre envisagé avait été *le Savant*. C'est une transposition dans le monde moderne du roman de Maturin* *Melmoth ou l'Homme errant* (v. **Melmoth**) : le vieux Beringheld, le centenaire, a le même pouvoir que Melmoth. Un pacte avec le démon lui a donné une puissance extraordinaire et surnaturelle (longue description des manifestations de ce pouvoir). Le roman s'achève en roman noir. Le vieux Beringheld a enlevé Marianine, fiancée de Tullius Beringheld. Il l'emmène dans une sombre retraite et va l'immoler pour renouveler par le sang de sa victime son existence de centenaire. Le jeune homme arrive à temps pour desceller les pierres qui masquent le repaire du monstre et sauver la jeune fille.

CÉRIZET, enfant trouvé, né en 1801 ou 1802, d'abord apprenti typographe chez Didot, puis engagé par David Séchard, chez qui il donne la mesure de sa malhonnêteté *(Illusions)*. Il fait ensuite les métiers les plus divers, y compris celui de gérant de journaux, et, sous la monarchie de Juillet, celui de sous-préfet — mais pour trois mois seulement *(Maison Nucingen)*. Son sens des affaires louches et malpropres l'amène à s'associer à des individus douteux comme Claparon *(Homme d'affaires)*. On le retrouve dans *les Petits Bourgeois* ; il y vit d'usure, et au besoin d'escroquerie et même de vol. Et il est toujours usurier dans *les Comédiens*.

César Birotteau. V. *Grandeur et décadence...*

CHAFFAROUX, entrepreneur *(Grandeur, Prince, Petits Bourgeois)*, oncle de Claudine Chaffaroux = Tullia = comtesse du Bruel *(Prince)*. Il est victime d'une erreur de date commise par Balzac, qui le fait mourir en 1837 et ressusciter en 1840 dans *les Petits Bourgeois*. (Ce genre d'erreur est relativement rare dans *la Comédie*).

CHAMPFLEURY (Jules Husson, dit **Fleury,** dit) [1821-1889], embauché comme jeune secrétaire par Dutacq pour la réédition de l'œuvre de Balzac après sa mort. Il fut l'amant de Mme H. de Balzac pendant trois mois, et se sépara d'elle avec soulagement. Romancier fécond, il est connu comme chef de l'école réaliste.

CHAMPIGNELLES, famille noble *(Femme abandonnée)* dont le représentant, marquis de Champignelles, joue un rôle dans *Envers,* où il intervient en faveur de la baronne Le Chantre de La Chanterie, qui est une demoiselle Barbe-Philiberte de Champignelles.

CHARDON (Mme), née Charlotte *de Rubempré,* est la mère d'Ève Chardon (Mme David Séchard) et de Lucien Chardon qui prend, abusivement d'abord, puis légalement, le titre nobiliaire de sa mère *[Illusions].*

CHARGEBŒUF, vieille famille noble, dont le chef, marquis de Chargebœuf, né en 1737, ami de Talleyrand, intervient en faveur des jumeaux de Simeuse *(Ténébreuse).*
La famille est également représentée par des personnages dont la filiation est confuse : elle comprend une branche riche et une branche pauvre.
1. Une demoiselle de Chargebœuf intervient en faveur de Louise de Chaulieu chez les Carmélites de Blois *(Mémoires);*
2. Une Mme de Chargebœuf, veuve (branche pauvre), et qui habite d'abord Troyes, vient s'installer à Provins; sa fille Bathilde deviendra Mme Denis Rogron *(Pierrette);*
3. Une autre demoiselle de Chargebœuf (branche riche) s'est mésalliée en épousant l'avocat Vinet *(Pierrette);*
4. Un Chargebœuf (branche riche) figure aussi dans *Pierrette.* C'est peut-être le même qui, avocat à Paris, est chargé, après la mort de Rubempré, de négocier avec la presse un compte rendu officiel *(Splendeurs);*
5. Le vicomte René-Melchior de Chargebœuf (branche pauvre) est sous-préfet à Arcis-sur-Aube *(Député)* et à Sancerre *(Muse).*

CHASLES (Victor-Euphémon-Philarète), bibliographe et critique, professeur au Collège de France, conservateur de la bibliothèque Mazarine (1798-1873). Il fut, à

ses débuts, un des premiers littérateurs que connut Balzac, qui avait de l'estime pour son talent. Il collabora aux *Contes* bruns.* C'est lui qui écrivit, en septembre 1831, l'Introduction aux *Romans et contes philosophiques.*

CHÂTELET (comte et comtesse *Sixte du*), personnages importants dans *Illusions.* L'un et l'autre (la comtesse, née Marie-Louise-Anaïs de Négrepelisse, en 1769, et dont le premier mari fut M. de Bargeton) retrouvent Rubempré dans *Splendeurs.* Le comte apparaît dans *l'Interdiction,* et les deux époux dans *les Employés.*

CHAULIEU (famille). Cette famille comprend :
1. Le duc Henri de Chaulieu, né en 1773, pair de France, ambassadeur, évoqué dans *Mémoires.* On le retrouve dans quelques autres romans, surtout dans *Splendeurs,* où il se dispose à intervenir en faveur de Rubempré, et y renonce sous la pression du duc de Grandlieu;
2. La duchesse Henri de Chaulieu, née, en 1785 (?), Eléonore de Vaurémont, surtout célèbre par sa longue liaison avec Canalis *(Modeste).* Elle apparaît aussi dans divers autres récits *(Mémoires, Cabinet);*
3. Mlle de Chaulieu (sans prénom), sœur et belle-sœur des précédents, supérieure du couvent des Carmélites à Blois; elle apparaît dans *Mémoires;*
4. Alphonse de Chaulieu, fils du duc et de la duchesse, duc de Rhétoré (v. ce nom);
5. Marquis de Chaulieu (sans prénom), frère cadet du précédent, épouse *(Mémoires)* Mlle Madeleine de Mortsauf (fille de l'héroïne du *Lys);* sa femme étant la petite-fille du duc de Lénoncourt, Chaulieu est autorisé à prendre le titre de duc de Lénoncourt-Givry. Il apparaît aussi dans *Splendeurs,* en particulier chez les Grandlieu;
6. Armande-Louise-Marie de Chaulieu, née en 1807, sœur des deux précédents, devient baronne de Macumer, puis Mme Marie Gaston *(Mémoires* principalement).

Chef-d'œuvre inconnu (le), nouvelle parue pour la première fois du 31 juillet au 6 août 1831 dans la revue *l'Artiste*, avec le sous-titre *Conte fantastique*. N° 111 (*Études philosophiques*).

L'action se déroule au début du XVIIe siècle. Le vieux maître Frenhofer, peintre génial, s'est plaint, devant son ami Porbus et devant le jeune Nicolas Poussin, alors débutant, de ne pas trouver de modèle digne de lui. Poussin lui propose alors comme modèle sa maîtresse, la délicieuse Gillette, mais à une condition expresse : c'est que, en revanche, Frenhofer montre à lui-même et à Porbus une toile sur laquelle il travaille depuis de nombreuses années, qu'il retouche sans cesse, qui représente Catherine Lescaut, une belle courtisane appelée la Belle Noiseuse. Frenhofer a toujours refusé de montrer à qui que ce fût ce « chef-d'œuvre inconnu ». Mais Gillette est si belle, représente un modèle si idéal, que le vieux peintre accepte le marché qui lui est proposé. Il dévoile son tableau devant Porbus et Poussin. Ceux-ci, décontenancés d'abord, puis atterrés, ne réussissent à voir dans le tableau que « des couleurs confusément amassées », d'où émerge seul, dans un coin de la toile, un pied « délicieux », « vivant ». Ils ne peuvent cacher leur impression à Frenhofer, qui les accuse d'être d'infâmes jaloux et les met à la porte. Dans la nuit, il meurt après avoir mis le feu à ses toiles.

Sans doute, Balzac a voulu montrer non point, comme le veut la sagesse populaire, que « le mieux est l'ennemi du bien », mais que le vieux peintre a été victime d'une sorte d'hallucination artistique qui lui a fait préférer à la peinture de la réalité la poursuite d'un rêve chimérique, et qui ne voit plus son œuvre, mais l'idée qu'il a de son œuvre. Poussin l'a très exactement défini en disant qu'il « est encore plus poète que peintre ».

chêne (traverses de). Le gendre de Mme Hanska, le comte Mniszech, étant propriétaire d'immenses forêts, Balzac avait pensé qu'on pouvait en débiter le bois, le transformer en traverses pour les voies ferrées qui, à cette époque, se construisaient en France. Son imagination travailla sur ce magnifique projet, dont il

espérait un bénéfice énorme. Il développe cette idée dans une lettre à Laure Surville, datée de Wierzchownia, octobre 1847, en plusieurs pages emplies de chiffres mirobolants. « Il faut me répondre catégoriquement (sic) sur cette affaire, qui, si elle pouvait nous donner seulement cinq francs de bénéfice par poutre et deux francs par traverse, tous frais faits, serait une fortune de 420 000 francs. Cela vaut la peine d'y penser, car cela serait les dots de tes filles. » Malheureusement, Surville, qui est polytechnicien, a refait les calculs, et Balzac constate que l'entreprise n'est pas la bonne affaire qu'il avait rêvée : « Ses calculs (ceux de Surville) sont exacts, et, malgré ces richesses, les transbordements d'un chemin de fer dans l'autre, à Breslau, à Berlin, à Magdebourg, à Cologne, les rendront inutiles. C'est ce que je calculais pendant que la lettre venait » (Lettre à Laure Surville de novembre 1847). Il était dit que, jusqu'à la fin de sa vie, Balzac serait hanté par la perspective de faire sa fortune (ou celle de son beau-frère en l'occurrence) dans les affaires.

CHESNEL (Me), ou **CHOISNEL**, selon le *Cabinet* ou *la Vieille Fille*, notaire des familles nobles d'Alençon. Il joue un rôle important dans les deux romans précités. Il est également le notaire de Mme de La Chanterie (*Envers*).

CHEVALIERS DE LA DÉSŒUVRANCE (ordre des), société secrète de jeunes gens d'Issoudun, qui, pour tromper leur ennui, jouent des farces de mauvais goût aux habitants (*Rabouilleuse*). Cette histoire n'a d'intérêt que parce qu'elle montre une fois de plus l'importance que Balzac attachait au thème du complot (v. *Cheval-Rouge*, *Histoire des Treize*).

Cheval-Rouge (le), restaurant situé sur les quais, où Balzac se rencontrait avec quelques amis. Il s'était formé entre eux une sorte de confrérie à laquelle il avait donné le nom du restaurant, et dont il s'était institué le président. Il s'agissait de conquérir les honneurs et les places en s'aidant mutuellement par une sorte de franc-maçonnerie qui eût utilisé en particulier les services de la presse. L'entreprise fut bientôt abandonnée. Il faut retenir de cet épisode l'importance que Balzac attribuait aux associations secrètes, où les membres s'épaulent pour la satisfaction de leurs désirs. C'est le thème essentiel de l'*Histoire des Treize*.

CHIFFREVILLE, directeur d'une importante maison de produits chimiques, qui intervient à ce titre comme fournisseur de divers personnages *(Recherche, Grandeur, Cousin Pons)*.

CHOCARDELLE (M^IIe). V. *Antonia*.

CHOISNEL. V. *Chesnel*.

choléra. Il est assez souvent question du choléra dans la correspondance de Balzac. Il s'agit essentiellement de l'épidémie de 1848, qui se prolonge. Dans une lettre de Wierzchownia, datée de 1849, à Mme de Balzac, son fils lui adresse à ce sujet des recommandations pressantes : « Adieu, ma bonne chère mère. Prends bien soin de toi. *Ne sors jamais à jeun* (par ces temps de choléra). » Ce qui prouve que le fils, malgré les accents de mauvaise humeur ou même d'exaspération qu'on trouve dans ses lettres, a toujours gardé une réelle tendresse pour sa mère. En ce qui le concerne, et bien que le choléra soit à Kiew au moment où il se trouve à Wierzchownia, Balzac est sans inquiétude. Il affirme avec humour (lettre à Laure Surville) que « le choléra ne tue que les oncles à succession » et « laisse en repos les gens qui ont des dettes ».

Chouans (les) ou la Bretagne en 1799 (titre primitif : *le Dernier Chouan ou la Bretagne en 1800*), premier roman paru (mars 1829) sous la signature de Balzac (sans particule). Fortement remanié et amélioré quant au style, de l'aveu même de l'auteur, sous le titre définitif (1834). N° 81 *(Scènes de la vie militaire)*. Seul ouvrage, avec *Une passion dans le désert*, qui ait paru parmi les vingt-cinq titres que Balzac envisageait pour cette série. Il devait constituer une sorte de diptyque avec *les Vendéens* (jamais publié).
Le point de départ historique est l'insurrec-

tion, en 1800, des compagnards d'Ille-et-Vilaine, insurrection réprimée par Bonaparte.
Le roman évolue autour du sujet que voici : il s'agit pour les républicains de capturer le marquis de Montauran, chef des partisans, et surnommé *le Gars* (pron. Gâ ; Balzac donne à ce mot une étymologie bretonne assez aventureuse). Il a été signalé que ledit *Gars* venait de débarquer en Bretagne, chargé d'une mission de soulèvement par le comte de Lille (Louis XVIII). Les troupes républicaines sont commandées par Hulot (qui deviendra plus tard maréchal et comte de Fortzheim). Il est assisté bien malgré lui, car c'est un soldat franc et loyal, par un sbire dont les méthodes lui répugnent, un certain Corentin, fils naturel, dit-on, de Fouché, qui l'a chargé de mission en Bretagne. Hulot, emmenant un convoi de réquisitionnaires vers Mayenne, est attaqué par les Chouans, et reste difficilement maître du terrain. De Mayenne, il gagne Alençon. À l'hôtel, il se trouve assis à la même table que le Gars, déguisé, et une jeune femme, Marie-Nathalie de Verneuil. Celle-ci, pour échapper à la misère, a accepté de Corentin, moyennant finance, la mission de séduire le Gars et de l'attirer dans un piège. Mais dès qu'elle l'aperçoit, elle se sent irrésistiblement attirée vers lui, et le sauve des mains de Hulot, qui a éprouvé de forts soupçons sur l'identité de son commensal. Le sentiment qu'elle a éprouvé d'emblée pour le jeune homme est partagé par celui-ci, au grand dépit de la comtesse du Gua, d'une vieille famille bretonne, et qui, plus écoutée des Chouans que le Gars lui-même, organise les embuscades et ne craint pas de participer aux combats. Amoureuse du Gars, elle fait tomber M^IIe de Verneuil dans un guet-apens, et essaie de la faire assassiner par deux partisans, dont l'un, le célèbre Marche-à-Terre, est connu et redouté pour son courage, sa cruauté et sa cupidité.

Le Gars apprend la véritable mission de M^IIe de Verneuil ; il insulte l'espionne et la chasse. Par dépit, elle jure au commandant Hulot de lui livrer celui qui l'a outragée. Mais elle trouve le moyen de se réhabiliter auprès du Gars, et, l'ayant convaincu de sa sincérité, entreprend de l'engager à ne plus porter les armes contre la France. Il la rejoindra à Fougères pour l'épouser. Corentin a fabriqué une fausse lettre où le Gars est censé dire à Mme du Gua qu'il rejoindra les partisans dès qu'il aura satisfait le caprice d'une nuit. Indignée, Mlle de Verneuil révèle à l'espion l'heure du rendez-vous. Quand elle s'aperçoit du piège, il est trop tard. Elle périra avec le Gars sous les balles, et leur union, célébrée clandestinement dans la soirée, n'aura duré qu'une nuit.

Les Chouans sont, dans une certaine mesure, un roman historique. Balzac avait profondément subi l'influence de W. Scott, et d'autre part la Révolution était assez récente pour que son histoire intérieure pût passionner un public, où se trouvaient encore de nombreux témoins de l'époque peinte par l'auteur. D'ailleurs, Balzac, qui savait observer et noter minutieusement, avait, au cours de son séjour à Fougères, chez le général de Pommereul, étudié de très près la région et le milieu où devaient évoluer ses personnages, dont certains ont eu des originaux dans la réalité, bien que l'œuvre ne soit pas un roman à clé.

Le roman vaut surtout par l'opposition de deux milieux vigoureusement décrits, celui des partisans et celui de leurs adversaires républicains. C'est une étude de mœurs plus encore qu'une tentative de reconstitution historique.

Si l'on ajoute que les Chouans sont aussi un très beau roman d'amour, contrarié par une intrigue policière, aussi sombre que toutes celles qu'imaginera ensuite l'auteur, on peut affirmer, sans exagération, que ce premier roman contient en germe bien des éléments que développera plus tard le génie de Balzac.

Il existe de ce roman deux versions théâtrales, l'une de 1837, sous le titre le Gars, jouée à l'Ambigu, affreusement défigurée par un certain Béraud, l'autre, plus respectueuse de l'intrigue, et jouée avec succès (plus de cent représentations) en 1895, également à l'Ambigu.

CHOUETTE (la). V. Brugnol (Mme de).

CHRESTIEN (Michel), membre du Cénacle, ami de d'Arthez, il a un duel avec Ru-

bempré (Illusions). Amoureux transi de la princesse de Cadignan, il lui adresse, avant de trouver la mort dans l'affaire du cloître Saint-Merri, une lettre émouvante (Secrets).

Chronique de Paris, « journal politique et littéraire », paraissant deux fois par semaine, que Balzac avait acheté et qu'il dirigea de 1835 à 1837. L'affaire fut pécuniairement peu heureuse. Sa critique devait embrasser « la littérature, les arts, les sciences et l'industrie ». Plusieurs nouvelles ou romans de Balzac y ont paru, ainsi que de nombreux articles, les uns non signés, les autres signés de Balzac, quelques-uns signés Mar. O'C.*.

Y ont paru notamment, en 1836 : l'Interdiction, la Messe de l'athée, le Cabinet des antiques (début).

cinéma. Comme il fallait s'y attendre, l'œuvre énorme de Balzac a suscité d'innombrables adaptations cinématographiques, non seulement françaises, mais étrangères (italiennes surtout). Les sujets ont été très souvent modernisés, les titres souvent modifiés : le Père Goriot devient Paris at Midnight dans une version américaine ; le Colonel Chabert, Mensch ohne Namen (l'Homme sans nom) dans une version allemande. Certains films sont dus à des réalisateurs en renom : Baroncelli (la Duchesse de Langeais), Gabriel Albicocco (la Fille aux yeux d'or), Jean Epstein (l'Auberge rouge), etc. L'adaptation des dialogues est parfois signée d'écrivains authentiques (Giraudoux pour la Duchesse de Langeais [cité plus haut], Philippe Hériat pour la Rabouilleuse [sous le titre les Arrivistes]). On trouve au générique des noms d'acteurs devenus presque légendaires (Rudolf Valentino dans la version américaine [1922] d'Eugénie Grandet), ou prestigieux : Michel Simon, dans l'adaptation française (1943) de la série Illusions perdues, Splendeurs, Dernière Incarnation, et beaucoup d'autres aussi illustres.

Le catalogue complet (et très fourni) de ces adaptations, dû à l'éminent spécialiste qu'est René Jeanne, figure à la fin de l'article Balzac (p. 317) du Dictionnaire des littératures publié sous la direction de Ph. Van Tieghem (Presses Universitaires).

CINQ-CYGNE, famille noble champenoise dont le passé est presque entièrement raconté dans *Une ténébreuse affaire.* Le personnage le plus marquant est Laurence, marquise de Cinq-Cygne, née en 1781, héroïne principale du roman qui vient d'être cité. On la verra ensuite dans *le Député,* dans *Splendeurs,* dans *l'Envers.* Son mari, Adrien de Hautesserre, était devenu, en l'épousant, marquis de Cinq-Cygne *(Ténébreuse).* Les époux eurent un fils, Paul, qui apparaît dans *Une ténébreuse affaire* et dans *le Député,* et une fille, Berthe, née en 1814, qui deviendra la duchesse Georges de Maufrigneuse.
Une autre Berthe de Cinq-Cygne, tante de Laurence, épouse Jean de Simeuse.

CLAËS (Balthazar). V. *Recherche de l'absolu (la).*

CLAPARON (Charles), né en 1790, se révèle dès sa jeunesse comme un médiocre *(Rabouilleuse).* Il se lance dans la banque, échappe à la faillite grâce au pouvoir infernal que lui transmet Castanier, et dont il finit par se débarrasser en le revendant *(Melmoth).* Victime des manœuvres de Nucingen et du Tillet, il fait faillite, et cette fois définitivement *(Maison Nucingen).* Il subsiste d'expédients avec la complicité de Cérizet *(Homme d'affaires),* et finit par s'enfuir en Amérique *(Petits Bourgeois).*

Clochegourde, nom imaginaire du château où se déroule une partie importante de l'intrigue du *Lys.* Il n'a pu être situé exactement ; il semble qu'on puisse l'imaginer tout près de Saché, mais sur l'autre rive de l'Indre.

Clotilde de Lusignan ou le Beau Juif, premier roman écrit par lord R'hoone[*] seul, et publié en juillet 1822. L'œuvre semble une parodie du style romantique, et spécialement de Walter Scott. L'intrigue fait d'autant plus songer à *Ivanhoé* que le héros, Gaston de Provence, porte, comme Richard Cœur de Lion, le titre de « chevalier noir ». Le récit est, comme *Ivanhoé,* un roman du retour des croisades. Gaston de Provence, revenu dans ses terres, sous le déguisement d'un pauvre juif, sauve par son courage, au cours de multiples aventures, la belle Clotilde de Lusignan, qu'il finira, naturellement, par épouser.

Code conjugal. V. *Physiologie du mariage.*

Code des gens honnêtes, étude parue anonyme en 1825, due vraisemblablement à la collaboration de Raisson et de Balzac, rééditée plusieurs fois et attribuée à Balzac par la réédition de 1854. Sous-titre : *ou l'Art de n'être pas dupe des fripons.* La psychologie du voleur y est étudiée d'une curieuse façon. Il y est présenté comme un homme supérieur, qui n'a pas su « employer au bien les exquises perfections dont il fait ses complices », et que son indolence amène au vol comme à « un prompt moyen de s'enrichir ».
L'œuvre est présentée avec un amusant dogmatisme, à la façon d'une étude scientifique, divisée en livres, eux-mêmes subdivisés en chapitres, dont certains ont un titre inattendu : « Des contributions volontaires forcées levées par les gens du monde dans les salons », « Des appels faits à votre bourse dans la maison du Seigneur », etc.

COLLEVILLE (sans prénom), personnage qui cumule bizarrement les fonctions de clarinettiste (ou hautboïste ?) à l'Opéra-Comique et d'employé au ministère des Finances *(Employés).* C'est un des acteurs importants des *Petits Bourgeois.*
Sa femme, née Flavie Minoret, en 1798, figure également dans les deux romans précités. Mais elle mène une existence assez libre, du moins dans une partie de sa vie : liaison, entre autres, avec Charles Keller *(Splendeurs, Cousine Bette),* puis avec des Lupeaulx *(Employés),* si bien que les deux filles et les trois fils qu'elle met au monde (tous dans *les Petits Bourgeois)* sont presque sûrement de pères différents.

COLLIN (Jacqueline), tante de Vautrin, née en 1774, à peine plus âgée que lui (6 ans). Créature ignoble, ayant fait à peu près tous les métiers inavouables, y compris celui d'entremetteuse et de directrice, directement ou par personne interposée, de maisons de débauche, très versée dans l'art de la toxicologie, dévouée corps et âme à son neveu. Elle apparaît surtout dans *Splendeurs*, où Vautrin, pour surveiller Esther, l'installe comme cuisinière chez celle-ci, sous le nom d'Asie. C'est elle qui éliminera par le poison le policier Peyrade, devenu trop indiscret au gré de Vautrin. Son art consommé du déguisement permet à son neveu de recourir à elle pour alerter, après son arrestation, les dames influentes de qui il espère le salut de Rubempré. On retrouvera Jacqueline Collin, et toujours comme entremetteuse, lorsque, servant les plans de la *Cousine Bette*, elle procure Mme Marneffe au baron Hulot d'Ervy.

Colonel Chabert (le), roman paru d'abord en 1832 dans *l'Artiste*, sous le titre *la Transaction*, remanié et republié en 1835 sous le titre *la Comtesse à deux maris*. Titre définitif actuel dans l'édition de 1844. N° 18 (*Scènes de la vie privée*). Le colonel comte Chabert, grand officier de la Légion d'honneur, tombé à Eylau, et laissé pour mort, a survécu par miracle. Après un long voyage à travers l'Allemagne, il rentre en France, vieilli et épuisé, pensant y faire reconnaître ses droits. Mais personne ne veut croire à son identité. La femme du colonel, créature ambitieuse et égoïste, s'est remariée au comte Ferraud, un des favoris de Louis XVIII. Seul, l'avoué Derville reconnaît la véracité de l'histoire que lui conte le survivant. Il lui alloue alors sur ses fonds personnels une petite pension pour lui permettre de subsister jusqu'à ce qu'un jugement l'ait remis en possession de ses droits. Le Colonel va s'installer chez un ancien soldat de l'armée d'Egypte, Vergniaud, établi nourrisseur en banlieue. La comtesse Ferraud a dû finalement s'incliner devant les preuves qui lui sont données, mais elle se borne à offrir une pension à son ex-mari pour qu'il accepte de ne pas briser sa situation sociale. Ecœuré de cette bassesse, révolté de l'ignominie de l'humanité, le Colonel renonce à lutter contre la société, refuse la pension proposée, et retourne à sa vie misérable, jusqu'à ce que Derville lui trouve une place dans un hospice pour vieillards, où il achèvera son existence.

combat (Un). V. *Sous Vienne.*

COMBEROUSSE (de) ou **DECOMBE-ROUSSE** (Alexis), auteur dramatique (1796-1862), qui serait tombé complètement dans l'oubli s'il n'avait commis plusieurs adaptations des romans de Balzac (v. *Ami Grandet*).

Comédie du Diable (la), œuvre qu'on ne saurait rattacher à aucun genre, qui a paru dans l'édition de 1833 des *Romans et contes philosophiques*, et que Balzac n'a pas retenue dans le plan de la *Comédie*, où elle n'aurait su trouver place. Elle figure au tome II des *Œuvres diverses* dans l'édition Conard. Le gérant de *la Caricature*, où elle parut en partie, l'annonçait comme « tout à la fois une charge, une caricature, un croquis et une fantaisie ». C'est surtout une fantaisie, mais appuyée, et d'une loufoquerie souvent laborieuse. Une partie importante de l'œuvre est occupée par une délibération, où, sous la présidence de M. de Marmontel, on voit apparaître à la tribune Olivier Cromwell (interrompu par M. Prud'homme, qui demande la parole), tandis que Platon, Abailard, Mahomet, Socrate, Michel Cervantès, et de nombreux autres, tout aussi inattendus, se livrent à diverses interventions. A la fin, le peuple intervient avec véhémence pour demander un roi, qui se manifeste sous les espèces de Satan, et, « ce premier acte fini, tous les damnés allèrent prendre des glaces chez Tortoni ». Fin de la comédie.

Qu'a voulu faire Balzac? Une caricature du système délibératif, qu'il détestait? A-t-il voulu simplement s'amuser? En tout cas, lui-même eût été très surpris qu'on vît là autre chose qu'une œuvre mineure.

Comédie humaine (la). La *Comédie humaine* n'est pas sortie d'emblée, tout armée, du cerveau de Balzac. Le plan n'a pas préexisté à l'œuvre. C'est progressivement que l'auteur a songé à grouper certains romans en des ensembles pourvus d'un titre général, justifié par la parenté, plus ou moins étroite, des sujets traités.

En 1830, pour la première fois, on voit apparaître le groupe *Scènes de la vie privée*, titre qui sera conservé en 1832 pour un recueil enrichi de nouveaux titres.

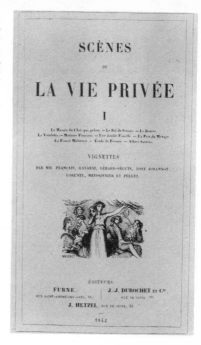

En 1834, les *Scènes de la vie privée* deviennent un sous-groupe. Le titre retenu par Balzac est *Étude de mœurs au XIXe siècle* : il couvre les *Scènes de la vie privée*, les *Scènes de la vie de province* et les *Scènes de la vie parisienne*. Sont annoncées : des *Scènes de la vie militaire*, des *Scènes de la vie politique*, et des *Scènes de la vie de campagne*. Une introduction due à Félix Davin (v. **préfaces**) indique que les *Études de mœurs* seront ultérieurement complétées par des *Études philosophiques* et des *Études analytiques*.

Les *Études philosophiques*, publiées en 1835-1840, ne furent, en fait, qu'un regroupement d'œuvres antérieurement parues sous les rubriques *Romans et contes philosophiques* (1831), *Nouveaux Contes philosophiques* (1832), *Livre mystique* (1835).

Le titre *la Comédie humaine* apparaît pour la première fois en 1842, pour annoncer la publication, précédée d'un Avant-Propos*, de l'ensemble de l'œuvre. Celle-ci parut chez Furne, Dubochet, Hetzel et Paulin, de 1842 à 1848. Tous les groupes annoncés et prévus y figurèrent, les *Études analytiques* étant représentées par la seule *Physiologie du mariage* (qui est restée toujours seule à les représenter).

Pour cette publication, Balzac a pourvu d'une dédicace, a posteriori si l'on peut dire, la presque totalité des œuvres qui n'en avaient pas encore.

En 1845, Balzac entreprit, en vue d'une réédition qu'il envisageait, la rédaction d'un catalogue complet de la *Comédie*. Ce catalogue, publié en 1860 dans l'*Assemblée nationale*, est celui qu'a repris le vicomte Spoelberch de Lovenjoul dans son *Histoire des œuvres d'H. de Balzac*. L'ordre et la numérotation qui y figurent étant traditionnels, c'est à lui que nous nous sommes référés pour situer les romans cités dans cet ouvrage (v. p. 24)*. Le lecteur voudra bien noter que :

— la répartition des œuvres à l'intérieur des groupes a été très souvent modifiée par Balzac ;

— de nombreux ouvrages (46 sur 137 prévus) n'ont pas été rédigés, ou sont restés longtemps incomplets ou à l'état d'ébauches ;

— en revanche, quelques œuvres, et non des moindres *(Cousin Pons, Cousine Bette)*, n'ayant pas été prévues lors de la rédaction du plan de 1845, n'y figurent pas et ne portent, par conséquent, aucun numéro.

Quant au titre de la *Comédie*, il est de tradition de l'attribuer à une suggestion du marquis de Belloy : celui-ci, rentré enthousiasmé d'Italie, le proposa à Balzac en réplique à la *Divine Comédie* de Dante. Cette explication traditionnelle est

ÉTUDES DE MŒURS AU XIXᵉ SIÈCLE

LA FIN DE L'EMPIRE

1811 Louis Lambert.
1812 La Maison du Chat-qui-pelote.

LA RESTAURATION — LOUIS XVIII

1814 Le Lys dans la vallée.
1815 La Vendetta.
1815 Une double famille.
1815 La Fille aux yeux d'or.
1816 La Vieille Fille.
1818 Le Message.
1818 Le Colonel Chabert.
1818 César Birotteau.
1819 Ferragus.
1819 La Duchesse de Langeais.
1819 Le Bal de Sceaux.
1819 La Bourse.
1819 Facino Cane.
1819 La Grenadière.
1820 Massimilla Doni.
1821 La Messe de l'athée.
1822 Le Cabinet des antiques.
1822 La Rabouilleuse.
1822 Un début dans la vie.
1822 La Femme abandonnée.
1822 Melmoth réconcilié.
1822 Le Contrat de mariage.
1819-1823 Les Paysans.
1819 Le Père Goriot.
1821 Illusions perdues.

CHARLES X

1823-1830 Splendeurs et misères des courtisanes (les trois romans précités groupés pour tenir compte de la présence de Vautrin).
1819-1833 Eugénie Grandet.
1824 Les Employés.

1825 Mémoires de deux jeunes mariées.
1825 Madame Firmiani.
1826 La Maison Nucingen.
1826 Les Marana.
1826 Le Curé de Tours.
1827 Pierrette.
1827 Honorine.
1827 La Femme de trente ans.
1828 L'Interdiction.
1828 Etude de femme.
1829 Gobseck.
1829 Le Médecin de campagne.
1829 Modeste Mignon.

LA MONARCHIE DE JUILLET

1829-1833 Le Curé de village.
1830 La Peau de chagrin.
1831 Gambara.
1831 L'Illustre Gaudissart.
1832 Autre Etude de femme.
1832 Pierre Grassou.
1833 Un homme d'affaires.
1833 Les Secrets de la princesse de Cadignan.
1834 Ursule Mirouet.
1835 Albert Savarus.
1836 Une fille d'Eve.
1836 Z. Marcas.
1836-37 La Muse du département.
1836-1838 L'Envers de l'histoire contemporaine.
1837 Béatrix.
1837 Un prince de la bohème.
1838-1846 La Cousine Bette.
1838 La Fausse Maîtresse.
1839 Le Député d'Arcis.
1839-40 Les Petits Bourgeois.
1844 Gaudissart II.
1844-45 Le Cousin Pons.
1845 Les Comédiens sans le savoir.

ROMANS DU PASSÉ

1308 Les Proscrits.
1479 Maître Cornélius.
XVIᵉ siècle L'Elixir de longue vie.
1560 Sur Catherine de Médicis.
1617 L'Enfant maudit.
1793 Le Réquisitionnaire.
1794 Un épisode sous la Terreur.
1809 El Verdugo.
1812 La Paix du ménage.
1796 Une passion dans le désert.
1799 Les Chouans.
1803 Une ténébreuse affaire.

ÉTUDES PHILOSOPHIQUES

?? Jésus-Christ en Flandre.
1612 Le Chef-d'œuvre inconnu.
1799 L'Auberge rouge.
1800 Séraphita.
1819 L'Adieu.
1832 La Recherche de l'absolu.
1832 Sarrasine.

ÉTUDES ANALYTIQUES

Physiologie du mariage.
Petites Misères de la vie conjugale.
Pathologie de la vie sociale.

loin d'être absolument satisfaisante ; M. Citron (*Revue d'histoire littéraire de la France*, janvier-mars 1959) verrait plutôt le titre comme un emprunt à un poète mineur de l'époque de Balzac.

Si la plupart des éditions ont suivi l'ordre fixé en 1845 par Balzac (v. **éditeurs** et p. 24), en tenant compte éventuellement des modifications suggérées par les notes manuscrites figurant au « Furne corrigé* », d'autres classements sont possibles. On peut suivre tout simplement l'ordre chronologique de composition des romans ; c'est dans cet ordre que la Renaissance du Livre (1911) a publié les œuvres de Balzac, en trois volumes in-octavo. Mais un inconvénient se présente : plusieurs œuvres n'ont reçu leur titre — et leur état — définitifs qu'après plusieurs remaniements opérés à une date souvent éloignée de celle de la première publication.

Le principe du retour* des personnages pose un problème. Ils apparaissent souvent dans un ordre chronologique anarchique. C'est pourquoi on a pu songer à modifier l'ordre des romans de Balzac en les classant selon une « chronologie interne » : elle consiste à faire se succéder les œuvres autant que possible dans l'ordre chronologique des périodes où se situe l'intrigue des romans ; les personnages vieillissent au fur et à mesure que se déroule la lecture de *la Comédie* entière.

MM. Béguin et Ducourneau, dans leur édition du Club français du Livre, ont adopté ce classement original, que nous estimons devoir indiquer ci-contre au lecteur du présent Dictionnaire (certains romans, dont l'intrigue couvre une longue période, correspondent nécessairement à deux dates).

Comédiens sans le savoir (les), œuvre écrite à la fin de 1845, parue dans *le Courrier français* en avril 1846, et portant, dans le plan de *la Comédie*, le nº 63 (*Scènes de la vie parisienne*) et le titre *les Comédiens sérieux*. Édition à part en 1848 sous le titre *le Provincial à Paris*.

Cette œuvre, qui n'est pas un roman, ne peut être classée dans aucun genre. On ne saurait mieux la comparer qu'à une revue d'actualité où défilent rapidement des personnages qui interprètent de courtes scènes, avec la participation d'un « compère », qui leur sert de « faire-valoir » et qui, entre les scènes, se charge d'une présentation au public, aussi artificielle que possible ; c'est ainsi que Balzac amène les scènes par des liaisons comme celles-ci : « Vous allez voir défiler... », « Allons par là... Vous allez voir... », « Nous voici chez mon ami... », « Tiens ! Regarde ces deux hommes », etc.

Il y a deux compères, et tout à fait propres à jouer ce rôle : l'inévitable Bixiou*, grand spécialiste en plaisanteries, et l'ex-rapin Léon de Lora, connu depuis *Un début* pour sa virtuosité dans le maniement de l'à-peu-près. Le public est représenté par le cousin de Lora*, un certain Gazonal (modèle Gozlan ?), industriel venu des Pyrénées-Orientales pour essayer de gagner un procès qui doit trouver son issue au Conseil d'État. Il leur donne la réplique dans les meilleures traditions provinciales, et avec l'accent méridional de rigueur ; les deux compères, après lui avoir offert un plantureux repas, le pilotent dans Paris pour lui montrer les curiosités sociales de la capitale, curiosités propres à susciter, selon le cas, son ahurissement, son amusement ou son indignation. À noter que, parmi les personnages qui défilent à un rythme accéléré, il en est beaucoup qui se sont illustrés dans *la Comédie*. Il arrive même que Balzac les prenne à un moment de leur existence qui n'est évoqué dans aucune œuvre précédente ni suivante (et pour cause, le romancier n'ayant mené à bonne fin, entre 1845 et 1850, que *le Cousin Pons* et *la Cousine Bette*). Suzanne du Val Noble* a fait une fin en épousant Gaillard ; Maxime de Trailles* est devenu député (en fait, il ne le sera que dans la partie du *Député d'Arcis* rédigée par Rabou après la mort de Balzac). Cela nous renseigne sur les intentions du romancier quant à l'évolution des personnages dont il voulait continuer à retracer la vie.

Et tous jouent, en somme, leur rôle devant le trio qui vient les visiter, sans se douter qu'ils sont présentés comme des échantillons d'un certain type social ; d'où le titre : *les Comédiens sans le savoir*.

Et ces échantillons sont très nombreux : les deux cicerones, près de l'Opéra, montrent à Gazonal un rat* et une marcheuse*; ils le conduisent chez Gaillard, journaliste, chez Vital, *fabricant de chapeaux* (et non pas *chapelier*), qui « se passionne pour son œuvre »; chez une usurière, chez un portier, chez le coiffeur Marius, « de la dynastie des Marius », et qui ne coiffe que des têtes illustres; chez une diseuse de bonne aventure, flanquée d'une poule noire et du célèbre crapaud Astaroth; on se rend ensuite à la Chambre; on y retrouve Maxime de Trailles, cité plus haut, Rastignac, devenu ministre, Canalis, devenu député de la droite, Giraud, député du centre gauche; et tous ces gens-là disent du mal les uns des autres, quitte à échanger, lorsqu'ils se trouvent en face l'un de l'autre, des compliments sur leur éloquence. Vers le soir, apparaît chez Lora le pédicure Publicola Masson, révolutionnaire, et qui, en attendant de « couper la tête aux aristocrates », « leur rogne les ongles ». Pour finir, les deux compères présentent Gazonal à la lorette Jenny Cadine, qui l'éblouit, et dont il devient l'amant pour deux jours. Et cela nous ramène au procès du provincial, car Jenny Cadine a pour amant officiel Massol, chef de section au Conseil d'État, et qui fait gagner à Gazonal son procès. Le voilà comblé. Il a été « instruit et sauvé de la misère, régalé et... amusé », « Et à l'œil » (*sic*).

Cette conclusion résume le ton général de cette série de scènes. Il s'agit d'une œuvre sans prétention, vite faite visiblement (les raccords sont arbitraires), mais allègre, enlevée dans un excellent mouvement, et qu'on lit avec un réel amusement, certains types (l'usurière, la tireuse de cartes, le pédicure communiste) étant campés comme des figures pittoresques, à peine caricaturales.

Comiques sérieux (les). V. *Comédiens sans le savoir (les).*

Comment on fait un ministère. Ce titre, qui porte le n° 75 (*Scènes de la vie politique*), correspond à une œuvre qui n'a jamais été rédigée. Plusieurs des héros les plus célèbres de Balzac, comme Rastignac, deviennent ministres, mais sans qu'on sache exactement par quelles manœuvres. Les dessous de la constitution d'un ministère sont juste esquissés dans une œuvre comme *les Employés*. Le sujet comportait, dans le panorama de la vie politique, des développements que le romancier eût aimé lui consacrer.

Complainte satirique sur les mœurs du temps présent, étude sous forme d'article parue dans *la Mode* en février 1830, par « l'auteur de la *Physiologie du mariage* ». La rédaction annonçait ce texte comme le premier d'une série d'articles, qui ne parurent pas.

Comtesse à deux maris' (la), premier titre du *Colonel Chabert.*

Confession des Ruggieri. V. *Sur Catherine de Médicis.*

Congrégation. La Congrégation, dont il est assez souvent question dans l'œuvre de Balzac, et en particulier dans *les Employés*, était considérée, au début du XIXe siècle, par certains, comme une sombre et mystérieuse puissance tentaculaire tenant en main tous les leviers de l'État. On n'a jamais pu déterminer son influence réelle; le nom de la Congrégation revient souvent dans l'histoire de France; mais celle qui apparaît dans les romans de Balzac a été réunie pour la première fois par un ancien jésuite, le 2 janvier 1801, et n'était alors qu'un petit groupe de prière et de charité. Les membres en furent d'abord peu nombreux; de 1801 à 1804, cent quatre-vingt-dix inscriptions; de 1804 à 1809, cent quatre-vingt-treize; on y trouve alors, outre des ecclésiastiques et des nobles, des avocats, des médecins, des étudiants, comme Laennec. De petites congrégations se forment en province, à l'imitation de celle de Paris. En 1809, la Congrégation diffuse l'excommunication de Napoléon, qui parle à ce moment-là de la « cabale des enfants de chœur ». Elle simule alors une dissolution. Elle se reconstitue sous la Restauration, toujours, en principe, comme association destinée à combattre l'impiété; elle reste mi-laïque, mi-ecclésiastique. Elle a des succursales en province, notamment à Lyon; l'association de Paris siège rue du Bac, dans la maison des Missions étrangères. Elle tente sans succès de pénétrer dans l'armée par la Congrégation de N.-D. des Victoires (dissoute par le duc d'Angoulême en 1821). En 1820, elle compte des évêques, y compris le nonce, et aussi de nombreux hommes politiques à Paris et de hauts fonctionnaires. C'en est assez pour qu'on lui attribue les plus noirs desseins et les plus sombres méfaits. Bérenger dénonce les « hommes noirs ». On affirme que la Congrégation choisit les fonctionnaires, décide de leur avancement, agit souterrainement par la confession, connaît à l'avance les sujets des grands concours, etc. On ne saura jamais exactement dans quelle mesure cette fièvre obsidionale était justifiée; mais il importe au lecteur de Balzac de connaître l'atmosphère qui s'était créée autour de la Congrégation, atmosphère que nous avons peine à comprendre aujourd'hui, et dans laquelle évoluent certains des personnages du romancier.

CONTENSON, un des noms d'emprunt, celui sous lequel il figure le plus souvent, de Bernard - Polydor Bryon, baron des Tours-Minières, né en 1763 (ou 1772?). Policier habile au double jeu, capable de servir en même temps, et également, Louis XVIII exilé et Fouché, il avait épousé Mlle Henriette Lechantre de La Chanterie. Il la délaissa bientôt, et n'hésita pas à la laisser compromettre indûment dans le procès des Chauffeurs de Mortagne, qui aboutit à l'exécution de la malheureuse (Envers). À la Restauration, le roi recourut à ses services. Corentin et Peyrade, sous les ordres de qui il se trouvait, lui firent attribuer les fonctions de chef des gardes du commerce. Dans ces fonctions, il fut amené à favoriser les recherches du baron Nucingen, en quête de la mystérieuse inconnue (Esther) de qui celui-ci était tombé amoureux; ensuite, il sut flairer quelque chose d'étrange dans la vie secrète de la jeune femme, et concevoir des soupçons sur l'identité du prêtre Carlos de Herrera, juste entr'aperçu. En voulant

Page de titre des Contes bruns, gravure de Tony Johannot, gravée par Thompson. C'est la tête à l'envers qu'annonce le sous-titre. *Maison de Balzac. Phot. Lauros-Giraudon.*

participer à son arrestation, il s'engage imprudemment sur le toit, d'où l'ancien forçat le précipite dans la rue; il se tue sur le coup (Splendeurs).

Contes bruns « par une tête à l'envers » (ce sous-titre s'explique par le dessin de couverture), recueil dû à la collaboration de Balzac, Philarète Chasles et Rabou (1832). Balzac y a écrit le premier conte (Une conversation entre onze heures et minuit) et le dernier (le Grand d'Espagne). Cette collaboration serait d'un assez mince intérêt si Balzac, comme il lui arrive souvent, n'avait utilisé, adapté, transposé certains passages pour les intégrer dans la Comédie. La Conversation, en particulier, reparaît dans Autre Étude de femme. En outre, ces contes, et particulièrement le Grand d'Espagne, ont été réédités à plusieurs reprises, notamment pour étoffer la livraison d'une ou plusieurs nouvelles.

Frontispice pour les Contes drolatiques, par Gustave Doré. *Phot. Lauros-Giraudon.*

Contes drolatiques, ainsi annoncés par l'auteur : « Les cent contes drolatiques colligés ez abbayes de Tourayne par le sieur de Balzac pour l'esbattement des pantagruelistes et non aultres. » Il devait donc y en avoir cent, répartis en dix dixains *(sic)*. En fait, il ne parut que trois dixains complets, et quelques fragments du quatrième, publiés depuis par M. Bouteron. Chacun des dixains comporte un prologue et un épilogue. Ils parurent en 1832, 1833 et 1837. Ils seraient rédigés, comme le ferait croire le sous-titre, dans la langue du XVIᵉ siècle. Balzac affichait une profonde admiration pour Rabelais, en qui il s'obstinait d'ailleurs à voir un « compatriote ».

Il serait parfaitement vain d'énumérer ici les titres de ces trente contes, et plus encore d'en donner l'analyse. Il est bien évident, comme le titre l'indique, que

Balzac n'a pas eu l'intention de construire un système philosophique. En fait, il s'agit d'un pastiche où l'auteur a voulu se divertir et divertir le lecteur par le récit de quelques histoires savoureuses, souvent lestes, comme quelques titres, pris au hasard, suffisent à l'indiquer : *la Pucelle de Thilhouze, la Chière Nuictée d'amour,* etc. Le pastiche est assez habile, parfois superficiel.

Il est à peine besoin de préciser que ces *Contes* n'ont jamais figuré dans *la Comédie humaine.*

CONTI (Gennaro), chanteur, compositeur d'origine italienne, l'un des personnages essentiels de *Béatrix.* Très mondain, il apparaît aussi dans plusieurs soirées *(Fille d'Ève, Illusions, Splendeurs).*

Contrat de mariage (le), roman daté par l'auteur de septembre 1835, achevé à La Bouleaunière, publié en novembre sous le titre *la Fleur des pois,* le titre *le Contrat de mariage* figurant en 1842 dans *la Comédie.* Nᵒ 30 *(Scènes de la vie privée).* Dédié à Rossini.

Mᵐᵉ Evangelista, belle créole apparentée, par une illustre famille espagnole, au duc d'Albe, vit à Bordeaux avec son mari, riche financier. À la mort de celui-ci, elle continue à vivre dans le luxe, et son avoir est bientôt gravement écorné par ses prodigalités. Comme elle ne veut à aucun prix restreindre son train de vie, elle entreprend de marier sa fille Nathalie à un jeune et riche Bordelais, Paul de Manerville, qui est très amoureux de la jeune fille. Elle rêve de s'approprier la fortune du jeune prétendant, et le succès de cette entreprise dépendra de l'établissement et de la signature du contrat de mariage. D'âpres négociations s'engagent : les intérêts de Mᵐᵉ Evangelista sont défendus par un jeune notaire qui est amoureux d'elle, Mᵉ Solonet, et qui représente le « nouveau notariat », l' « ancien » étant représenté par Mᵉ Mathias. Celui-ci, vieux conseiller de la famille Manerville, et qui défend énergiquement ses intérêts, a vite percé à jour les intentions de son jeune confrère, et une sévère discussion, qui prend parfois l'allure d'un marchandage, oppose les deux hommes de loi. Pour finir, on établit un contrat qui prévoit que Mme Evangelista s'installera à Paris (ce qu'elle désire depuis longtemps) avec le jeune ménage. Mais, en cinq ans, elle ruine complètement son gendre, qui d'ailleurs est odieusement trompé par sa femme. Il part pour les Iles dans l'intention d'y refaire sa fortune ; et c'est sur le bateau qu'il apprend trop tard, par une lettre de son ami de Marsay, l'indignité de son épouse.

Il est évident (le titre suffit à l'indiquer) que la partie la plus caractéristique de ce roman est la conclusion du contrat. Il n'est pas contestable que le lecteur peu averti a quelque peine à suivre le déroulement des négociations qui opposent les deux notaires, négociations que Balzac, grâce à l'expérience acquise dans l'étude de Me Guyonnet de Merville, expose longuement. Mais l'intérêt humain de l'œuvre demeure l'essentiel. C'est une belle démonstration de la manière dont une intrigante use de la séduction de sa fille pour s'approprier les biens d'un amoureux passionné et aveugle.

COOPER (James *Fenimore*), romancier américain (1789-1851) dont l'influence sur la littérature française fut moins sensible que celle de Walter Scott, mais n'en fut pas moins réelle : Eugène Sue* ne passa-t-il pas, un moment, pour le Fenimore Cooper français ? L'œuvre de Cooper fut l'objet de l'admiration de Balzac. Il fut traduit en français, à partir de 1838, par Auguste Jean-Baptiste Defauconpret (1767-1843), spécialiste de la traduction des romans de langue anglaise ; et une lettre de 1840 (v. *influences étrangères*) montre en quelle estime le tenait Balzac.

CORALIE (Mlle), actrice (née en 1803). Avant d'avoir avec Rubempré la liaison longuement racontée dans *Illusions*, elle a été la maîtresse de plusieurs viveurs, et a fréquenté plusieurs de ses compagnes en galanterie (*Fille d'Ève, Début, Rabouilleuse*).

CORENTIN (sans prénom, né vers 1777), un des plus redoutables policiers qui figurent dans *la Comédie*. Probablement fils naturel de Fouché, il affectait volontiers, dans l'exercice de ses fonctions, des allures d'homme du monde. Il s'illustre d'abord dans *les Chouans*, où, chargé de surveiller la belle Marie de Verneuil, qu'il a commise au soin de démasquer et de livrer le Gars, il s'aperçoit que celle-ci est tombée amoureuse de celui qu'elle devait séduire, et l'a épousé ; il les fait tous deux arrêter et exécuter. On le retrouvera dans le département de l'Aube, où, furieux de n'avoir pu mener à bien une enquête politique dont il était chargé, il se vengera sur Mlle de Cinq-Cygne, dont l'habileté et l'énergie ont fait échouer sa mission, et l'impliquera quelques années plus tard, avec ses cousins, dans l'affaire de l'enlèvement du sénateur Malin de Gondreville (*Ténébreuse*). Il jouera un rôle important dans *Splendeurs*. Chargé avec quelques autres, par Nucingen, de retrouver la belle inconnue (Esther) dont le baron est tombé amoureux, il est amené à s'intéresser avec suspicion à l'existence de Jacques Collin. Enfin, c'est lui qui accompagne Derville dans sa mission d'information en Charente, mission au cours de laquelle est dévoilée l'impécuniosité des Séchard, dont Rubempré affirmait faussement avoir reçu un million (soutiré, en fait, à Nucingen par Esther). La fin de cet homme le réhabilite en quelque sorte. Fidèle au souvenir de son ami Peyrade, qui avait été son initiateur dans le métier de policier et avait été empoisonné par Asie (*Splendeurs*), il prend sous sa protection la jeune Lydie Peyrade, devenue folle à la suite des manœuvres de la même Asie. Il réussit à la guérir et à lui faire épouser Théodose de La Peyrade, neveu du policier (*Petits Bourgeois*).

Corsaire (le), opéra-comique dans le style byronien, dont Balzac avait eu l'idée dans sa mansarde de la rue Lesdiguières*, et à la rédaction duquel il renonça. Il avait tout au plus dressé une liste sommaire des personnages et rédigé quelques vers rudimentaires.

Corsaire algérien (le), titre correspondant au n° 100 (*Scènes de la vie militaire*), dernier numéro prévu dans la série de ces *Scènes*. L'œuvre ne fut pas réalisée.

courtisanes. Le nombre de femmes qui vivent ou ont vécu professionnellement de leurs charmes atteint environ la trentaine dans *la Comédie.* Mais il ne faut pas se méprendre sur le sens du mot dans Balzac et sur le caractère des créatures qu'il présente : la courtisane de Balzac n'est presque jamais une vulgaire prostituée, encore bien moins une péripatéticienne. C'est seulement au début de sa carrière qu'Esther Gobseck est pensionnaire d'une maison de tolérance. La lorette Malaga entend bien ne pas « être confondue avec une confrère *(sic)* qui se promène sur les boulevards ».

La courtisane, qui a souvent d'ailleurs un métier (Josépha Mirah est prima donna à l'Académie royale de musique), entretient une liaison officielle, reconnue, avec tel ou tel personnage, à qui elle reste en principe fidèle (réserve faite pour les faiblesses qu'elle peut éprouver à l'égard d'un amant de cœur) ; elle est installée, grâce aux libéralités de l'amant en titre, dans un appartement souvent très coquet, ou même dans un charmant petit hôtel. La « marcheuse* », présentée au début du récit des *Comédiens sans le savoir,* a femme de chambre, cuisinière et domestique, et occupe un magnifique appartement rue Saint-Georges. Il arrive à la courtisane de ruiner l'homme des libéralités de qui elle vit. (Encore faut-il observer que le baron Hulot est ruiné par Mme Marneffe, qui n'est pas une professionnelle.) Elle change assez souvent de protecteur, soit parce qu'il est ruiné, soit parce qu'elle se lasse de lui, soit parce qu'elle lui a été « soufflée » par un concurrent plus généreux.

Le mot de *demi-mondaine* lui conviendrait mieux, en donnant toute sa valeur à l'adjectif *mondaine ;* car elle n'est pas un paria : elle n'est pas reçue dans les milieux aristocratiques, mais elle tient souvent salon, et les hommes n'hésitent pas à se réunir chez elle pour des entretiens qui ne sont pas toujours frivoles. C'est dans le domicile « illégal » du notaire Cardot, c'est-à-dire chez Malaga (qu'il entretient), qu'a lieu la conversation au cours de laquelle est exposée l'aventure dont Maxime de Trailles est la victime *(Homme d'affaires).*

Il arrive à la courtisane de tomber sincèrement amoureuse ; ce sera la cause du bonheur, des « splendeurs », mais aussi des « misères » d'Esther Gobseck.

Il lui arrive aussi de faire une fin très bourgeoise : Suzanne du Val-Noble*, dont la vie fut peu édifiante, régularise une vieille liaison en devenant l'honnête épouse du journaliste Théodore Gaillard *(Comédiens).*

Dans l'œuvre de Balzac, à côté de types éternels, figurent des personnages qui ne sont vraiment que de leur temps, et dont la présence constitue plutôt un document qu'un aperçu sur l'âme humaine. On peut dire qu'il en est ainsi des courtisanes qu'il met en scène.

COUSIN (Victor), philosophe et homme politique (1792-1867), dont Balzac raille souvent le ton doctoral et le vocabulaire philosophique (notamment dans *Des mots à la mode*).

Cousin Pons (le), roman — constituant avec la *Cousine Bette* le groupe *les Parents pauvres* — conçu dans ses grandes lignes et déjà fort avancé lorsque Balzac entreprit la rédaction de *la Cousine Bette,* achevé cependant après cet autre roman. Première publication du 18 mars au 10 mai 1847. L'auteur avait successivement pensé aux titres *le Bonhomme Pons, le Parasite* (titre abandonné sur le conseil de Mme Hanska), *le Vieux musicien.* L'œuvre ne comporte pas de numéro, n'ayant pas été prévue dans le plan de *la Comédie humaine.*

Sylvain Pons, prix de Rome de composition musicale, a été un musicien célèbre ; après avoir composé des œuvres intéressantes, des romances qui connaissent le succès, il finit par ne plus rien produire et par tomber dans l'oubli. Mais il n'est pas pauvre en réalité ; de son séjour à la Villa Médicis il a rapporté le goût des belles choses et la manie du bric-à-brac* (qui fut celle de Balzac). Il sait découvrir chez les marchands, et acheter à bon compte, des œuvres d'art dont l'accumulation fait de sa demeure un véritable musée. Cet excellent homme est « l'esclave de celui des sept péchés capitaux que

Illustration de Bertall pour le Cousin Pons : « Rémonencq et la Cibot. » *Phot. Lauros-Giraudon.*

Dieu doit punir le moins sévèrement » : il est gourmand. Il est invité par des amis, des parents, dont il apprécie la bonne table, et s'acquitte en remettant aux amphitryons un des beaux objets qu'il a su dénicher, et dont les bénéficiaires ne soupçonnent pas toujours la valeur. Pour vivre, il a accepté la place de chef d'orchestre au théâtre de la Compagnie fondée par Gaudissart. Au cours d'une distribution de prix dans un pensionnat de demoiselles, il rencontre le professeur de musique de l'établissement, un Allemand nommé Schmucke. Celui-ci, ancien maître de chapelle en Allemagne, est également un bon musicien (il a enseigné le piano à plusieurs jeunes filles qui figurent dans d'autres romans). Il se lie avec le cousin Pons, et les deux hommes décident d'habiter ensemble et s'installent fraternellement dans un appartement dont la concierge assure l'entretien.

Si l'amitié des deux hommes, d'un caractère également bon et affectueux, reste entière, un incident douloureux vient mettre fin à la quiétude de Pons : il a entrepris de marier son ami le banquier Fritz Brunner avec sa cousine Cécile Camusot de Marville (d'une famille qui le reçoit à sa table). Ce serait un beau parti pour la jeune fille ; mais Brunner, bizarrement, déclare se refuser à épouser une fille unique. La présidente Camusot de Marville, furieuse de cette avanie dont elle rend Pons responsable, rompt avec lui. C'est pour cet excellent homme un chagrin d'autant plus vif que la présidente ameute contre le malheureux toute sa famille. Il dépérit, soigné avec dévouement par son vieux et fidèle ami. Il meurt, après l'avoir institué son légataire universel.

Mais le brave Schmucke, dans la candeur de son innocence, sera la victime de gens plus habiles et moins honnêtes que lui. Le testament est attaqué avec succès par les Camusot de Marville, qui excipent de leurs droits de proches parents, et la transaction qui intervient ne laisse au malheureux qu'une rente viagère. Quant aux richesses que recélait l'appartement et que Pons avait amoureusement amassées, elles passent entre les mains de l'usurier Magus, qui a réussi, en circonvenant la concierge, à les voir, et qui, comprenant leur valeur, les achète à Schmucke pour une bouchée de pain.

Ce roman, d'une intrigue moins touffue, plus charpentée, que celle de la Cousine Bette, est d'un égal pessimisme. Les deux personnages principaux forcent la sympathie par leur simplicité, la sincérité sans calcul de leur affection. Mais les basses convoitises qui grouillent autour des richesses du cousin Pons forment, avec ce tableau, un contraste effrayant. Le drame ne réside pas ici dans le heurt de passions violentes ou sublimes, mais dans l'acharnement sordide que mettent à dépouiller un homme sans défense des intrigants sans scrupule ou des aigrefins trop adroits.

Cousine Bette (la), long roman — constituant avec le Cousin Pons le groupe les Parents pauvres — envisagé d'abord comme une nouvelle, puis qui s'est amplifié au fur et à mesure que Balzac le rédigeait, et qui parut en feuilleton dans *le Constitutionnel*, du 8 octobre au 3 décembre 1846; il ne comporte pas de numéro, n'ayant pas été prévu par Balzac dans le plan de *la Comédie humaine*.

Lisbeth Fischer (la cousine Bette) a été élevée dans un village des Vosges avec sa cousine Adeline Fischer. Elle est aussi disgraciée que sa cousine est charmante; elle n'est pas traitée avec les mêmes égards. C'en est assez pour développer chez elle cette jalousie qui forme « la base » de son caractère. Jalousie qui s'exaspérera lorsque Adeline épousera le baron Hulot d'Ervy, très haut fonctionnaire, riche et séduisant. Adeline invite sa « parente pauvre » à venir s'installer chez elle à Paris. Et toutes les gentillesses de la jeune baronne ne vont pas empêcher la jalousie de Lisbeth de dégénérer en une haine féroce.

La cousine Bette est capable d'être une amoureuse passionnée, brûlant du désir d'être aimée. Elle apprend qu'un jeune artiste polonais exilé, Wenceslas Steinbock, pauvre et désespéré, va se tuer. Elle vient à son aide, l'encourage, et se prend pour lui d'un amour qui revêt la forme d'une sollicitude maternelle et grondeuse. Or, la jeune Hortense Hulot, fille de la baronne, rencontre Wenceslas. Tous deux s'aiment; ils sont fiancés. Cette nouvelle changera la jalousie haineuse de la cousine Bette en une soif frénétique de vengeance, et cette vengeance, elle l'exercera sur la famille entière. Elle a pour voisine une certaine Mme Marneffe, femme plus que légère d'un fonctionnaire qui accepte les infidélités de sa femme, et au besoin en tire profit. Le baron Hulot, qui représentera pendant tout le roman le type du luxurieux incorrigible, a des vues sur Mme Marneffe, et la cousine Bette l'a remarqué. Elle lance cette courtisane, plus ruineuse que toutes les lorettes professionnelles, dans les bras du baron, qui, pour satisfaire les exigences de cette maîtresse, se ruine, mettant ainsi sa famille, et d'abord la baronne, dans la gêne, et qui va jusqu'à se déshonorer par des combinaisons honteuses. Mais la cousine Bette a fait mieux encore : elle a attiré Stein-

bock, marié à Hortense Hulot, chez Mme Marneffe, qui a réussi à faire de lui son amant (il reviendra, d'ailleurs, repenti, à sa femme); et elle a aussi donné à Mme Marneffe un amant supplémentaire, en la personne d'un commerçant enrichi, Crevel (qui a eu l'audace d'essayer de prendre pour maîtresse la baronne Hulot d'Ervy, et, n'y étant pas parvenu, s'est replié sur la maîtresse du baron).

Accablée de l'indignité d'un mari qu'elle aime toujours, et à qui elle reste reconnaissante de l'avoir choisie lorsqu'il était riche et chargé d'honneurs, la baronne elle-même fera le sacrifice, pour sauver son mari du déshonneur, d'aller s'offrir à Crevel, qui la repoussera d'une manière offensante.

L'intrigue de Mme Marneffe et de Crevel se poursuit en quelque sorte parallèlement à la ligne générale du roman. Marneffe étant mort, sa femme et Crevel vont se marier. C'est compter sans un ancien amant de Mme Marneffe, le Brésilien baron Montès de Montéjanos, qui, revenu du Brésil, et apprenant la conduite de la femme qu'il avait aimée, qu'il aimait toujours, et ses projets d'union, se venge atrocement sur les deux nouveaux époux en les assassinant à l'aide d'un poison exotique, qui leur communique une maladie affreuse et mystérieuse.

Le baron Hulot a préféré disparaître; il vit dans un faubourg sous des noms d'emprunt, non sans prendre pour compagnes de jeunes adolescentes, que la cousine Bette lui procure pour le tenir éloigné de sa femme. La baronne, cependant, le retrouve, et comme la situation du ménage a pu se rétablir, elle le ramène à son foyer. C'en est trop pour sa haine de la cousine, déjà déçue d'avoir vu mourir le vieux maréchal Hulot, frère du baron, et qu'elle pensait épouser. Elle meurt. Trop tôt pour que sa vengeance soit complète. L'incorrigible baron Hulot s'est assuré les faveurs d'une fille de cuisine, et la baronne surprend une conversation où il annonce à cette ignoble souillon que, bientôt veuf, il pourra l'épouser et la faire baronne. Promesse qui se réalise, car ce dernier coup achève la baronne, qui meurt

La Cousine Bette. Mme **Marneffe et le baron Hulot. Illustration de l'édition Maresq.** *Phot. Larousse.*

après avoir pardonné à son mari : celui-ci épousera la cuisinière.

Ce roman, la seule œuvre, avec *le Cousin Pons*, que Balzac ait pu mener à bonne fin dans la période pénible qui va de 1845 à sa mort, est, malgré la complexité d'une intrigue dont nous n'avons dégagé que les grandes lignes, un des chefs-d'œuvre de Balzac. Dès la publication des premiers feuilletons dans *le Constitutionnel*, le succès fut immense. On a recherché quels avaient pu être les modèles des principaux personnages. Il paraît bien difficile d'arriver sur ce point à des résultats précis. La seule indication que donne Balzac lui-même est pour le moins surprenante ; il annonce à Mme Hanska que son personnage principal sera un composé de sa propre mère, de Marceline Desbordes-Valmore et de la tante Rosalie (parente, en réalité, de Mme Hanska). Passe encore pour Mme de Balzac mère, qui harcelait

son fils de remontrances, lui reprochant de travailler irrégulièrement, comme la cousine Bette sermonne le jeune Steinbock pour l'obliger à produire davantage. Passe aussi pour la tante Rosalie, à qui Balzac en voulait parce qu'elle était opposée au mariage de sa nièce. Mais on se demande quels peuvent bien être, dans le caractère de la cousine, les traits empruntés à Marceline Desbordes-Valmore, qui fut toujours pour le romancier une amie fidèle, et pour qui il eut une profonde affection. Il faut s'expliquer cette affirmation étrange par le fait que le personnage principal, dans les projets de l'auteur, était encore assez flou, et que ce personnage, comme l'intrigue elle-même, a pris corps au fur et à mesure que l'œuvre se rédigeait. Il reste que le roman présente une galerie de caractères si profondément burinés qu'ils ont pris la valeur de types humains.

COUTURE (aucun rapport avec une veuve Couture qui figure dans *le Père Goriot*, ni avec Me Couture qui apparaît dans *le Cousin Pons*), journaliste et financier (né en 1797), d'une honnêteté plus que douteuse. Il évolue dans des affaires qui tournent parfois à sa confusion (*Maison Nucingen*). Quand le succès de ses spéculations le lui permet, il mène la vie d'un mondain qui fréquente les roués de la capitale (*Prince*) ; il a une liaison avec Jenny Cadine (*Béatrix*) ; il n'est pas indifférent à Mme Schontz, qui songe un moment à l'épouser (même roman). On le voit curieusement réapparaître sous-préfet (*Méfaits*).

CREVEL (Célestin) [né en 1786]. Avant d'être un des personnages de premier plan de *la Cousine Bette*, il était apparu comme employé de César Birotteau, dont il racheta le fonds après la faillite du parfumeur (*Grandeur*). Il fut, avant Gaudissart, l'amant d'Héloïse Brisetout (*Cousin Pons*).

Sa première femme (insignifiante), sa seconde femme, née Valérie Fortin, et veuve de Marneffe, ainsi que sa fille Célestine, du premier lit, et qui deviendra Mme Victorin Hulot, apparaissent toutes exclusivement dans *la Cousine Bette*.

CROCHARD (Caroline) [née en 1797], apparaît essentiellement, ainsi que ses parents et ses enfants, dans *Une double famille*. On la retrouve accessoirement dans *Splendeurs*, lorsque Rubempré reprend son appartement pour y loger Esther Gobseck.

CROISIER (du). V. *Bousquier (du)*.

croisière (Une), titre correspondant au n° 94 (*Scènes de la vie militaire*). L'œuvre n'a jamais été réalisée. Elle eût été le seul sujet maritime traité par Balzac, réserve faite pour quelques courts épisodes d'autres récits, mais qui ne constituent pas réellement des romans maritimes.

Cromwell, tragédie en cinq actes et en vers qui fut la première manifestation littéraire de Balzac. Il avait hésité entre plusieurs sujets, envisagé en particulier le *Corsaire**, « triste opéra-comique » (lettre à Laure), dans le goût byronien, et qu'il avait dû abandonner, ne sachant à quel compositeur le donner. La rédaction des 2 000 vers qui lui paraissaient le minimum nécessaire fut pénible. L'œuvre fut écrite à la main par Mme de Balzac, sous la dictée d'Honoré. Une sorte de tribunal familial se réunit pour en écouter la lecture. A la famille s'étaient joints Dablin* et le Dr Nacquart*. Les auditeurs furent consternés. Sur la proposition de Surville, il fut décidé que l'œuvre serait soumise à un arbitre, professeur au Collège de France, qui prononça une condamnation implacable.

Cromwell ne fut naturellement jamais publié du vivant de l'auteur. Mais M. W. S. Hastings en a, en 1925, publié un fac-similé, d'après le manuscrit conservé à Chantilly (Princeton University Press). Ce début était décourageant; mais il ne faut pas oublier que Balzac a toujours été tenté par le théâtre, et qu'il y reviendra, en prose cette fois, à plusieurs reprises, dans l'espoir d'en tirer profit et gloire.

CROTTAT (Alexandre), notaire à Paris, successeur de Me Roguin après la fuite de celui-ci; il intervient comme comparse dans divers romans; notaire du comte de Sérisy (*Début*), de la comtesse Ferraud (*Colonel*), il est chargé avec un confrère d'établir le testament *in extremis* de Pons (*Cousin Pons*). Il est également le notaire de Charles de Vandenesse, chez qui il commet des gaffes monumentales (*Femme de trente ans*).

Curé de Tours (le), récit rédigé en 1832 chez Mme de Berny, envisagé d'abord sous le titre *la Vieille Fille*, paru en 1832 sous le titre *les Célibataires*; lorsque ce dernier titre deviendra, en 1839, un titre général couvrant trois œuvres, le récit prendra la place de la deuxième histoire de cette trilogie, et recevra le titre qui lui est resté (Balzac avait songé également au titre *l'Abbé Troubert*). N° 37 (*Scènes de la vie de province*). Dédié au statuaire David.

Mlle Gamard, vieille fille dévote, a comme pensionnaires, à Tours, les abbés François Birotteau et Hyacinthe Troubert. L'un, prêtre modeste et bon, n'a d'autre ambition que de devenir un jour chanoine de Saint-Gatien. L'autre, curé de Saint-Gatien, qui a de plus vastes ambitions, nourrit à l'égard de son commensal une haine inextinguible. Mlle Gamard a reçu d'abord avec joie l'abbé Birotteau, parce qu'elle espérait le voir amener dans son salon quelques dames de la société tourangelle, pour des soirées où l'on jouerait aux cartes. Cette ambition mondaine est déçue : ce n'est pas chez elle qu'on se réunit. Elle entreprend alors contre l'abbé Birotteau, avec la complicité de l'abbé Troubert, une série de manœuvres sournoises, lentes, mesquines, pour lui faire quitter sa maison. Elle y parvient. Nommé curé de Saint-Symphorien, le malheureux, accusé faussement de captation d'héritage, est finalement interdit par son archevêque. Ce récit est peut-être, dans l'œuvre de Balzac, une des plus tragiques évocations des dessous de la vie provinciale. La lutte patiente, insidieuse, féroce, que mène la vieille dévote pour se venger d'une déception mondaine est peinte d'une manière réellement dramatique.

Curé de village (le), roman paru en feuilleton dans *la Presse* en 1839, en trois parties : une du 1er au 7 janvier; une du 30 juin au 30 juillet, sous le titre *Véro-*

nique, suite du Curé de village; une du 30 juillet au 1er août, sous le titre *Véronique au tombeau;* remanié en 1841 pour la publication en volume. N° 104 *(Scènes de la vie de campagne).* Dédié d'abord à Hélène en 1841 (Hélène de Valette), dédicace supprimée sur le « Furne corrigé ». Véronique Sauviat, fille d'un commerçant de Limoges, a épousé le banquier Graslin; délaissée par son mari, elle est devenue, dans le plus grand secret, la maîtresse d'un ouvrier porcelainier, J.-F. Tascheron. Celui-ci, apprenant que sa maîtresse est enceinte de ses œuvres, décide de fuir avec elle, et, pour se procurer de l'argent, entreprend de voler un vieillard; surpris, il le tue ainsi que sa servante. Arrêté, il s'obstine dans un silence farouche, mais meurt chrétiennement, et sans avoir trahi le secret de sa liaison. Mme Graslin donne le jour au fils adultérin de Tascheron le jour même où celui-ci est guillotiné.

Après la mort de son mari, survenue peu de temps après, Mme Graslin ne souhaite plus qu'une chose : expier. Elle se retire dans sa propriété de Montégnac, village natal de Tascheron, et entreprend de transformer le village, qui végétait dans la pauvreté, et d'y apporter l'aisance et la prospérité.

La sœur de Tascheron, Denise, qui s'est conduite avec dignité au moment de l'arrestation de son frère, s'est exilée en Amérique après l'exécution du criminel. Elle revient au village pour se recueillir sur sa tombe; l'émotion que provoque ce retour chez Mme Graslin hâte la fin de sa douloureuse existence. Elle meurt cependant en odeur de sainteté, ayant fait une confession publique, et après avoir assuré le mariage de Denise avec le jeune ingénieur Grégoire Gérard.

Telle est l'intrigue; mais on peut dire qu'elle n'est qu'accessoire. Le véritable intérêt du roman est ailleurs. Pas même

dans l'étude du caractère de l'abbé Bonnet (le curé de village), à qui Balzac n'a pas attribué l'importance que laisserait supposer le titre, étude qu'il aurait peut-être plus profondément poussée dans un remaniement ultérieur. Le curé Bonnet n'est ici que le collaborateur moral de Mme Graslin. En fait, le roman vaut par l'exposé des théories sociales et économiques de l'auteur.

Théories sociales : Véronique, sans doute par fidélité au souvenir de Tascheron, se voue au relèvement d'un ancien réfractaire, Farrabesche, qui, après avoir accompli une peine de travaux forcés, est désireux de se réhabiliter, et qu'elle fait rétablir dans ses droits de citoyen.

Théories économiques surtout : le bourg de Montégnac était misérable; mais il trouve l'opulence grâce aux travaux de Grégoire Gérard, ce jeune ingénieur patronné par Mme Graslin et qui, à la fin du roman, épousera Denise Tascheron. Ancien élève de Polytechnique, ingénieur des Ponts et Chaussées, il végétait dans la carrière officielle et brûlait de faire enfin œuvre utile : amené à s'installer à Montégnac, il conçoit le plan d'un barrage, rapidement exécuté grâce à l'appui de Mme Graslin, et pour lequel il détourne un torrent voisin qui apporte la fertilité à la petite commune. Il y a là une vigoureuse condamnation du système des concours, des « grandes écoles »; la pensée théorique n'a de valeur que si elle se concrétise dans l'action, pour le bonheur des hommes.

CUSTINE (Astolphe, marquis **de**), petit-fils du général comte de Custine, voyageur et homme de lettres français (1799-1857), auteur d'une tragédie, de relations de voyage, de romans. Balzac, qui l'avait connu chez Sophie Gay, lui dédia *l'Auberge rouge.*

DABLIN (Théodore), ancien quincaillier (1783-1851), qui consacra à l'achat d'œuvres d'art la petite fortune qu'il avait amassée. Balzac l'avait connu par l'intermédiaire des Sallambier, et avait reçu souvent de lui des secours pécuniaires. Il lui dédia *les Chouans,* en ces termes : « Au premier ami, le premier ouvrage. » On retrouve plusieurs traits de Dablin dans le personnage de Pillerault *(Grandeur et Cousin Pons).*

DAMASO PARETO (marquis). Balzac avait fait sa connaissance lors de son voyage en Italie de 1837, et lui a dédié *le Message.*

Danse des pierres (la). V. *Jésus-Christ en Flandre.*

DASSONVILLEZ DE ROUGEMENT. V. *Assonvillez (d') de Rougement.*

DAVID D'ANGERS (Pierre-Jean), auteur de nombreux médaillons de contemporains illustres et du fronton du Panthéon (1788-1856). Son buste de Balzac est célèbre. En lui dédiant *le Curé de Tours,*

Médaillon de Balzac, par David d'Angers.
Musée du Louvre.
Phot. Giraudon.

Balzac a voulu lui marquer sa reconnaissance d'avoir gravé son nom sur « le bronze qui survit aux nations ».

début dans la vie (Un), roman daté par l'auteur de février 1842, destiné d'abord au *Musée des familles*, sous le titre *Un voyage en coucou*, puis publié par le journal *la Législature* à partir du 27 juillet, sous le titre *le Danger des mystifications*, publication achevée en septembre. Le titre *Un début dans la vie* apparaît dans l'édition de 1844. N° 9 *(Scènes de la vie privée)*. Dédié à Laure (Surville).

Le sujet de ce roman a été donné à Balzac par Laure Surville, d'où le libellé de la dédicace : « Que le brillant et modeste esprit qui m'a donné le sujet de cette scène en ait l'honneur. » La nouvelle de Laure, *le Voyage en coucou*, ne sera imprimée qu'en 1854.

Le voiturier Pierrotin assure le service de la diligence entre Paris et L'Isle-Adam. Au départ d'un de ses voyages, rue d'Enghien, à Paris, il prend dans sa voiture six voyageurs : un fermier, le père Léger; un clerc de notaire, Georges Marest; un peintre, Joseph Bridau, et son rapin, Léon de Lora, surnommé Mistigris; enfin deux personnages qui joueront un rôle essentiel dans l'intrigue : le premier est le comte de Sérisy, qui se rend dans son château de Presle pour y surprendre son intendant Moreau, qu'il a de bonnes raisons de croire indélicat. Aussi a-t-il demandé à Pierrotin, moyennant une large gratification, de respecter scrupuleusement l'incognito sous lequel il entend voyager.

Le deuxième personnage important est le jeune Oscar Husson. Sa mère, devenue veuve, s'est remariée à un certain Clapart. Mais il est, en fait, le fils adultérin de Moreau, qui s'est toujours intéressé à lui, et chez qui sa mère l'envoie justement passer quelques jours de vacances, après l'avoir, au moment du départ de la voiture, accablé de recommandations puériles, qui exaspèrent l'adolescent. La voiture part; les voyageurs lient connaissance. Le comte se tait; mais les autres semblent être pris d'une sorte de prurit de mystification. Georges Marest, qui se rend justement au château de Presles, chargé d'une mission

notariale par son patron, se fait passer pour un noble comte étranger et raconte des histoires imaginaires sur son voyage en Orient. Joseph Bridau, qui se rend également au château pour y effectuer un travail dont l'a chargé son maître, le grand peintre Schinner, se fait passer pour celui-ci, et se livre à une série de plaisanteries où son rapin lui donne la réplique (réplique à la longue lassante, car Balzac ne fait pas grâce au lecteur du moindre à-peu-près commis par Mistigris; la mode des à-peu-près, souvent laborieux, sévissait alors dans les ateliers de peinture). Marest et Bridau seront bien penauds lorsque, arrivés au château, ils verront leur identité reconnue par le comte de Sérisy. Celui-ci aura le bon esprit de ne pas leur tenir rigueur de leur mystification.

Il n'en sera pas de même pour le jeune Oscar. Cet imbécile s'est cru obligé de tenir sa partie dans l'assaut de vantardise auquel se livraient ses compagnons de route. Il sait un certain nombre de choses sur le comte de Sérisy; il a entendu parler de lui par sa mère, qui ne connaît le comte que par ce que lui a dit Moreau. Et naturellement, lui-même n'a pas reconnu son vieux compagnon de route. Sur lui, sur sa maladie, sur la conduite de son épouse, il entreprend de dauber avec insolence. Arrivé à destination, le comte, que l'on n'attendait pas, convoque Moreau; il lui signifie qu'il doit quitter son poste d'intendant parce qu'il n'a plus sa confiance, mais aussi que le jeune Oscar, à qui il ne saurait pardonner ses grossièretés, doit quitter sur l'heure le château et ses dépendances. Moreau, furieux, renvoie le jeune homme sans délai, avec une lettre où il explique à sa mère les sottises d'Oscar. Fâcheux « débuts dans la vie ».

La suite ne sera d'abord guère plus heureuse. Oscar, placé comme clerc dans une étude de notaire, perd au jeu l'argent qui lui avait été confié, et se fait renvoyer (deuxième début aussi fâcheux que le premier). L'âge du service militaire venu, il tire un mauvais numéro, mais réussit à faire dans l'armée une carrière décente. Cette carrière le mène en Algérie, où il se trouve justement dans le régiment du lieutenant-colonel vicomte de Sérisy, fils du comte. Au cours d'un engagement, il est gravement blessé en se portant au secours de son chef, et perd un bras. Le comte de Sérisy, en faveur de celui qui a secouru son fils, oubliera les sottises dont s'était rendu coupable le jeune Oscar ; il le fait nommer receveur des contributions à Beaumont-sur-Oise. Et c'est encore Pierrotin, mais enrichi, et possesseur cette fois d'une belle diligence, qui conduira dans cette ville Oscar Husson et sa mère ; ils retrouvent par hasard, au cours du voyage, à peu près tous ceux qui avaient figuré au début du roman.

Il y a dans cette histoire, du moins au début, tous les éléments d'un excellent vaudeville. Mais l'intention de Balzac va plus loin. Il s'agit de montrer le rôle du hasard, qui « perd les gens » et « qui les sauve ». Cette intervention du hasard est symbolique, par la rencontre dans la diligence de Pierrotin, à la fin du récit, des mêmes personnages qu'on a rencontrés au début dans le vieux coucou. Et c'est pourquoi l'œuvre, pour laquelle l'auteur avait envisagé une autre conclusion, s'achève, si l'on peut dire, en circuit fermé.

dédicaces. Presque toutes les œuvres de Balzac sont dédiées à un personnage précis, du moins celles qu'il a achevées. Quelques-unes le sont au lecteur (par exemple, la *Physiologie du mariage*). Trois d'entre elles : *Séraphita, Modeste Mignon* et les *Petits Bourgeois*, sont dédiées à Mme Hanska, les autres à des personnages divers. C'est souvent de la part de Balzac un geste de pure courtoisie mondaine (*Un drame au bord de la mer* est dédié à la princesse Galitzine) ; souvent un geste d'affection déférente (le *Médecin de campagne* est dédié à Mme de Balzac mère ; *Louis Lambert* à Mme de Berny), ou d'amitié (*Jésus-Christ en Flandre* est dédié à Marceline Desbordes-Valmore) ; souvent un geste de reconnaissance (le *Lys dans la vallée* est dédié au Dr Nacquart), en particulier lorsque le romancier veut remercier quelqu'un qui lui a fourni des renseignements (c'est le cas pour Strunz* à propos de *Massimila Doni*).

Certaines dédicaces ont été supprimées ultérieurement par l'auteur : il en fut ainsi de celle qui dédiait le *Curé de village* « à Hélène » (de Valette*).

Beaucoup de ces dédicaces sont postérieures à la publication de l'œuvre et ont été ajoutées à l'occasion d'éditions successives ; en principe, elles ne sont destinées qu'à des personnages vivants ; ce qui a amené Balzac à antidater celles qui s'adressaient à des personnes décédées. *Le Réquisitionnaire* a été dédicacé en 1846, à un ami mort en 1840. Le romancier a daté sa dédicace de 1836.

La dédicace est parfois dépourvue de tout commentaire. Plus souvent, Balzac la fait suivre d'un texte, de longueur variable, qui évoque les circonstances où il a connu celui ou celle qu'il veut honorer, ou les raisons (généralement de gratitude) qui le lui ont fait choisir. Particulièrement intéressantes sont les dédicaces qui sont de véritables petites préfaces, et où le romancier s'explique sur ses intentions, parfois même d'une manière agressive : en dédiant les *Paysans* à Gavault, Balzac lui expose qu'il veut faire œuvre de courage, et, en face de ceux qui ont presque « déifié le prolétaire », « aller au fond des campagnes étudier la conspiration permanente de ceux que nous appelons encore les faibles contre ceux qui se croient les forts, du paysan contre le riche ».

DELANNOY (Mme Joséphine), amie intime de la famille Balzac et du romancier, à qui elle accorda à diverses reprises une aide généreuse. C'est à elle qu'est dédiée la *Recherche de l'absolu*, et la dédicace évoque la « reconnaissance » qu'il lui a vouée et « l'affection presque maternelle » dont elle a fait preuve à son égard.

DENNERY (Adolphe **Philippe,** dit **d'**), romancier et auteur dramatique (1811-1899). Il écrivit, le plus souvent en collaboration, un nombre considérable d'adaptations théâtrales d'œuvres romanesques et plusieurs livrets d'opéras (le *Faust* de Gounod, le *Cid* de Massenet). Ecrivain plutôt médiocre, il avait un instinct très sûr du mouvement scénique. C'est lui qui fut chargé d'adapter *Mercadet*.

DEPRIL (Auguste), valet de chambre de Balzac, de 1834 à 1837. Le romancier prit un moment son nom, sous la forme de A. de Pril, pour protéger, rue des Batailles, un anonymat propre à dérouter les importuns, et surtout les créanciers. Bien qu'il n'ait, semble-t-il, pas eu à se plaindre de la collaboration de ce jeune homme, Balzac écrit à Surville en 1837 : « Il faut que j'aie près de moi quelqu'un de dévoué. J'ai mis le pied sur une planche pourrie en comptant sur Auguste. »

Député d'Arcis (le), roman conçu en 1842, sur lequel Balzac s'était documenté sur place en juin et juillet de la même année. Seule, la première partie (« l'Élection »), parue dans le journal l'*Union monarchique,* du 7 avril au 3 mai 1847, est de Balzac lui-même (les numéros I à XVII inclus, selon M. Spoelberch de Lovenjoul). Inachevé, le roman fut terminé par Charles Rabou sur les notes de l'auteur. N° 76 (*Scènes de la vie politique*).
(Nous relatons l'intrigue, telle que la présente l'*ensemble* du roman, en faisant toutes réserves sur ce qu'eût été la suite de ce que Balzac avait personnellement écrit.)
Le comte Maxime de Trailles, viveur débauché, endetté, mais vieillissant, estime qu'il est temps de faire une fin en servant les gens au pouvoir. Rastignac, devenu ministre, est préoccupé d'une élection législative délicate qui doit avoir lieu à Arcis-sur-Aube, et dont l'issue pourrait être désagréable pour le ministère en fonctions. Il charge de Trailles d'une mission de renseignements ; celui-ci se rend sur place incognito, et va naturellement s'employer à faire élire le candidat le plus propice au gouvernement. L'avocat Giguet, candidat de l'opposition, et candidat médiocre, se croit déjà élu. Mais de Trailles a jeté son dévolu sur un autre médiocre, Beauvisage, qui a fait une fortune considérable dans le tricot et qui est devenu maire de la ville.
(A partir de ce point de l'intrigue, le lecteur en est réduit à ce que la version définitive du roman a fait des projets, assez vagues, de l'auteur.) Balzac avait imaginé la « contre-candidature » d'un comte de Sallenauve, idéaliste aux idées avancées, qui bat Beauvisage, mais qui,

déçu de la vie politique, démissionne et laisse la place à ce même Beauvisage qu'il avait précédemment battu ; Beauvisage, à son tour, est remplacé par Maxime de Trailles, qui met fin à sa vie de viveur perdu de dettes en épousant Cécile Beauvisage et sa dot considérable.
Aucun texte de Balzac *lui-même* ne permet d'affirmer l'authenticité de cette fin du roman. Mais ce qui reste à coup sûr de lui, c'est la description très exacte et minutieuse des dessous d'une élection locale, du grouillement de rivalités mesquines entre des candidats également médiocres. Dans les *Scènes de la vie politique,* ce roman eût été le seul vrai roman *politique* que nous eût laissé Balzac.

Député de province (le). V. *Albert Savarus.*

Dernier Champ de bataille (le), titre correspondant au n° 97 (*Scènes de la vie militaire*). Le projet n'a pas abouti. On ne peut savoir si Balzac pensait à la dernière bataille de la campagne de France ou à Waterloo (?).

Dernier Chouan (le) ou la Bretagne en 1800, premier titre des *Chouans.*

Dernière Fée (la) ou la Nouvelle Lampe merveilleuse, roman paru en 1823 sous la signature d'Horace de Saint-Aubin, et qui fut réédité, considérablement augmenté, en 1825. Le héros est un jeune homme contemplatif et rêveur, Abel, qui vit « dans le monde charmant des lutins » ; il est séduit par une duchesse qui s'est fait passer auprès de lui pour la Fée des Perles, l'a reçu dans « le Palais des Fées », et lui a donné, comme talisman, une lampe merveilleuse. Bien que certains passages ne manquent pas de fraîcheur, et qu'on sente de loin en loin l'inspiration des *Mille et Une Nuits,* on ne peut dire que l'auteur se soit senti très à l'aise dans ce genre.

D E R V I L L E (M^e) [modèle probable, Me Guillonnet de Merville], né en 1794, avoué à Paris, rue Vivienne, put acheter sa charge et se marier grâce à l'usurier Gobseck (*Gobseck*). Homme droit, intègre et bon, il est l'avoué et parfois l'ami de plusieurs des personnages essentiels de *la Comédie*. C'est lui qui s'intéresse au sort de Chabert *(Colonel)*, qui conseille Birotteau au moment du désastre *(Grandeur)* ; il est aussi l'avoué du Père Goriot, de la baronne de Nucingen. Il participe à l'enquête au cours de laquelle sera élucidée l'origine du million de francs que Rubempré déclare tenir de son beau-frère Séchard. C'est encore son enquête qui permettra de retrouver en Esther Gobseck (mais trop tard) l'héritière de Gobseck *(Splendeurs)*.

Des artistes, suite de trois articles parus dans *la Silhouette* en février, mars et avril 1830. Dissertation sur l'artiste ; l'auteur « a essayé de faire apercevoir combien était large et durable la puissance de l'artiste » ; puis pourquoi celui-ci était dédaigné ou craint. Considérations dont la conclusion est désenchantée : l'artiste n'a, dans la société moderne, ni la situation matérielle ni le respect auxquels il aurait droit. « Le plus souvent, quand une lumière brille, on accourt l'éteindre, car on la prend pour un incendie. »

DESBORDES - VALMORE (Marceline), poète français (1786-1859). Elle fut une excellente amie pour Balzac, qui l'appelait « son cher rossignol ». C'est elle qui, en particulier, qui le mit en relations avec Mme de Brugnol*. Elle était née à Douai, ce qui explique la dédicace de *Jésus-Christ en Flandre* : « À vous, fille de la Flandre, et qui êtes une des gloires modernes, cette naïve tradition des Flandres. »

DESMARETS (Jules), gendre de Ferragus (v. ce titre). Il apparaît aussi comme agent de change du baron de Nucingen et de César Birotteau *(Grandeur)*.

Des mots à la mode, article paru dans le périodique *la Mode* du 22 mai 1830, et qui eût été intégré dans la *Pathologie de la vie sociale*, si Balzac avait pu effectuer la refonte de cette œuvre.
Les quelques pages qui constituent cet article sont à la fois pertinentes et amusantes. Il est entendu « qu'en France, nous sommes presque tous dépourvus de cette

espèce de courage qui consiste à dire : « Monsieur, je ne connais pas l'expression que vous venez d'employer. »
D'où la supériorité dans le monde de ceux qui savent se servir des mots à la mode. Le catalogue que Balzac en dresse est passionnant pour le grammairien. Nous apprenons qu'il y avait déjà à cette époque, si l'on peut dire, une véritable bourse des mots, dont les uns arrivent encore à « se soutenir », mais dont les autres se démonétisent rapidement. Nous assistons aux débuts de *ravissant*, de *galbe*, de *cassant* (sens figuré), de *nature* (Oh ! C'est nature !) ; au déclin de *divin*, *adorable*, *merveilleux*. Et l'auteur nous signale un curieux solécisme à la mode : l'emploi de *du* partitif à propos de tout. Victor Hugo « a voulu faire DU drame ». « Le ministère a essayé de faire DU gouvernement absolu. »
Et l'article se termine par une amusante caricature de la « phraséologie technologique » et du jargon philosophique : il importe, selon les modes, d'employer des mots en *té (objectivité)*, en *isme (sensualisme)*, en *ion (argumentation)*. Et, dans les dernières lignes, cette perle, conseillée comme langage « clair » les jours de pleine lune : « Le sensualisme s'enfonce par la sensation dans le monde sensible. »
Quels que soient les reproches qu'on ait pu faire à son style*, Balzac savait sa langue, et savait se moquer de ceux qui la martyrisaient.

DESPLEIN (baron), chirurgien, l'un des plus éminents praticiens de sa génération. De famille modeste, il dut à un humble porteur d'eau de pouvoir poursuivre ses études, et lui en garda toute sa vie une infinie reconnaissance *(Messe)*. On le rencontre souvent associé à son élève Bianchon, dans divers romans, au chevet de plusieurs malades, notamment : Mme Philippe Bridau *(Rabouilleuse)*, Pierrette Lorrain *(Pierrette)*, le baron de Nucingen *(Splendeurs)*.

DESROCHES (M^e), avoué, né en 1796. D'abord clerc chez Derville, il put acheter une charge et s'établir à son compte *(Début)*. S'il a l'honnêteté de son maître, il n'a ni sa dignité ni sa grandeur. Mais son habileté le fit choisir, par certaines personnalités, dans des affaires délicates, comme le procès de la marquise d'Espard plaidant contre son mari (*Interdiction*). C'est lui que Rubempré charge d'acquérir la terre ancestrale, dont la possession lui permettra un riche mariage (*Splendeurs*).

dettes. Balzac s'est heurté toute sa vie à d'innombrables difficultés financières. Le dédale de ses aventures pécuniaires a été magistralement exploré par MM. Bouvier et Maynial, dans leur ouvrage sur *les Comptes dramatiques de Balzac* (Sorlot, éd.), réédité en 1949 sous le titre : *De quoi vivait Balzac*.

1. C'est à l'occasion des affaires (conjointes) de l'imprimerie* de la rue Neuve-des-Marais et de la fonderie* de caractères que Balzac a commencé à s'enliser réellement dans les dettes. Ces deux affaires désastreuses le laissèrent débiteur de près de 60 000 francs, dont plus de 50 000 à sa famille. Mme de Balzac mère (lettre à son fils d'octobre 1847) chiffre à 40 000 francs le prêt qu'elle lui avait consenti. En juin 1846 (lettre de Balzac à Mme Hanska), cette dette n'était pas éteinte, et le cousin Sédillot* s'employait encore à en assurer le règlement ; le fils accuse sa mère d'établir des « comptes fantastiques », qui grossissent arbitrairement la dette. Cette histoire est pénible. Au surplus, Mme de Balzac n'était pas la seule créancière. Le romancier avait emprunté de l'argent, pour ne citer que quelques noms, au Dr Nacquart* (entre 1834 et 1835, près de 10 000 francs), à Mme de Berny*, à Mme Delannoy*, etc. (Pour l'équivalence actuelle de ces sommes, v. *argent*.)

2. L'acquisition des *Jardies**, et les constructions que Balzac fit entreprendre laissèrent le passif du romancier, même après la vente de la maison, grevé de dettes si tenaces que, peu de mois avant sa mort, en mars 1850, il écrivait de Wierzchownia à sa mère qu'il fallait en finir, et « en première ligne », avec l'affaire Hubert* (l'entrepreneur).

3. Même couvert de dettes criardes, Balzac accumulait les achats purement somptuaires. La célèbre canne* (et il y en eut d'autres) est un des échantillons les plus connus des objets luxueux dont le romancier faisait l'acquisition. Il se voulait toujours d'une suprême élégance, et le tailleur Buisson* vit s'entasser des notes impayées. C'est peut-être pour l'appartement de la rue* Cassini que Balzac accumula les plus folles dépenses, non seulement pour l'installation de l'appartement lui-même, mais aussi parce qu'il estima nécessaire d'engager cuisinière, valet de chambre et valet d'écurie, avec une livrée spéciale : il faut dire qu'il avait fait l'acquisition d'un tilbury et de deux chevaux.

Et si Balzac fut souvent contraint de réduire son train de vie, son goût des beaux livres, des beaux tableaux, des objets rares, du bric-à-brac*, ne cessa de se manifester durant toute son existence.

4. Il ne faut donc pas s'étonner qu'il ait constamment évolué sur la corde raide, qu'il ait été saisi (le tilbury dont il était si fier fut saisi), menacé de la prison pour dettes (v. *Guidoboni-Visconti*). Quand il ne pouvait honorer les billets venus à échéance, il les remplaçait par d'autres (à l'ordre du même créancier ou d'un autre). Plusieurs de ses œuvres lui furent payées d'avance en billets qu'il faisait immédiatement escompter : et souvent, la copie tardant à venir, l'auteur était harcelé de rappels à l'ordre et de mises en demeure, parfois comminatoires, et même judiciaires (v. *éditeurs*).

Il lui fallait donc, à certains moments, travailler désespérément, inhumainement, pour fournir à l'éditeur le travail commandé... et payé. À propos de *la Femme supérieure (les Employés)*, il écrit le 29 mai 1847 : « Je suis animé d'une espèce de rage d'en finir avec les œuvres dont j'ai reçu l'argent. » C'est aux conditions rigoureuses dans lesquelles il passa sa vie de forçat littéraire que la postérité doit tant de chefs-d'œuvre. Les historiens et commentateurs de Balzac sont d'accord avec M. Billy (*Vie de Balzac*) pour constater que si le romancier n'avait pas été constamment harcelé par les problèmes d'argent, il n'aurait certainement pas écrit tous les romans que la nécessité le contraignait à rédiger. Sa vie, abrégée par un travail inhumain, se serait prolongée sans doute, la robuste constitution des Balzac aidant, bien au-delà du terme qu'elle devait connaître. Mais il est certain que, s'il eût travaillé à loisir, sans l'aiguillon des contraintes matérielles, il ne nous aurait pas laissé une œuvre aussi riche.

Pour être juste, il faut dire que Mme Honoré de Balzac ne géra pas ses finances avec plus de prudence que ne l'avait fait son mari. Elle et sa fille, la comtesse Anna Mniszech, installée avec son mari à Paris, accumulèrent les dépenses. À la mort de Mme Honoré de Balzac (1882), la maison de la rue Fortunée (devenue rue Balzac) était dans un état désolant d'abandon et de délabrement, et d'ailleurs couverte d'hypothèques (v. Billy, *Vie de Balzac*, II, p. 320).

DEURBROUCQ (Caroline), veuve d'un baron d'origine hollandaise qui s'était établi à Nantes. Le baron et la baronne s'étaient ensuite installés dans une propriété en Anjou. Mme Deurbroucq ayant perdu son mari en 1831, Balzac s'intéressa à cette veuve, qu'il avait rencontrée à Méré chez un ami commun. Il songea sérieusement à l'épouser, et, comme elle était retenue à Nantes par un procès, il attendit patiemment son retour en Touraine. C'était en 1832 ; il séjournait alors à Saché, et annonce régulièrement, dans ses lettres à sa famille, le prochain retour de la veuve. « Grande nouvelle, écrit-il, et qui peut me faire rester ici pendant quelque temps. » En fin de compte, il estima qu'il avait largement le temps de se rendre à Aix-les-Bains (auprès de Mme de Castries), puisque Milady (il nomme ainsi Mme Deurbroucq) ne devait revenir qu'en octobre à Saché.

Il ne sera plus question, semble-t-il, de Mme Deurbroucq.

Deux Ambitieux (les). Ce titre correspond au n° 73 *(Scènes de la vie politique)*. L'œuvre n'a jamais été rédigée. On ignore quel en aurait été le contenu.

Deux Amis (les), conte satyrique *(sic)*, inachevé, publié posthume en 1917 dans la *Revue des Deux Mondes,* d'après les fragments recueillis et classés par le vicomte de Spoelberch de Lovenjoul, qui en situa la rédaction vers la fin de 1830. Le texte se trouve dans le tome II des *Œuvres diverses* de Balzac publiées dans l'édition Conard. C'est une charge, grosse, mais drôle, une sorte de caricature des procédés classiques utilisés dans les romans d'amour. Un des héros, Sébastien, fait connaissance de la dame de son cœur au moment où celle-ci, Claire Coudreux, s'est précipitée au secours de son père, paisible propriétaire terrien qui vient de recevoir dans les jambes une charge de plomb. Celle-ci lui a été envoyée par Sébastien, pour punir le vénérable vieillard d'avoir osé « décharger » son parapluie sur le chien du jeune homme. Incident immédiatement suivi de cette constatation inattendue : « Ils s'aimèrent. »

Suit une condamnation péremptoire des « niaiseries dans lesquelles s'entortillent les romanciers », et qui sont classées ainsi (nous abrégeons) :

Primo : Toutes les cabrioles que les auteurs font subir à leurs créatures, etc. ;

Secundo : Les suaves rêveries au clair de lune, etc. ;

Tertio : Les superlatifs, dont la littérature romantique a si grandement abusé, etc. ;

Quarto : Toutes les richesses romantiques et les moules du classique..., depuis l'aurore aux doigts de rose, jusqu'au glas de la mort, etc.

Après quoi, et sans transition, et « pour rester dans le vrai », Balzac, « en ce qui concerne le boire et le manger des deux amants », se livre à une étude comparée des vins et de la qualité des viandes consommés dans la région de Tours, où se situe l'intrigue du conte.

Le jeu, évidement, est facile, mais n'en reste pas moins amusant. Il faut surtout relever l'impertinence avec laquelle l'auteur raille certains excès de la littérature sentimentale, sans se priver de citer des titres *(Daphnis et Chloé, Paul et Virginie)* ou des noms : unissant, dans un salmigondis quelque peu surprenant, Florian, Longus, Goethe, Byron, Nodier, Janin, Chateaubriand, Marmontel, le « fougueux » Diderot, J.-J. Rousseau.

Il va sans dire que Balzac admirait plusieurs de ces écrivains, et que la charge est dirigée plus contre une tendance que contre tel ou tel auteur déterminé.

Deux Rêves (les). V. *Sur Catherine de Médicis.*

DEVÉRIA (Achille), dessinateur, graveur et lithographe français (1800-1857), lié avec la plupart des artistes du temps ; on lui doit, entre autres, un beau pastel représentant Balzac à vingt-trois ans. C'est à lui qu'est dédié *Honorine.*

Dévorants (les), société secrète dirigée par Ferragus (Préface à l'*Histoire des Treize*).

Dialogue d'un vieux grenadier de la garde impériale surnommé le Sans-Peur, plaquette imprimée à part en 1833 et contenant le récit de Goguelat dans le *Médecin de campagne.*

Dialogue philosophique et politique sur les perfections du XIXᵉ siècle, titre correspondant au nº 137 (*Études analytiques*). Dernier numéro prévu pour la *Comédie.* Il n'a rien été écrit de ce dialogue, dont on ignore tout, mais dont le titre était peut-être ironique, comme l'eût été le contenu.

Dictionnaire de la conversation et de la lecture, publication où Balzac fit paraître, en 1837, de courtes biographies de Louis XIII, Louis XIV, Louis XV, Louis XVI, Louis XVII et Louis XVIII.

DILECTA (la). V. *Berny (Mᵐᵉ de).*

Dinah Piédefer. V. *Muse du département (la).*

Diorama, dispositif qui permettait, au moyen de jeux de lumière sur des toiles peintes, de donner au public l'illusion d'un spectacle changeant. Le premier Diorama fut installé en 1822. Cette désinence en *rama* (empruntée à *panorama*) est l'occasion, particulièrement dans *le Père Goriot,* d'un certain nombre de jeux de mots

faciles, où le suffixe altère les mots les plus courants (v. aussi le *dramorama* à propos de *Vautrin*).

double famille (Une), court roman paru en avril 1830. (Titre primitif : *la Femme vertueuse.*) Nº 12 (*Scènes de la vie privée*). Dédié à la comtesse Louise de Turheim. Le colonel Crochard et sa femme ont été d'abord danseur et chanteuse à l'Opéra. Lui s'est engagé dans les armées républicaines et napoléoniennes, et est mort des suites de ses blessures, à Paris. Sa femme ne peut espérer aucune pension des Bourbons. Elle prend le métier de brodeuse dans le quartier du Marais. Sa fille Caroline, brodeuse également, est remarquée par le comte Roger de Granville, marié à une femme qui ne le rend pas heureux. Il s'éprend de la jeune fille et l'installe rue Taitbout. Elle prend le nom de Mˡˡᵉ de Bellefeuille, du nom d'une terre que lui a donnée l'oncle du comte Roger, qui l'a prise en amitié. Mais la vie de Roger de Granville, installé dans cette « double famille », à l'insu de sa femme, est troublée par un événement dramatique. Mᵐᵉ Crochard meurt. À son lit de mort, l'abbé Fontanon n'accorde la rémission de ses péchés que si elle révèle le nom du séducteur de sa fille. Or, cet abbé est justement le directeur de conscience de la comtesse Roger de Granville. Violant le secret de la confession, ce prêtre indigne va tout révéler à sa pénitente, d'où une scène atroce entre la comtesse et son mari. Deux ans plus tard, Caroline tombe amoureuse d'un ignoble individu, un nommé Solvet ; elle quitte, pour le suivre, le comte, qui ne s'en consolera pas, et elle mènera auprès du séducteur qu'elle adore, qui l'exploite, et de qui elle accepte toutes les humiliations, une vie pitoyable.

DOUMERC (Daniel), banquier et fournisseur aux armées, qui avait eu l'occasion de faire la connaissance du père de Balzac en 1791-1792. Celui-ci fut premier commis dans sa banque en 1797. Plus tard, en 1814, Doumerc fonda une société pour le monopole de la fourniture des vivres et des fourrages à l'armée, et c'est

DRA

sans doute sur son initiative que J.-F. Balzac décida de venir à Paris. Celui-ci investit des sommes importantes dans la banque Doumerc, et les perdit lors de la faillite de cette maison, en 1817.

C'est par les Doumerc que J.-F. Balzac connut la famille Sallambier, de qui il devait épouser la fille Laure. D'autre part, la fille de Doumerc se trouva liée avec Laure Sallambier, qui faisait ses études dans la même pension que les enfants du banquier. Cette fille devint Mme Delannoy*, qui soutint toujours de son amitié et de son argent la famille Balzac, et le romancier lui-même.

drame au bord de la mer (Un), courte nouvelle parue en janvier 1835. N° 121 (*Études philosophiques*). Le périodique *le Voleur* en avait donné un extrait en novembre 1834. Dédié à la princesse Galitzine*.

La nouvelle se présente comme une histoire racontée à Louis Lambert* et à sa fiancée, Mlle de Villenoix, au cours d'un séjour au Croisic, par Joseph Cambremer, frère cadet du héros de la nouvelle. Louis Lambert la transcrit à l'intention de son oncle.

Sur un promontoire isolé, et où tous les habitants de la contrée se gardent bien de se rendre, vit un solitaire qu'on appelle l'Homme-au-Vœu. C'est Pierre Cambremer, qui s'est lui-même exclu du monde après avoir accompli ce qu'il estimait juste. Il n'avait qu'un fils, Jacques, qui, gâté par ses parents, devint un chenapan. De rapines en violences, il en vint à voler ses parents et à brutaliser sa mère. Le père décide alors de devenir lui-même le juge et le bourreau de son fils. Après l'avoir fait confesser par le curé de Guérande, il le ligote, le dépose dans une barque et le jette à l'eau.

Duchesse de Langeais (la), deuxième épisode de l'*Histoire des Treize** (titre primitif : *Ne touchez pas à la hache*) [début de publication en avril 1833, complet, après interruption, en mars 1834]. Le titre *la Duchesse de Langeais* n'apparaît qu'en 1839. N° 51 (*Scènes de la vie parisienne*). Dédié à Franz Liszt.

Antoinette de Navarreins a épousé le marquis de Langeais, qui, dès le début de son mariage, s'est conduit avec elle grossièrement. Le général de Montriveau est tombé amoureux de la jeune femme. Celle-ci, flattée de cet hommage, fait languir le soupirant en l'exaspérant, sans rien lui accorder, par une coquetterie aguichante. Au comble de l'exaspération, Montriveau la fait enlever au sortir d'un bal, la conduit dans une maison mystérieuse où, pour la punir du rôle cruel qu'elle a trop longtemps joué à son égard, il se dispose à la marquer au front de la trace rouge d'une croix de Lorraine. Satisfait d'avoir fait sentir son autorité à la marquise, il la libère sans avoir exécuté sa menace.

C'est alors que, domptée, la marquise aimera profondément cet homme : c'est lui qui maintenant la repousse, alors qu'elle n'hésite pas, en manifestant ouvertement son amour, à se compromettre aux yeux du monde. Inutilement. Désespérée, elle s'enfuit pour entrer en religion dans un couvent espagnol. Montriveau, toujours amoureux, la retrouvera et essaiera de l'enlever, mais trop tard. Il ne trouvera plus qu'une morte.

L'épisode se rattache à l'*Histoire des Treize* par des liens assez ténus : Montriveau est membre des Treize, et c'est avec quelques-uns de ses compagnons qu'il entreprend inutilement l'enlèvement de la duchesse au couvent.

Le premier titre est assez énigmatique : c'est une citation, que Montriveau lui-même rappelle au cours du bal à l'issue duquel il a l'intention d'enlever la duchesse. Il raconte que le gardien de Westminster, en montrant la hache avec laquelle fut décapité Charles Ier, dit : « Ne touchez pas à la hache », et il ajoute lui-même (menace assez obscure) que la duchesse a eu le tort de toucher à la hache...

Si l'histoire (enlèvement au sortir du bal, enlèvement dans un couvent) est fort mélodramatique, son intérêt est ailleurs : Balzac a exercé là une vengeance peu élégante contre Mme de Castries, qu'il avait bien espéré séduire, et qui, à Genève, avait définitivement repoussé les exigences précises qu'il avait cru pouvoir formuler à l'issue d'une longue cour.

DUDLEY (lord), homme d'État anglais, vivant le plus souvent en France. Laissant la plus grande liberté à sa femme (v. *infra*), il mena lui-même la vie la plus dissolue, eut plusieurs enfants naturels, Henri de Marsay, Euphémia Porrabéril (*Fille aux yeux d'or*). Il apparaît évidemment dans *le Lys*. On le trouve aussi amant de Florine, qu'il entretenait somptueusement (*Rabouilleuse*), puis, sur ses vieux jours, de Mlle Hortense (*Homme d'affaires*).

DUDLEY (lady Arabella), très belle représentante de la « gentry » britannique, vivant à Paris, complètement indépendante d'un mari qui prenait lui-même toutes les libertés. Capable de passions violentes et de jalousies féroces, elle est essentiellement une des deux héroïnes du *Lys*. Sa jalousie et sa méchanceté se manifestent particulièrement lorsqu'elle essaie de détourner d'Arthez de la princesse de Cadignan (*Secrets*), et plus encore lorsqu'elle entreprend de lancer la jeune comtesse Félix de Vandenesse dans une aventure avec Nathan, aventure qui échoue de justesse (*Fille d'Ève*).

Du droit d'aînesse, brochure anonyme, mais presque certainement de Balzac, parue en 1824, et où ce droit est vigoureusement défendu. Cette thèse sera reprise ultérieurement dans *la Comédie*.

DUTACQ (Armand), rédacteur en chef du *Siècle*, quotidien politique fondé en 1836, et qui comptait des collaborateurs de talent, comme Ledru-Rollin. Balzac collabora à ce journal à partir de la fin de l'année 1838. Mais cette collaboration fut parfois épineuse. Après avoir promis *les Mémoires d'une jeune mariée* au journal, Balzac remplaça la livraison de ces *Mémoires* par la promesse de six nouvelles inédites. Pour des raisons obscures, et surtout, semble-t-il, pour dépassement

Caricature tirée du *Panthéon chariva- rique*, représentant Dutacq, par Ben- jamin Roubaud. *Maison de Balzac. Phot. Lauros-Giraudon.*

des frais de correction d'épreuves, le romancier se trouva en fin de compte débiteur envers Dutacq de plus de 12 000 francs. Il faut croire que cette dette ne fut jamais complètement éteinte du vivant de Balzac, puisque, dans une lettre de Wierzchownia, de septembre 1849, il voit encore « une difficulté possible avec Dutacq ».
C'est Dutacq que Mme Honoré de Balzac, après la mort de son mari, chargea de la réédition de l'œuvre entière de Balzac. Il s'assura pour cette tâche la collaboration de Barbey d'Aurevilly et de Champfleury* ; à la mort de Dutacq, l'éditeur Michel Lévy reprit le projet.
Détail savoureux : Dutacq affirmait n'avoir jamais lu vingt lignes de Balzac, mais connaître par cœur tous ses contrats.

Ecce homo. V. *Martyrs ignorés (les).*

Échantillons de causeries françaises,
suite de récits parus en 1832 sous le titre
*Une conversation entre onze heures et
minuit,* dans les *Contes bruns**. Insérée
avec le n° 64 dans les *Scènes de la vie
parisienne,* la conversation se déroulant à
Paris. Le titre *Échantillons* n'apparaît
qu'en 1845.

C'est une série d'histoires souvent brutales,
contées dans un « salon élégant ». L'un
raconte comment un certain capitaine,
dans la guerre d'Espagne, a fait et tenu
le pari d'arracher le cœur d'une sentinelle
espagnole et de le manger. Bianchon*,
toujours fertile en anecdotes, retrace la
fin d'une jeune femme, morte d'une hémorragie à la suite d'un avortement. Comme
ces histoires sont « épouvantables », la
maîtresse du logis demande à « un homme
de beaucoup d'esprit » qui participe à la
réunion de « dissiper ces impressions »
en racontant « quelque histoire gaie ».
Pour s'exécuter, il rapporte les confidences
d'une dame qui, parfaitement naïve dans
sa jeunesse, épouvantée par les affirmations d'une religieuse de son couvent,
envisageait avec terreur sa nuit de noces,
et fut « menée plus morte que vive dans
la chambre nuptiale ». Suivent plusieurs
autres récits, dont les sujets se situent dans
des milieux différents. Il y a d'autres
exemples dans Balzac de cet échantillonnage d'histoires que relie seulement
l'unité du cadre où les causeurs les racontent (v., en particulier, *la Grande Bretèche*).

École des grands hommes (l'). V. *Ressources de Quinola (les).*

École des ménages (l'), pièce en
5 actes, en prose, qui devait porter au

début le titre *la Première Demoiselle,*
écrite en 1838, proposée sans succès
d'abord au Français, puis à la Renaissance
en 1839, lue par Balzac lui-même dans
des réunions d'amis, imprimée en 1839,
réimprimée en 1907.

La première demoiselle, c'est la jeune
Adrienne Guérin, que l'épicier Gérard a
recueillie et dont, déjà vieux, il est devenu
passionnément amoureux. Sa femme et
ses deux filles s'en sont aperçues, et on
profite de l'absence momentanée de
Gérard pour congédier l'employée. Ayant
soupçonné une machination, Adrienne revient, et prouve à Mme Gérard que son
départ provoquerait chez l'épicier une
crise et un drame terribles, et que son
séjour dans la maison évite le pire. Elle
restera donc, mais sa présence est à l'origine de nombreuses scènes, si bien que
Gérard, las de lutter, consent à la laisser
partir, en lui faisant croire qu'il est ruiné.
Mauvais calcul : elle lui offre ses économies pour le sauver de la ruine, et se
montre indignée lorsqu'elle apprend que
cette ruine n'était qu'une mise en scène
pour l'éloigner. Après plusieurs épisodes
dramatiques, Gérard décide de quitter sa
famille, à qui il laisse toute sa fortune, et
de partir pour Le Havre, où il demande
à Adrienne de le rejoindre. Mais au moment de monter en voiture, il devient fou,
et Adrienne, à cette vue, perd également
la raison.

Évidemment, ce drame bourgeois dont
nous n'avons indiqué que les grandes
lignes sombre souvent dans le mélodrame ;
mais il y a là déjà une étude assez belle
et profonde de l'amour d'un vieillard
pour une jeune fille : le baron Hulot
d'Ervy sera un vieux libertin. Il y a, au
contraire, dans l'amour de Gérard pour
Adrienne une pureté dont la profondeur
sauve une intrigue assez confuse.

éditeurs. Les négociations de Balzac, et souvent ses démêlés, avec ses innombrables éditeurs sont d'une telle complexité qu'on ne saurait ici qu'en tracer une histoire schématique. On en trouvera le détail dans l'ouvrage de MM. Bouvier et Maynial (*les Comptes dramatiques de Balzac*).

L'Héritière de Birague et *Jean-Louis* (1822) parurent chez Hubert, libraire au Palais-Royal ; *le Vicaire des Ardennes, le Centenaire,* chez Pollet, 36, rue du Temple ; *la Dernière Fée,* chez Barba et Hubert ; *Wann Chlore,* chez Canel et Delongchamps. C'est ce même Canel qui, avec la collaboration pécuniaire de Latouche, édite *le Dernier Chouan* (1829), qui publiera les *Contes bruns* (1832). Et c'est encore à lui, associé à Levavasseur, qu'avait été vendue la *Physiologie du mariage.* Entre-temps, Balzac s'était engagé, pour le début des *Scènes de la vie privée,* avec Mame, qui publia les premières en avril 1830. Mais c'est Gosselin, avec qui Balzac avait traité par ailleurs, qui publia, en 1832, *Romans et contes philosophiques,* ainsi que les *Contes drolatiques* (premier dizain, avril 1832 ; deuxième, juillet 1833).

On voit déjà à quelle complexité aboutissent les divers contrats signés par l'auteur. Les retards qu'il apporta à la remise des œuvres promises (et parfois payées d'avance) l'entraînèrent dans un véritable labyrinthe de difficultés et de procès dont on ne saurait marquer ici que les étapes. Ce fut d'abord Mame qui, en juillet 1833, lassé d'attendre *le Médecin de campagne,* assigna Balzac devant le tribunal civil, et obtint gain de cause : Balzac, s'inclinant, apporta le manuscrit du roman, qui parut en septembre. Mais il avait aussi promis à Mame, entre autres, les *Conversations entre onze heures et minuit,* qui n'arrivaient toujours pas. Les démêlés, fort compliqués, aboutirent à ceci, que Balzac en fut quitte pour une indemnité de 3 800 francs.

Il ne pouvait plus être question de Mame, évidemment. Se présenta un nouvel éditeur en la personne de Mme veuve Béchet, « une veuve que je n'ai point vue et que je ne connais pas » (lettre à l'Étrangère d'octobre 1833), qui achète les droits d'une réédition des *Scènes de la vie privée* et de la future première édition des *Scènes de la vie de province* et de *la vie parisienne.* Les billets qu'elle signe permettent de désintéresser dans une certaine mesure les éditeurs précédents. En outre, elle acquiert le droit d'imprimer les *Études de mœurs au XIXe siècle.* La veuve Béchet avait un collaborateur, Edmond Werdet (né en 1794), qui rêvait de voler de ses propres ailes. En mars 1833, il avait déjà pris contact à titre personnel avec Balzac. Il s'installe à son compte 19, rue de Seine, et il fut convenu entre Balzac et lui qu'il deviendrait l'éditeur exclusif du romancier, à charge à lui, Werdet, de désintéresser les six autres confrères qui étaient déjà en possession des droits d'œuvres diverses, précédemment parues (ou éventuellement à paraître). Le début de cette collaboration fut un succès, avec la réédition du *Médecin de campagne.* Mais l'obligation de désintéresser les précédents éditeurs créa de telles difficultés à Werdet que, à la fin de 1836, les comptes du romancier et de Werdet furent liquidés ; l'éditeur lui-même devait faire faillite au début de 1837. Ses contrats furent repris par Victor Bohain (v. **Europe littéraire**). Werdet garda un souvenir cuisant de son aventure, dont on retrouve l'écho dans deux livres de souvenirs : *Portrait intime de Balzac ; sa vie, son humeur et son caractère* (1859) ; *Souvenirs de la vie littéraire : Honoré de Balzac* (1870).

Avec Hippolyte Souverain, qui avait réédité l'œuvre d'Horace de Saint-Aubin, les relations furent longues, et, comme par hasard, souvent épineuses. En août 1840, l'éditeur (un de plus dans la longue liste de ceux avec qui Balzac avait traité) dut envoyer une sommation au romancier pour obtenir le manuscrit du *Curé de village,* qui lui était dû depuis longtemps. M. W. S. Hastings a publié en 1937 la correspondance encore inédite des deux hommes (*Balzac et Souverain,* Garden City, New York).

Jusqu'à la fin de sa vie, Balzac eut avec ses éditeurs des déboires dont il ne porta pas toujours seul la responsabilité. Il s'était intéressé à un comte polonais ruiné, Louis Chlendowski, qui publia un certain nombre de romans isolés, et notamment *les Parents pauvres,* en 1847-1848, opération dont, cette fois, le romancier fut pécuniairement la victime.

Les éditions en volumes interféraient avec les publications dans les périodiques, qui souvent faisaient paraître les œuvres avant qu'elles ne fussent éditées en librairie (v. *Revenus littéraires*). Toutes ces éditions, rééditions, publications dans des journaux ou des revues constituaient un tout inorganique, alors que Balzac rêvait depuis longtemps de les organiser en un tout cohérent. C'est pourquoi, dès octobre 1841, il avait signé avec un groupe de libraires, Furne, Dubochet, Hetzel et Paulin, un traité pour la publication de *la Comédie* en un ensemble construit et méthodique. Cette publication s'échelonna de 1842 à 1848, en dix-sept volumes in-octavo, le dernier, qui n'avait pas été prévu primitivement, contenant (novembre 1848) *le Cousin Pons* et *la Cousine Bette.* En 1845, Balzac établit le catalogue des ouvrages que devait contenir *la Comédie.* Il en fixa définitivement les diverses divisions et le numéro qui devait être affecté à chaque œuvre, écrite ou à écrire. Ce catalogue, reproduit depuis, entre autres, par le vicomte de Lovenjoul, est resté traditionnel, et est encore suivi dans la plupart des éditions publiées depuis la mort de l'auteur. On le trouvera p. 24. Sur un exemplaire de la première édition, Balzac, en vue d'une réédition, établit, de sa main, des corrections diverses et parfois très importantes, dont les éditeurs modernes ont tenu le plus grand compte. Cet exemplaire unique, qu'on nomme le « Furne corrigé », a été légué par le vicomte de Spoelberch de Lovenjoul au fonds balzacien de Chantilly (v. *balzaciens*).

Église (l'). V. *Jésus-Christ en Flandre.*

Élixir de longue vie (l'), courte nouvelle datée d'octobre 1830, et parue le même mois dans la *Revue de Paris.* N° 128 (*Études philosophiques*). Dédié « au lecteur ».

A Ferrare, au XVe siècle, le seigneur Bartolomeo Belvidere a composé un élixir de longue vie dont il a appris le secret au cours de ses voyages. A son lit de mort, il demande à son fils don Juan de l'enduire de cet élixir dès qu'il aura rendu le dernier soupir. Le fils s'exécute, en commençant par l'œil du cadavre, et, voyant cet œil revivre, décide de garder pour lui le flacon d'élixir, et écrase l'œil du vieillard. Il s'installe en Espagne, se marie, a un fils, Philippe, et, sentant la mort venir, lui donne le même ordre que lui avait donné son propre père. Comme le corps commence à revivre, Philippe, épouvanté, lâche le flacon, qui se brise. La tâche n'est donc qu'à demi accomplie. Lorsque les assistants découvrent ce cadavre dont une partie, et spécialement la tête, reste vivante, tous crient au miracle. L'abbé de San Lucar voit là une belle occasion d'augmenter ses revenus en canonisant le duc, qu'on installe dans un reliquaire. Mais, le jour de la béatification, la tête débite d'atroces impiétés, et, se séparant du corps, vient tomber sur le crâne de l'abbé, qu'elle mord de telle façon qu'il expire. La tête, à ce moment, crie à l'abbé : « Souviens-toi de Dona Elvire. »

Parole énigmatique, mais qui laisse supposer que la duchesse, Dona Elvire Belvidero, n'a pas repoussé très énergiquement les avances de l'abbé.

Dans cette histoire, effroyable jusqu'à la naïveté, intervient cet élément du mystère et du surnaturel que l'on retrouve bien souvent chez Balzac.

Émir (l'), titre correspondant au n° 98 (*Scènes de la vie militaire*). L'œuvre ne fut jamais rédigée. Comme les numéros des *Scènes* suivent l'ordre chronologique, on est amené à présumer que Balzac, considérant comme clos le cycle des guerres de la Révolution et de l'Empire, a transféré la suite dans la guerre d'Algérie, comme le titre le fait d'ailleurs supposer.

Employés (les), roman d'abord paru dans *la Presse,* du 1er au 14 juillet 1837, sous le titre *la Femme supérieure,* sans la conclusion. Paru complet en octobre 1838 seulement, puis, avec des additions intercalaires, dans une édition de 1846. N° 53 (*Scènes de la vie parisienne*). Dédié à la comtesse San Severino.

Corrections de page des *Employés* (ou *la Femme supérieure*). Le traitement infligé par Balzac aux placards de ses romans décourageait les correcteurs, et explique qu'il se soit trouvé souvent débiteur à l'égard de ses éditeurs pour dépassement abusif de corrections. *Bibl. nat., Manuscrits. Phot. Lauros-Giraudon.*

La femme supérieure est Mme Rabourdin. Jolie, intelligente, cultivée, Célestine Leprince a épousé un chef de bureau au ministère des Finances, Xavier Rabourdin. Ambitieuse, désireuse de pousser son mari dans la haute administration, elle tient un salon politique où elle reçoit des personnalités du monde, de la littérature, de l'administration, en particulier Des Lupeaulx, secrétaire général du ministère, qui lui fait une cour assidue, à laquelle elle ne cède pas, mais qu'elle entend habilement exploiter pour faire la carrière de son mari. Celui-ci, par malheur pour lui, est un idéaliste, de la lignée des idéalistes balzaciens qui doivent leur malheur à leur idéal même; il est, lui, un idéaliste de l'Administration. Il a un vaste plan de réforme de toute l'Administration française; il prévoit des suppressions, des groupements d'emplois; il a ses idées sur le rôle respectif de l'impôt indirect et de l'impôt direct. Mais un certain Dutecq, commis d'ordre dans le service de Rabourdin, et âme damnée de Des Lupeaulx, affilié comme lui à la Congrégation, ayant soupçonné l'existence du plan, le subtilise

pour en faire tirer des copies. Fureur générale dans tous les services visés par la réforme de Rabourdin, et notamment de Des Lupeaulx, première victime désignée. Le poste de chef de division au ministère est vacant par le décès du titulaire; il reviendrait de droit à Rabourdin; mais les intrigues de Des Lupeaulx font désigner à sa place un candidat parfaitement nul, Isidore Baudoyer. Finalement, haï et ridiculisé par ses collègues, Rabourdin doit démissionner.

Ce roman peu composé, et dont l'équilibre se ressent des divers remaniements et additions auxquels a procédé l'auteur, contient cependant des éléments d'un très grand intérêt. D'abord par la personnalité même de la « femme supérieure », qui représente dans la galerie féminine du romancier un type, assez rare, d'ambitieuse, mais d'ambitieuse préoccupée uniquement de la carrière de son mari, et prête à le servir sans aucun marchandage dégradant. En outre, Balzac nous révèle une fois de plus sa méfiance à l'égard des grands corps administratifs, où grouille une faune d'arrivistes sans scrupule. Il y a là une étude minutieuse des diverses puissances occultes qui dirigent l'administration, souvent épaulées par des affairistes très bien informés, et en particulier un aperçu intéressant du rôle joué sous la Restauration par la Congrégation*.

enfance. L'enfance de Balzac ne fut pas heureuse, et l'écho s'en retrouvera dans plusieurs de ses œuvres, tout spécialement dans le long récit où Félix de Vandenesse *(Lys)* évoque ses premières années. M. et Mme Balzac avaient eu un premier enfant, Louis-Daniel, qui vécut si peu de temps que les historiographes de la famille ne le font pas entrer en ligne de compte dans la généalogie des Balzac, retenant uniquement Honoré, Henri, son frère, et ses deux sœurs. Le décès de ce premier enfant avait été attribué à l'insuffisance de l'allaitement maternel; Honoré fut donc mis en nourrice chez la femme d'un gendarme, à Saint-Cyr-sur-Loire. A quatre ans, on le fit entrer à Tours à l'externat Legay; et en 1807, alors qu'il n'avait que huit ans, on l'inscrivit comme interne au collège des Oratoriens de Vendôme. Il y resta six ans, jusqu'en avril 1813. Ce collège, bien que sécularisé, avait conservé à peu près tous ses professeurs, et l'enseignement en était réputé. De la vie que Balzac y mena, nous avons une longue description dans *Louis*

Fac-similé de l'acte de naissance d'Honoré Balzac (sans particule), à l'état civil de Tours. *Maison de Balzac. Phot. Lauros-Giraudon.*

3

30 Mai 1799

2 Prairial

Honoré Balzac

N. S. E.

Aujourd'hui deux Prairial an sept de la République française
A été présenté devant moy Pierre Jacques Duvivier officier public soussigné
un enfant mâle par le Cen Bernard François Balzac propriétaire demeurant
en cette commune

femme Bodin

Balzac

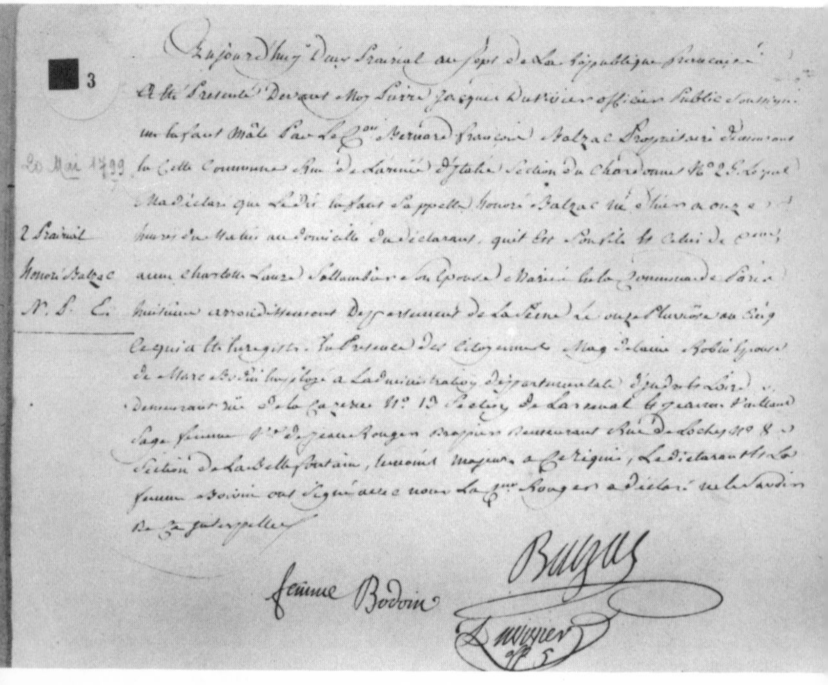

Lambert. Il serait imprudent de prendre à la lettre tout ce que Balzac, à travers son héros, rapporte des années qu'il a passées au collège. Mais il reste que la vie y était dure, et que le jeune Honoré, qui était un mauvais élève, subissait bien souvent la peine du cachot. Sa santé même n'y était pas bonne. Il souffrait d'engelures (il a traité, et cette fois avec humour, le problème des engelures dans *les Petites Misères*), et il en sortit, si l'on doit croire *Louis Lambert,* et aussi le témoignage de Laure, dans une sorte d'état comateux et « somnambulique ».

Mais ce séjour dans cette prison scolaire, où sa mère ne vint le visiter que deux fois, en tout et pour tout, en six ans, fut loin d'être stérile. S'il n'écrivit peut-être pas ce *Traité de la volonté* dont parle sa sœur, il y fit de très nombreuses lectures. Ce cancre, qui ne remettait jamais de devoirs, bénéficiait cependant de la protection du P. Lefebvre, qui joignait à ses fonctions de préfet des études celles de bibliothécaire, et encouragea le goût de son élève pour les livres et les lettres.

Lorsque, enfin, l'enfant fut retiré, en avril 1813, du collège des Oratoriens, ce fut pour entrer, au début de l'année scolaire suivante, comme externe au lycée de Tours. Là, ses études furent meilleures, puisqu'il obtint un prix et un accessit, et les félicitations du recteur de l'Académie royale d'Orléans. Celui-ci l'informe que Sa Majesté autorise le jeune lauréat à porter « la décoration du Lys » (nous sommes en 1814; Louis XVIII est roi depuis le mois d'avril).

C'est à la fin de cette même année 1814 que le père de Balzac est nommé à Paris, et que le jeune Honoré y poursuit ses études dans les institutions* Lepître, puis Ganzer et Beuzelin.

On pourrait être tenté d'accuser Mme de Balzac de dureté. En réalité, cette femme d'une extrême nervosité prenait à cœur les insuccès scolaires de son fils, et, pour le punir de sa paresse, se punissait elle-même en se privant de sa présence. Nous avons sur ce point une lettre révélatrice : Honoré, à l'institution Ganzer et Beuzelin, a été 32e en version. Il sera privé de sortie, ce qui amène la mère à écrire, entre

« Balzac enfant », par H. J. Hesse. Ce beau portrait d'enfant ne laisse pas pressentir le puissant visage de l'adulte; mais la finesse des traits rappelle irrésistiblement celle du visage de la mère (V. Mme Bernard-François Balzac). *Coll. Lovenjoul, Chantilly. Phot. Larousse.*

autres, cette phrase étonnante : « Je suis si heureuse quand je les (les enfants) ai tous autour de moi que mon fils commet un grand crime envers l'amour filial quand il se met dans le cas de ne pas venir embrasser sa mère. »

Ce ton, cet emploi de mots définitifs (« un grand crime » !) sera trop souvent celui des lettres de Mme de Balzac à son fils. La correspondance du romancier avec sa sœur, avec Mme Hanska, et avec Mme de Balzac elle-même, établit qu'il n'y eut pas entre la mère et le fils l'intimité affective que celui-ci eût souhaitée.

Enfant maudit (l'), court roman, dont la première partie parut en janvier 1833 dans la *Revue des Deux Mondes*, la seconde en octobre 1836 dans la *Chronique de Paris*, l'ensemble en volume en 1837. N° 116 *(Études philosophiques)*. Dédié à la baronne James de Rothschild.

L'intrigue se déroule à la fin du XVIe et au début du XVIIe siècle. Le comte, puis duc d'Hérouville (un autre duc d'Hérouville, de la même famille, apparaîtra dans d'autres romans, dont l'intrigue se situe au XIXe siècle) est un homme autoritaire et méchant. Il a épousé une douce créature, Jeanne de Saint-Savin, qui n'a consenti à ce mariage que pour sauver, en échange, la vie de son cousin, qu'elle aimait, et qui, huguenot, était prisonnier des catholiques. Elle met au monde, avant terme, à sept mois, un fils, Étienne, que son père soupçonne à tort d'être illégitime. L'enfant, bien que malingre, survit, grâce au dévouement de sa mère, et contre l'attente du comte. Celui-ci exige qu'il soit élevé à l'écart, cloîtré dans une partie du château. La comtesse met plus tard au monde un autre fils, Maximilien, pour qui son père a toute l'affection qu'il a refusée à l'aîné, et qui, entraîné par le comte, devient très vite habile au métier des armes (il est, d'ailleurs, aussi odieux que son père). Maximilien, au service du maréchal d'Ancre, est tué sur le pont du Louvre. Il ne reste plus au comte qu'un fils, Étienne. Celui-ci a perdu sa mère, que la tristesse et la douleur ont fini par terrasser. Mais il a été protégé et instruit par le rebouteux du lieu, maître Beauvouloir, qui avait par deux fois accouché la comtesse, et qu'on avait installé au château pour surveiller la santé de celle-ci.

Le vieux comte en vient à supplier son fils, l'enfant qu'il a maudit, de sauver la lignée en se mariant. Il a pour lui une épouse toute prête, Mlle de Grandlieu. Mais Etienne refuse. Il aime la fille de son bienfaiteur, Gabrielle de Beauvouloir (qui est, d'ailleurs, par sa grand-mère, de la lignée des Marana*, et petite-fille naturelle du duc d'Hérouville, qui avait eu une liaison avec cette grand-mère). Étienne refuse de céder. Et le vieillard, dans un accès de rage démente, se précipite sur les deux amoureux avec une véhémence si menaçante que tous deux meurent de saisissement. Qu'à cela ne tienne! Le duc se chargera lui-même d'épouser Mlle de Grandlieu, et il est encore « assez vert-galant pour avoir une belle lignée ». L'histoire vaut par le très beau portrait de la comtesse, touchante victime, et par la poésie qui se dégage de l'idylle entre Étienne et Gabrielle.

Enfants (les), titre d'un roman qui n'a jamais été écrit, et où Balzac se proposait d'étudier, au début de *la Comédie*, l'homme au commencement d'une vie dont l'œuvre entière devait décrire les divers aspects. N° 1 *(Scènes de la vie privée)*.

Enquête sur la politique de deux ministères, brochure, publiée par Balzac en 1831, où est étudiée la situation politique au lendemain de la révolution de Juillet. L'ouvrage était annoncé comme devant être suivi de quatre autres enquêtes sur le même sujet, qui ne parurent pas.

enseignes de Paris (Petit Dictionnaire critique et anecdotique des), par un batteur de pavé. Anonyme, mais attribué avec vraisemblance à Balzac (1827). Se présente comme un dictionnaire, dans l'ordre alphabétique, avec des suppléments. Certaines de ces raisons sociales existent encore *(le Soldat laboureur,* qui a d'ailleurs changé de quartier). Plusieurs de ces enseignes réapparaîtront dans *la Comédie.*

Entre savants, roman dont il n'existe que le début. La publication avait commencé dans le journal *le Siècle* du 28 juillet 1845. L'œuvre ne fut pas achevée. Mais elle figure sous le n° 67 *(Scènes de la vie parisienne)* dans le plan de *la Comédie.* Le titre seul annonce une rivalité de savants : l'un des personnages essentiels est « le célèbre professeur Jean Népomucène Apollodore Marmus de Saint-Leu, l'un des plus beaux génies de ce temps » (modèle, Geoffroy Saint-Hilaire), botaniste génial, couvert d'honneurs, d'ailleurs prodigieusement distrait. Absorbé par ses travaux, il laisse toute liberté à son épouse, mère de sept enfants, fort jolie femme, qui choisit ses « cavaliers » successifs parmi les représentants de diverses carrières ; elle s'intéresse chaque fois au métier qu'exerce le « cavalier » en titre. Elle est « peintre avec les peintres, poète avec les écrivains ».

Marmus de Saint-Leu a eu comme élève Richard David Léon Sinard (modèle, Cuvier); mais l'élève devient bientôt le rival du maître; il cumule de son côté les honneurs et les places, et accuse le système de son maître d'être empreint d' « athéisme ». Très sûr de lui, de ses théories, il se glorifiait d' « avoir rendu des arrêts en dernier ressort ». A son avis, « l'autorité de la chose jugée émanait de lui ».

C'est sur ces mots que s'achève ce que nous avons de l'œuvre; ils indiquent bien que Balzac avait songé à faire évoluer le roman vers la rivalité des deux hommes et à marquer l'opposition de deux conceptions scientifiques.

Entrée en campagne (l'), titre qui correspond au n° 79 *(Scènes de la vie militaire).* L'œuvre, qui, primitivement, semblait devoir traiter de l'entrée en campagne de Bonaparte, devait, en fin de compte, décrire des armées de la République, mais ne fut pas rédigée.

Envers de l'histoire contemporaine (l'), roman comportant deux épisodes : 1. *Madame de La Chanterie,* paru en trois fragments dans le *Musée des familles* (septembre 1842 - septembre 1843; octobre-novembre 1844); 2. *L'Initié,* paru dans le *Spectateur républicain,* du 1er août au 3 septembre 1848. Etait prévu aussi, sous le titre *les Frères de la Consolation,* comme n° 69 *(Scènes de la vie parisienne).*

C'est bien l' « envers » de la société contemporaine, qui, paradoxalement, alors que l'avers présente généralement, dans l'œuvre de Balzac, une société égoïste et corrompue, nous montre de véritables apôtres pratiquant, en fait, la charité évangélique.

Le jeune Godefroid (sans prénom) est le fils d'un détaillant qui lui a fait faire de bonnes études; il s'est essayé sans grand succès dans diverses professions (droit, littérature, journalisme), a formé un projet de mariage qui n'a pu aboutir, et vit à Auteuil auprès de sa mère malade, qui vient à mourir. Un jour, la lecture d'une petite annonce l'amène à se présenter rue

Chanoissesse, dans l'île de la Cité, pour y chercher un logement. Il prend pension, avec hésitation, dans le petit logement que lui propose la propriétaire, la baronne de La Chanterie, dont on lui a affirmé qu'elle est « une des plus obscures personnes de Paris », mais « une des plus honorables ». Il rencontre dans cette maison des gens qui lui paraissent étranges, mais qui, lui dit la baronne, « croient fortement à Dieu » et « ont senti sa main ». L'un d'eux, Frédéric Alain, lui raconte la pitoyable histoire de la baronne.

Issue d'une noble famille de la basse Normandie, elle a été impliquée avec sa fille dans le procès des « Chauffeurs de Mortagne », emprisonnée jusqu'à la Restauration, et sa fille a été exécutée. Au cours de ce procès, elle a été la victime des plus basses manœuvres et d'un réquisitoire féroce du procureur général de Caen, Bourlac. Mais la baronne, qui a été « sublime dans sa prison », et qui est une « sainte », a été « prise de cette grande pitié » qui fait d'elle « la reine de la charité parisienne ». Elle a fondé une œuvre, groupant les « desservants fidèles d'une idée chrétienne », qui n'admet en son sein que ceux qui méritent d'être initiés. — Fin du premier épisode.

Pour faire partie de cette sorte de congrégation de la bienfaisance, discrète et presque mystérieuse, les Frères de la Consolation, il faut en être digne; Godefroid est peu à peu initié; on lui confie des enquêtes sur les infortunes les plus dramatiques. C'est ainsi qu'il est amené à enquêter sur un certain M. Bernard; celui-ci vit dans des conditions pécuniaires difficiles au chevet de sa fille Wanda, atteinte d'une maladie mystérieuse qui la maintient alitée depuis de longues années. Godefroid lui procure un médecin dont les soins assureront sa guérison. Mais on apprend que M. Bernard n'est autre que le terrible procureur général Bourlac, qui, suspect au pouvoir depuis la révolution de juillet 1830, subsiste péniblement d'une misérable pension. N'importe! Les Frères de la Consolation ne lui retireront pas leur aide; leur intervention secrète, mais puissante, lui permettra de faire éditer un remarquable ouvrage de droit qu'il cherche depuis longtemps, en vain, à publier, et même d'obtenir une chaire en Sorbonne. En apprenant l'identité de la femme qui a animé ces bienfaiteurs, il vient la supplier à deux genoux de lui accorder son pardon, et, l'ayant reçu, a ces mots qui résument le sens de l'œuvre : « Les anges se vengent ainsi. »

« Ce jour-là Godefroid fut acquis à l'ordre des Frères de la Consolation. » L'intention édifiante est manifeste, accentuée par le caractère mélodramatique de certaines scènes, et particulièrement de la conclusion. C'est là encore une œuvre (v. *Médecin de campagne*) qui eût pu valoir à Balzac ce prix Montyon sur lequel il fondait de grands espoirs. Cette œuvre « si pure, si évangélique » est à rapprocher du *Médecin de campagne*, précisément parce que l'évangélisme et le mysticisme, au lieu de rester intérieurs, se manifestent par la volonté active et matérielle de porter secours aux déshérités. Les Frères de la Consolation jouent à Paris le même rôle que Benassis dans son village. Mais Godefroid est une personnalité très différente du docteur. Atteint à sa manière par le « mal du siècle », « inhabile à lutter contre les choses, ayant le sentiment des facultés supérieures, mais sans le vouloir qui les met en action », il n'arrive à la pureté de la foi agissante que parce qu'il est, en quelque sorte, encadré et initié peu à peu par les frères. Benassis est vraiment *le* médecin de campagne. Le véritable héros de l'*Envers*, c'est le groupe des initiés qui vont révéler à Godefroid la grandeur de l'action chrétienne.

Environs de Paris (les), titre correspondant au n° 105 (*Scènes de la vie de campagne*). On ne sait comment Balzac envisageait ce projet, qui n'a jamais abouti.

épisode sous la Terreur (Un), court récit paru anonyme eh janvier 1830, dans le *Cabinet de lecture* (le nom de Balzac n'apparaît qu'en 1842). N° 70 (*Scènes de la vie politique*). Dédié à Mᵉ Guillonnet de Merville.

Sœur Agathe, née de Langeais, et sœur Marthe, née de Beauséant, ont été chas-

Mᵉ **Guillonnet de Merville, à qui Balzac dédia** *Un épisode sous la Terreur,* **par Corbillet, 1837.** *Maison de Balzac. Phot. Lauros-Giraudon.*

sées du couvent de Chelles par la Révolution. Avec un prêtre miraculeusement échappé au massacre du couvent des Carmes, l'abbé de Marolles, elles se sont réfugiées chez un citoyen dont elles apprennent que, sous le nom de Mucius Scaevola, il est un jacobin militant. Mais un inconnu, qui les a suivis et connaît leur refuge, vient leur apprendre qu'elles n'ont rien à craindre de ce jacobin, qui est, en secret, partisan des Bourbons. Ce même inconnu vient demander au prêtre de célébrer, dans l'appartement qui lui sert de refuge, une messe pour le repos de l'âme de Louis XVI. Il lui remet un mouchoir taché de sang et marqué de la couronne royale. Après le 9-Thermidor, les reclus, libres de se risquer hors de leur refuge, voient passer une charrette de condamnés, où l'abbé de Marolles reconnaît son inconnu ; il apprend que c'est le bourreau Sanson.

L'histoire n'est qu'apparemment invraisemblable. Il est historiquement exact que Sanson avait prévu dans son testament l'instauration d'une messe expiatoire à célébrer annuellement.

Dans l'histoire des variations politiques de Balzac, qui ont évolué assez arbitrairement, cet épisode se place évidemment au cours de ce qu'on pourrait appeler la période « Bourbonienne ».

ESGRIGNON (famille d'), une des plus anciennes de la noblesse de France.

On trouve tous ses représentants dans *le Cabinet* et *la Vieille Fille,* et, à l'exception de Victurnien (v. *infra*), presque exclusivement dans ces deux romans. Il en est ainsi du vieux marquis Carol d'Esgrignon, de son fils, Charles Marie Victor Ange, né en 1749, et de sa bru, née du Nouastre, en 1778. Une fille du second lit du vieux marquis, Mlle Marie Armande Claire d'Esgrignon, est la demi-sœur du marquis Charles Marie Victor Ange.

Victurnien, comte, puis marquis Carol d'Esgrignon (né en 1802) est le fils du marquis Charles Marie Victor Ange et de son épouse, qui meurt en couches. Lui seul de la famille est véritablement un personnage reparaissant. Ses frasques sont contées dans *le Cabinet des antiques,* et il mène joyeuse vie à Paris, avec des roués de son espèce *(Béatrix, Femme de trente ans).* Incorrigible, même après son mariage, il entreprend inutilement d'enlever Josepha au baron Hulot *(Cousine Bette).* La marquise Victurnien d'Esgrignon, délaissée par son mari peu après son mariage, n'apparaît qu'à la fin du *Cabinet.*

ESPARD (famille d'), vieille famille béarnaise, qui compte plus d'une dizaine de représentants dans *la Comédie,* tous à peine évoqués, figurant dans *l'Interdiction,* et ne reparaissant plus, sauf Charles Maurice Marie Andoche, comte de Négrepelisse, marquis d'Espard, et surtout sa femme (v. *infra*).

Le marquis, né en 1786, est un des deux personnages centraux de *l'Interdiction.* Le procès que lui intente sa femme n'est pas fini dans ce roman ; il se poursuit dans *Splendeurs,* où Rubempré fait échouer la manœuvre de la marquise.

Les deux fils du marquis et de la marquise, Clément, comte de Négrepelisse (né en 1813), et Camille, vicomte d'Espard (né en 1815), sont des comparses qu'on ne rencontre pratiquement que dans *l'Interdiction.*

En revanche, le chevalier d'Espard, frère cadet du marquis, joue un rôle plus actif : il conseille sa belle-sœur dans le procès qu'elle a entrepris contre son mari, et n'hésite pas à manœuvrer contre son propre frère *(Interdiction, Splendeurs).*

ESPARD (Jeanne Clémentine Athénaïs **de Blamont-Chauvry,** marquise d'), née en 1795, personnage de la famille, qui joue de beaucoup le rôle le plus important. Ayant épousé le marquis d'Espard, elle refusa de s'associer à l'œuvre de justice que son mari considérait comme son devoir, continua à habiter seule son hôtel, et tenta de faire interdire son mari *(Interdiction).* Elle semble y avoir réussi à la fin de ce dernier roman, ayant fait dessaisir de l'affaire l'honnête juge Popinot, au profit de Camusot, présumé plus souple. Mais le plan échouera tout de même *(Splendeurs),* en particulier à cause de l'intervention de Rubempré, alors influent. Il saisissait cette occasion de se venger de la marquise, qui, dès son arrivée à Paris, avait fait comprendre à Mme de Bargeton qu'elle ne pouvait s'encombrer, dans la société parisienne, de ce jeune roturier *(Illusions).* La marquise affectait une existence austère, bien qu'on puisse, semble-t-il, lui attribuer des liaisons sur lesquelles le romancier reste discret. Elle menait cependant une existence mondaine très active (nombreuses allusions dans *la Comédie).* Sa hauteur, ses haines, ses rancunes sont célèbres. N'ayant pu séduire Félix de Vandenesse, elle essaie de se venger en favorisant les entreprises de Nathan auprès de la jeune comtesse *(Fille d'Ève).* Ne pouvant souffrir Béatrix de Rochefide, alors maîtresse de Calyste du Guénic *(Béatrix),* elle lui fit un affront au théâtre des Italiens. Et elle chercha à se venger à son tour de Rubempré, en faisant intervenir son beau-frère auprès du juge Camusot, pour accabler le jeune homme après son arrestation *(Splendeurs).*

ESTORADE (famille de l'), famille d'origine provençale, qui n'est représentée que dans les *Mémoires de deux jeunes mariées.*

La comtesse Louise de l'Estorade, née Renée de Maucombe, est l'une des deux héroïnes qui entretiennent une longue correspondance dans ce roman par lettres. Il est fait allusion à la comtesse Louise à diverses reprises dans d'autres œuvres (*Fausse Maîtresse*, *Béatrix*).

Facture du gantier de Balzac. Le romancier faisait une consommation extraordinaire de gants, ce qui s'explique par son goût immodéré pour la couleur paille ou beurre frais. Coll. Lovenjoul, Chantilly. Phot. Larousse.

ESTOURNY (Georges-Marie d'), *DESTOURNY* de son vrai nom (il s'attribua lui-même la particule), escroc, tricheur, souteneur (né en 1801). Il donne la mesure de ses talents dans divers romans (*Splendeurs*, *Modeste*, *Homme d'affaires*).

Étude de femme, très courte nouvelle, écrite en février 1830, publiée en mars de la même année dans *la Mode*, et signée : l'auteur de la *Physiologie du mariage*. Figurant en 1835 dans les *Scènes de la vie privée* (n° 15).

La marquise de Listomère, née de Vandenesse, reçoit de Rastignac une lettre d'amour qui la trouble, malgré la rigueur de son éducation et la pruderie qu'elle affecte. Quelques jours plus tard, Rastignac se présente chez elle et s'excuse : c'est par erreur qu'elle a reçu cette lettre qui ne lui était pas destinée. La marquise croit d'abord à un habile stratagème destiné à masquer une déclaration d'amour. Elle se trompe : elle en a la preuve quelques jours après. De dépit, elle se cloître chez elle en prétextant une gastrite.

Étude de mœurs par les gants, très court récit paru dans *la Silhouette* en janvier 1830.

Études sociales, titre que Balzac avait envisagé en 1837 pour l'ensemble de l'œuvre qui devait devenir *la Comédie*.

Eugénie Grandet. 1er chapitre dans *l'Europe littéraire* du 19 septembre 1833. Publication intégrale en décembre 1833. N° 35 (*Scènes de la vie de province*). Dédicace (énigmatique) à Maria (v. ce nom).

Le roman se déroule presque entièrement à Saumur. Félix Grandet (le père Grandet), né à Saumur en 1750, vigneron de son état, a su, par d'habiles spéculations, acquérir une énorme fortune. Il la gère avec une avarice sordide, et dirige avec autorité une famille composée de sa femme, créature aimante et douce, et de sa fille unique, Eugénie. Le service de la maison est assuré par la grande Nanon, créature herculéenne, qui voue à Grandet une reconnaissance infinie parce qu'il l'a recueillie, devinant tout le parti qu'il pourrait tirer de cette véritable bête de somme, qui le sert avec dévouement, quitte à lui tenir tête, le cas échéant.

La vie coule avec uniformité dans cette maison ; elle n'est animée que par la rivalité des deux familles Cruchot et Grassins, dont chacune, convoitant l'énorme dot qu'aura Eugénie, essaie de pousser ses avantages dans une véritable stratégie prématrimoniale.

Mais voici qu'arrive à Saumur le cousin d'Eugénie, Charles Grandet, dont le père, Guillaume Grandet, frère cadet de Félix, a fait faillite et s'est suicidé. Auparavant, il a confié son fils au père Grandet, qui révèle brutalement au jeune homme la double et désolante nouvelle qu'il ignorait en quittant Paris. Le fils renoncera à la succession du père, et partira pour les Indes y chercher fortune. Mais, au cours de son séjour à Saumur, Eugénie est tombée amoureuse de lui (plus profondément qu'il n'est devenu amoureux d'elle) et lui a remis, en cachette de son père, un petit trésor en écus d'or que l'avare lui avait constitué. Charles, avant de quitter Saumur, a juré à Eugénie un amour éternel et promis de l'épouser lorsqu'il aura rétabli sa fortune aux Indes. Grandet, après le départ de Charles, a l'occasion de demander à sa fille de lui présenter son magot ; elle refuse de le faire (et pour cause) et tient tête à son père avec une énergie telle que Grandet, entré dans une violente colère, la condamne à rester dans sa chambre, « au

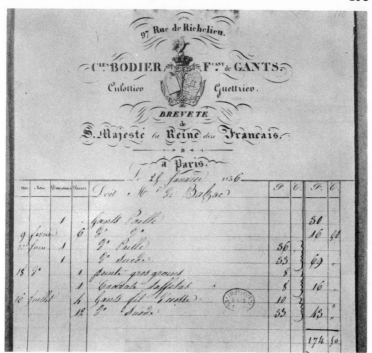

97 Rue de Richelieu.

Cie BODIER, Fcant de GANTS
Culottier   Guettrier.

BREVETE
de
S. Majesté la Reine des Français.

à Paris.

Paris, le 25 Janvier 1836

Doit M. de Balzac

				F.	C.	F.	C.
		1	Gants Paille			30	
9 février		6	d° d°			16	40
1er Juin		1	d° Paille	36			
		1	d° Suède	33		69	
18 d°		1	pointe gros grosse	8			
		1	Cravate Taffetas	8		16	
16 Juillet		4	Gants fil d'écosse	10			
		12	d° Suède	33		43	
						174	50

pain sec et à l'eau ». Ces scènes atroces finissent par avoir raison de la santé de Mme Grandet; elle meurt. Et c'est ensuite le tour du père Grandet, qui laisse ainsi une orpheline riche d'un nombre respectable de millions. Elle attend toujours Charles Grandet. Il ne la reverra pas. Rentrant enrichi par la traite des nègres, il a cru flatteur et avantageux de se fiancer à une héritière titrée, Mlle d'Aubrion (calcul faux, car il finira par perdre sa fortune). Eugénie, désolée, mais résignée, accepte d'épouser le président Cruchot de Bonfons, à la condition expresse que cette union reste un mariage blanc. Son mari étant mort peu après, Eugénie achève son existence en se consacrant aux bonnes œuvres.

Le succès du roman fut considérable et durable. Balzac lui-même finit par être exaspéré de s'entendre complaisamment qualifier d' « auteur d'Eugénie Grandet ». Une tradition scolaire tenace présente l'œuvre comme la plus représentative du génie de Balzac. Et, par une réaction excessive, certains ont fini par considérer que le roman n'était pas tellement révélateur de la manière du maître. En fait, on peut dire que cette œuvre a été la victime d'une perpétuelle et fâcheuse interprétation : on a voulu y voir le roman de l'avarice. Rapprocher Grandet d'Harpagon, assimilation hasardeuse! Grandet est un travailleur, paysan par bien des côtés, qui a gagné à la sueur de son front la fortune qu'il détient; personnage à la fois cauteleux, autoritaire, brutal, ou maladroitement tendre, à l'égard d'une fille qu'il aime pourtant profondément à sa manière. C'est un personnage redoutable, mais dont la présence, même si elle est essentielle, sert avant tout à mettre en valeur le personnage principal.

Car il suffit de lire le titre : le personnage central reste Eugénie, et le thème est entièrement balzacien : l'intention éclate à la fin de l'ouvrage. Cette veuve pieuse et confite en bonnes œuvres, dont l'observateur superficiel penserait qu'elle a mené une vie plate et banale entre un père peu agréable et une mère effacée, a connu un drame effrayant, le pire peut-être qui puisse briser le cœur d'une jeune fille. Elle n'a aimé qu'un seul homme, et celui-là même par qui elle a cru connaître l'amour le plus pur et le plus désintéressé l'a trahie d'une manière abominable. Son désespoir pourrait la conduire à la mort, mais l'issue qu'elle choisit est pire : vivre et vieillir dans la même médiocrité morale où s'est déroulée sa vie de jeune fille, et dont elle avait cru un moment s'affranchir. Ajoutons — et les contemporains ne s'y sont pas trompés — que la technique romanesque est absolument sans faille, le style d'une sûreté que n'atteint pas toujours Balzac, les personnages dessinés d'un trait parfaitement net, l'intrigue conduite avec une rigueur que l'on pourrait qualifier de classique. Œuvre classique, en effet, et toujours considérée comme telle avec raison.

EUPHRASIE (Mlle), prostituée, née en 1799, et qui apparaît dans *Melmoth*, dans *la Peau de chagrin* et dans *Une fille d'Ève*.

Europe littéraire (l'), journal fondé par un certain Victor Bohain, qui avait fait des métiers divers, y compris celui de préfet. C'est dans ce journal que parut la première partie d'*Eugénie Grandet* ; c'est ce même Bohain qui acquit, avec deux

Chère Eugénie, un cousin est mieux qu'un frère. — PAGE 26.

Eugénie Grandet. Charles et Eugénie, par G. Staal. *Bibl. nat. Phot. Larousse.*

autres éditeurs, les contrats de Werdet après la faillite de celui-ci.

EVANGELISTA, famille qui ne figure que dans *le Contrat* ; seule la fille Nathalie, devenue comtesse Paul de Manerville (v. ce nom), reparaît dans *la Comédie*.

Événement (l'), journal littéraire fondé en 1848 par Auguste Vacquerie et Paul Meurice. Balzac, à qui ils avaient demandé sa collaboration, leur promit un roman, que le journal annonça à son de trompe, mais qui ne fut jamais écrit.

Facino Cane, courte nouvelle parue dans la *Revue de Paris* le 17 mars 1836. N° 57 *(Scènes de la vie parisienne).* Dédié primitivement à une certaine « Louise* », dont on ne sait rien. Dédicace supprimée ultérieurement.

Le narrateur, qui est Balzac lui-même, puisqu'il déclare habiter, au moment de l'histoire, dans une mansarde de la rue Lesdiguières, rencontre, à l'occasion d'un modeste bal de mariage, auquel il a été invité, trois vieux musiciens qui font danser les convives, et dont l'un est un clarinettiste aveugle, qui lui raconte sa vie. Il n'est autre qu'un prince italien, Marco-Facino Cane, prince de Varèse. Emprisonné à Venise pour meurtre, et « sentant l'or » caché dans le trésor tout proche de la ville, il s'évade avec la connivence d'un gardien, et s'empare du trésor. Se trouvant à Londres et devenu aveugle, il est dépossédé de sa fortune par sa maîtresse, et échoue, misérable, à Paris, où, hébergé à l'hospice des Quinze-Vingts, il augmente ses ressources en jouant dans les bals populaires. Mais il continue à « sentir l'or ». Il affirme qu'il s'en trouve encore à Venise et propose au narrateur de l'y accompagner pour découvrir et ravir ce nouveau trésor. Il meurt peu après.

L'intérêt de ce court récit est multiple. D'abord par les souvenirs de Balzac sur sa vie rue Lesdiguières. Ensuite, parce qu'on y voit intervenir ce don de « seconde vue », ou plutôt, si l'on peut dire, de « second odorat », qui montre à quel point Balzac a toujours été hanté par les problèmes de l'inconnaissable et du supra-sensible. Enfin, par le rôle qu'y joue la musique, qui interviendra plus encore dans *Gambara* et dans *Massimila Doni.* D'ailleurs, le héros masculin de ce dernier récit, Emilio Memmi, est un descendant

de Facino Cane, et prend à la mort de celui-ci le titre de prince de Varèse.

Faiseur (le). V. *Mercadet.*

FALCON (capitaine Jean), personnage qui suit le commandant Hulot comme son ombre, d'abord dans *les Chouans,* puis en Espagne *(Muse),* et lui reste attaché comme domestique lorsque Hulot est devenu maréchal *(Cousine Bette).*

Falthurne, roman esquissé en 1820, et dont M. Castex a donné une édition critique (Corti, éd.). Le sous-titre porte : « Manuscrit de l'abbé Salvonati, traduit de l'italien par M. Matricante, instituteur primaire. » L'un et l'autre personnage est évidemment imaginaire. L'œuvre n'est qu'ébauchée, est suspendue au chapitre 2, resté inachevé; reprise au chapitre 4, elle se termine sur une fin brusquée. L'intrigue se situe dans une Italie imprécise, à l'époque où « la cour de Constantinople a envoyé pour défendre les restes de ses possessions plusieurs gouverneurs appelés catapans ». Falthurne est une jeune fille d'une très grande beauté, mais que son magnétisme a fait soupçonner de sorcellerie. Elle n'apparaît guère que dans la première partie, dont les événements se déroulent à Naples, l'intrigue, terriblement enchevêtrée, se transportant ensuite en Calabre. Peut-être faut-il voir dans le personnage de Falthurne une ébauche lointaine du personnage de Séraphitus-Séraphita.

Fantaisies de Claudine (les). V. *Un prince de la bohème.*

Fantaisies de la Gina, très courte nouvelle (1842), qui serait restée complètement ignorée si MM. Bouteron et Longnon n'avaient réussi à en découvrir le manuscrit : ils l'ont publiée au tome 3 des *Œuvres diverses* dans l'édition Conard.

Fausse Maîtresse (la). court roman paru en feuilleton dans *le Siècle* en décembre 1841. N° 16 *(Scènes de la vie privée)*. Dédié à la comtesse Maffei.

Le comte Laginski, jeune Polonais proscrit qui a combattu pour l'indépendance de son pays, réfugié à Paris, a épousé une jeune et charmante héritière, Mlle Clémentine du Rouvre. Il a sauvé des Russes et amené avec lui à Paris son ami, autre patriote polonais, le comte Thadée Paz. Celui-ci vit discrètement comme intendant dans une aile de l'hôtel habité par le jeune ménage. La comtesse finit par être intriguée de « l'existence quasi muette, effacée, mais salutaire, d'un factotum dont l'existence paraissait invisible ». Elle demande à le connaître. Elle se comporte avec lui en coquette, et lui-même découvre bientôt qu'il est amoureux d'elle. Mais il ne saurait trahir son ami, et demande comment faire pour « n'avoir ni l'amour ni la haine » de la comtesse. Il fait semblant de prendre pour maîtresse une écuyère de cirque, Marguerite Turquet, dite Malaga. Il l'entretient, et, tout en la respectant, s'affiche avec elle assez ostensiblement pour que la comtesse puisse croire qu'il est réellement amoureux d'une autre qu'elle. Mais cette mise en scène même le lasse, et, après avoir arraché à la mort, à force de soins et de dévouement, le comte, que les médecins avaient condamné, il fait semblant de partir pour la Russie, non sans avoir, dans une lettre à la comtesse, avoué combien il l'aimait. En fait, il restera caché à Paris. Un soir, alors que la comtesse est sur le point de céder aux avances de La Palférine, un des « lions » de Paris, elle se sent arrêtée par un bras vigoureux et portée dans sa propre voiture. Elle reconnaît Thadée Paz, qui disparaît après lui avoir donné cette preuve d'amour silencieux.

Balzac a voulu raconter ici une de ces « actions sublimes, moins rares que les détracteurs du temps présent ne le croient ». C'est évidemment une réponse à ceux qui l'accusaient de ne voir que le côté vil, ou même abject, de la nature humaine.

Le roman commence par un long préambule sur la Pologne et les patriotes polonais. L'influence de la liaison avec Mme Hanska est visible, d'autant plus que la généalogie du comte Laginski l'apparente à toutes les familles illustres (et réellement existantes) de qui descendait Mme Hanska.

Femme abandonnée (la), longue nouvelle parue en septembre 1832 dans la *Revue de Paris.* N° 21 *(Scènes de la vie privée)*. Dédié à la duchesse d'Abrantès. Mme de Bauséant a été la maîtresse du marquis Miguel d'Ajuda-Pinto. Il l'a quittée pour se marier. Voulant se retirer du monde, elle quitte Paris et va vivre en recluse dans sa propriété près de Bayeux. Le hasard y amène le jeune Gaston de Nueil, qui tombe amoureux d'elle. Désireuse, au souvenir de sa dernière désillusion amoureuse, de ne pas se laisser reprendre par une nouvelle passion, elle s'enfuit à Genève. Il l'y suit, la retrouve, la séduit. Ils vivront neuf ans d'un parfait amour, d'abord à Genève, puis en France, dans une propriété de la vallée d'Auge. Mais Gaston de Nueil, cédant aux instances de sa mère, se résout à épouser une femme parfaitement insignifiante. Bientôt déçu de ce mariage, il veut revenir à Mme de Bauséant; elle refuse de le recevoir. Il se tue.

Très belle nouvelle, où Balzac a su peindre avec une admirable sobriété la dignité douloureuse de la femme deux fois abandonnée. La dernière rencontre de Mme de Beauséant et de son ami, qui pourrait être une excellente scène de théâtre, est d'un raccourci littéralement dramatique.

Femme auteur (la), fragment écrit à Wierzchownia à la fin de 1847; n'était donc pas prévu dans le plan de la *Comédie*, et ne fut pas publié. La femme auteur, c'est Mme Albertine Hennequin de Jarente, « la dixième muse ». Quatre amis (dont plusieurs, à commencer par Lousteau, figurent dans d'autres romans de la *Comédie*) l'égratignent dans leur conversation, à la sortie d'un souper au Café

Riche. On apprend ainsi que le nom de Jarente est celui d'une terre, et que Mme Hannequin s'est ainsi anoblie à peu de frais ; on apprend la liste complète de ses œuvres, et qu'elle veut « ramener le goût du public vers les tartines bourrées de morale sans sel ». Au nombre des causeurs figurent deux candidats à la main de Mlle Léopoldine Hennequin, fille de la dixième muse ; celui des deux qui ne l'obtiendra pas pourra toujours se consoler en épousant la cadette (dont le prénom n'est pas indiqué). À la fin du fragment, on apprend les malheurs de la belle-sœur de Mme Hennequin, Mme de Malvaux (parfois orthographié Malvault), qui, déçue par son mariage (son mari s'est enfui, après des malversations, en laissant de lourdes dettes), a reporté toute son affection et ses espoirs sur son fils, Achille de Malvaux, promis aux plus belles destinées.

Là s'arrête le manuscrit. S'il eût été développé, Mme Hennequin aurait certainement occupé une place intéressante dans la galerie des bas-bleus que présente *la Comédie*.

Femme aux yeux rouges (la). V. *Fille aux yeux d'or (la).*

Femme de trente ans (la), roman publié comme ensemble en 1842. N° 25 (*Scènes de la vie privée*). Dédié à la duchesse d'Abrantès, et qui n'est qu'un assemblage assez laborieux de plusieurs morceaux publiés à des dates diverses et sous divers titres, savoir (le numérotage de diverses parties ne suit pas l'ordre chronologique de publication, ce qui prouve le disparate de l'œuvre) : 1. *Premières Fautes* (septembre-octobre 1831) ; 2. *Souffrances inconnues* (août 1834) ; 3. *À trente ans* (avril 1832) ; 4. *Le Doigt de Dieu* (un fragment le 25 mars 1831 et un autre le 25 mai 1834) ; 5. *Les Deux Rencontres* (21 et 28 janvier 1831) ; 6. *La Vieillesse de mère coupable* (mai 1832).

De ces morceaux péniblement recousus, on peut dégager l'intrigue que voici :

La marquise d'Aiglemont est l'épouse d'un homme très séduisant, son cousin, colonel de cavalerie dans la Garde impériale,

et dont elle est profondément amoureuse. Mais la légèreté de son mari la déçoit. Elle fait, par hasard, la connaissance d'un Anglais qui a toutes les qualités de délicatesse qui manquent au marquis. Cet Anglais, sir Arthur Ormond, devenu peu après lord Grenville, est docteur en médecine, et, comme la marquise souffre d'une sorte de maladie de langueur, il se fait son médecin traitant et parvient à la guérir. Ils sont tombés amoureux l'un de l'autre, et, par vertu, ont renoncé à céder à cet amour. Lord Grenville meurt, et la marquise, désespérée, éprouve douloureusement le regret de s'être refusé le bonheur (même thèse que dans la conclusion du *Lys dans la vallée*, mais dont l'évolution est différente). Après s'être cloîtrée dans ses terres, elle reprend la vie mondaine à Paris, bien décidée, cette fois, à être heureuse à tout prix. Elle fait la connaissance du comte Charles de Vandenesse, devient sa maîtresse, et a de lui

La Marquise d'Aiglemont. Illustration de l'édition maresque. *Bibl. nat., Paris.*

trois enfants adultérins. Et voici où intervient le « doigt de Dieu » : une des filles légitimes de la marquise, Hélène, qui soupçonnait d'ailleurs les relations de sa mère avec Charles de Vandenesse, jalouse de son demi-frère adultérin Charles, le pousse dans la Bièvre, où il se noie. Deux ans après, cette même fille s'enfuit avec un aventurier, Victor, surnommé « le Parisien ». Elle vit avec lui à bord du vaisseau corsaire qu'il commande, l'*Othello*. Ce bateau fait naufrage ; elle en réchappe avec un seul de ses quatre enfants, et sa mère la retrouve mourante dans un hôtel des Pyrénées. Les épreuves de la « mère coupable » ne sont pas terminées ; elle a marié sa fille adultérine Moïna au comte de Saint-Héréen ; elle s'est dépouillée pour assurer ce mariage, et s'est seulement réservé un appartement dans l'hôtel du jeune couple. Elle constate avec horreur que sa fille a pris pour amant le fils de Charles de Vandenesse, qui est donc son demi-frère. Elle veut intervenir, mais reçoit de sa fille cette réponse atroce : « Maman, je ne te croyais jalouse que du père. » Réponse dont la cruauté tue la marquise d'Aiglemont.

Il y a dans ce roman des situations dont Balzac eût tiré un meilleur parti si l'œuvre avait présenté plus de cohésion. Il a déclaré lui-même que *les Deux Rencontres* constituaient « un mélodrame indigne de lui ». Le temps lui a manqué pour élaguer et resserrer cette intrigue en un récit qui eût pu être un de ses chefs-d'œuvre.

Femme supérieure (la). V. *Employés (les).*

Femme vertueuse (la). V. *double famille (Une).*

Ferragus, chef des Dévorants, premier épisode de l'*Histoire des Treize**, paru dans la *Revue de Paris* en mars-avril 1833. N° 50 (*Scènes de la vie parisienne*). Dédié à Hector Berlioz.
Les « Dévorants » sont une société secrète de compagnons, aux ramifications innombrables et toutes-puissantes, toujours prête à mettre au service de ses membres (les Treize) son influence et son audace, au besoin criminelle. Leurs chefs successifs,

désignés par l'élection, ont pris des noms d'emprunt, dont le plus fréquemment employé a été « Ferragus ». Ferragus XXIII, qui commande la secte au début du récit, est un ancien forçat évadé, de son vrai nom Gratien Bourignard. Il a une fille adorable, qu'il aime tendrement, et qu'il marie au banquier Jules Desmarets. Elle ne doit absolument pas révéler à qui que ce soit le secret de sa naissance, et, pour rendre visite à son père, a recours à d'infinies précautions. Un certain baron de Maulincour, qui aime la jeune femme d'un amour non partagé, la suit, et croit avoir découvert le secret d'une liaison. Ferragus, exaspéré de cette filature, décide de se débarrasser de l'importun, et, après plusieurs tentatives, assassine Maulincour, rencontré dans un bal, tout simplement en lui communiquant, par une simple et légère imposition de la main sur les cheveux, une maladie mystérieuse et mortelle. Mais Maulincour, de son vivant, a eu la vilenie de faire croire à Jules Desmarets que sa femme avait une liaison. La malheureuse, épouse irréprochable d'un mari qu'elle adore, finit par mourir de ces soupçons, dont le mari apprend trop tard qu'ils étaient injustifiés. Ferragus, après la mort de sa fille, sombre rapidement dans le désespoir, puis dans une sorte de gâtisme.
L'histoire est sombre à souhait et fertile en épisodes mystérieux. Mais la note de fraîcheur est donnée par le personnage de la fille du forçat, et ce type de père dont la seule raison de vivre est l'amour qu'il porte à cette fille se retrouvera souvent, et dans Balzac lui-même.

FERRAUD (comte et comtesse), personnages importants, l'épouse surtout, du *Colonel Chabert*. Le comte réapparaît dans l'*Interdiction* et le *Contrat*. La comtesse, née Rose Chapotel, femme légère et qui avait d'abord épousé le Colonel, se remarie, le croyant mort, avec le comte. Très mondaine, on la retrouve, à ce titre, dans divers romans (*Bal, Père Goriot, Employés, Contrat*).

FESSART (Auguste), homme de confiance de Balzac, et qui s'occupa pratiquement de toutes les affaires financières du romancier à la fin de la vie de celui-ci. Son nom revient plus de cinquante fois dans les lettres que Balzac écrivit à sa mère en vue du règlement des diverses dettes qui s'étaient accumulées. C'est Fessart qui racheta, dans des conditions inespérées, la créance de l'entrepreneur Hubert, qui avait travaillé pour les *Jardies*, et à qui, dix ans après, étaient dus encore 25 000 francs. Balzac n'exagérait pas en assurant Fessart « d'une reconnaissance infinie pour tout ce qu'il avait déjà fait ».

Feuilleton des journaux politiques, publication hebdomadaire fondée en 1830 par Balzac (et d'autres écrivains, en particulier Girardin), qui n'eut pas de succès, et qui ne semble pas avoir dépassé une vingtaine de numéros. Il est assez difficile de reconnaître, vu l'anonymat des articles, quels sont ceux qui appartiennent authentiquement à Balzac. L'hebdomadaire était surtout consacré aux comptes rendus, groupés chaque fois sous diverses rubriques, histoire, littérature, ouvrages de second ordre. Sont à noter particulièrement les articles consacrés à l'analyse et à l'étude d'*Hernani*, de Hugo.

Fille aux yeux d'or (la) [titre primitif : *la Femme aux yeux rouges*], troisième épisode de l'*Histoire des Treize** (publié en deux fois, une partie en avril 1834, l'autre en mai 1835). N° 52 (*Scènes de la vie parisienne*). Dédié à Eugène Delacroix. La marquise de San-Réal est lesbienne. Elle rentre des Antilles avec une jeune fille, Paquita Valdès, « la fille aux yeux d'or », qu'elle a achetée à sa mère, et dont elle a fait sa partenaire. Elle est terriblement jalouse. Lors d'une absence de la marquise, le jeune Henri de Marsay, ayant remarqué Paquita, et ayant su où elle habitait, obtient un rendez-vous et se fait aimer d'elle. Au cours de leurs ébats, la jeune fille s'oublie à donner au jeune homme le prénom féminin de Mariquita. Marsay, instruit désormais de ce qu'il avait soupçonné, jure de se venger en tuant la coupable. Mais au moment où il se dispose, assisté de ses amis, à mettre son projet à exécution, il s'aperçoit qu'il

arrive trop tard : la marquise de San-Réal, rentrée de Londres et apprenant son infortune, a tué Paquita à coups de poignard, et s'est acharnée sur son cadavre dans une crise véritablement démentielle. Balzac a décrit cette scène avec des couleurs proprement grandguignolesques. En présence de l'horrible meurtrière, Marsay s'aperçoit qu'elle est la fille naturelle de lord Dudley, dont il est lui-même le fils naturel. Et les deux demi-frères constatant cette consanguinité, Marsay conclut simplement, en montrant le cadavre de Paquita : « Elle était fidèle au sang... ». Inconsolable, la marquise entre au couvent.

Effroyable histoire, où l'on retrouve tous les éléments du roman « noir » (scènes sanglantes ; reconnaissance mélodramatique). Le portrait de Paquita, victime tendre et touchante, est la seule tache claire dans ce sombre épisode.

fille d'Ève (Une), roman daté des *Jardies*, et paru en feuilleton dans *le Siècle*, du 31 décembre 1838 au 14 janvier 1839. N° 17 (*Scènes de la vie privée*). Dédié à Mme la comtesse Bolognini.

Le comte et la comtesse de Granville ont deux filles ; la cadette, Marie-Eugénie, est mariée au banquier du Tillet, homme dur, qui ne la rend pas heureuse ; l'aînée, Marie-Angélique, a épousé Félix de Vandenesse, qui, après une vie sentimentale agitée, se révèle le plus charmant des époux. Une conspiration se forme contre cette félicité, animée, entre autres, par lady Dudley, qui fut la maîtresse de Félix, et serait ravie de troubler son bonheur. On présente donc à la comtesse Félix de Vandenesse un homme de lettres de talent, qui a eu des succès au théâtre, Raoul Nathan. Il vit avec l'actrice Florine, sa maîtresse (mais cela, la comtesse l'ignorera jusqu'à la conclusion du roman). Le prestige de ce séduisant causeur, l'aura de sentimentalité poétique dont il sait s'entourer subjuguent la comtesse. Nathan, qui a des ambitions, décide d'abandonner la littérature pour le journalisme, qui doit lui servir de marchepied pour une carrière politique qu'il envisage. Florine vend ses meubles pour lui permettre de fonder un journal. Mais les ambitions de Nathan heurtent celles de Du Tillet, qui a jeté son dévolu sur un siège de député auquel le journaliste a songé. C'est un jeu pour lui de torpiller l'affaire de Nathan, qui se trouve acculé à la ruine. Il va se tuer, en s'asphyxiant au charbon de bois, lorsque la comtesse, survenue à temps, l'arrache à la mort. Elle entreprend de trouver les 40 000 francs qui tireront Nathan d'affaire ; elle demande à sa sœur de l'aider (c'est par cette scène que commence le roman). Mme du Tillet, par un habile et dangereux jeu de lettres de change, trouvera la somme nécessaire. Mais elle estime, pour le bonheur de sa sœur, devoir avertir Félix de Vandenesse. Ce mari attentif, délicat, et qui aime vraiment sa femme, va s'employer, sans cris ni violence, à éclairer la comtesse sur la valeur de celui qu'elle admire et croit aimer. Elle a en son mari une telle confiance qu'elle lui avoue tout, et lui remet les lettres de Nathan, qu'il brûle sans les lire. Il lui révèle l'existence de Florine, et lui présente l'actrice, à qui il apprend en même temps que, dans le cœur de Nathan, elle avait pour rivale une femme du monde, ce qu'elle n'avait pas soupçonné. Dans l'âme de la comtesse, le dégoût remplace l'amour de tête qu'elle avait éprouvé. Nathan se rangera, régularisera sur le tard sa situation avec Florine, et finira par « capituler et par se caser dans une sinécure comme un homme médiocre ».

Belle étude de cette admiration amoureuse qu'éprouve une jeune femme pour un homme de lettres prestigieux. La comtesse Félix de Vandenesse fait penser à Modeste Mignon. Mais Nathan, s'il fait songer à Canalis, s'il a « commencé par mentir », « finit par dire vrai ». Il s'est pris lui-même « à ses phrases panachées de beaux sentiments ». Cette étude subtile d'un homme qui finit par éprouver les sentiments qu'il exprime est peut-être l'élément psychologique le plus pénétrant du roman.

FINOT (Andoche), publiciste qui végéta jusqu'au moment où il fut chargé de rédiger le prospectus de l'« Huile cépha-

lique » *(Grandeur)*. L'argent qu'il gagna ainsi lui permit de diriger un petit journal de chantage, puis de faire dans le journalisme une carrière fructueuse et influente ; il put ainsi s'introduire dans le Tout-Paris, si bien qu'on le retrouve dans divers romans, où il participe à des réunions ou à des soupers fins, avec des personnages souvent douteux et des lorettes (notamment *Rabouilleuse, Illusions, Splendeurs*).

FIRMIANI *(Mme)*. V. **Camps** *(Mme Octave de)*.

FITZ-JAMES (famille). De cette illustre famille, il faut retenir, en ce qui concerne Balzac, que la marquise de Castries en était issue. Son oncle, le duc Edouard (1766-1838), eut, vers 1832, sans doute à cause du charme de sa nièce, une réelle influence sur les idées politiques (du moment) de Balzac, tout à fait rallié aux doctrines légitimistes. C'est ainsi que le romancier fut amené à collaborer au *Rénovateur**, à *la Quotidienne*, feuilles connues pour la virulence de leur ton. C'est aussi le duc qui engagea Balzac à entreprendre avec Mme de Castries* le voyage d'Italie, qui devait s'achever à Genève, après l'amère déception qu'avait subie Balzac.

Fleur des pois (la), premier titre du *Contrat de mariage*. Ce titre avait d'abord été envisagé par l'auteur pour *la Vieille Fille*.

FLORENTINE, danseuse, née en 1804, de son vrai nom Agathe-Florentine Cabirole, remarquée dès l'âge de treize ans par le vieux Cardot, et protégée par lui. Elle fait carrière d'abord à la Gaîté *(Début)*. On la retrouve, en relation avec d'autres danseuses ou actrices, dans *Illusions*, dans *la Rabouilleuse*, où on la voit faire ses débuts à l'Opéra.

FLORINE (Sophie **Grignoult**, dite), actrice qui, malgré sa beauté, eut des débuts difficiles, jusqu'à ce qu'elle obtînt le premier rôle dans le vaudeville de Nathan et de Cursy, *l'Alcade dans l'embarras* (*Illusions*). D'une vertu peu farouche, elle eut plusieurs amants successifs : le droguiste

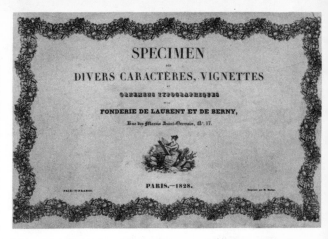

Matifat *(Illusions)*, lord Dudley *(Rabouilleuse)*, Des Grassins *(Eugénie)*, etc. Mais elle était capable d'attachement sincère et de dévouement. Liée avec Nathan, elle n'hésita pas, pour le tirer d'une mauvaise passe, à vendre son somptueux mobilier *(Fille d'Ève)*, et finit par être récompensée de sa fidélité et de son dévouement lorsque Nathan régularisa leur longue liaison en l'épousant.

fonderie de caractères (Affaire de la). L'imprimerie de la rue des Marais n'ayant laissé que des déboires, Balzac croit pouvoir la renflouer en y adjoignant une fonderie de caractères. Il achète, en septembre 1827, avec son associé Barbier, un fonds d'imprimeur-fondeur, rue Garancière. Il acquiert le brevet d'un procédé de stéréotypie tout nouveau, dont il attend des merveilles, et fonde une société où entre en nom — et en capital — Mme de Berny. L'affaire périclite. La société est dissoute en avril 1828. Pour liquider à la fois le passif de l'imprimerie et de la fonderie, Balzac s'adresse à sa famille. Un cousin de Mme de Balzac, Sédillot, consent à s'occuper de l'affaire, et obtient des parents de Balzac qu'ils paient une partie des dettes. Ce sera l'origine de la dette que Balzac a contractée envers sa mère, et dont le règlement le tourmentera à peu près toute sa vie. La fonderie reçoit une nouvelle raison sociale, où Balzac ne figure plus, mais où figure, en revanche, le fils de Mme de Berny, Alexandre. Plus réaliste que Balzac, celui-ci fait prospérer la maison, dont il deviendra en 1840 le propriétaire exclusif. En fin de compte, l'entreprise laissait Balzac débiteur de plus de 50 000 francs.

FONTAINE (famille de), famille dont les divers représentants interviennent d'une manière importante ou épisodique dans plusieurs romans. Les représentants les plus significatifs sont :
1. Le père, comte Jacques de Fontaine, « le Vendéen », légitimiste fidèle *(Chouans)*, qui reçut de Louis XVIII les honneurs que sa loyauté avait mérités ;
2. Une des filles, Emilie, dont les fantaisies et l'orgueil indomptables constituent l'essentiel de l'intrigue du *Bal de Sceaux*.

FONTAINE (Mme), célèbre cartomancienne, née en 1776, qui opère rue Vieille-du-Temple, au cœur du Marais, et qui est en scène dans le *Cousin Pons* et les *Comédiens*.

Force (ancienne prison de la), qui doit son nom à ce qu'elle fut installée en 1780 dans les bâtiments de l'hôtel du duc de La Force, rue du Roi-de-Sicile. Sous la Révolution, elle fut le théâtre de la plupart des massacres de Septembre. Elle fut supprimée en 1850. C'est là que se situent des scènes célèbres des *Misérables* de Hugo. Elle est évoquée également, entre autres, par Vigny *(Servitude et grandeur ; le Cachet rouge)*, et à de nombreuses reprises par Balzac.

Fougères. Balzac passa dans cette ville, à l'automne 1828, deux mois parfaitement agréables. Il y était l'hôte des Pommereul*, chez qui il trouva une hospitalité affectueuse, et qu'il conquit par sa bonne humeur. C'est là qu'il se documenta auprès du général en vue de la rédaction du *Dernier Chouan**.

Fragoletta, roman de Latouche*, dont Balzac publia le compte rendu, sous la signature B..., dans le *Mercure du XIXᵉ siècle* (1829). Une deuxième étude : *Du roman historique et de Fragoletta*, dans la même publication (1831), signée Félix D., est attribuée à Félix Davin.

Français en Égypte (les), sous-groupe des *Scènes de la vie militaire*, comportant trois épisodes, donc trois numéros : 82 *(le Prophète)*, 83 *(le Pacha)*, 84 *(Une passion dans le désert)*. De ce triptyque, seule la dernière œuvre a été rédigée.

Français peints par eux-mêmes (les), publication paraissant par livraisons et où Balzac publia un certain nombre de courtes études, dont plusieurs, modifiées et adaptées, ont été reprises dans des romans de l'auteur. Telles sont : *la Femme comme il faut* (1839) [v. *Autre étude de femme*], *le Notaire* (1840), *Monographie du rentier* (1840), *la Femme de province* (1841).

France sous le Consulat (la). V. *Mademoiselle du Vissard*.

FRANÇOIS. V. *Münch*.

Frapesle, nom d'une propriété que les Carraud possédaient près d'Issoudun, et où Balzac fut reçu. Le romancier a utilisé ce nom pour un château imaginaire, « situé sur l'Indre, entre Montbazon et Azay-le-Rideau », à proximité de Saché, et où se déroule une partie de l'intrigue du *Lys*.

Frascati, maison de jeu fondée sous le Directoire par un Italien, et qui était la plus élégante de Paris. Les femmes y étaient admises. On y jouait à la roulette et au trente-et-quarante. Plusieurs personnages de Balzac la fréquentent. Elle fut démolie après 1837, date de l'interdiction des jeux à Paris.

Frélore (la), récit inachevé, dont le début était destiné à une revue qui cessa de paraître avant d'avoir pu le publier. N'étant pas prévu dans le plan de *la Comédie*, ne comporte pas de numéro.

La Frélore est une petite danseuse, originaire de Castelnaudary, et qui a quitté la ville pour suivre à travers la France une troupe de comédiens ambulants. Cette troupe a pour directeur un certain Picandure ; sa femme (dont le nom de théâtre est Rosalinde) a pour amant le Gracioso de la compagnie, Dévolio. Une espèce de soudard, La Feuillée, s'est joint à la troupe. Le seul homme sympathique de ce groupe est Le Moufflon. D'une bonne famille d'artisans parisiens, il a quitté Paris, par amour du théâtre, pour suivre la compagnie dans ses pérégrinations, et la soutient de son argent quand il en a. Il a pour maîtresse une autre actrice, la Girofle. Mais il a de la tendresse pour la Frélore et il voudrait l'arracher à cette vie misérable. Vains efforts, car la jeune danseuse est amoureuse du jeune premier, Fleurance.

Les personnages sont bien mis en place, mais l'histoire est inachevée. Au moment où prend fin le seul fragment connu, la compagnie est à Blois, et sans un sou. La Girofle et Frélore, qui ont faim, somment Le Moufflon d'aller chercher de quoi manger, par n'importe quel moyen.

Balzac s'était toujours intéressé à la vie du théâtre (v. *Une actrice en voyage*). Il faut déplorer qu'il ait laissé *la Frélore* inachevée. Nous aurions eu ainsi un roman picaresque, seul genre qui manque au catalogue de *la Comédie*.

Frères de la Consolation (les). V. *Envers de l'histoire contemporaine (l')*.

Furne corrigé. V. *éditeurs*.

GAILLARD (Théodore), journaliste qui fonde un petit journal auquel collabore Rubempré *(Illusions)*, puis un plus important qui le met en relations avec la haute banque *(Cousine Bette)*, et devient enfin une des grandes puissances journalistiques de Paris *(Comédiens)*. Amant de Suzanne du Val-Noble *(Splendeurs)*, il finira par l'épouser.

GALATHIONNE (prince), prince russe fixé en France. Il protégea Mlle Minoret, danseuse, mère de Flavie *(Petits Bourgeois)*, et sans doute aussi une obscure artiste du Boulevard, Mlle Florville *(Illusions)*. Il compta au nombre des erreurs de la princesse de Cadignan *(Secrets)*, et essaya inutilement de conquérir les faveurs de Mme Schontz *(Béatrix)*.
La princesse Galathionne est évoquée dans *Une fille d'Ève* et dans *le Père Goriot*.

GALITZINE (princesse Caroline), à qui Balzac a dédié *Un drame au bord de la mer*. Elle habitait Genthod, en Suisse, ce qui amena le romancier à donner à sa dédicace cette forme curieuse : « À Madame la Princesse Caroline Gallitzin *(sic)* de Genthod, née comtesse Walewska. »

Gambara, nouvelle parue dans *la Revue et gazette musicale*, du 23 juillet au 20 août 1837. N° 112 *(Études philosophiques)*. Dédiée au marquis du Belloy. Il signor Paolo Gambara, né à Crémone, fils d'un facteur d'instruments, et chassé de sa ville natale par la guerre d'Italie, mène une vie errante, gagnant péniblement sa subsistance grâce à divers métiers : figurant, musicien d'orchestre. Il se croit un grand musicien ; il est l'inventeur d'un nouvel instrument de musique, le *panharmonicon*, et, s'il a effectivement une forte culture musicale, il est, en revanche, un pitoyable compositeur, dont l'unique opéra, porté à la scène, a totalement échoué. Sa musique est si mauvaise qu'elle est pratiquement inaudible, sauf quand il a bu : il est alors capable de belles improvisations. Il finit par atterrir à Paris, où il végète dans de lamentables conditions matérielles. Sa femme l'a quitté, enlevée par un comte italien, qui l'a abandonnée au bout de six ans. Elle revient à son mari, qui l'accueille sans un reproche. Elle et lui en sont réduits à se produire dans les rues de Paris comme chanteurs ambulants, jusqu'à ce qu'un couple italien, le comte et la comtesse de Varèse, qui les a entendus avenue des Champs-Elysées, les sorte de la misère.
Ce n'est pas par hasard que le numéro de cette œuvre suit celui du *Chef-d'œuvre inconnu*. Le thème est le même : un artiste débordant d'idées géniales, mais trahi dans l'exécution, parce qu'il veut faire « passer » sa musique « de la sensation à l'idée ».

Garde consulaire (la), titre correspondant au n° 86 *(Scènes de la vie militaire)*. Ce titre n'est qu'un numéro ; l'œuvre n'a jamais été rédigée, et on ignore tout des projets de Balzac sur ce point.

Gars (le), version théâtrale du *Dernier Chouan*, due à un certain Béraud, jouée en 1837 à l'Ambigu, et où l'on reconnaît à peine le roman.

GASTON (famille). Les deux frères (Louis et Marie) sont les fils adultérins de lady Brandon, *alias* Mme Willemsens *(Grenadière)*.
1. L'aîné, Louis (né en 1806), est un des personnages de *la Grenadière*. Sa disparition et sa mort sont évoquées dans *Mémoires*.

2. Son épouse, puis veuve, apparaît également dans *Mémoires*. (Deux enfants, dont il n'est plus question dans *la Comédie*.)

3. Le cadet, Marie (né en 1810), homme de lettres, épouse la jeune veuve du baron de Macumer, née Armande Louise Marie de Chaulieu. L'histoire de cette union figure presque exclusivement dans *Mémoires*.

4. Mme Marie Gaston n'apparaît guère également que dans le même récit.

GAUDISSART (Félix), né en 1792, n'est pas seulement l'illustre commis-voyageur qui donne son nom à la nouvelle ; il apparaîtra dans d'autres romans. Il sert d'intermédiaire au comte de Bauvan lorsque celui-ci, désireux d'aider en secret la comtesse, qui l'a quitté et qui subsiste misérablement, le charge d'acheter fort cher les fleurs artificielles qu'elle fabrique pour vivre *(Honorine)*. À la suite d'une imprudence, il n'évite la prison que grâce au juge Popinot *(Splendeurs)*. À son tour, il rend service au neveu du juge, Anselme Popinot, en se chargeant de faire rédiger le prospectus qui lancera l'affaire de celui-ci. Anselme Popinot, reconnaissant, et devenu ministre, fait donner à Gaudissart le privilège de la direction d'un théâtre, dont Pons sera le chef d'orchestre *(Cousin Pons)*. Gaudissart joue un rôle actif dans ce dernier roman. Il finira millionnaire et banquier *(Femme auteur)*.

Gaudissart II, très courte nouvelle parue en octobre 1844 dans un recueil collectif intitulé *le Diable à Paris*. Pas de numéro prévu, l'œuvre ayant paru après le projet de plan établi par Balzac pour *la Comédie humaine*. Aurait pu prendre place dans les *Scènes de la vie parisienne*. Dédié à la princesse Belgiojoso.

Fritot est marchand de châles dans le quartier de la Bourse. Virtuose de la vente, il a mis au point la technique du « châle Selim ». Il persuade ses clientes, en leur présentant une pièce, qu'il a mis la main sur « un des sept châles envoyés par Selim... à l'empereur Napoléon ». Il triomphe même d'une Anglaise récalcitrante ; celle-ci, après examen du châle, déclare préférer une voiture. Fritot pro-

« Chacun de dire en le voyant : — Ah! Voilà l'illustre Gaudissart! » *Bibl. nat. Phot. Roger-Viollet.*

pose de lui en faire essayer une, aussi belle et rare que le châle ; elle portera le châle pour en voir « l'effet en voiture ». Après cette promenade, la cliente, flattée d'être remarquée par les passants, préfère, en fin de compte, garder le châle. Il ne reste plus à Fritot qu'à chercher, parmi ses vieux châles, celui qui pourra, pour un nouveau chaland, jouer le rôle du « châle Selim ».

Dans cette amusante nouvelle, c'est tout juste si Balzac indique le nom du marchand. Il le présente comme *le* Gaudissart, authentifiant ainsi l'Illustre Gaudissart comme le type du vendeur-né.

GAUTIER (Théophile) écrivain, romancier, poète français (1811-1872). Il entretint d'excellentes relations avec Balzac à partir de 1835, date où il collabora à la *Chronique de Paris*. Balzac admirait sincèrement le poète et le romancier. Certains passages de ses romans sont des emprunts à Gautier, qui est l'auteur du sonnet *la Tulipe* inséré dans *Illusions*. Gautier essaya, en 1845, d'initier Balzac aux paradis artificiels, mais celui-ci n'y prit pas goût. L'admiration du poète pour le romancier se manifesta en diverses circonstances, et notamment par l'article très élogieux qu'il écrivit sur *la Marâtre*. Il a également consacré une étude à *Honoré de Balzac* (1859).

GAVAULT (Sylvain Pierre Bonaventure), avoué de Balzac, qu'il assista avec beaucoup de dévouement, notamment lorsqu'il fallut liquider la maison des *Jardies**. C'est à lui que le romancier dédia *les Paysans*.

GAY (Sophie et Delphine). V. *Girardin*.

Gendres et belles-mères. V. *Petits Bourgeois (les)*.

Genève. Cette ville est associée particulièrement à deux épisodes essentiels de la vie sentimentale de Balzac.
1. À la fin de 1832, il s'y trouvait avec la marquise de Castries, à l'hôtel de la Couronne ; c'est là que, ses exigences ayant été repoussées, il rompit avec la marquise.
2. À la fin de 1833, il revint à Genève au moment de Noël pour y retrouver Mme Hanska. Il descend à l'hôtel de l'Arc et passe un mois et demi dans la ville, les promenades alternant avec le travail (rédaction de *Ne touchez pas à la hache*, fin du troisième dizain des *Contes drolatiques*).

Gens ridés (les). On ne sait à peu près rien de cette œuvre, si ce n'est le titre. Elle porte le n° 40 (*Scènes de la vie de province*), mais n'a jamais été rédigée.

GEOFFROY SAINT-HILAIRE (Étienne), naturaliste français (1772-1844). Balzac, qui lui a dédié *le Père Goriot* « comme un témoignage d'admiration de ses travaux et de son génie », a très probablement pris comme modèle ce « grand et illustre savant » pour créer l'un des deux types

de chercheurs qu'il oppose dans le roman inachevé *Entre savants*.

GEORGE (Marguerite Joséphine **Weimar**, dite Mlle), actrice française célèbre par son talent et sa beauté (1787-1867). Il semble bien que, si Félicité des Touches a pour modèle George Sand, c'est à Mlle George que Balzac a emprunté le portrait *physique* du personnage.

GÉRARD (baron François), peintre d'histoire (1770-1837), à qui sont dus, entre autres, des portraits célèbres (Mme Récamier, Talleyrand). Son salon, 6, rue Saint-Germain-des-Prés, était fréquenté par des artistes et des étrangers illustres ; Balzac y était reçu ; c'est dans ce salon qu'il a situé les conversations des *Contes bruns* ; c'est là qu'il rencontra en 1833 la princesse Cristina Belgiojoso ; là encore que lui furent officiellement présentées (lettre d'octobre 1833 à Laure Surville) des familles allemandes qui « venaient fidèlement chez Gérard depuis un mois pour le voir » et lui dire que « de la frontière de France commençait pour *lui* une gloire étonnante ». Lorsque parurent, en septembre 1834, chez Mme Béchet, deux volumes de la troisième édition des *Études de mœurs*, il manda à sa mère, de Saché, qu'elle en déposât un exemplaire en *vélin* (c'est lui qui souligne) chez le baron Gérard.

GIGONNET (*Bidault*, surnommé), usurier d'une avarice sordide, affairiste matois. Il est le syndic de la faillite Birotteau (*Grandeur*). Un certain nombre de personnages dans l'embarras ou aux abois lui empruntent ou essaient de lui emprunter de l'argent ; c'est le cas de Luigi Porta (*Vendetta*), de Savinien de Portenduère (*Ursule*), de Nathan (*Fille d'Ève*). Fort roublard, il subodora une des « liquidations » de Nucingen et sut en tirer profit (*Maison Nucingen*).

GIGUET (famille), famille d'Arcis-sur-Aube, dont tous les membres figurent exclusivement dans *le Député*, à l'exception du colonel de gendarmerie Giguet, qui a déjà été rencontré dans *Une ténébreuse affaire*.

GIRARDIN (Émile **de**), journaliste (1806-1881). Il eut avec Balzac des rapports dont la cordialité connut diverses éclipses. Il était le gendre de Sophie Gay, née Nichault de Lavalette (1776-1852), romancière dont le salon était fréquenté par divers hommes de lettres, et en particulier par Balzac. Celui-ci assista, en juin 1831, au mariage d'Émile de Girardin avec Delphine, fille de Sophie. La jeune Mme Delphine de Girardin (1804-1855) était, dès avant son mariage, connue comme poète et comme romancière. Elle poursuivit brillamment cette carrière, tint un salon littéraire célèbre, où fréquentaient en particulier Lamartine et Hugo; chroniqueuse et courriériste d'esprit et de talent, elle écrivit, entre autres, pour les divers journaux qu'avait fondés ou que dirigeait son mari. Elle reste, pour le lecteur balzacien, le spirituel écrivain de *la Canne de M. de Balzac,* œuvrette où le goût du romancier pour les objets voyants, et en particulier pour la fameuse canne*, est l'objet de commentaires plus amusants que malveillants.

Émile de Girardin lui-même était vraiment le journaliste-né, bien qu'il fît aussi carrière dans le roman et la politique. Parmi les journaux qu'il créa, et où Balzac fut publié, citons *le Voleur* (1828), *la Mode, la Silhouette* (1829), *la Presse* (1836).

Balzac fut d'abord reçu en ami chez les Girardin; puis, pour des raisons assez obscures, une première brouille survient en 1834. « Je suis brouillé avec Girardin à ne pas nous revoir » (lettre à Laure Surville, février 1834). « J'ai dit adieu à cette taupinière des Gay, des Emile de Girardin et Compagnie » (lettre à Mme Hanska du 30 mars). Pourtant, Girardin et Balzac se réconcilièrent en 1836; le romancier retrouva le chemin du salon des Girardin, et le journaliste lui demanda sa collaboration pour la publication de romans en feuilleton dans *la Presse.* Mais comme il avait refusé *la Maison Nucingen,* les relations s'aigrirent à nouveau, et ne continuèrent, vaille que vaille, que grâce à l'entremise du dévoué Théophile Gautier, directeur littéraire du journal, qui essayait de s'interposer « entre l'enclume Émile et le marteau Balzac ».

Une querelle de Balzac et de Girardin représente un échantillon des innombrables démêlés que le romancier connut avec certains de ses éditeurs : *la Presse* avait fait paraître à la fin de décembre 1844 une première partie des *Paysans.* Pendant deux ans, Girardin attendit le reste, pour lequel Balzac avait reçu un paiement anticipé de 9 000 francs. Un dialogue aigre-doux s'engagea, à l'issue duquel, en juillet 1844, Balzac, se jugeant injurié, refusa de fournir le texte demandé. L'apurement des comptes laissa l'auteur débiteur de plus de 5 000 francs, dont il versa 4 500. Pour la somme restante (un peu plus de 700 francs), Girardin fit opposition sur les premières recettes à venir de *Mercadet,* alors en répétition. Balzac dut finalement s'exécuter et payer le solde. Mme de Balzac écrit à son fils, le 2 janvier 1849, que, par l'entremise de l'infatigable et dévoué Gavault*, elle est enfin en possession, et définitivement, des pièces de cette affaire, et qu'elle a payé

Portrait de Mme de Girardin, par Julien.
Phot. Lauros-Giraudon.

757 francs 35 centimes... On ne peut dire que, en l'occurrence, Girardin ait agi avec toute l'élégance souhaitable...

GIRAUD (Léon), homme politique, d'abord membre du Cénacle (*Illusions*). Il poursuit sa carrière comme conseiller d'État, puis comme député (*Cousine Bette*), et il siège au centre gauche dans *les Comédiens*.

GIROUDEAU (le général) figure dans *Illusions* et dans *la Rabouilleuse*. Mis en demi-solde à la Restauration, réintégré dans l'armée en 1830, il est, dans l'intervalle, employé dans le journal de Finot. Il a pour maîtresse l'actrice Florentine.

Gloire des sots (la), titre couvrant deux fragments très courts, inachevés et non publiés, dont l'idée et la réalisation sont postérieures à 1845, et qui ne figurent donc pas dans le plan de *la Comédie*. Le premier fragment (le second ne comportant que quelques lignes) présente fort rapidement l'ascension, pécuniaire et politique, d'un marchand de vin nommé Martin, et celle de son fils, « un triple sot », que sa sottise n'a pas empêché de devenir auditeur au Conseil d'État.

Ce début éclaire les intentions de Balzac quant à la suite de l'œuvre. Les derniers mots du second fragment sont encore plus clairs : l'auteur ironise sur le prestige des mots : « Un Monsieur décoré. »

Gloire et malheur, premier titre de *la Maison du chat-qui-pelote*.

Gobseck, court roman, paru en avril 1830 (un fragment, intitulé *l'Usurier*, avait paru le 26 février dans le journal *la Mode*). N° 24 (*Scènes de la vie privée*). Dédié au baron Barchou de Penhoën. L'avoué Derville, dans le salon de Mme de Grandlieu, raconte l'histoire de Gobseck, qui fut son voisin et son bienfaiteur.

Gobseck, né près d'Anvers, d'un Hollandais et d'une Juive, est usurier. Après une jeunesse aventureuse, il s'est fixé à Paris, où il exerce son métier avec une rigueur implacable. Mais il y apporte une parfaite honnêteté, et sait, au besoin,

s'intéresser à ceux qui se fient à lui « sans finasserie ». C'est ainsi qu'il avance à Derville les 50 000 écus qui lui sont nécessaires pour acheter l'étude de son patron. Ayant eu à présenter un effet à une humble ouvrière, Fanny Malvaut, il a été « quasi touché » de l'air de vertu qui « respirait dans ses traits », et c'est à la suite de cet éloge que Derville a été amené à épouser la jeune fille. Gobseck a réussi à protéger l'héritage du jeune Ernest de Restaud, héritage que les folies de la mère, envoûtée par son amant Maxime de Trailles, eussent irrémédiablement compromis. Cette fortune permettra au jeune comte d'épouser Camille de Grandlieu, qui est fort amoureuse de lui. Gobseck, dont la vieillesse a aggravé l'avarice, meurt dans des conditions lamentables ; son appartement est rempli d'objets de valeur mêlés à des denrées pourries qui exhalent une odeur infecte.

Avant de mourir, Gobseck a chargé Derville de retrouver son unique héritière, Esther, qui réapparaîtra à plusieurs reprises dans l'œuvre de Balzac.

Comme souvent dans Balzac, dès qu'il est question d'argent, l'énoncé des tractations de Gobseck avec Mme de Restaud et son mari a lieu dans une langue où fourmillent les termes de finances et de droit. Balzac s'est ressouvenu, là encore, de son passage dans l'étude de Me Guillonnet de Merville.

GOBSECK (Jean Esther **Van**), usurier, né vers 1740. La nouvelle qui porte son nom n'épuise pas la liste de ses interventions dans *la Comédie*. On le retrouve, entre autres : dans *le Père Goriot*, où il est sollicité par l'ancien vermicellier ; dans *les Employés* ; dans *Ursule*, où il prête de l'argent au jeune Savinien de Portenduère. Sa figure et son souvenir sont évoqués à plusieurs reprises (*Petits Bourgeois, Comédiens*).

GOBSECK (Sarah **Van**), petite-nièce du précédent, dite « la Belle Hollandaise ». Elle ne figure que relativement peu dans le récit intitulé *Gobseck*. En revanche, elle joue un rôle important et néfaste dans *Grandeur*, entretenant Maxime de Trailles avec l'argent qu'elle soutire à son amant en titre, Me Roguin, qu'elle ruine. On la retrouvera, peu après la fuite du notaire, assassinée dans une maison close.

GOBSECK (Esther **Van**), née en 1805, fille de Sarah (petite-nièce de Jean Esther), désignée aussi par le surnom de La Torpille, et par les noms de Mme Van Bogseck, puis de Mme de Champy. C'est un des personnages les plus remarquables de *la Comédie.* Son rôle est essentiel dans *Splendeurs.* Mais elle a déjà paru, à l'âge de dix-sept ans, dans *Illusions,* dans *la Rabouilleuse,* dans *Ursule,* où Désiré Minoret envisage un moment de l'épouser.

GODESCHAL (François Claude Marie), né en 1804, fut d'abord clerc de notaire chez Derville, puis chez Desroches, qui le chargea d'instrumenter dans le procès de la marquise d'Espard *(Interdiction)* contre son mari ; il voulut s'acheter une charge, dont il ne put payer qu'une partie ; il comptait sur un riche mariage pour s'acquitter du reste ; mais ce projet échoua lorsqu'on sut qu'il était le frère de la danseuse Mariette (v. rubrique suivante) [*Petits Bourgeois*].

GODESCHAL (Marie), née en 1803, sœur du précédent, danseuse sous le nom de théâtre de Mariette, réussit à entrer à l'Opéra. Elle fut la maîtresse de Philippe Brideau et du duc de Maufrigneuse *(Rabouilleuse).* Elle fut liée avec d'autres actrices ou danseuses *(Début).* On la retrouve épisodiquement dans *Splendeurs.* C'est sa profession de danseuse qui fit échouer le projet de mariage de son frère *(Petits Bourgeois).*

GONDREVILLE. V. *Malin de Gondreville.*

gouvernement moderne (Du), article destiné par Balzac au *Rénovateur,* qui ne l'inséra pas. Il a été publié posthume par le vicomte de Spoelberch de Lovenjoul dans la *Grande Revue,* en 1900, et de nouveau par M. Guyon en tête de son édition du *Catéchisme* social.

GOZLAN (Léon), fils d'un armateur de Marseille, eut d'abord une jeunesse

Portrait de Gozlan paru dans le *Charivari.* Caricature de Benjamin Roubaud. Ce Méridional pétulant et disert est toujours représenté avec une abondante chevelure. *Maison de Balzac. Phot. Lauros-Giraudon.*

aventureuse comme navigateur, puis se consacra au journalisme (1803-1866). Doué de talents divers, romancier, nouvelliste, auteur dramatique, il excella surtout comme chroniqueur. Il fut un des intimes de Balzac, et l'essentiel de sa gloire réside dans les deux livres de souvenirs qu'il publia sous le titre *Balzac en pantoufles* et *Balzac chez lui,* œuvres réunies en 1855 sous le titre *Balzac intime.*

GRAMONT (comte Ferdinand **de**) [1811-1897], ami et collaborateur de Balzac à la *Chronique de Paris.* Il collabora à la réédition des œuvres de jeunesse du romancier, et surtout, héraldiste de talent, il établit l'armorial* de *la Comédie.* Balzac l'en remercie chaleureusement en lui dédiant *la Muse,* comme à l'homme à qui « les cent maisons nobles qui constituent l'aristocratie de *la Comédie humaine* doivent leurs belles devises et leurs armoiries si spirituelles ».

Grande Bretèche (la). V. *Autre Étude de femme.*

GRANDET (Charles), neveu du père Grandet. Indépendamment du rôle qu'il tient dans *Eugénie,* on le retrouve dans *la Maison Nucingen,* où il perd une partie de son patrimoine.

Grandeur et décadence de César Birotteau, roman, paru en décembre 1837, bien que Balzac, d'après une lettre à Mme Hanska, en eût eu l'idée dès avril 1834; projet en sommeil jusqu'en février 1837, mais qui ne prit réellement une forme définitive que lorsque Balzac, pressé par le besoin d'argent, se décida enfin à l'achever en vingt-deux jours, fin novembre et début décembre 1837. N° 55 *(Scènes de la vie parisienne).* Dédié à Lamartine.

Le titre complet est *Histoire de la Grandeur et de la Décadence de César Birotteau, marchand parfumeur, Adjoint au Maire du Deuxième Arrondissement de Paris. Chevalier de la Légion d'Honneur, etc.* (sic). Nous avons conservé le titre *Grandeur... de César Birotteau,* retenu par Balzac dans le catalogue de 1845.

Ce long titre est déjà à lui seul caractéristique des intentions de l'auteur : César Birotteau n'est pas un raté. Il s'est élevé par son travail et son honnêteté. Venu de sa Touraine natale à l'âge de quatorze ans, il est entré comme garçon de magasin chez le parfumeur Ragon, qui tient boutique à l'enseigne de *la Reine des roses,* et il a su gagner sa confiance. S'élevant peu à peu, il peut prendre à son compte l'affaire de son patron, et épouse une jeune fille, Constance Barbe Pillerault, d'une très grande beauté, parfaitement sérieuse, bien que sa présence au comptoir lui vaille l'admiration de nombreux chalands, et qui sera pour lui une compagne pleine de finesse et de bon sens au moment de l'apogée, pleine de dévouement dans les temps difficiles. Birotteau est légitimiste; sa fidélité à la cause, qui ne s'est

pas démentie pendant toute la période du Consulat et de l'Empire, lui vaut, à la Restauration, les fonctions de capitaine, puis de chef de bataillon dans la Garde nationale, de juge au tribunal de commerce et d'adjoint au maire du IIe arrondissement. C'est la prospérité, mais « qui porte avec elle une ivresse à laquelle les hommes inférieurs ne résistent jamais ». César voit grand : il a de vastes projets, dont la sagesse de sa femme ne parvient pas à le détourner; il veut se lancer dans le haut commerce, embellir son magasin, agrandir et orner son appartement, et donne un grand bal qui marquera le sommet de son ascension. Cela lui vaut de nombreuses jalousies dans son quartier. Les spéculations auxquelles il s'est risqué tournent mal. Son notaire, Me Roguin, fait faillite. Lui-même se débat dans de graves difficultés; il est hanté par la perspective de la faillite, qui lui a toujours paru le pire déshonneur pour un honnête commerçant; pour l'éviter, il essaie de faire appel aux banquiers Keller. En vain. Il doit déposer son bilan. Mais il ne renonce pas; il a obtenu son concordat; il prend un emploi

César Birotteau. Bronze par Pierre Ripert. Le personnage est représenté les mains croisées derrière le dos, dans l'attitude familière que Balzac a notée. *Maison de Balzac.* Phot. Larous-Giraudon.

de bureau ; personne ne l'abandonne. Sa femme se place comme caissière, sa fille comme vendeuse de nouveautés ; son futur gendre, Anselme Popinot, depuis longtemps amoureux de la jeune Césarine Birotteau, et dont César a d'ailleurs amorcé la fortune en lui confiant la fabrication et la vente d'une spécialité de parfumerie, lui demande la main de Césarine le jour même de la déclaration de faillite. Popinot est agréé, mais sous la condition que le mariage n'aura lieu que le jour où Birotteau sera relevé de sa faillite. Ce jour arrive, grâce à l'obstination et au travail inhumain de César, qui, au bout de trois ans, ayant remboursé ses créanciers, se voit réhabilité. Il meurt après cette suprême consolation.

Dans la peinture de ce « Socrate *bête*, buvant dans l'ombre et goutte à goutte sa ciguë », de « cet ange foulé aux pieds », de cet « honnête homme méconnu » (Lettre à l'Étrangère), Balzac a voulu décrire une fois de plus le monde des affaires, et surtout du petit commerce, comme dans *Illusions perdues* il a conté les mésaventures de l'inventeur spolié. Ses préoccupations personnelles d'homme d'affaires déçu dans ses espoirs et presque acculé à la faillite transparaissent dans les affres qui assaillent le héros du roman.

GRANDLIEU (famille *de*), illustre et très vieille famille noble originaire de Bretagne, dont le salon ne s'ouvre qu'aux personnalités les plus authentiquement titrées (*Splendeurs* notamment), et qui n'accepte d'alliance qu'avec des personnages irréprochables (même roman). Sa filiation est très complexe.

Branche aînée :
1. Le duc Ferdinand, chef de famille, apparaît épisodiquement, mais tient un rôle important dans *Splendeurs,* lorsque Rubempré courtise sa fille Clotilde ;
2. La duchesse Ferdinand de Grandlieu, son épouse, née Ajuda, intervient surtout dans *Béatrix*, et apparaît épisodiquement dans *le Père Goriot* et *la Cousine Bette* ;
3. Mlle de Grandlieu, fille aînée des précédents, devient religieuse (*Béatrix*) ;
4. Clotilde Frédérique de Grandlieu, sœur de la précédente, née en 1802, amou-

reuse de Rubempré, tient, après la mort de celui-ci, le serment qu'elle lui avait fait de n'épouser personne que lui (*Splendeurs*);
5. Joséphine de Grandlieu, troisième fille du duc et de la duchesse, devient marquise Miguel d'Ajuda-Pinto (*Splendeurs*);
6. Sabine de Grandlieu, quatrième fille, née en 1816, devient baronne Calyste du Guénic (*Splendeurs,* mais surtout *Béatrix*);
7. Athénaïs de Grandlieu, cinquième fille, devient, par son mariage avec son cousin, la vicomtesse Juste de Grandlieu (*Béatrix*).

Branche cadette (Balzac remonte plus haut dans le temps en ce qui la concerne) :
1. Une comtesse de Grandlieu et sa fille, Mlle de Grandlieu, apparaissent au XVIIe siècle (*Enfant maudit*) ;
2. (Balzac fait un saut dans le temps et la filiation de la famille ne réapparaît qu'au début du XIXe siècle.) Vicomtesse de Grandlieu, née de Born, qui, après la mort de son mari (*Gobseck*), représente la branche cadette. Sa fortune est sauvée par Derville (*Gobseck*). Elle apparaît ailleurs épisodiquement (*Cabinet, Béatrix*) ;
3. Vicomte Juste de Grandlieu, son fils, qui prend le titre ducal après son mariage avec sa cousine Athénaïs de Grandlieu (*Béatrix*) ;
4. Camille de Grandlieu, fille de la vicomtesse, fiancée et (probablement) mariée à Ernest de Restaud (*Gobseck*).

Divers : Trois autres demoiselles de Grandlieu, dont la parenté avec l'une ou l'autre branche n'est pas indiquée, et qui deviennent : marquise d'Espard (mère du marquis Andoche d'Espard, *Interdiction*) ; marquise douairière de Listomère, grand-tante de Félix et Charles de Vandenesse (*Lys*) ; femme d'un préfet de l'Orne (non nommé, *Cabinet*).

Grands, l'hôpital et le peuple (les), ébauche d'un roman prévu sous le n° 61 (*Scènes de la vie parisienne*), et dont seul un fragment parut en 1845. Ce fragment commence par un développement que Balzac lui-même nous invite à ne pas « mépriser en le nommant avec outrage une *tartine* », car il nous « met au cœur même du sujet ». L'auteur montre comment évolue le petit commerce parisien, et comment de nombreux petits éventaires sont remplacés par des boutiques, ce qui a pour effet de faire monter considérablement les prix de détail. Le héros principal de ce début est justement un savetier ambulant, un *recarreleur de souliers*, Jérôme-François Tauleron, qui quitte Paris, après son apprentissage, pour rejoindre son pays, l'Auvergne. En cours de route, il s'arrête dans un *bouchon*, et, comme il aime le beau sexe, tombe en arrêt devant la serveuse, une jeune fille « d'une beauté champêtre et raphaélesque », Charlotte. Elle a seize ans; il offre de lui faire une paire de beaux souliers; protestations de la mère, qui ne veut point de ce luxe, et lui demande de ne pas « gâter » ses filles. Le récit s'arrête là; si bien qu'on ne saura jamais ce que Balzac pensait faire de cette idylle, ni quelles devaient être les aventures de Tauleron.

Le titre semble cependant indiquer les intentions de l'auteur. Il aurait probablement voulu montrer que le luxe qu'il décrit d'ailleurs si complaisamment se paie des souffrances des petites gens. Un passage du début est révélateur : « Ces splendeurs parisiennes ont pour produit les misères de la province ou celles des faubourgs. Les victimes sont à Lyon et s'appellent des canuts. Toute industrie a ses canuts. »

GRANVILLE (famille *de*), comprenant :
1. Le comte de Granville père, d'une vieille noblesse de robe;
2. Le comte Roger de Granville, né en 1779, son fils, d'abord avocat, qui essaie de sauver la tête de Michu, sans succès, malgré son éloquence (*Ténébreuse*). Magistrat, il fait une brillante carrière : substitut de procureur général, avocat général, procureur général, et, dans l'affaire Birotteau, amené à réhabiliter ce dernier à ce titre. Sa vie personnelle est moins heureuse : il avait épousé à Bayeux, sur les instances de sa famille, Angélique Bontemps, qui, par l'austérité de sa dévotion, finit par le détacher d'elle; il se console en établissant une liaison heureuse de six ans avec la jeune ouvrière Caroline Crochard, dont il a deux enfants; liaison qui prend fin d'une manière dramatique (*Double Famille*).

Ce Roger de Granville est un des acteurs essentiels de *Splendeurs*; c'est lui qui met fin au procès en interdiction que Mme d'Espard avait intenté contre son mari; lui surtout qui tente de protéger Rubempré après son arrestation, et qui négocie avec Vautrin;
3. La comtesse Roger de Granville, née Angélique Bontemps, en 1787, sa femme; confite en dévotion, et dont il finit par se détacher (*Double Famille*);
4. Deux fils, dont le père assume l'éducation, la mère, par une sorte de pacte, assumant celle des filles. Un seul, l'aîné, Eugène, vicomte de Granville, joue un rôle important dans *la Comédie*. Magistrat également, il est un des personnages essentiels du *Curé de village*;
5. Deux filles, accablées sous l'éducation rigoriste de leur mère, et dont l'aînée, Marie-Angélique, née en 1808, épousera Félix de Vandenesse, la cadette, Marie-Eugénie, née en 1814, Ferdinand du Tillet.

GRASSOU (Pierre), né en 1792, n'est pas seulement le héros de la nouvelle qui porte son nom. Peintre de la bourgeoisie, il est chargé de faire le portrait de diverses personnalités, les Crevel (*Cousine Bette*), les Thuillier (*Petits Bourgeois*).

Grenadière (la), nouvelle parue dans la *Revue de Paris* en 1832, alors que Balzac était en villégiature chez les Carraud*. N° 20 (*Scènes de la vie privée*). Dédiée à D. W. (c'est-à-dire à Denise Wylezynska*). La Grenadière a réellement existé, et existe toujours; c'est une petite propriété proche de Tours, que Balzac avait louée pour un séjour d'été en 1830, avec Mme de Berny.

La nouvelle est très courte, et son intrigue fort simple. La Grenadière abrite une femme discrète, qui est venue s'y installer avec ses deux jeunes fils, et dont personne ne sait rien, sauf son nom, Mme Auguste Willemsens. C'est un nom d'emprunt, qui dissimule lady Brandon, femme d'un lord anglais, demeuré à Londres, et de qui elle vit séparée. Ses deux fils sont des enfants adultérins, dont le vrai père est mort. Elle meurt à son tour d'une maladie de poitrine. Les deux jeunes gens restent seuls.

Ils ne porteront ni le nom du lord ni celui de leur mère, mais s'appelleront Gaston ; l'aîné, Louis Gaston, qui veut faire carrière dans la marine, s'embarque à Rochefort sur une corvette de l'État. Avant de s'embarquer, il a veillé, ainsi qu'il l'avait promis à sa mère mourante, à l'avenir de son frère cadet, Marie Gaston ; il l'a mis comme interne au collège de Tours, où le jeune homme poursuivra ses études.

On retrouvera les deux frères dans les *Mémoires de deux jeunes mariées*.

Très belle nouvelle malgré sa brièveté, et surtout par sa conclusion : le contraste entre la mort obscure de l'inconnue et l'apparat qu'eussent revêtu ses funérailles si elle était morte à Londres, portant le nom prestigieux de lady Brandon, a inspiré à Balzac une page réellement émouvante.

GREVIN (Mᵉ), né en 1763, notaire à Arcis-sur-Aube, a débuté comme second clerc à Paris *(Début)*. Il intervient dans *Une ténébreuse affaire* et dans *le Député*.

GRINDOT, architecte, grand prix de Rome, est l'architecte officiel, si l'on peut dire, de *la Comédie*, et réalise des installations pour de nombreux personnages : pour César Birotteau, pour le comte de Sérisy *(Début)*, pour Falleix et Nucingen en vue de l'aménagement du petit hôtel destiné à Mme du Val-Noble et où s'installe ensuite Esther Gobseck *(Splendeurs)* ; pour Crevel *(Cousine Bette)* ; pour le marquis de Rochefide, désireux de loger princièrement Mme Schontz *(Béatrix)*, etc.

grisette. La grisette n'est pas la lorette*. Elle figure peu dans l'œuvre de Balzac, bien que celui-ci lui ait consacré un joli article dans *la Caricature* (janvier 1831). C'est que, pour lui, la grisette se définit par ce caractère qu' « aucune ambition que celle du plaisir ne décide de ses caprices ». C'est pour cela qu'elle ne saurait tenir un rôle de premier plan dans une œuvre où l'on voit la lorette exploiter systématiquement un homme, à moins qu'elle ne devienne passionnément amoureuse de lui.

GRUGET (Mme Étienne), née en 1751, et sa fille Ida, apparaissent dans *Ferragus*. La mère, passementière, est à l'occasion garde-malade, et, à ce titre, veille au personnage des *Employés*, et aussi Mme Philippe Bridau, lors de sa dernière maladie *(Rabouilleuse)*.

GUA (comtesse *du*), née en 1761. Personnage des *Chouans*, elle réapparaît, ainsi que son mari, dans *Mademoiselle du Vissard*.

GUÉNIC ou **GUAISNIC (du)**, très vieille famille de Guérande, comprenant :

1. Le baron Gaudebert Calyste Charles, type du vieux gentilhomme attaché à la cause des Bourbons, et qui ne transige jamais ; né en 1763, il figure, comme légitimiste militant, dans les romans où sont évoquées les guerres vendéennes (*Chouans*, *Mademoiselle du Vissard*). S'exilant sous l'Empire, il part pour l'Irlande, où il se marie. À son retour en France, il a un fils (v. *infra*), à qui il fait jurer, avant de mourir, de se marier (*Béatrix*) ;

2. Sa sœur, Mlle Zéphirine du Guénic, née en 1756, qui, restée célibataire, n'apparaît que dans *Béatrix* ;

3. Son épouse, Irlandaise, née Fanny O'Brien, en 1792, et qui ne joue un rôle que dans *Béatrix* ;

4. Son fils, Gaudebert Calyste Louis du Guénic, né en 1814, toujours présenté dans *la Comédie* comme *Calyste du Guéric*, un des personnages essentiels de *Béatrix*, où sont évoqués tour à tour son amour malheureux pour Béatrix de Rochefide, la protection dont l'entoure Félicité des Touches, son mariage avec Sabine de Grandlieu (v. 5), et, pour finir, son «adultère rétrospectif» avec la même Béatrix qui l'avait éconduit d'abord ;

5. La baronne Calyste du Guénic, née Sabine de Grandlieu, en 1816, et qui, avant d'apparaître comme personnage important dans *Béatrix*, est déjà signalée dans *Splendeurs*.

Il n'est fait allusion qu'à la petite enfance du jeune chevalier Calyste du Guénic, fils des précédents (*Béatrix*).

Guérande. Si Balzac a situé dans cette ville l'intrigue de *Béatrix*, c'est probablement en souvenir du voyage qu'il avait fait dans cette région, en 1830, avec Mme de Berny. En outre, il s'était rendu de nouveau dans cette ville en 1838, vraisemblablement pour y rencontrer Hélène de Valette*.

GUIDOBONI-VISCONTI (comte et comtesse). Le comte Emilio Guidoboni-Visconti, d'origine italienne, était l'époux d'une Anglaise, née Sarah Lovell, dont les nombreuses aventures laissaient son mari parfaitement indifférent. Balzac, au cours d'une réception à l'ambassade d'Autriche, en 1834, demanda à être présenté à la comtesse, fut tout de suite subjugué par sa beauté, et, bien que déjà amoureux de Mme Hanska, entreprit la conquête de la belle Sarah, de qui la résistance semble avoir été faible. L'enfant qu'elle mit au monde le 29 mai 1835, Lionel-Richard, est presque certainement le fils de Balzac (il est mort en 1875). Cette liaison n'empêcha pas, au contraire, aussi bien le comte que la comtesse, d'être pour le romancier des amis sûrs, qui lui épargnèrent des difficultés graves. C'est ainsi qu'en 1837, après la faillite de l'éditeur Werdet, le romancier, menacé de la contrainte par corps, alla se cacher dans l'hôtel des Guidoboni-Visconti. Mais le garde du commerce, chargé de l'exécution de la prise de corps, réussit à découvrir la retraite de Balzac, et celui-ci n'évita la prison que grâce à l'intervention de la comtesse, qui paya incontinent la somme litigieuse. De cet incident célèbre, Balzac, pour des raisons bien claires, a donné à Mme Hanska une version assez vague.

C'est le comte Guidoboni-Visconti qui fut à l'origine de deux voyages que Balzac fit en Italie. Il s'agissait de régler à Turin une affaire d'héritage, pour la liquidation de laquelle le comte ne pouvait se déplacer. En 1836, Balzac fit le voyage à sa place, en compagnie de Mme Marbouty*, et, l'affaire n'ayant pu être réglée, il eut à retourner en Italie, seul cette fois, en 1837.

C'est aussi le comte ou la comtesse Guidoboni-Visconti qui aidèrent pécuniairement Balzac dans l'achat du terrain pour l'édification des *Jardies**. Ils habitèrent d'ailleurs un des pavillons de la propriété.

GUILLAUME (famille). Le père, marchand drapier, son épouse (née Chevrel, en 1751), leur fille aînée, Virginie (née en 1783), qui deviendra Mme Joseph Lebas, leur fille cadette, Augustine (née en 1793), qui deviendra la baronne Théodore de Sommervieux, apparaissent essentiellement dans *la Maison du chat-qui-pelote*.

Mais on retrouve le père épisodiquement dans *Grandeur* et dans *Splendeurs*.

GUILLONNET DE MERVILLE (Mᵉ), avoué, 42, rue Coquillière. Balzac, que ses parents destinaient à la carrière juridique, fut placé dans son étude comme clerc en 1817 et y resta un an et demi. Bien qu'il n'eût pas poursuivi ses études de droit et se fût acquitté de ses fonctions de clerc avec assez peu de zèle, le romancier conserva apparemment un bon souvenir de cet avoué, puisqu'il lui dédia *Un épisode sous la Terreur*. C'est dans cette étude et dans celle de Mᵉ Passez* que Balzac se familiarisa avec les problèmes juridiques, et la lecture de son œuvre témoigne d'une connaissance très approfondie (et souvent en termes trop techniques) de la procédure.

Mᵉ Guillonnet de Merville est le modèle du Derville* de *la Comédie*.

V. illustration p. 100.

H

Hadamar. V. *Ressources de Quinola (les).*

HALGA (chevalier *du*), gentilhomme breton de Guérande, vieil ami fidèle de l'amiral de Kergarouët, et qui apparaît dans *Béatrix*. Il accompagne aussi son ami chez la baronne Leseigneur de Rouville, pour des parties de piquet où l'amiral perd systématiquement pour pallier délicatement la gêne de la baronne *(Bourse)*.

HAMMER-PURGSTALL (baron Joseph de) [1774-1856], ami de la famille Hanski, et de qui Balzac avait fait la connaissance lors de son voyage à Vienne en 1835. Balzac, qui lui a dédié *le Cabinet des antiques*, salue en lui « un des plus graves représentants de la consciencieuse et studieuse Allemagne » (en fait, le baron était autrichien et fut le premier président de l'Académie des sciences de Vienne). La reconnaissance que lui manifeste Balzac s'explique par le fait que, orientaliste éminent, le baron avait fourni au romancier une documentation précieuse et était, en particulier, l'auteur de l'inscription arabe qu'on lit dans *la Peau de chagrin*.

HANNEQUIN (Mᵉ Léopold), qui s'anoblira plus tard en Hennequin de Jarente *(Femme auteur)*, né en 1799, est un ami d'Albert Savarus *(Albert)*. Titulaire d'une charge à Paris *(Début)*, il est le modèle du notaire sérieux et austère, même quand il gère les intérêts des femmes légères, qui apprécient ses conseils. Il est le notaire des Grandlieu *(Béatrix)*, du maréchal Hulot *(Cousine Bette)* ; c'est lui qui reçoit le testament de Pons *(Cousin Pons)*. À une date imprécise, il envisage de vendre sa charge *(Petits Bourgeois)*, et l'a effectivement vendue quand, devenu châtelain de Jarente, il songe à la députation *(Femme auteur)*.

Sa sœur, Léopoldine, qui deviendra Mᵐᵉ de Malvaux (ou Malvault), sa femme, née Albertine Becker, leur fille aînée, Léopoldine (née en 1826), et leur fille cadette (sans prénom) [née en 1829], leur fils Albert apparaissent tous exclusivement dans *la Femme auteur*.

HANSKA (Mᵐᵉ) [1800?-1882]. Née, selon sa biographe, Mᵐᵉ de Korwin-Piotrowska, le 24 décembre 1800, mais avouant plusieurs années de moins, Eveline Rzewuska, descendante des plus illustres familles polonaises, par son père des Rzewuski, par sa grand-mère des Radziwill, vit le jour au château de Pohrebyszcze, gouvernement de Kiew ; elle avait trois sœurs : Pauline, Aline, Caroline. Elle épousa en 1819 le comte Wenceslas Hanski, son aîné de vingt-deux ans, d'une famille moins illustre que les deux précédentes, mais d'une très réelle et vieille noblesse. Il était propriétaire du château de Wierzchownia*, où le ménage s'installa. Instruite, cultivée lectrice insatiable, elle lut successivement plusieurs romans de Balzac, et lui adresse en 1832, par le canal de l'éditeur Gosselin, une lettre admirative et enflammée,

Madame Hanska. Lithographie d'Emile Lassalle, d'après un portrait de Jean Gigoux. *Maison de Balzac. Phot. Lauros-Giraudon.*

Château natal d'Eveline Rzewuska (Mᵐᵉ Hanska), à Pohrebysczce. Sans être aussi imposant que Wierzchownia, ce château apparaît vraiment comme celui d'une famille opulente. *Maison de Balzac. Phot. Lauros-Giraudon.*

signée simplement « l'Étrangère ». C'est le début de leur intrigue. Il ne put répondre à cette lettre anonyme que par une sorte de petite annonce parue dans *la Quotidienne*, et à quoi il fut répondu par une deuxième lettre au début de 1833. Il eut alors la possibilité d'écrire personnellement à l'Étrangère par l'intermédiaire d'un libraire d'Odessa, et une correspondance régulière s'établit. Mme Hanska ayant annoncé à Balzac un voyage à Neuchâtel avec son mari, Balzac décide de s'y rendre (automne 1833), y séjourne cinq jours, et elle se donne à lui. Le jour de Noël de la même année, il la rejoint à Genève, où il reste six semaines. Apprenant que les Hanski avaient gagné Vienne (Autriche) et se disposaient à rentrer à Wierzchownia, Balzac se rend à Vienne, toutes affaires cessantes, en mai 1835, et quitte à nouveau Mme Hanska au début de juin; cette nouvelle séparation devait durer huit ans. En janvier 1842, Balzac apprend que M. Hanski est mort au mois de novembre de l'année précédente. Il croit alors pouvoir épouser la veuve. En fait, elle temporisera longtemps, d'une part parce qu'elle se méfie d'un soupirant dont la vie est tumultueuse, d'autre part parce que le règlement de la succession de son mari, aggravé par les dispositions tatillonnes de l'administration russe et par l'hostilité farouche d'une partie de sa famille, se révèle d'une lenteur et d'une complexité telles que Balzac lui-même s'y perd. En 1843, Mme Hanska ayant dû se rendre à Saint-Pétersbourg, Balzac décide de l'y rejoindre, et y arrive (par mer depuis Dunkerque) à la fin de juillet. Il y restera jusqu'au début d'octobre, et rentrera en France par Berlin, Leipzig et la Belgique. Il revoit de nouveau Mme Hanska à Dresde, la suit à Cannstatt (près de Stuttgart), et enfin obtient d'elle qu'elle vienne à Paris avec sa fille Anna, où elle résidera dans un meublé de la rue de la Tour, à proximité de la rue Basse. De là, elle partira visiter l'Italie, où Balzac l'accompagnera. En 1846, il apprend avec un bonheur infini qu'elle est enceinte de ses œuvres, puis, avec désespoir, que l'enfant attendu, et dont il avait déjà décrété que ce serait un garçon baptisé Victor-Honoré,

est mort-né. C'est la perspective de cette naissance qui avait poussé Balzac à hâter l'achat et l'installation de la rue Fortunée. Mme Hanska, venue à Paris en 1847, et installée secrètement dans un meublé de la rue Neuve-de-Berry, jugea sans enthousiasme cette maison de la rue Fortunée, et retourna en Ukraine, par Dresde, en mai de la même année. En septembre, Balzac décida de partir la rejoindre, et, après un voyage exténuant, arriva enfin à Wierzchownia. Il y passa une partie de l'hiver, travaillant d'ailleurs avec acharnement, et rentra à Paris en février 1848 pour régler (sans doute avec l'argent de Mme Hanska) un certain nombre de dettes criardes. Puis il repartit en septembre pour Wierzchownia, où il resta près d'un an et demi, et où il tomba gravement malade. Le mariage qu'il désire tant est encore retardé par les atermoiements de Mme Hanska. Enfin, le 14 mars 1850, dans l'église Sainte-Barbe, à Berditchev, le mariage est célébré. Mais le retour à Paris fut retardé par l'état de santé de Balzac, et c'est seulement en mai que les époux purent rejoindre la rue Fortunée. Pour comble de disgrâce, le domestique qui devait les accueillir étant devenu fou, il fallut requérir les services d'un serrurier pour se faire ouvrir la porte. Balzac était épuisé, et, malgré les soins du Dr Nacquart, mourut le 18 août.

Mme H. de Balzac continua à vivre dans la maison de la rue Fortunée, peu de temps après dénommée rue Balzac. Elle acheva *les Paysans* et s'occupa de la réédition de l'œuvre complète de son mari. Elle eut successivement pour amants l'écrivain Champfleury et le peintre Gigoux. Elle mourut en 1882.

L'ensemble de la correspondance adressée par Balzac à Mme Hanska constitue les *Lettres à l'Étrangère**.

HANSKA (Anna), fille d'Éveline Hanska. V. *Mniszech*.

HANSKI (Karol), cousin de M. Hanski, propriétaire richissime, mais d'une avarice sordide, et à demi fou. Il manifesta, après la mort du comte Hanski (1841), une opposition si hargneuse aux projets matrimoniaux de Balzac que celui-ci l'appelait « oncle Tamerlan ». Son héritage, qui revint à Anna Hanska (comtesse Mniszech), arriva à temps (lettre de Balzac à Laure Surville, de novembre 1847) pour « secourir la fortune » du mari. Car, malgré l'étendue de ses propriétés, la situation financière du comte Mniszech, sans être aussi fâcheuse que celle de Mme Hanska (v. **Wierzchownia**), était obérée par les charges que représentait l'exploitation de vastes domaines.

HAUDRY (D^r), médecin des Birotteau (*Grandeur*). Il soigne également Mme Jules Desmarets (*Ferragus*), soigne ou examine Mme Descoings (*Rabouilleuse*), Poiret (*Employés*), Wanda de Mergi (*Envers*), le baron Hulot (*Splendeurs*).

HEINE (Henri) [1797-1856]. Le grand poète allemand s'était établi à Paris en 1831. Il vivait depuis 1835 avec une Française, Mathilde Mirat, qu'il épousa en 1841 ; leur demeure était, d'après les biographes, le théâtre de scènes de ménage homériques. On ne sait exactement quand il rencontra Balzac, mais les deux hommes entretenaient une franche amitié. C'est à Heine qu'est dédié *Un prince de la bohème*, et si certaines dédicaces balzaciennes sont de pure courtoisie, on peut dire que celle d'*Un prince de la bohème*, bien que très courte, est merveilleusement adaptée à la personnalité de celui à qui elle est destinée. Heine, selon le romancier, peut savoir mieux que personne « ce qu'il peut y avoir ici de critique, de plaisanterie, d'amour et de vérité ».

Héritière de Birague (l'), « histoire tirée des manuscrits de Dom Rago, exprieur des Bénédictins, mise au jour par ses neveux, M. de Viellerglé* et lord R'hoone* » (sous-titre de fantaisie, évidemment). Roman publié en 1822. Un aventurier sans scrupule veut obtenir la main d'Aloyse de Birague, parce qu'il détient un secret de famille terrible, dont la divulgation serait dramatique pour les parents de la jeune fille. Mais, après bien des péripéties, tout s'arrangera heureusement : un mystérieux vieillard, qui habite dans des appartements secrets, intervient à temps pour sauver la jeune fille de cet affreux mariage.

Parodie très appuyée du roman noir, alors à la mode.

Héritiers Boirouge (les). Cette œuvre, qui porte le n° 45 des *Scènes de la vie de province*, et devait être la seconde du sous-groupe *les Rivalités*, n'a été qu'ébauchée. Nous n'en avons que quelques pages. Le personnage principal est Espérance Boirouge, vieillard qui, en 1832, est présenté comme âgé de quatre-vingt-dix ans, et « respectueusement nommé le père Boirouge ». Sa succession intéresse « treize familles et une centaine de personnes dans Sancerre ». D'où le nombre incalculable de Boirouge qui figurent dans cette ébauche, et dont plusieurs portent comme second nom des noms de personnages apparaissant dans d'autres romans. Il y a la « tige » des Boirouge-Bianchon, la « ligne » des Boirouge-Chandier, la « branche » du juge Boirouge-Popinot, avec des subdivisions, Boirouge-Chandier-fils-aîné ; etc. Et l'on voit apparaître, tout à la fin de ce qui nous reste du roman, Ursule Mirouet. Toutes ces familles supputent ce qui devrait leur revenir de l'héritage du père Boirouge. Il est facile de présumer que Balzac, s'il avait mené l'œuvre à son terme, aurait développé la thèse qui lui est chère, et aurait montré une fois de plus les avantages du droit d'aînesse.

HÉROUVILLE (famille d'), famille de très vieille noblesse, qui apparaît aux XVIe-XVIIe siècles, puis au XIXe.

1. XVIe-XVIIe : tous les membres de la famille, le cardinal, le comte, puis le duc d'Hérouville (né en 1537), la première duchesse (née Jeanne de Saint-Savin, en 1573), la seconde duchesse (née de Grandlieu), le fils aîné du premier lit, Étienne (né en 1591), et son frère cadet, Maximilien, duc de Nivron, marquis de Saint-Sever (né en 1593), apparaissent dans *l'Enfant maudit*.

2. XIXe : le vieux maréchal d'Hérouville, sa sœur (tous deux sans prénom), leur fille et nièce, Hélène d'Hérouville, n'apparaissent que dans *Modeste* ; leur fils et

neveu, frère de la précédente, et né en 1796, est aussi un personnage de *Modeste,* mais reparaît plus souvent, notamment dans *le Cabinet* et dans *la Cousine Bette ;* il entretient successivement Fanny Beaupré et Josépha.

HERRERA (abbé Carlos). V. *Vautrin.*

Histoire des Treize, groupe de trois épisodes parus successivement de 1833 à 1835, savoir : *Ferragus, chef des Dévorants* (mars-avril 1833) ; *la Duchesse de Langeais* (titre primitif : *Ne touchez pas à la hache)* [début de publication en avril 1833 ; complet, après interruption, en mars 1834] ; *la Fille aux yeux d'or* (titre primitif : *la Femme aux yeux rouges)* [publié en deux fois, une partie en avril 1834, l'autre en mai 1835].

Les Treize constituent une association occulte d'aventuriers et de grands seigneurs, qui se sont donné pour mission de s'aider par tous les moyens, y compris l'assassinat, lorsque l'un d'eux aura besoin, dans n'importe quel cas, du secours des autres. Dans la préface (mars 1831) de cette histoire, Balzac évoque le souvenir du précurseur que fut Ann Radcliffe : c'est assez dire que les trois récits appartiennent, à leur manière, au genre du roman « noir » ; il expose complaisamment la psychologie des personnages du groupe, insiste sur le fait que, si leur association est inconnue du public, elle est immédiatement et sans discussion au service du moindre caprice de l'un des membres, même s'il est simplement désireux de s'évader de la « vie plate » où il croupit.

Balzac feint d'avoir connu dans le détail les aventures des Treize, et de se borner à raconter, en trois récits, celles qui lui ont paru les plus caractéristiques.

Ces trois récits figurent à leur place alphabétique dans le présent dictionnaire.

Histoire et le roman (l'). Ce titre, qui porte le n° 71 *(Scènes de la vie politique),* ne correspond qu'à un projet dont nous ne savons rien, et qui ne fut jamais réalisé. Il est certain que les rapports de l'histoire avec la fiction romanesque sont un sujet qui a retenu l'attention de Balzac, et sur lequel l'œuvre, si elle avait été écrite, eût précisé sa position.

Histoire impartiale des Jésuites, brochure écrite en 1824 par Balzac avec la collaboration d'Horace Raisson, et qui ne présentait aucun caractère d'originalité. Elle éclaire cependant déjà la position que prendra Balzac à l'égard de l'Église.

HOFFMANN (Ernest-Théodore-Guillaume), musicien, dessinateur, caricaturiste allemand (1776-1822), est surtout connu comme écrivain, et par ses *Contes fantastiques,* d'une imagination parfois délirante, dont l'influence sur le XIXᵉ siècle — étranger et français — fut considérable, et pas seulement dans le domaine littéraire (cf. *les Contes d'Hoffmann* d'Offenbach). On peut se demander dans quelle mesure sa lecture a influencé Balzac. Celui-ci l'évoque à plusieurs reprises, notamment dans *Splendeurs,* et le fantastique d'Hoffmann, comme celui de Mrs. Radcliffe, n'est certainement pas étranger aux tendances du romancier vers le surnaturel.

homme d'affaires (Un), courte nouvelle parue dans *le Siècle* en septembre 1845. Elle portait primitivement le titre : *les Roueries d'un créancier ;* elle ne possède pas de numéro dans le catalogue de 1845 ; elle n'a été insérée dans les *Scènes de la vie parisienne* qu'en 1846. Dédiée au baron James de Rothschild.

L'histoire, très courte, est racontée dans le salon d'une lorette célèbre, Mˡˡᵉ Turquet, de son nom de guerre Malaga.

Le comte Maxime de Trailles est réputé pour ne jamais payer ses lettres de change. Deux individus retors, Cérizet et Claparon, se font fort d'obtenir le paiement d'une créance. Ils y parviennent par un habile subterfuge. Le comte ayant installé la lorette Antonia dans un cabinet de lecture, où elle s'ennuie, on les persuade, lui et sa belle, de le vendre pour 4 000 francs, somme qui permettra d'acheter un superbe mobilier détenu par un certain Denizart, vieux et malade. Le mobilier est très beau ; le comte paie allègrement avec l'argent provenant de la vente du cabinet ; mais, au moment où il veut faire enlever les meubles par les commissionnaires, Denizart s'y oppose : il n'est pas Denizart, mais Cérizet, habilement grimé, et tout ce que le comte peut emporter, c'est sa lettre de change, qu'il a dûment payée, malgré qu'il en eût. On lui remet d'ailleurs, en toute loyauté, la différence entre les 4 000 francs et le montant de la lettre, légèrement plus faible. Dans cette histoire apparaît la virtuosité avec laquelle Balzac, entraîné par une longue pratique, traite les questions d'argent et la technique des lettres de change. Les termes employés par le conteur sont à un moment du récit d'une telle technicité financière qu'il lui faut les traduire en langue courante à l'intention de la lorette... et du lecteur !

homme malheureux (Un), courte description parue dans *la Silhouette* en février 1830. Le titre est ironique ; il s'agit d'un « pauvre riche » qui ne sait comment dépenser son argent.

Homme supérieur. C'est à ce lecteur anonyme que Balzac a dédié la *Physiologie du mariage*, en ces termes : « Dédicace : Faites attention à ces mots : l'homme supérieur à qui ce livre est dédié. N'est-ce pas vous dire : « C'est à « vous ? »
Le début de phrase que cite Balzac se situe tout à fait à la fin de la méditation 3, à l'avant-dernier paragraphe.

Honorine, court roman paru dans *la Presse* du 17 au 29 mars 1843. N° 22 *(Scènes de la vie privée).* Dédié à Deveria. C'est un drame de l'adultère, et il est raconté par un des personnages qui y furent mêlés, le baron Maurice de l'Hostal, consul général de France à Gênes, au cours d'une soirée où se trouvent réunies diverses personnalités, en particulier Camille Maupin. Comme on a parlé de « l'éternel fond de boutique de la république des Lettres, la faute de la femme », le consul raconte l'histoire d'Honorine.
Honorine X est la pupille du comte et de la comtesse de Bauvan. Leur fils, Octave de Bauvan, ami d'enfance d'Honorine,

l'épouse. Mais cette union n'est pas heureuse, et un jour Honorine, pour des raisons assez mal définies, quitte son mari pour un amant, qui l'abandonne enceinte (l'enfant ne survivra pas). Octave de Bauvan, devenu ministre d'État, ne peut se consoler du départ de sa femme ; il est prêt à la reprendre ; il sait qu'elle subsiste péniblement en vendant des fleurs artificielles ; Maurice de l'Hostal, qui, ayant débuté comme secrétaire particulier du comte, lui était tout dévoué, s'offre à négocier le retour de l'infidèle. Il s'installe dans une maison proche de la sienne, et parvient, usant à la fois d'habileté et de discrétion, à la convaincre. Mais lui-même a senti qu'il devenait amoureux d'Honorine, au point de rompre avec la jeune fille qu'il devait épouser. Honorine revient à son mari. Elle ne peut retrouver le bonheur. Elle s'éteint peu à peu de désespoir, et, dans une dernière lettre adressée à l'Hostal, elle lui fait comprendre qu'elle avait deviné ses sentiments secrets, et qu'elle les partageait. Elle le charge de protéger l'enfant qu'elle a donné au comte. Mais elle demande à ses médecins de tromper son mari sur les véritables causes de sa mort, et de la faire mourir « d'une maladie plausible ».
Le récit s'achève sans que personne ait pu répondre à la question : « D'où vient le désaccord entre deux natures également nobles ? »

hôtel des Haricots, nom burlesque donné à l'hôtel de Bazancourt, qui servait alors de prison à ceux qui négligeaient leurs devoirs de gardes nationaux. Balzac, qui en avait pris trop à son aise dans ce domaine, finit par être arrêté et il y passa cinq jours. Mais la discipline y était si bienveillante qu'il put y recevoir des amis et les traiter dans des repas somptueux. C'est le souci d'éviter la corvée de garde qui amena le romancier à s'installer finalement hors de Paris.

hôtel Pibodan, hôtel situé dans l'île Saint-Louis, et où a logé en particulier Théophile Gautier. Balzac s'y rendit une fois ; ses amis voulurent l'initier au haschich ; il n'est pas sûr qu'il y goûta. En tout cas, il n'en prit pas l'habitude, et ne connut dans sa vie d'intoxication que par le café.

HUGO (Victor) [1802-1885]. Balzac n'était pas un ami facile ; ses sautes d'humeur mettaient parfois à l'épreuve l'affection et la patience de ses meilleurs amis. Il ne faut donc pas s'étonner que ses relations avec Hugo aient connu quelques nuages. De tous les grands écrivains de l'époque, Hugo est pourtant le seul à avoir conservé avec Balzac des relations suivies et, dans l'ensemble, amicales. Celles qu'entretint Balzac avec Lamartine furent plus distantes, avec Vigny, ou Stendhal, plus intermittentes.

Balzac émit sur l'œuvre de Hugo des jugements qui n'étaient pas toujours flatteurs. Présent à la bataille d'*Hernani*, il en rendit compte sans indulgence. Il jugea *les Burgraves* avec sévérité. En revanche, dans la *Revue parisienne*, il fit un vif éloge des *Rayons et des Ombres*.

Hugo, de son côté, soutint de sa présence les tentatives théâtrales de Balzac. Il assistait à la « première » de *la Marâtre*, comme il avait assisté à la « première » des *Rubriques de Quinola* (il avait même poussé l'amitié jusqu'à revenir voir jouer la pièce, que le chahut de la « première » l'avait empêché d'entendre).

Il ne faut certainement pas prendre au tragique la brusque accès de mauvaise humeur qui, en 1842, poussa un jour Balzac, on ne sait exactement pourquoi, à parler des « noirceurs » de Hugo. Il se serait agi, selon Balzac, d'une critique « horrible » que Hugo aurait inspirée. « On est grand poète et petit homme », disait Balzac. On a peine à croire que Hugo eût pu s'abaisser à ces petits moyens ; quoi qu'il en soit, ce nuage se dissipa, et les relations des deux hommes se rétablirent.

Ils avaient d'ailleurs eu l'occasion de collaborer au comité de la Société* des Gens de Lettres. En 1839, Balzac, candidat à l'Académie, s'était courtoisement et amicalement effacé devant Hugo. Celui-ci essaya de patronner à son tour la candidature du romancier, et fut l'un des deux académiciens qui, en 1849, votèrent pour Balzac ; bataille perdue d'avance (v. **Académie**).

Hugo fut le dernier ami qui rendit visite à Balzac agonisant, rue Fortunée. Il a parlé de cette visite dans *Choses vues*. Lors des obsèques, il tenait un des cordons du poêle ; ce qui ne prouverait rien, un autre étant tenu par Sainte-Beuve, vieil ennemi de Balzac, et un autre par l'inénarrable Baroche*. Mais ce qui compte, c'est l'admirable discours que prononça Hugo au Père-Lachaise, et qui, plus qu'un remarquable panégyrique funéraire, est une magnifique analyse du génie de Balzac. Le morceau entier serait à citer. « Tous ses livres ne forment qu'un seul livre vivant, lumineux, profond, où l'on voit aller et venir, marcher, et se mouvoir avec je ne sais quoi d'effaré et de terrible, mêlé au réel, toute notre civilisation contemporaine... Balzac... arrache à tous quelque chose, aux uns l'espérance, aux autres l'illusion, à ceux-ci un cri de la passion. Il creuse et sonde l'homme, l'âme, le cœur, les entrailles, le cerveau, l'abîme que chacun a en soi... » Les exégèses les plus savantes ne sauraient rien ajouter à la profondeur de cet aperçu.

HULOT (maréchal), comte de Fortzheim (né en 1766), a été au service de la République, de l'Empire et de la monarchie de Juillet. C'est un des personnages essentiels des *Chouans* (et le rôle qu'il y joue est évoqué dans *la Vieille Fille*). Il réprime le soulèvement en faveur de la duchesse de Berry *(Béatrix)*. À partir de sa retraite (1834), on le retrouve, à côté de son frère cadet, le baron Hulot d'Ervy, comme personnage important de *la Cousine Bette*.

HULOT D'ERVY. Le baron (né en 1771), la première baronne (née Adeline Fischer, en 1783), la seconde (née Agathe Piquetard), les enfants du premier lit, Victorin (et son épouse, née Célestine Crevel), Hortense (née en 1816), et qui deviendra la comtesse Wenceslas Steinbock, ne sont pas des personnages « reparaissants » (sauf une allusion à Victorin dans *la Femme auteur*). Cela s'explique par le fait que *la Cousine Bette*, où ils figurent tous, n'avait pas été prévue dans le plan primitif de *la Comédie*.

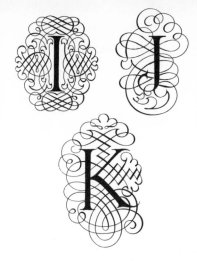

Balzac, par Rodin. Carrefour Vavin-Montparnasse. *Phot. Lauros - Giraudon.*

iconographie. Les représentations de Balzac par les arts graphiques et plastiques sont très nombreuses. L'homme et l'écrivain étaient très célèbres. Et la photographie ne permettait pas encore de diffuser le portrait des personnages que l'actualité mettait au premier plan. Nous ne signalerons ici que quelques œuvres importantes.

PEINTURE et DESSIN. Le portrait le plus célèbre est celui qu'a peint Louis Boulanger*, et que Balzac a jugé sévèrement. Le romancier y est représenté en robe* de chambre, et c'est aussi dans cette tenue qu'il a été vu par Gavarni. À signaler aussi, entre autres, un beau portrait dû à Bertall, qui fut un des illustrateurs* de l'œuvre de Balzac.

SCULPTURE. On doit à David d'Angers* le célèbre buste, exécuté après peu de séances de pose, et qui nous présente, d'après les contemporains, une des images les plus fidèles de Balzac. Le même David d'Angers est l'auteur d'un dessin au crayon (1843), dédié à Laure Surville, et d'un médaillon en terre cuite (même date). À la fin du XIXe siècle, lorsqu'il fut question d'ériger une statue à Paris au romancier, Rodin, pressenti, exposa au Salon de 1898 un Balzac d'une puissance étonnante, mais qui, de par sa puissance même, fut

fort discuté. On lui préféra un Balzac de Falguière (Salon de 1899), nettement plus sage et plus classique, qui fut érigé, et se trouve toujours, avenue de Friedland, non loin de la dernière demeure du romancier (sur l'actuelle place Georges-Guillaumin), au coin de la rue Balzac et de la rue Beaujon.

Le goût du public ayant évolué, la statue de Rodin, qui ne suscite plus aujourd'hui que de l'admiration, prit place boulevard Raspail, au coin de la rue Bréa.

CARICATURES. Elles sont innombrables. C'était un genre dont l'époque était particulièrement friande, et la personnalité physique du romancier, sans parler de sa notoriété littéraire, portait facilement à la charge. Les « thèmes » principaux des caricatures étaient les suivants :
l'élégance tapageuse de Balzac, sa pré-

tention au style « dandy » ou « lion », sa célèbre canne* (et il était loin de se plaindre de cette forme de popularité);

ses déboires à l'Académie* (il est généralement associé, dans ce cas, à d'autres candidats à cette institution);

ses succès auprès du public féminin;

sa tenue de travail, la robe* de chambre qui faisait partie de son uniforme d'écrivain, et qui, ayant inspiré les peintres, était, a fortiori, un sujet en or pour les caricaturistes.

PHOTOGRAPHIE. On ne connaît à ce jour qu'un seul portrait photographique de Balzac, le célèbre daguerréotype de Nadar.

idées politiques, religieuses et sociales. Ces trois éléments sont liés dans la pensée de Balzac; ils ont été étudiés particulièrement par MM. Bertault et Guyon dans les ouvrages cités en bibliographie* et par M. Pommier, dans son Introduction à l'édition de l'*Église* (v. **Jésus-Christ en Flandre**); il n'est possible de dégager ici que quelques constantes, qui se dessinent parmi les fluctuations de la pensée balzacienne.

Il convient peut-être de considérer comme relativement accessoires des thèmes comme l'épopée napoléonienne; le fait qu'elle est magnifiée dans diverses œuvres (v. le récit de Goguelat dans le *Médecin*) et que Balzac ait songé à consacrer à la Grande Armée une série d'œuvres (qui n'ont jamais été écrites) ne semble pas prouver grand-chose : l'exaltation de la grandeur napoléonienne a été, pour toute l'époque romantique, un thème littéraire, et pour certains un poncif, et Balzac ne faisait qu'utiliser dans ce domaine des données générales, que sa liaison avec la duchesse d'Abrantès* lui permettait de préciser.

La crise néo-légitimiste des années 30 s'explique aussi par l'influence de Mme de Castries* et du duc de Fitz-James*, par l'espoir aussi de faire une carrière, que les ambitions politiques de Balzac lui avaient fait envisager.

Demeure cependant une ligne générale, que l'Avant-propos* de la *Comédie humaine* indique assez nettement, et qui

n'est pas sans révéler l'influence de divers penseurs ou théoriciens. « J'écris à la lueur de deux vérités éternelles, la Religion, la Monarchie. » Tel est le principe; il est confirmé à plusieurs reprises, et par des phrases révélatrices comme celles que l'on trouve dans l'*Essai* sur la situation du parti royaliste : « Le parti royaliste est philosophiquement rationnel dans ses deux dogmes fondamentaux : Dieu et le Roi. Ces deux principes sont les seuls qui puissent maintenir la partie ignorante de la nation dans les bornes de sa vie patiente et résignée. »

On aurait vite fait de conclure que ces déclarations représentent une variation sur le thème facile de la religion, « opium du peuple », et cela d'autant plus que le thème est souvent repris. La conséquence politique que Balzac tire de ces postulats est la condamnation du suffrage universel : « Qui vote discute; les pou-

« Balzac en 1842. » Hélio-gravure de Nadar, d'après un daguerréotype. *Phot. Lauros-Giraudon.*

◄

Caricature de Balzac parue dans *le Charivari* (1838). La légende est un peu dure : « Balzac, nourri de gloire, est cependant bien gras. Par malheur, ses succès ne lui ressemblent pas. » Pourtant, cette caricature, la plus célèbre de Balzac, présente l'intérêt de n'être ni grossière ni méchante; elle met en valeur la jovialité d'un homme qui pouvait être, dans les salons, plein d'entrain et de vie. *Phot. Lauros-Giraudon.*

voirs discutés n'existent pas ». Et logiquement ce système développe ses conséquences : mépris des systèmes délibératifs (v. leur parodie dans la *Comédie du diable*); regret de la disparition du droit d'aînesse; regret d'un gouvernement absolu capable de « réprimer les entreprises de l'Esprit » (de spéculation financière) [v. conclusion de *la Maison Nucingen*], etc.

Mais si l'on se bornait à la constatation de cette vue systématique, on laisserait échapper l'essentiel de la pensée religieuse et sociale de Balzac. La religion n'est pas seulement un rempart contre le désordre politique et social : sa mission est plus haute. Elle est créatrice de culture et de beauté (v. *Jésus-Christ en Flandre*) [l'influence de l'esthétisme religieux, de Chateaubriand en particulier, est visible]. La religion est un frein à la passion de l'homme. « Le catholicisme est un système complet de répression des tendances dépravées de l'homme » *(Médecin de campagne)*. Tous les êtres méprisables que présente la *Comédie* sont des non-croyants, ou ne sont que des croyants de façade ou des tartuffes : ceux qui croient vraiment restent dans le chemin du devoir et du dévouement, même douloureux : c'est par la religion que Mme de Mortsauf reste fidèle, jusqu'au sacrifice, à un mari maniaque et malade *(Lys)*.

Et surtout, aux yeux de Balzac, la religion se prolonge dans la *charité,* et d'abord sous sa forme la plus évidente, qui est la justice : le marquis d'Espard *(Interdiction)* ne saurait vivre en paix s'il n'a pas réparé les iniquités dont sa famille s'est rendue coupable. De même, Octave du Camps a vécu pauvrement, pour éteindre une dette dont il s'estime moralement redevable : et Mme Firmiani (v. ce titre) n'hésite pas à déposer sa fortune aux pieds de celui qu'elle considère comme moralement très au-dessus d'elle-même. Mieux encore, le *Médecin de campagne*, le *Curé de village* nous montrent des personnages décidés à traduire la charité en actes, pour sauver de la misère les pauvres et les déshérités. Enfin, l'*Envers de l'histoire contemporaine* est une suite d'admirables variations sur l'évangélisme, les vertus chrétiennes les plus pures, le pardon total des offenses. Il s'en faut d'ailleurs de beaucoup que Balzac abandonne les « petits » à leur misérable sort. S'il a donné à la conquête de l'argent-roi une telle importance dans son œuvre, il ne manque pas de souligner que ces réussites financières se construisent sur le malheur d'autrui. L'honnête Schmucke (*Cousin Pons*) est dépouillé par des gens trop malins. La Maison Nucingen a allègrement échafaudé sa fortune sur la ruine des familles. L'*Hôpital et le Peuple*, bien qu'à peine esquissé, contient des phrases très dures : « Ces splendeurs parisiennes ont pour produit les misères de la province ou celles des faubourgs. » S'il est peut-être exagéré de voir en Balzac un des précurseurs du catholicisme social, il faut bien dire que Hugo, une fois de plus, faisait figure de visionnaire lorsque, dans l'admirable discours qu'il prononça aux obsèques de Balzac, il le classait « dans la forte race des écrivains révolutionnaires », de ceux qui, ayant observé la société de leur temps avec une lucidité impitoyable, en dénoncent, par la seule description, les faiblesses et les tares.

Illusions perdues (ce titre ne comporte pas d'article), titre couvrant trois parties qui se font suite : *les Deux Poètes* (février 1837) ; *Un grand homme de province à Paris* (juin 1839) ; *les Souffrances de l'inventeur*, parues en feuilleton, une première partie en juin 1843, l'autre en juillet-août de la même année, sous le titre *David Séchard ou les Souffrances de l'inventeur* ; titre qui devint, dans la première édition de la *Comédie humaine*, *Eve et David*, pour devenir *David Séchard* dans une seconde édition (1844) ; le titre actuel est celui qui a été retenu pour l'édition définitive. L'ensemble de l'œuvre, n° 49

(*Scènes de la vie de province*), est dédié à Victor Hugo.

I. *Les Deux Poètes*. L'intrigue commence à Angoulême, ville que Balzac connaît bien grâce à ses relations avec les Carraud*, et dont l'industrie principale est la papeterie, industrie dont il sera longuement question dans le troisième roman. David Séchard est imprimeur ; il tient son imprimerie de son père, un vieil avare qui la lui a vendue à un prix exorbitant, bien que le matériel en soit suranné et à bout de souffle. David a l'âme d'un poète ; c'est un idéaliste égaré dans une affaire où, par sa « nonchalante incurie », il réussit tout juste à vivoter, et parce que les frères Cointet, gros papetiers de la ville, et qui pourraient ruiner sa petite entreprise, aiment mieux le laisser végéter que de voir son affaire passer dans les mains d'un concurrent plus actif.

L'autre poète est un vieil ami de collège, que David a rencontré par hasard, « en proie à la plus profonde misère ». Il s'appelle Lucien Chardon (il deviendra plus tard Rubempré) ; pour le sauver de son désespoir, David l'embauche comme prote, quoiqu'un prote lui soit parfaitement inutile. Lucien a une sœur charmante, dont David tombera amoureux, qu'il épousera, et qui sera pour lui la plus tendre et la plus dévouée des compagnes, « la plus ravissante créature que j'aurai faite », écrit Balzac. Lucien Chardon est d'une beauté étonnante, presque plus féminine que masculine ; il se prend pour un grand poète. Quelques-uns de ses essais poétiques l'ont fait connaître comme une sorte de gloire locale. Une mondaine de la ville, Mme de Bargeton, qui se pique de culture et tient un salon littéraire, y attire le jeune homme et le présente à la bonne société d'Angoulême comme un poète appelé au plus brillant avenir. Elle tombe amoureuse de lui et la société d'Angoulême en vient à faire des gorges chaudes de leurs relations, d'autant plus qu'un certain M. de Chandeur a surpris Lucien (qui se fait maintenant appeler Rubempré, du nom de sa mère) aux pieds de Mme de Bargeton ; il colporte le bruit de cette découverte avec tant d'indiscrétion que M. de Bargeton est contraint de le pro-

ILL

voquer en duel. Mme de Bargeton sent qu'elle ne peut décidément que devenir la risée de la ville; elle se décide brusquement et décide Lucien à partir pour Paris, parce que « là est la vie des gens supérieurs ». Elle « enlève son poète », qui part clandestinement pour la gloire, malgré les sombres pressentiments de sa mère et de sa sœur, ainsi que de David. Si secret qu'il fût, leur départ a été deviné par un vieil amoureux de Mme de Bargeton, qui les suivra discrètement, et jouera un rôle dans le roman suivant.

II. *Un grand homme de province à Paris.* Voilà donc Mme de Bargeton à Paris, flanquée de son grand homme. Pour quitter en hâte Angoulême, elle a pris pour prétexte une visite à sa parente, Mme d'Espard. Celle-ci la reçoit, et, au bout de peu de temps, lui conseille de se séparer de son protégé, dont les origines plébéiennes (il est le fils d'un pharmacien) ne peuvent que nuire à sa protectrice dans l'esprit de la bonne société parisienne. Rubempré reste seul, et entreprend de se mettre au travail. À la bibliothèque Sainte-Geneviève, il rencontre Daniel d'Arthez, président d'un groupe d'idéalistes appelé le Cénacle. Homme de grand talent, d'une « vertu sans emphase », d'Arthez, qui croit aux dons de Rubempré, le fait admettre au Cénacle; Rubempré n'y restera pas, car le hasard lui a fait connaître dans un restaurant un certain Lousteau, personnage inquiétant, qui a fait un peu de tout, littérature, journalisme, et au besoin chantage. Il conseille à Rubempré de faire carrière dans les lettres et le journalisme, sans lui cacher les difficultés de l'entreprise; et pour commencer, il essaie de l'introduire chez l'éditeur Dauriat, qui, après avoir accepté en rechignant un manuscrit de Rubempré, le lui rend sans le publier. Mais Lousteau a fait entrer son nouvel ami dans un journal, où il se révèle par un remarquable compte rendu d'une pièce de Du Bruel et Nathan, l'*Alcade dans l'embarras;* l'actrice Coralie, principale interprète de la pièce, devient sa maîtresse, et Dauriat, soudain converti par la notoriété du jeune critique, publie son recueil de poèmes, *les Marguerites.* Voilà Rubempré lancé dans le monde des lettres et dans la

haute société; mais le nom qu'il porte n'a encore aucune valeur légale. Dans l'espoir d'obtenir le droit officiel de le porter, il n'hésite pas à s'affilier au parti ultra. Son succès lui vaut des ennemis, qui le combattent par tous les moyens. Une cabale se monte contre sa maîtresse Coralie, que sa vie de luxe a d'ailleurs ruinée. Pour recevoir l'appui des journaux favorables à l'actrice, Rubempré est invité à « échiner » (éreinter) le livre que d'Arthez vient de publier. En fait, l'article qu'il a écrit n'est pas celui, injuste et venimeux, qu'on fait paraître sous son nom. Un ami de l'auteur, membre du Cénacle, provoque Rubempré en duel et le blesse gravement; la chute du grand homme est plus rapide encore que son ascension. Coralie tombe malade; pour la soigner, Rubempré n'hésite pas à commettre un faux en signant du nom de David Séchard trois billets à ordre de 1 000 francs. Coralie meurt. Pour payer ses obsèques, Rubempré est contraint de composer, au chevet de la morte, des chansons grivoises, afin de lui « acheter une tombe avec des gravures ». Après les obsèques de la malheureuse, il se décide à quitter Paris pour rentrer à Angoulême, sur les conseils de la servante Bérénice, toute dévouée à Coralie et à lui-même, et qui, pour lui remettre 20 francs nécessaires au voyage, n'a pas hésité à les obtenir par des moyens inavouables sur le boulevard de Bonne-Nouvelle. Elle disparaît après lui avoir remis cet argent, que Lucien voulait lui rendre, mais qu'il fut forcé de garder « comme un dernier stigmate de la vie parisienne ».

III. *Les Souffrances de l'inventeur.* Rubempré se met en route pour Angoulême, en partie à pied. Une cruelle ironie du sort veut qu'il fasse une partie du voyage comme passager clandestin d'une calèche qui ramène à Angoulême le comte Sixte du Châtelet, nommé préfet de la Charente... et sa femme, l'ex-Mme de Bargeton, épousée par le préfet après la mort du premier mari. Avant même d'avoir atteint Angoulême, près de Mansle, Lucien apprend que son beau-frère est l'objet de poursuites judiciaires. Il s'agit des trois billets à ordre que Rubempré a signés à Paris du nom de David Séchard. Mais ce ne sont pas les seuls malheurs de David : il a mis au point un procédé de fabrication du papier entièrement nouveau. Cet idéaliste, poète à sa manière, n'a pas compté avec l'âpreté et la malhonnêteté du monde des affaires. Les frères Cointet, qui le laissaient végéter modeste imprimeur, ne se soucient pas de laisser l'inventeur exploiter un procédé qui peut lui valoir la fortune. Ils s'assurent la complicité d'un infâme individu, Cérizet, prote chez David Séchard. Celui-ci est mis en faillite ; son vieil avare de père a refusé de le secourir ; seule son épouse s'épuise en démarches avec un incroyable dévouement ; il échappe de justesse à la prison pour dettes ; mais il lui a fallu accepter d'entrer en société avec les frères Cointet, dans des conditions telles qu'il est pratiquement dépouillé de son invention.

Rubempré, désespéré d'avoir été à l'origine des malheurs de sa sœur et de son beau-frère, a quitté Angoulême pour se donner la mort. Au moment où il va mettre ce projet à exécution, il rencontre un voyageur « à tournure patemment ecclésiastique », qui se présente comme « chanoine honoraire de la cathédrale de Tolède ». (On apprendra plus tard qu'il s'agit de Vautrin, qui, ayant tué l'abbé Carlos de Herrera, a pris son identité.) L'ecclésiastique, séduit par la beauté du jeune homme, aborde Rubempré, qui, mis en confiance, lui confie son dessein. Le faux prêtre l'en détourne par des propos qui sont comme la réplique de ceux qu'il tient à Rastignac dans *le Père Goriot* (mais plus feutrés, car c'est un ecclésiastique qui est censé parler). Il a vite fait d'apprendre que le jeune homme laisse derrière lui « la désolation », et lui offre une forte somme s'il consent à « signer le pacte », à donner « une seule preuve de son obéissance ». Il lui remettra cet argent dès leur arrivée à Poitiers. Et voilà pourquoi Ève Séchard reçoit un jour mystérieusement de son frère une somme de 15 000 francs, accompagnée d'un mot désespéré de Rubempré, qui a « vendu sa vie, qui ne s'appartient plus », et qui « recommence une existence affreuse ».

Le personnage central de cette trilogie, et qui assure son unité, est donc bien Rubem-

pré, dont les aventures continueront dans *Splendeurs*. Mais les préoccupations personnelles de Balzac apparaissent très clairement. Seul l'imprimeur de la rue des Marais - Saint - Germain pouvait donner d'une imprimerie une description aussi précise, aussi techniquement circonstanciée. Les « souffrances de l'inventeur » ont souvent été celles de Balzac, toujours à la recherche d'une affaire mirifique capable de lui apporter la fortune. Et surtout, la deuxième partie est une vengeance, contre le journalisme d'abord ; l'auteur a voulu faire « une audacieuse peinture des mœurs intérieures du journalisme, et qui est d'une effrayante exactitude ». Tous les échecs, les innombrables déboires que Balzac a connus dans ses tentatives pour créer des journaux, ou s'y faire un nom, trouvent ici leur explication : profession corrompue, où l'honnête homme se trouve exposé à toutes les palinodies. Véritable pamphlet aussi contre la critique, et notamment la critique théâtrale, qui encense ou « échine » sur commande, et assure le triomphe ou l'échec par des cabales parfaitement étrangères à toute considération esthétique.

illustrateurs. Alors que, de nos jours, l'édition courante des romans n'est généralement pas illustrée, celle des romans parus au XIX⁰ siècle était couramment rehaussée par des illustrations dont la plupart sont dues, en ce qui concerne l'œuvre de Balzac, à des artistes qui ont laissé un nom, souvent illustre, à tel point que les éditions populaires sont devenues aujourd'hui des pièces rarissimes de collection. L'œuvre de Balzac, comportant des personnages fortement typés, se prêtait particulièrement à l'illustration. La grande édition de Furne (v. *éditeurs*) s'ornait de dessins gravés sur bois de Tony Johannot, Meissonier, Gavarni, Monnier, Célestin Nanteuil et Gérard Seguin. Tony Johannot (1803-1852), le plus célèbre des trois frères Johannot (Charles, Alfred et Tony), est un artiste d'une fécondité exceptionnelle : on lui doit, entre autres, une jolie illustration de *l'Âne* mort* de Janin. On retrouve Célestin Nanteuil (1813-1873) comme auteur des frontispices de chaque éditeurs : FURNE et C⁹, rue Saint-André-des-Arts, 55 ; J.-J. DUBOCHET et C⁹ ; HETZEL et PAULIN, rue de St

LA COMÉDIE HUMAINE.
OEUVRES COMPLÈTES DE M. DE BALZAC
ÉDITION DE LUXE A TRÈS BON MARCHÉ ;
Vignettes par MM. T. JOHANNOT, MEISSONNIER, LORENTZ, PERLET, GÉRARD SÉGUIN et GAVARNI :
tenant en 12 ou 15 volumes au plus les 90 volumes des éditions ordinaires. — Chaque volume sera publié en dix livraisons à 50 cent. — La 2ᵉ livraison est

Deux exemples de publicité littéraire au temps de Balzac : on relève les noms des plus célèbres illustrateurs de l'œuvre du romancier : Bertall, T. Johannot, Meissonier, Lorentz, Perlet, Gérard Séguin et Gavarni. La vignette de Bertall pour les *Petites Misères* représente le malheureux mari accablé sous le poids de son ménage. *Maison de Balzac. Phot. Lauros-Giraudon.*

roman dans l'édition populaire de Balzac parue chez Maresq (1851-1853). Gavarni (Sulpice Guillaume Chevalier, dit) [1804-1866] est plus connu comme le célèbre collaborateur du *Charivari* que comme illustrateur de Balzac. (À signaler de lui une jolie vignette pour *la Peau de chagrin*.) Son nom est associé à celui du romancier dans l'affaire Peytel, à qui il s'est intéressé en même temps que Balzac ; le portrait (moral, non dessiné) qu'il a laissé du romancier est peu flatteur, et même injuste. Henri Monnier (1805-1877), écrivain en même temps qu'illustrateur, et dont le Joseph Prudhomme est resté un type presque légendaire, s'est portraituré lui-même sous les traits du personnage de Bixiou dans l'édition Furne. On lui devait déjà, entre autres, l'illustration, dans *la Caricature* (1839), des *Petites Misères de la vie conjugale*. Ces mêmes *Petites Misères* ont été rééditées en 1845-46 chez Chlendovski, en livraison à 30 centimes, et cette fois illustrées par Bertall (Charles-Albert d'Arnoux, dit) [1820-1882], qui doit son pseudonyme précisément à une suggestion de Balzac.

Meissonier (1815-1891) est, dans l'édition Furne, l'auteur de plusieurs portraits de personnages, notamment au tome Iᵉʳ, de Guillaume *(Maison du Chat)*, du marquis de Fontaine *(Bal)*, de Schinner *(la Bourse)*, au tome II, de la Femme abandonnée, au tome III, de Maître Crottat, notaire, etc. Une mention toute particulière est due à

Gustave Doré (1832-1883). Il n'était pas de la génération de Balzac, évidemment. C'est donc après la mort du romancier qu'il s'est signalé par une œuvre où certains critiques d'art voient son chef-d'œuvre : l'édition des *Contes drolatiques* (1855), « éz *(sic)* bureaux de la Société Générale de Librairie ». L'archaïsme de cette formule rappelle celui auquel Balzac s'était exercé en écrivant ces *Contes*. Mais l'illustration est d'une verve et d'une puissance poétique qui font de cette édition une réussite admirée de tous les bibliophiles.

Doré mis à part, on ne peut dire qu'aucun de ces illustrateurs ait été révélé ou même mis en vedette par sa collaboration à l'œuvre de Balzac. Ils furent appelés à l'illustrer parce qu'ils étaient célèbres. Leur fécondité est prodigieuse, et leur notoriété est fondée sur d'autres références que l'illustration des romans de Balzac : Meissonier est connu comme peintre de batailles ; l'histoire de Gavarni se confond presque avec celle du *Charivari* ; Monnier est écrivain aussi bien que caricaturiste, et son nom, pour le grand public, évoque plutôt M. Prudhomme que le dessinateur et caricaturiste. Leur signature au bas des illustrations des romans de Balzac prouve surtout la popularité du romancier, et le souci des éditeurs de souligner l'intérêt de l'œuvre par la qualité des collaborations iconographiques.

Illustre Gaudissart (l'), nouvelle parue en décembre 1833, premier numéro du groupe *les Parisiens en province.* N° 39 (*Scènes de la vie de province*). Dédié à la duchesse de Castries.
Gaudissart est le type parfait du commis voyageur. Il a travaillé d'abord dans les chapeaux, puis dans l' « article de Paris ». Mais pour satisfaire aux besoins de sa maîtresse, la fleuriste Jenny Courand, il entreprend de placer des assurances et des abonnements dans les journaux. À Vouvray, il commence sa prospection par une visite à un sieur Vernier, qui, pour se moquer de lui, l'adresse à un certain Margaritis. Celui-ci est un vieux fou, et il faut une longue conversation pour que Gaudissart finisse par s'en apercevoir. Furieux d'avoir été berné, il vient injurier Vernier, et lui donne un soufflet. Duel, où Gaudissart, peu habile au maniement de l'arme blanche, préfère choisir le pistolet. Les deux adversaires, ayant échangé deux balles sans résultat, se réconcilient. Mais Gaudissart gardera une certaine méfiance à l'encontre des « contrées méridionales ». Exemple parfait de la nouvelle où Balzac a créé un type, devenu proverbial.

imprimerie de la rue des Marais-Saint-Germain. Balzac avait d'abord entrepris, en 1825, de se lancer dans l'édition. Il avait participé à la constitution d'une société, participation en vue de laquelle il avait contracté divers emprunts, notamment auprès de Mme de Berny*. Il s'agissait d'éditer La Fontaine et Molière, dont les œuvres furent effectivement préfacées par Balzac lui-même. Mais les deux ouvrages ne se vendirent pas, et la société fut dissoute en mai 1826.

Gaudissart. Bronze de Pierre Ripert. Maison de Balzac. Phot. Lauros-Giraudon.

Nullement découragé par cet échec, le romancier entreprit d'exploiter une imprimerie, avec la collaboration d'un prote nommé Barbier. Il acheta une imprimerie au 17 de la rue des Marais-Saint-Germain, aujourd'hui rue Visconti. La description de l'immeuble est très exactement reproduite dans celle de l'imprimerie de David Séchard dans *Illusions* (*les Deux Poètes*). Là encore, l'association Balzac-Barbier (juillet 1826) n'avait pu être constituée que grâce à des emprunts qui pesèrent sur l'exploitation de l'affaire. L'imprimerie publia divers ouvrages, et aurait peut-être pu devenir relativement rentable si Balzac n'avait été un aussi médiocre homme d'affaires, accordant aux clients des rabais excessifs, et négligeant le recouvrement des créances. En outre, il confondait constamment la trésorerie de la maison avec la sienne propre. Pour essayer de renflouer l'entreprise, il eut l'idée d'acheter, en septembre 1827, une fonderie* de caractères. À ces deux entreprises également déficitaires, il fut mis fin par un arrangement, en avril 1828, qui laissa Balzac débiteur de diverses personnes, et notamment de sa mère, pour plus de 50 000 francs.

De ces « souffrances » de l'imprimeur, on retrouvera l'écho dans *les Souffrances de l'inventeur* (*Illusions*).

influences étrangères. Le comparatiste évolue évidemment dans un domaine très délicat lorsqu'il entreprend de déterminer les éléments qui ont pu influer sur la pensée et l'œuvre d'un écrivain. La difficulté est plus grande encore à propos d'un créateur qui, comme Balzac, était ouvert à des influences très diverses, et parfois contradictoires. M. F. Baldensperger (v. *Bibliographie*) est arrivé dans ce domaine à des conclusions qui éclairent singulièrement la genèse de la pensée balzacienne. Nous avons signalé à leur ordre alphabétique les écrivains étrangers qui devaient être notés à ce point de vue. Les influences anglo-saxonnes, celles de Walter Scott*, de Sterne*, des écrivains « noirs » (Ann Radcliffe*, etc.), ont été les premières et semblent avoir été durables, si l'on en juge par un article très admiratif sur Fenimore Cooper*, paru dans la *Revue parisienne* en 1840. (À noter que Balzac n'est jamais allé en Angleterre.)
L'apport de l'Allemagne n'a pas été non plus négligeable ; Balzac a sans doute été initié à la pensée werthérienne par Mme de Berny*, qui était par son père d'origine allemande. La contribution de *la Physiognomonie* de Lavater apparaît avec évidence dans des œuvres comme *le Centenaire*, *Annette et le criminel*, et surtout dans la *Physiologie du mariage* (dès 1822, Balzac écrit à sa sœur qu'il a « acheté un superbe Lavater que l'on *lui* relie »). Une place toute particulière est réservée par M. Baldensperger à un certain Koreff. Ce personnage étrange, qui avait un énorme succès dans la société parisienne et fréquentait, entre autres, le salon de la comtesse Ida de Bocarmé*, joignait à des talents divers essentiellement celui de magnétiseur, et s'était acquis là ce titre une vaste notoriété. Il n'est pas douteux que sa fréquentation ne fit qu'accentuer le penchant qu'avait toujours eu Balzac pour le magnétisme. Le romancier se brouilla d'ailleurs avec cet individu, qu'il accusait et sans doute avec raison, de l'avoir vilainement desservi par

des calomnies auprès de la sœur de Mme Hanska, Caroline. Cet épisode ne change rien au fait que Koreff a été un des initiateurs de Balzac dans le domaine du magnétisme.
L'Espagne, que Balzac ne connaissait pas, apparaît peu dans son œuvre (*les Marana*, *El Verdugo*), et s'y présente assez conforme au poncif classique : un pays aux passions intenses et sauvages.
On n'en saurait dire autant de l'Italie, où le romancier fit de très nombreux voyages* ; il connut vraiment ce pays de près, fut reçu dans la plus haute société italienne, rencontra (lors de son voyage en 1837) Manzoni (1785-1873), en présence de qui il dut reconnaître qu'il n'avait pas lu *les Fiancés*, ce qui, en l'occurrence, était tout de même fâcheux ; on se borna à épiloguer sur le roman historique en général. Il semble surtout que ce soit par la musique* que Balzac ait pénétré l'âme italienne ; et ce n'est pas une coïncidence si, des deux romans dont l'intrigue se déroule en Italie, le plus important, *Massimila Doni*, laisse le principal rôle, si l'on peut dire, à la musique.

Initié (l') *. V. *Envers de l'histoire contemporaine (l')*.

Institution Ganser et Beuzelin, rue de Thorigny, où Balzac, en sortant de l'Institution Lepître, fit des études qui ne semblent pas avoir été excellentes.

Institution Lepître, rue Saint-Louis-au-Marais, où Balzac fit ses études au cours d' « humanités », en 1815, et où il ne semble pas, si l'on en croit le certificat délivré par le directeur, avoir été un mauvais élève.

Interdiction (l'), roman paru en janvier-février 1836 dans *la Chronique de Paris*. N° 29 (*Scènes de la vie privée*). Dédié au contre-amiral Bazoche.
Le comte de Nègrepelisse, marquis d'Espard, d'une vieille famille béarnaise, vit à Paris, avec sa femme et ses deux enfants, dans l'opulence. Il s'aperçoit que la fortune dont il jouit provient d'une spoliation commise par son bisaïeul, au

M. Popinot, personnage de l'Interdiction, par Staal. Edition Furne, 1844.
Bibl. nat., Paris.

détriment de négociants huguenots. Ces victimes ont un descendant, Jeanrenaud, à qui d'Espard décide de restituer ce qu'il estime détenir injustement. Il demande à sa femme de se retirer avec lui en province : en vivant simplement, ils pourront rembourser Jeanrenaud. Elle refuse de renoncer à la vie brillante qu'elle mène dans la haute société parisienne. Il lui abandonne alors les revenus de sa dot, et se retire avec ses deux fils dans un modeste logement. Les travaux d'érudition auxquels il se livre (c'est un bon spécialiste du chinois et de l'histoire de la Chine) lui permettent, tout en subsistant décemment, de rembourser ce qu'il estime devoir. Mais sa femme, ruinée par son train de vie, après avoir fait courir des bruits divers sur ce qu'elle appelle la bizarrerie de son mari, entreprend de le faire interdire légalement. Le juge d'instruction commis par la Cour royale, Popinot, est un magistrat intègre et perspicace. Après avoir entendu les deux parties, il va conclure au rejet de la requête de la marquise. Il a en poche le rapport contenant ses conclusions quand, convoqué au Palais de justice, il apprend qu'il est dessaisi de l'affaire pour vice de forme. Pur prétexte ! Le garde des Sceaux, habilement circonvenu par Mme d'Espard, charge de l'instruction un jeune juge tout frais émoulu de sa province, Camusot, que l'on espère plus souple.

Le récit s'arrête là. Mais on retrouvera l'affaire dans *Splendeurs,* où l'on voit Mme d'Espard perdre finalement son procès.

Le personnage essentiel est le juge Popinot : belle figure de magistrat, en qui la pénétration et la perspicacité n'ont pas altéré une profonde bonté. Son extérieur est décrit comme négligé et même malpropre : application d'une théorie de Balzac, d'après laquelle il est parfois vain de voir dans l'enveloppe d'un être l'image de son caractère profond.

Intérieur de collège. Après l'enfance (v. **enfants**) et l'adolescence des jeunes filles (v. **pensionnat de demoiselles**), Balzac avait l'intention de traiter, toujours en suivant le développement chronologique de la vie humaine, les jeunes gens. Il avait d'abord songé aux « grands enfants de vingt ans », puis à des héros plus jeunes. L'œuvre ne fut jamais rédigée. N° 3 *(Scènes de la vie privée).*

Introduction à l'étude sur Catherine de Médicis. Cette introduction n'est pas seulement historique, mais aussi politique. Balzac y défend les thèses que la dernière partie de l'œuvre illustre, et qui sont d'ailleurs indiquées dans d'autres romans (v. **Médecin de campagne**). Les deux idées essentielles sont : le pouvoir a le devoir de se défendre contre toute atteinte ; d'autre part, s'il est conforme à son intérêt et à la raison d'accorder aux sujets des libertés précises, il ne saurait leur accorder *la* liberté, et en particulier celle de discuter ou d'attaquer les fondements de sa puissance.

Isle-Adam (L'). Balzac se rendit dans cette localité pour la première fois en 1817, par la diligence dont il retracera le voyage dans *Un début.* Il était invité par un ami de sa famille, M. de Villers La Faye. Le site était alors champêtre. Le domaine de Cassan, voisin, est évoqué à plusieurs reprises *(Physiologie, Adieu, Splendeurs, Paysans).* C'est près de L'Isle-Adam que se trouve Maffliers, où le romancier rejoignit en 1829 la duchesse d'Abrantès, et où il écrivit *la Maison du chat*, dédié à Mlle Marie de Montheau, qui habitait cette localité. C'est dans cette commune qu'il trouvera des personnages dont le nom apparaîtra non transformé dans son œuvre, comme Goriot *(Père Goriot)* et Rogron *(Pierrette)*, et aussi le Dr Bossion, qui serait, d'après Laure Surville, le modèle du Dr Benassis *(Médecin de campagne)*.

Italiens (les). V. *théâtre des Italiens.*

J

Jacques de Metz. Cette œuvre porte le n° 48 *(Scènes de la vie de province)* et était prévue comme la deuxième du sous-groupe *les Provinciaux à Paris*. Il n'en a pas été écrit — en tout cas, il n'en reste pas — une seule ligne. Et rien ne permet de savoir comment Balzac avait conçu l'œuvre et ce qu'il comptait en faire.

JANIN (Jules-Gabriel), littérateur (1804-1874), auteur de romans (dont l'un, parodique, *l'Âne* mort et la femme guillotinée*, donna lieu à une étude critique de Balzac), fut surtout journaliste, au *Figaro*, à *la Quotidienne*, au *Messager*, et enfin au *Journal des débats*, où il tint la critique théâtrale de 1836 à sa mort. À ce titre, il eut à juger les œuvres théâtrales de Balzac ; il le fit souvent avec sévérité : *Vautrin* est « une œuvre de désolation, de barbarie et d'ineptie ». À propos des *Ressources de Quinola*, Janin se demande, avec une feinte consternation, comment un Balzac a pu se laisser aller « à ces excès, à ces délires, à ces barbarismes, à ces fantaisies brutales, à ces plaisanteries malséantes, à ces inventions malpropres, à ces étranges récits de bagne, de vol, d'escroqueries, à cet argot qu'il parle en rougissant ». On est un peu surpris de la virulence de cette critique. De nos jours, parlant de l'erreur d'un grand écrivain au théâtre, la critique serait peut-être aussi dure dans le fond, mais plus modérée dans la forme. (Il faut dire qu'en 1863, lors de la reprise de la pièce, le même Janin fut plus courtois.) À propos de *Paméla Giraud*, il reprend, en 1843, ce ton de désolation apitoyée : « C'est un crime d'abuser ainsi d'une popularité qui devait être durable... Pourquoi ce suicide ? D'où vient que cet homme se veut à tout prix suspendre à cette corde abominable du théâtre ? »

Jules Janin, en fin de compte, n'avait pas le goût si mauvais, car il est élogieux à l'égard des deux pièces de théâtre de Balzac qui comptent, *la Marâtre* et *Mercadet*. La première est une « œuvre charmante, ciselée, travaillée ». Dans *Mercadet*, le critique reconnaît « le vif esprit, l'insolence, la crânerie impérieuse de cette comédie ornée d'un si grand nom ». Il est vrai que Mme Honoré de Balzac (nous sommes en 1851) affirme dans sa correspondance que l'article primitif était « infâme », et que la direction du journal a obligé Janin à le refaire sur épreuves. Assertion dont il faut lui laisser la responsabilité.

Il est bien évident que Balzac n'était pas homme à subir en silence de telles critiques. Dans les romans qui mettent en scène des milieux journalistiques, il démonte le mécanisme de l'art de la « démolition ». Un savoureux passage d'*Illusions*, entre autres, nous présente la leçon de journalisme que Lousteau donne au débutant Rubempré. « Le livre, fût-il un chef-d'œuvre, doit devenir sous ta plume une stupide niaiserie, une œuvre dangereuse et malsaine. » Manière pour Balzac de se venger de ce « journalisme » qui avait été « infâme » à propos de *Vautrin*.

Jardies (les). Une des pages les plus tumultueuses de la vie financière de Balzac. En 1837, le romancier désira s'éloigner de Paris, estimant qu'il serait ainsi à l'abri des poursuites des créanciers trop

« Les Jardies », par Petitjean. Coll. Philippe Hériat. Phot. Larousse.

indiscrets, et qu'il pourrait s'affranchir de ses obligations en tant que garde national (la même préoccupation devait l'amener plus tard à s'installer rue Basse*). Il avait, au début de l'année, commencé par louer un petit appartement à Sèvres. En septembre, dans la même commune, il acheta à un certain Varlet une maisonnette et des lopins de terre. Par acquisitions successives, qui se prolongèrent jusqu'en 1839, il augmenta ce petit domaine. Les Guidoboni-Visconti* lui prêtèrent une partie des fonds nécessaires à ces diverses acquisitions (il eut d'ailleurs l'occasion de les héberger dans un des pavillons qu'il fit construire).

La propriété se trouvait au-dessus de la future ligne de Paris à Versailles (ligne actuelle dite de Versailles rive droite), approximativement au-dessus de la gare de Sèvres, alors en construction ; elle dominait un joli paysage, au premier plan duquel se trouvait Ville-d'Avray. Comme le lieu-dit où la propriété était située s'appelait Jardy, Balzac la baptisa les Jardies.

Bien que le coût total de la propriété fût déjà élevé (environ 18 000 francs), Balzac

avait entrepris de faire construire une maison digne de lui. Dès octobre 1837, il s'était adressé à l'entrepreneur Hubert, qui rénova la maisonnette primitive, l'augmenta d'un autre pavillon et d'une sorte de chalet. On en trouve la description romancée au début de la deuxième partie des Mémoires (chapitre XLVIII, lettre de la baronne de Macumer datée du 20 octobre).

Balzac alla se fixer aux Jardies en juillet 1838. Mais l'installation avait coûté des sommes prodigieuses ; le seul mémoire de l'entrepreneur Hubert était, semble-t-il, de l'ordre de 40 000 francs (il sera encore question, en 1849, d'un reliquat de dettes à l'égard de cet entrepreneur). Ces dettes s'ajoutant aux autres, les hypothèques s'accumulaient sur la maison, et les commandements sur la tête du propriétaire. Dès la fin de 1838, on commence à saisir les meubles. Et au début de 1841, c'est la maison elle-même qui doit être vendue. Après plusieurs remises, l'ensemble est enfin adjugé à Claret, architecte des Rothschild, ami de Balzac, et qui n'était qu'un prête-nom. Il acquiert pour la somme de 17 000 francs une maison qui, d'après le romancier, en avait coûté 100 000. Mais il s'engage à la conserver pour Balzac, et, en fait, c'est seulement en 1845 que l'ingénieux et dévoué Fessart*

liquidera l'affaire en vendant définitivement la maison et en remboursant Claret. Dès octobre 1840, Balzac avait quitté *les Jardies* pour s'installer rue Basse.
Les Jardies furent habitées plus tard par Gambetta, qui y mourut en 1882.

Jean-Louis ou la Fille trouvée, roman publié en mars 1822, et dû à la collaboration de Viellerglé* et lord R'hoone*. Parodie, comme *l'Héritière de Birague,* du roman noir, mais sur le mode gai, l'intrigue se situant à une époque récente, avant la Révolution. Jean-Louis est un colosse plein de force, d'entrain, de belle humeur. La fille trouvée est Fanchette, dont le charbonnier Granivel et le marquis de Vandeuil se disputent l'amour. L'intrigue promène le lecteur dans des péripéties systématiquement abracadabrantes, avec reconnaissances et tout l'attirail du roman à rebondissements. Pour finir, Fanchette et Jean-Louis se marient : « Fanchette est belle et sage ; Jean-Louis est honnête homme, et le ciel est juste. »
À signaler comme importante, quant à la genèse du monde romanesque de Balzac, l'apparition d'un certain Courottin, issu du peuple, qui a fait une grosse fortune, et qui est l'ébauche des hommes d'argent dont il se rencontre tant de spécimens dans la *Comédie.*

Jésus-Christ en Flandre, court récit qui porte le n° 108 (*Études philosophiques*), et dont la genèse est compliquée. Le titre couvre deux développements différents, et ne convient, en réalité, qu'au premier, dont l'intrigue, qui se situe au XVe siècle, est simple : la chaloupe qui fait le service entre l'île de Cadzant et Ostende est assaillie par une violente tempête et chavire. Un « étranger au lumineux visage marche d'un pas ferme sur les flots ». Il invite ceux qui ont la foi à le suivre ; ceux qui ont l'âme pure et naïve sont sauvés, mais d'autres, et notamment un savant sceptique, une vieille dame et un évêque, « lourds de crimes », vont au fond. Cet endroit, on a bâti le couvent de la Merci, où « se vit longtemps l'empreinte des pieds de Jésus-Christ ».
Ce premier récit seul justifie la dédicace

à Marceline Desbordes-Valmore* de « cette naïve tradition des Flandres ».
Mais Balzac, dans l'édition définitive, y a joint un tout autre développement, intitulé *l'Église,* et où sont fondus deux récits parus à des dates différentes : a) *Zéro,* paru en octobre 1830 dans *la Silhouette ;* b) *la Danse des pierres,* parue en décembre de la même année dans *la Caricature.* L'ensemble constitue également un récit fantastique, mais d'un symbolisme évident. Le romancier, qui parle à la première personne, est censé, après la révolution de 1830, être venu se recueillir dans l'église au bord de la mer, théoriquement aux lieux mêmes où s'est déroulée la première histoire légendaire (en fait, on a observé que l'église décrite présente des similitudes avec la cathédrale de Tours). Là il rencontre une vieille femme desséchée qui, d'autorité, et avec une force surnaturelle, l'entraîne dans une chambre misérable. Il constate que cette femme hideuse a dû être jeune et belle, et reconnaît l'Église, à qui il adresse, en un long monologue, le reproche d'avoir failli à sa mission, d'avoir « manqué à ses promesses de jeune fille ». À cet instant, la petite vieille devient une « apparition blanche et jeune », et le romancier voit dans le lointain « des milliers de cathédrales » ; il voit alors tout ce que l'Église a créé, et qui se résume par ces mots gravés sur le socle de « statues colossales » : Sciences, Histoire, Littérature.
Sur cette apparition, la jeune fille redevient vieille, et le tête-à-tête se termine par ces mots qu'elle prononce : « On ne croit plus. »
Ce n'était qu'un rêve, dont le romancier s'éveille en constatant qu'il est toujours dans la cathédrale. Mais il a entrevu la « situation critique » où se trouve « la plus belle, la plus vaste, la plus vraie, la plus féconde de toutes les puissances » ; il conclut : « Il faut défendre l'ÉGLISE. » Document particulièrement important pour l'exégèse de la pensée religieuse de Balzac. M. Pommier a donné de *l'Église* (librairie Droz) une édition critique qui élucide pertinemment les diverses versions que Balzac a données de cette dernière œuvre.

Jeunes Gens (les), un des premiers titres de *Un début dans la vie*.

JOSEPHA Mirah (anagramme d'*Hiram*), née en 1814, enfant abandonnée, fille naturelle d'un banquier israélite, puis devenue cantatrice célèbre, apparaît presque exclusivement (sauf une très courte allusion dans *le Cousin Pons*) comme maîtresse successive de Crevel, du baron Hulot, puis du duc d'Hérouville *(Cousine Bette)*. Elle tient une place importante dans ce roman, où elle est le plus souvent désignée par son prénom.

Juge de paix (le), titre correspondant au n° 103 *(Scènes de la vie de campagne)*. L'œuvre ne fut jamais écrite.

K

KAERSMACKERS (Coralie), prostituée assassinée dans sa chambre en 1814, et qui serait l'original de Sarah van Gobseck.

KELLER (les frères François et Adolphe), signalés comme étant trois, mais n'étant en réalité que deux, le troisième étant leur beau-frère, Gobenheim-Keller. À la tête d'une des plus grosses banques de Paris, ils reparaissent très souvent comme raison sociale : ils sont les banquiers de César Birotteau *(Grandeur)*, de Du Bousquier *(Cabinet et Vieille Fille)*, de Victurnien d'Esgrignon *(Cabinet)*. En outre, le frère aîné reparaît à titre individuel (le cadet, Adolphe, ne reparaît pas hors du cadre de *Grandeur*). François Keller, à côté de son existence d'homme d'affaires, mène une vie de mondain et d'homme politique. Il est longtemps l'amant de Flavie Colleville *(Employés, Petits Bourgeois)*. Il est pendant vingt ans le député quasi inamovible d'Arcis-sur-Aube *(Grandeur, Député)* et, devenu comte en 1836, il passe à la Chambre des pairs. Sa femme, née Cécile Malin de Gondreville, n'apparaît guère que dans *Grandeur*. Son fils, le vicomte Charles Keller (né en 1809), meurt en Algérie comme chef d'escadron, au moment où il allait prendre la succession de son père comme député à Arcis-sur-Aube *(Député)*.

KERGAROUËT (famille *de*), famille de vieille noblesse bretonne.

1. L'amiral comte de Kergarouët est un personnage important : a) dans *la Bourse*, où il vient perdre au jeu systématiquement chez la baronne Leseigneur de Rouville pour lui venir en aide discrètement ; b) dans *le Bal*, où il épouse sa nièce Émilie de Fontaine, qui a eu le tort de dédaigner le jeune Maximilien Longueville.

2. Des deux comtesses de Kergarouët, l'une meurt pendant l'émigration à Saint-Pétersbourg *(Béatrix, Bal)* ; l'autre est Émilie de Fontaine (v. *supra*), qui, veuve, se remariera avec le marquis Charles de Vandenesse.

3. Mlle de Kergarouët, sœur de l'amiral, deviendra la comtesse de Fontaine *(Bal)*.

4. Le vicomte de Kergarouët, neveu de l'amiral, a épousé une demoiselle de Pen-Hoël *(Béatrix)*. Il apparaît épisodiquement dans *Pierrette*. La vicomtesse de Kergarouët (née en 1789) et une de ses quatre filles, Charlotte (née en 1820), n'apparaissent que dans *Béatrix*.

5. Une Mlle de Kergarouët-Ploëgat épouse le vicomte de Portenduère, père de Savinien *(Ursule)*.

Kiew. En dépit du titre de la Lettre* de Kiew, il est peu question de cette ville dans la relation que Balzac fait de son voyage. Mais il eut l'occasion de s'y rendre à plusieurs reprises lors de ses séjours à Wierzchownia, surtout au cours du dernier. Il y était toujours reçu avec déférence par le gouverneur, mais non sans qu'une discrète surveillance policière fût exercée sur ses déplacements. C'est surtout en février 1850 qu'il y fit un séjour prolongé (quinze jours) en vue du renouvellement de son visa. Il y fut d'ailleurs gravement malade.

KNOTHE, médecin qui soigna Balzac en Ukraine (v. *maladies*).

LA BASTIE-LA BRIÈRE (vicomte et vicomtesse Ernest **de**), nés, le comte en 1800, la comtesse (Marie Modeste Mignon de La Bastie) en 1809. Ils n'apparaissent pratiquement, ainsi que toute la famille Mignon de La Bastie, que dans *Modeste*; tout au plus aperçoit-on le vicomte au début de sa carrière, comme secrétaire particulier du ministre des Finances *(Employés),* et la comtesse épisodiquement dans *Béatrix* et *la Cousine Bette.*

LA BAUDRAYE (Milaud de), famille dont tous les membres apparaissent exclusivement dans *la Muse,* réserve faite pour la comtesse Polydore Milaud de La Baudraye, indiquée comme l'auteur d'*Un prince,* d'après un récit de Nathan, et qui apparaît épisodiquement dans *Béatrix.*

LA BILLARDIÈRE (Athanase Jean François Michel, baron **Flamet de),** d'origine bretonne, apparaît essentiellement dans trois romans : comme chouan *(Chouans);* comme ami de César Birotteau, qui est son adjoint à la mairie du IIe arrondissement, dont lui-même est maire *(Grandeur);* comme chef de division au ministère des Finances *(Employés);* il devait être, à sa mort, remplacé par Rabourdin, qui fut évincé.
Son fils, chevalier Benjamin de La Billardière, ne figure que dans *les Employés.*

LA BRIÈRE (Ernest **de),** nom du personnage qui deviendra le vicomte de La Bastie-La Brière (v. ce nom).

LA CHANTERIE (famille **Le Chantre de).**
Si l'on excepte une courte apparition de la baronne dans *la Cousine Bette,* tous les membres de cette famille ne figurent que dans *l'Envers.*

La Fontaine, notice préliminaire non signée, rédigée par Balzac pour l'édition des œuvres du fabuliste par les soins de la maison d'édition à laquelle il était associé (1826).

LAGINSKI (comte Adam), noble sarmate, descendant des Radziwill. Il apparaît avant son mariage aux raouts de Mlle Félicité des Touches *(Autre Étude).* Ayant épousé Mlle du Rouvre, il est, avec elle, l'un des personnages essentiels de *la Fausse Maîtresse.* On le retrouve dans *la Cousine Bette,* en compagnie de nombreux roués. Il est témoin au mariage de Steinbock avec Hortense Hulot.
La comtesse Laginska est née Clémentine du Rouvre. Avant son mariage et son aventure dans *la Fausse Maîtresse,* elle est signalée comme parti possible pour Rubempré *(Splendeurs)* et pour Savinien de Portenduère *(Ursule).*

LAMBERT (Louis) [né en 1797], n'est pas seulement le héros de l'œuvre qui porte son nom, ni l'auteur du récit *(Drame)* qu'il est censé avoir rédigé dans un moment de lucidité. Il apparaît dans *Illusions,* comme premier président du Cénacle. C'est dans ce même roman que sont signalés les progrès de la maladie qui doit l'emporter. Il est fait également allusion à cette maladie dans *les Martyrs.*
C'est sa perspicacité qui permet de déterminer l'identité de M. de Lessonnes *(Aventures).*

LANGEAIS (famille **de),** famille représentée par :
1. Le *vieux* duc de Langeais *(Épisode);*
2. Son fils, marquis, puis duc de Langeais, qui épousera Antoinette de Navarreins *(Duchesse);* peut-être (?) le même à qui il est fait allusion dans une lettre de Marsay à Paul de Manneville *(Contrat),* à moins qu'il ne s'agisse d'un frère inconnu ;
3. La duchesse (v. **supra),** née en 1794, et qui est l'héroïne centrale du récit qui porte son nom. Elle figure aussi dans *le Père Goriot* et est signalée comme amie de Diane de Maufrigneuse *(Cabinet);*
4. Mlle de Langeais, sœur du *vieux* duc,

en religion sœur Agathe, est un des personnages d'*Un épisode* ;

5. Figure aussi dans *la Rabouilleuse* un certain marquis de Langeais, frère (?) du *vieux* (?) duc (toutes les dates manquent), et qui est affligé d'une fille (née en 1798), laide, sans dot, et immariable.

LA PALFÉRINE (famille **Rusticoli** de), très vieille famille italienne de haute noblesse, dont tous les représentants successifs sont évoqués exclusivement dans *Prince*, tandis que leur descendant occupe, non seulement dans cette œuvre, mais dans *la Comédie*, une place de choix.

Gabriel Jean Anne Victor Benjamin Georges Ferdinand Charles Edouard Rusticoli, comte de La Palférine (né en 1812), est vraiment un « *prince* de la bohème ». Ses exploits, si l'on peut dire, et spécialement sa liaison avec Tullia (Mme de Bruel), sont relatés dans le récit qui porte ce titre (*Prince*). Complètement désargenté, mais traitant tout le monde, amis, maîtresses, et surtout créanciers, avec une désinvolture suprême et toujours spirituelle, il est lié avec les lions les plus en vue de Paris ; il apparaît chez diverses lorettes ou femmes entretenues, Josépha (*Cousine Bette*), Mme Schontz (*Béatrix*). Mais ce don Juan échoue aussi parfois dans ses entreprises auprès des femmes. Il essaie de séduire la comtesse Laginska, et, au moment où il va l'enlever, en est empêché par la ferme et rapide intervention de Thaddée Paz (*Fausse Maîtresse*).

Il lui arrive, chose étonnante, de se faire le champion de la vertu. Il fait partie de la conspiration qui ramène Béatrix de Rochefide à son mari, et Calyste du Guénic à sa femme (*Béatrix*). Au cours de ce récit, on le voit sorti de la bohème, capable de payer ses dettes, et assez considéré pour être admis au Jockey-Club.

LA PEYRADE, nom porté par deux personnages :

L'oncle, de La Peyrade de Canquoëlle, couramment appelé Peyrade (v. ce nom) ;

Le neveu, Charles Marie Théodose de La Peyrade (né en 1813), est un des personnages essentiels des *Petits Bourgeois*.

LA ROCHE-HUGON (comte Martial de), un des personnages de *la Paix du ménage*. Devenu préfet, il apparaît comme l'ami de Montcornet dans le département (non précisé) où celui-ci possède une propriété (*Paysans*). Nommé ambassadeur (*Contrat*), il épouse une des sœurs (non précisée) de Rastignac. Ministre, il a des conférences secrètes avec Corentin (*Petits Bourgeois*). Redevenu député, il remplace le baron Hulot d'Ervy au poste dont celui-ci a dû démissionner (*Cousine Bette*).

La comtesse, née de Rastignac (sans prénom précisé ; il s'agit sans doute de Laure), apparaît dans *Une fille d'Ève*.

LASSAILLY (Charles), obscur littérateur qui doit l'essentiel de son renom à ce que Balzac le prit un moment comme secrétaire aux *Jardies*. Mais l'activité intellectuelle tumultueuse du romancier découragea bien vite le pauvre garçon, qui, incapable de suivre le rythme de travail qui lui était imposé, préféra renoncer.

LATOUCHE (Hyacinthe Joseph Alexandre **Thabaud**, dit **Henri de**), écrivain (1785-1851), directeur de journaux, éditeur (il publia quelques œuvres de Chénier) ; il fut lié avec de nombreux hommes de lettres de son temps, notamment avec Sandeau et George Sand, dont il sut prévoir le talent. Il se lia avec Balzac à l'occasion d'un article élogieux qu'il avait consacré à *Wann Chlore**. Cet article lui avait valu la reconnaissance de Balzac, qui lui promit par lettre, en témoignage de gratitude, un beau petit cheval... qui n'existait pas, et ne fut, pour cause, jamais livré. C'est chez Latouche que Balzac, après le fiasco de son imprimerie de la rue des Marais, trouva pendant quelques jours l'hospitalité. Et son hôte prit vite le rôle d'un conseiller, d'un protecteur. C'est lui, qui, abrégeant le séjour de Balzac à Fougères, l'invita à rentrer à Paris pour se mettre sérieusement au travail. Balzac achève *le Dernier Chouan ou la Bretagne en 1800*, mais pas assez vite au gré de Latouche, qui le presse de se hâter, et, le manuscrit enfin remis, proteste devant la quantité prodigieuse de corrections dont Balzac crible ses placards. L'œuvre parut enfin en mars 1829, mais la vente fut médiocre, ce dont Latouche marqua de l'humeur. Il songea à céder les derniers exemplaires invendus; Balzac s'y opposa. Les relations s'aigrirent, et Balzac finit par ne parler de Latouche que comme d'un « ci-devant ami ». La rupture intervint en 1831. L'influence de Latouche sur Balzac fut cependant profonde; en particulier, il apparaît que la tendance au mysticisme toujours présente chez Balzac fut confirmée par le séjour qu'il fit en 1829 chez Latouche, dans sa petite maison d'Aulnay, près de Sceaux. Cette localité était un centre de martinisme. Saint-Martin* y avait séjourné en 1803; il avait initié l'abbé de La Noüe, qui à son tour avait initié Latouche. Si le martinisme n'était pas une nouveauté pour Balzac, et si on ne peut affirmer qu'il fut initié par Latouche, il n'est pas contestable que son amitié avec celui-ci doit être comptée parmi les éléments qui favorisèrent ou développèrent ses tendances à l'ésotérisme.

LAURENTIE. V. *Rénovateur (le)*.

LAURENT-JAN (Alphonse), ami de Balzac, écrivain, dessinateur, boulevardier par-dessus tout (il pourrait être le modèle de Bixiou*); il collabora avec Balzac pour la mise au point de la version dramatique de *Vautrin*.

LAVATER (Jean-Gaspard), philosophe, poète et théologien suisse (1741-1801), célèbre surtout par son *Art d'étudier la physionomie* et par ses *Fragments physiognomoniques*, où il émettait des théories d'après lesquelles, dans le visage, « l'âme entière se reflète ». Théories souvent simplifiées par certains comme étant celles des « bosses ». On sait l'importance que Balzac attachait à l'étude des traits physiques comme indices du caractère moral de l'individu. Il fait dire à Vautrin (*Splendeurs*) qu'Esther a « la bosse de l'amour ».

LEBAS (famille), famille comprenant :
1. Le père, Joseph (né en 1778), d'abord commis au Chat-qui-Pelote, et qui épouse une fille de son patron (*Maison du Chat*). Son ascension est rapide; on le trouve

juge au tribunal de commerce dans l'affaire Birotteau (*Grandeur*). Retiré des affaires, il finira pair de France (*Femme auteur*);
2. Sa femme, née Virginie Guillaume, en 1783 (*Maison du Chat*);
3. Son fils, sans prénom ni date de naissance, substitut du procureur du roi à Sancerre (*Muse*), et pour qui il est question d'un projet de mariage, qui n'aboutira pas, avec Hortense Hulot (*Cousine Bette*).

LECAMUS, nom de deux personnages :
1. Le sieur Lecamus, v. *Sur Catherine de Médicis*;
2. Lecamus (Joseph, baron **de** Tresnes), président d'une cour royale, et qui fait partie, sous le seul nom de Joseph, des Frères de la Consolation (*Envers*); est peut-être un descendant lointain du premier.

Lecamus (les). V. *Sur Catherine de Médicis*.

lecteur. La dédicace « Au lecteur », qui figure en tête de *l'Élixir de longue vie*, est à peu près la seule du genre, Balzac dédiant en principe ses œuvres à des personnages précis. Aussi bien cette dédicace a-t-elle presque une valeur de préface. La conclusion n'en est pas sans une secrète amertume : « La lecture nous donne des amis inconnus, et quel ami qu'un lecteur! nous avons des amis connus qui ne lisent rien de nous. L'auteur espère avoir payé sa dette en dédiant cette œuvre *diis ignotis*. »

LEFEBVRE (Père), préfet des études et bibliothécaire des Oratoriens de Vendôme lorsque Balzac était élève chez eux. Il traita avec bienveillance le jeune Honoré, et lui facilita l'accès de l'abondante bibliothèque du collège.

Légion d'honneur. Balzac ne fut nommé chevalier qu'en 1845 (en même temps qu'Alfred de Musset). Il apprit la nouvelle à Dresde, sans en tirer, semble-t-il, aucune vanité (peut-être par aigreur d'avoir attendu cette nomination trop longtemps à son gré).

« Frédérick Lemaître », par Louis Morin, entouré de ses principaux rôles, notamment Robert Macaire (en haut, à gauche), Don César (dans *Ruy Blas*) [en haut, à droite]. *Musée Carnavalet. Phot. Lauros-Giraudon.*

LEMAÎTRE (Antoine Louis Prosper, dit **Frédérick**), acteur français (1800-1876), ami de Balzac. Son nom est lié à toute l'histoire théâtrale du milieu du XIXᵉ siècle, notamment à celle du théâtre romantique. La création du rôle de Robert Macaire dans l'*Auberge des Adrets* lui valut une renommée immense. C'est sa composition inattendue du rôle de Vautrin dans la pièce de Balzac qui porte ce titre qui provoqua l'interdiction des représentations.

LENONCOURT (famille de), très vieille famille comprenant :
1. Peut-être (?) un cardinal *(Sur Catherine)* ;
2. Peut-être (?) le maréchal duc de Lénoncourt, qui est le tuteur de Marie de Verneuil *(Chouans)* ;
3. Le duc Henri de Lenoncourt, peut-être (?) fils du précédent (date ?), père de Blanche-Henriette, qui deviendra Mᵐᵉ de Mortsauf *(Lys)*. On le retrouve dans *Grandeur*, où il se montre plein de bienveillance

pour la famille de Birotteau ; dans *Entre savants*, où il est au mieux avec Mᵐᵉ Marmus de Saint-Leu ; dans *le Cabinet*, où il intervient en faveur de Victurnien d'Esgrignon ; dans *Splendeurs*, où il s'emploie à sauver l'honneur de familles illustres, compromises par les lettres que détient Vautrin ; dans *les Secrets*, où il assiste à une réunion chez la princesse de Cadignan ;
4. La duchesse Henri de Lenoncourt, née probablement de Blamont-Chauvry, en 1758, et qui n'apparaît pratiquement que dans *le Lys*.

LENONCOURT-GIVRY (duc de). V. *Chaulieu (famille)* [nº 5].

LE POITEVIN de L'ÉGREVILLE (Auguste), homme de lettres (1791-1854), dit **Le Poitevin Saint-Alme**, journaliste, auteur de quelques pièces de théâtre complètement oubliées, et qui ne doit sa notoriété qu'à ses relations avec Balzac. Il fut le premier collaborateur du romancier, avec qui il écrivit quelques romans sous le pseudonyme de **Vielerglé** (v. *Œuvres de jeunesse*).

Lettre adressée aux écrivains français du XIXᵉ siècle, publiée dans la *Revue de Paris* en novembre 1834. Document très important sur la législation, ou plutôt l'absence de législation de l'époque en matière de propriété artistique, et notamment de propriété littéraire. Balzac proteste avec énergie contre le fait que la LOI, qui protège tous les biens, « confisque l'ouvrage du poète qui a pensé ». Il s'insurge à juste titre contre les innombrables contrefaçons (belges pour la plupart) dont sont victimes ses œuvres et celles des autres écrivains, affirmant que « le tiers de la France se fournit de contrefaçons faites à l'étranger ». Passant à l'examen des transcriptions théâtrales des œuvres écrites, il constate que beaucoup d'entre elles sont d'infâmes déformations, d'autant plus détestables que « le nombre de ceux qui voient un vaudeville est supérieur au nombre de ceux qui lisent un livre ». Et il propose « une loi littérairement municipale qui dise à propos des beaux livres :

Il est défendu de déposer ici des pièces de théâtre ».

Tout cela était juste. Les écrivains contemporains, la loi et la jurisprudence actuelles en ont reconnu le bien-fondé ; la campagne de Balzac a abouti à la création de la Société* des Gens de Lettres, dont il devint le président.

Lettre à Charles Nodier sur son article intitulé « De la palingénésie humaine et de la résurrection ». Cet article avait paru dans la *Revue de Paris* en mai 1832 ; la réponse de Balzac, dans la même revue, est d'octobre de la même année. La réponse est affectueuse et élogieuse, mais contient des réserves inquiétantes : l'article de Nodier paraît à Balzac « l'effort d'une âme élevée attaquant des vérités trop haut placées ». Reproche qu'on pourrait retourner au romancier, car les dimensions forcément restreintes d'une lettre sont peu propres aux considérations métaphysiques auxquelles l'auteur se livre un peu rapidement, et pour aboutir à des affirmations hâtivement fondées.

Lettres à l'Étrangère. Ce titre a été donné à la série des lettres adressées par Balzac à Mme Hanska, parce que la première lettre qu'elle lui avait adressée était signée « l'Étrangère ». Leur publication a été commencée par le vicomte de Lovenjoul et poursuivie par M. Bouteron (éd. Calmann-Lévy). Une nouvelle édition, sous le titre *Lettres à Madame Hanska*, augmentée d'inédits et annotée, est en cours de publication aux éditions du Delta, par les soins de M. Pierrot (un volume paru, contenant les lettres écrites de 1832 à 1840 ; trois autres volumes sont en préparation).

Les lettres que Mme Hanska écrivait au romancier ont disparu : on n'a pu, jusqu'ici, en sauver que deux. Lorsque la correspondance reçue de Mme Hanska fournit à Mme de Brugnol* (la Chouette*) l'occasion d'un chantage, Mme Hanska exigea que ses lettres fussent détruites. Balzac s'exécuta avec tristesse.

Les lettres que Balzac écrit à celle qu'il aime présentent souvent une curieuse « rupture » de ton. C'est que certaines d'entre elles pouvaient être lues par

M. Hanski, et que le scripteur, censé alors écrire à un ménage ami dont il avait fait la connaissance, était tenu de garder une certaine dignité épistolaire. Il est arrivé d'ailleurs que des lettres enflammées tombassent entre les mains du mari. De quoi Balzac chercha une justification nébuleuse, notamment en expliquant qu'il s'agissait d'une sorte d'essai littéraire, explication dont le mari accepta d'être dupe.

Les lettres que Balzac écrit à Mme Hanska complètent dans une certaine mesure celles qu'il adressait à sa famille, et spécialement à Laure Surville*. Évidemment, dans le domaine sentimental, le ton n'est pas le même. Mais cette correspondance contient, sur les projets, les espoirs, les déceptions littéraires ou financières du romancier, des renseignements précieux, qui recoupent ce que nous apprennent les lettres à Laure, et qui y ajoutent une quantité d'éléments nouveaux. Car, si la correspondance entre Balzac et Mme Hanska n'a commencé qu'en 1832, alors que les premières lettres à la famille (si on néglige deux ou trois lettres de Balzac enfant ou adolescent) datent déjà de 1819, elle est infiniment plus fournie, détaillée et abondante, et a, en outre, pour le balzacien, l'avantage de coïncider chronologiquement avec la période la plus féconde de la production romanesque.

Il existe cependant entre les deux séries de lettres une réelle correspondance.

Ce qui caractérise le ton des lettres à Mme Hanska, c'est le besoin qu'éprouve Balzac de se justifier. Mme Hanska n'était pas sans manifester parfois quelque jalousie : elle n'avait pas toujours tort. Balzac proteste, gémit de se voir en butte à d'injustes soupçons, et accuse de mauvaises langues de rapporter à son amante des racontars malveillants : il essaie, par exemple, et d'une manière embarrassée et peu convaincante, de repousser l'accusation d'avoir eu des relations avec Olympe Pélissier*. Il se pose en victime, en forçat littéraire, obligé de travailler comme un damné pour honorer les promesses faites aux éditeurs : le tableau était exact, le plus souvent ; il n'était pas toujours exact. Dans le domaine financier,

Balzac entreprend de démontrer que les dépenses qu'il fait ou bien sont indispensables, ou constituent de bons placements. Il faut donc lire ces lettres avec prudence, car il serait aventureux d'y voir les éléments successifs d'une autobiographie exacte. Telles quelles, elles sont pour le lecteur non seulement un document unique sur la vie sentimentale de Balzac, mais une mine de renseignements précieux sur sa vie privée et sur sa vie d'homme de lettres.

Lettre sur Kiew, adressée de Wierzchownia en 1847 à Bertin, directeur du *Journal des débats*, et qui est une relation pittoresque du voyage qui conduisit le romancier de Paris en Russie. La fin comporte une amusante et pénétrante étude des mœurs et de la mentalité russes. Balzac affirme avec force que « personne n'est allé en Russie », en ce sens que ceux qui ont parlé ou écrit de ce pays n'en ont vu qu'une ou deux villes et ne l'ont aperçu que de l'extérieur. Il s'est trouvé, lui, en contact plus direct avec la réalité, physique et humaine, de la Pologne et de la Russie.

Lettres sur Paris, série d'articles sur la vie politique à Paris au début de la monarchie de Juillet, parus dans *le Voleur* de septembre 1830 à mars 1831, et signés simplement « le Voleur ».

Lettre sur le procès de Peytel, publiée dans le journal *le Siècle* en septembre 1839. L'affaire Peytel est une sombre histoire à laquelle s'est intéressé Balzac, qui en connaissait le héros. Celui-ci, ancien journaliste, devenu notaire à Belley, fut accusé, le 1er novembre 1838, d'avoir, dans la nuit, sur la route, assassiné sa femme et son domestique Louis Rey. Balzac prit à cœur de le défendre, et fit même le voyage de Belley pour essayer de sauver, sur place, la tête de l'accusé. Sa lettre au *Siècle* est une habile défense, mais qui resta inutile, car il le condamné, et dont le pourvoi en cassation avait été rejeté, fut exécuté. V. l'ouvrage de M. Perrod, *l'Affaire Peytel* (Hachette, 1958).

LEWIS (Grégoire-Mathieu), auteur « noir » (1773-1818), imitateur de Mrs. Radcliffe,

« L'Homme du monde », par Humann. Lithographie du journal *le Voyageur*. Voici comment on peut se représenter la tenue du « lion » à l'époque de Balzac. *Maison de Balzac. Phot. Lauros - Giraudon.*

et dont l'œuvre la plus sinistre, *le Moine*, est citée par Balzac.

lion. Ce mot, venu en ce sens de l'anglais, où il était courant dans cette acception dès le XVIIIe siècle, désigne ce qu'on a appelé d'abord le dandy, c'est-à-dire le jeune homme d'une parfaite élégance, très mondain, toujours soucieux de la mode, et généralement désœuvré. Le mot, dont l'origine remonterait aux lions de la Tour de Londres, objet de curiosité et d'admiration, était récent à l'époque de Balzac (1838 environ, semble-t-il ; mais Musset avait déjà employé le féminin *lionne*, dès 1830). Dans la *Comédie*, on rencontre divers « lions », dont le spécimen le plus célèbre est La Palférine (v., en particulier, *Un prince de la bohème*).

LISTOMÈRE (famille *de*), famille dont la filiation est confuse et les représentants si nombreux dans la *Comédie* qu'on risque de les confondre :
1. Marquise douairière de Listomère, *grand-tante* de Félix et Charles de Vandenesse *(Lys)*;

2. **Marquis de Listomère,** fils de la marquise douairière. Il épouse sa cousine (sans prénom), Mlle de Vandenesse, sœur aînée de Félix et de Charles (Lys). La marquise de Listomère, son épouse, est l'héroïne principale d'*Étude de femme.* On la retrouve à plusieurs reprises et notamment lorsqu'elle essaie d'inciter sa belle-sœur, la jeune comtesse Félix de Vandenesse, à céder aux sollicitations de Nathan *(Fille d'Ève);*

3. **Une demoiselle de Listomère,** impossible à intégrer dans la famille, apparaît dans *Mémoires;*

4. **Comtesse de Listomère-Landon,** de filiation énigmatique (branche collatérale?), vieille dame charmante qui habite à Tours et y reçoit sa nièce, la marquise d'Aiglemont *(Femme de trente ans);*

5. **Une autre comtesse de Listomère,** également impossible à rattacher à la famille, figure dans *le Député;*

6. **Baronne de Listomère,** veuve d'un lieutenant général (filiation ??), habitant Tours et jouant un rôle important dans *le Curé de Tours,* ainsi que son neveu, le baron de Listomère.

LISZT (Franz) [1811-1886]. Balzac a dédié *la Duchesse de Langeais* à ce grand compositeur, dont la dédicace estropie d'ailleurs le nom en Listz. Mais le nom seul est indiqué, sans commentaire, ce qui n'est pas un hasard. On peut considérer le fait d'avoir dédié un roman à Liszt comme un geste de banale courtoisie, que Balzac regrettera d'ailleurs plus tard. Car le moins qu'on puisse dire est que les relations des deux hommes furent peu chaleureuses. La liaison du compositeur avec la comtesse d'Agoult est évoquée d'une manière transparente dans *Béatrix,* encore que Balzac se soit défendu d'avoir voulu « portraiter » Liszt dans le personnage de Conti. Le romancier avait d'ailleurs contre le musicien des griefs précis; il avait recommandé Liszt à Mme Hanska, qui se trouvait alors à Saint-Pétersbourg, et cela avec les meilleures intentions : la fille de Mme Hanska, Anna, était très douée pour la musique et le piano, et l'on sait que Liszt était un extraordinaire virtuose de cet instrument. Mais Mme Hanska, lors-

qu'elle reçut le maître, fut vivement impressionnée par sa personnalité, et son Journal traduit ce trouble avec une candeur assez naïve. Lorsque Balzac apprit le danger que son amour pour Éveline avait couru, il regretta d'avoir inconsciemment joué avec le feu. C'est dire que, lorsqu'il revit Liszt en 1844, lors d'un des passages à Paris du grand pianiste (qui parcourait le monde dans ses tournées de concerts), leurs rencontres furent peu amènes, d'autant plus que Liszt, avec une délicatesse contestable, s'étonnant de n'avoir pas de nouvelles de Mme Hanska, pria le romancier de vouloir bien intervenir auprès d'elle pour qu'elle lui écrivît. D'où ce jugement sans indulgence de Balzac : « Ce garçon ignore tout ce qui n'est pas exécution de la musique. »

LORA (Léon **de**), de son vrai nom Léon *Didas y Lora,* d'une famille noble du Roussillon, d'origine espagnole. Il vint à Paris pour y étudier la peinture et fut complètement oublié des siens. Mais il devint l'élève, le « rapin », de Schinner et de Joseph Bridau. Il accompagna celui-ci dans son voyage au château de Presles, et donna dans la diligence un échantillon de cet esprit narquois, de cette « rosserie », riche en à-peu-près, pas toujours heureux, qui le caractérisent dans divers romans *(Début).* Son talent réel lui permit de faire une belle carrière, au cours de laquelle il vint en aide à des confrères moins heureux : il sut conseiller Grassou *(Pierre Grassou),* et aida à tirer Steinbock de la prison pour dettes *(Cousine Bette),* Mais on le rencontre aussi en Italie, où il voyage avec Félicité des Touches *(Honorine),* et, toujours fertile en plaisanteries, il pilote son cousin Gazonal dans son expédition à travers Paris *(Comédiens).*

LORAUX (abbé), né en 1752, vicaire de Saint-Sulpice, puis curé des Blancs-Manteaux, personnage épisodique de nombreux romans, qui confesse, dirige, ou assiste de ses conseils plusieurs personnages : Mme Bridau *(Rabouilleuse),* Mme Guillaume *(Maison du Chat),* Mme Birotteau *(Grandeur),* le comte Octave de Bauvan *(Honorine),* etc.

lorette. Ce mot ne s'emploie plus. Il désignait les femmes de mœurs légères, parce qu'elles habitaient le quartier de Notre-Dame-de-Lorette, église qui doit elle-même son nom au sanctuaire de la Vierge à Loretto (Italie). Ce quartier est ironiquement appelé par Balzac le treizième arrondissement. (Il n'y avait que 12 arrondissements à Paris du temps de Balzac.) Pour Balzac, « lorette est un mot décent inventé pour exprimer l'état d'une fille ou la fille d'un état difficile à nommer ». « Mademoiselle Turquet, ou Malaga » est l'une des premières paroissiennes de cette charmante église » (Homme d'affaires). Le romancier fait remonter l'emploi du mot à 1840 ; les étymologistes proposent la date de 1841.

LOUISE. On ne connaît que le prénom de cette mystérieuse correspondante avec qui Balzac échangea des lettres en 1836, et qu'il ne vit jamais. C'est à elle qu'il dédia *Facino Cane*, dans les termes suivants : « À Louise comme un témoignage d'affectueuse reconnaissance ». La dédicace fut supprimée ultérieurement.

Louis Lambert, monographie en forme de roman, conçue d'abord comme une *Notice biographique sur Louis Lambert*, élaborée en partie au château de Saché, parue sous sa première forme en 1832, complétée en 1835, remaniée à plusieurs reprises ultérieurement. N° 131 (*Études philosophiques*). Dédicace en latin : *Et nunc et semper dilectae dictatum* (« dédié à celle qui est chérie maintenant et le sera toujours ») [Mme de Berny, que Balzac appelait sa Dilecta].

Cette œuvre relativement courte comprend trois parties : récit de la vie de Louis Lambert ; lettres de Louis Lambert à la femme qu'il aime ; pensées de Louis Lambert.

Le héros est le fils unique d'un tanneur de Montoire. Pour lui épargner le service militaire, ses parents le vouent à l'état ecclésiastique ; à l'âge de dix ans, il est envoyé chez son oncle, curé de Mer. Au cours de vacances passées chez ses parents, il rencontre à la campagne une promeneuse qui n'est autre que Mme de Staël

(alors bannie par l'Empereur loin de Paris). Elle constate avec surprise que l'enfant est capable de lire et de comprendre le livre de Swedenborg* *le Ciel et l'Enfer*. Émerveillée par la précocité de ce « vrai voyant », elle l'installe à ses frais comme élève chez les Oratoriens de Vendôme, où Balzac le rencontre. Esprit génial, mais rêveur, Lambert est considéré par ses maîtres comme un élève médiocre. Après avoir achevé ses études chez les Oratoriens, il passe quelque temps à Blois auprès de son oncle, puis vient à Paris dans l'espoir d'y rencontrer Mme de Staël, et n'y arrive que le jour de la mort de sa bienfaitrice. Il passe à Paris plusieurs années, au cours desquelles commencent à se manifester chez lui des troubles inquiétants. Revenu à Blois, il y fait la rencontre de Mlle Pauline-Salomon de Villenoix, dont il tombe amoureux. Le mariage va être célébré quand Louis Lambert devient fou. Sa fiancée le recueille avec amour et dévouement dans sa propriété et l'y soigne jusqu'à sa mort, qui survient trois ans plus tard. La maladie comporte certaines périodes de rémission, où Mlle de Villenoix peut emmener son fiancé en voyage. C'est au cours d'un de ces voyages que Louis Lambert apprend l'histoire qui sera racontée dans *Un drame au bord de la mer*.

De cette œuvre curieuse, d'une présentation inhabituelle pour un roman, il faut retenir une très longue et très précise description de la vie que Balzac lui-même a menée chez les Oratoriens de Vendôme. Mais l'auteur avait de plus vastes desseins. Il pensait « lutter avec Goethe et Byron, avec Faust et Manfred ». La lecture en est particulièrement révélatrice quant aux ambitions philosophiques de Balzac. Louis Lambert, c'est évidemment (la folie mise à part) Balzac lui-même : l'homme de génie perd le contact avec l'humanité par son élévation même ; par son besoin d'absolu, dans la pensée comme dans l'amour, par l'impossibilité d'atteindre à cet absolu dans le domaine terrestre, Louis Lambert perd la raison. Il est à sa manière, et dans le domaine des idées pures, une de ces victimes de la « recherche de l'absolu » que présente ailleurs Balzac. Interviennent dans ce drame un certain nombre de théories mystiques, où l'auteur donne libre cours à son goût pour l'ésotérisme et la magie, et un essai de théorie de la volonté.

Nécessaire à qui veut connaître la pensée balzacienne, la lecture de cette œuvre laisse une impression assez décevante. C'était bien l'avis de Balzac lui-même, qui juge, et cette fois avec une sévérité excessive, ce roman comme « le plus triste des avortons ». Ce n'était pas, semble-t-il, dans cette recherche que devait se manifester son génie.

LOUSTEAU (Étienne) [né en 1799], fils d'un personnage qui n'apparaît que dans *la Rabouilleuse*. Il est, dans *la Comédie*, le type de l'arriviste-homme de lettres-journaliste-maître chanteur de la plus méprisable espèce. C'est lui qui lance Rubempré dans le journalisme *(Illusions)*. Longtemps rédacteur en chef du journal de Finot, il finit par être le feuilletoniste à la mode, ce qui lui vaut l'admiration et l'amour de Mme de La Baudraye *(Muse)*. Au besoin, vil des femmes : il n'hésite pas, après la rupture, à venir solliciter de son ex-amante un secours en argent *(Muse* [conclusion])*. Il n'est guère, dans *la Comédie*, de soupers entre journalistes, viveurs, lorettes, où il n'apparaisse. On le retrouve comme codirecteur d'un théâtre dans *les Comédiens*.

LUPEAULX (comte Clément *Chardin des)* [né en 1784]. Il fait dans l'administration une carrière régulière et brillante (auditeur, puis maître des requêtes au Conseil d'État, secrétaire général du ministère des Finances, puis de la présidence du Conseil). C'est surtout dans *les Employés* que l'on assiste à son ascension. Dépourvu de fortune, il mène cependant une vie mondaine très absorbante *(Illusions)*, et fréquente les roués de Paris. Il a été le protecteur d'Esther Gobseck au début de la « carrière » de celle-ci *(Maison Nucingen)*. Très habile, il sait exploiter toutes les protections, y compris celles des femmes influentes comme Mme d'Espard *(Illusions)*. Dans *Splendeurs*, il arrive à l'apogée de son influence, et intervient, au nom du roi, pour étouffer le scandale des lettres d'amour écrites par des dames de la plus haute société, et détenues par Vautrin.

Il réussit à « caser » son neveu comme sous-préfet de La Ville-aux-Fayes *(Paysans)*.

lutte (Une), court récit paru en 1830 dans *la Caricature*, sous la signature Alex de B..., et où l'on voit le héros défenestrer un jaloux qui l'a surpris chez sa femme. Cette page, qui pourrait être vaudevillesque, est écrite sur le mode mélodramatique, et n'a d'intérêt qu'à ce point de vue-là, car elle rappelle que Balzac est capable de pousser le drame jusqu'à l'horreur (v., en particulier, *la Fille aux yeux d'or*).

Lys dans la vallée (le). Les deux premières parties parurent fin 1835 dans la *Revue de Paris*; publication interrompue dans cette revue à la suite de démêlés avec Buloz*; publication intégrale chez Werdet en juin 1836. N° prévu : 33 *(Scènes de la vie de province)*. Une note de Balzac sur le « Furne corrigé » prévoyait l'insertion dans les *Scènes de la vie de campagne*. Dédié au Dr Nacquart*. Le roman est écrit à la première personne. Le héros, Félix de Vandenesse, est amoureux de la comtesse Nathalie de Manerville. Mais elle a deviné qu'il y avait dans la vie sentimentale du jeune prétendant un « fantôme », et lui demande de lui raconter loyalement l'aventure amoureuse qu'il a vécue. C'est ce récit qui fait tout le roman.

Félix de Vandenesse raconte d'abord son enfance et sa jeunesse, entre une mère peu aimante (rappel des souvenirs de Balzac) et des frères et sœurs dont il était plus ou moins le souffre-douleur, puis dans une pension maussade. Il est resté un jeune homme timide et replié sur soi, lorsque, au cours d'un grand bal à Tours, il voit s'asseoir à côté de lui une inconnue d'une très grande beauté qui, à le voir si triste et effacé, l'a pris d'abord pour un enfant malheureux. Mû par une impulsion irrésistible, il dépose un baiser sur l'épaule nue de la belle inconnue, qui s'éloigne offensée, le laissant à la fois plein de honte et du sentiment enivrant d'avoir découvert l'amour.

Envoyé par sa famille chez des amis au château de Frapesle, il est emmené en visite par son hôte, M. de Chessel, chez des voisins, au château de Clochegourde, et, dès l'entrée, reconnaît la belle inconnue de Tours en la personne de la châtelaine, Mme de Mortsauf (souvenir évident de Mme de Berny). Elle est mariée à un homme maladif et violent, dont elle a deux enfants, également maladifs, Madeleine et Jacques. Pris comme partenaire au jeu par M. de Mortsauf, Félix finit par être « bientôt de la maison ». Une tendre et profonde passion, réciproque, mais parfaitement pure, unit le jeune homme à la comtesse.

Appelé à Paris pour la carrière politique que devait suivre tout jeune homme de bonne famille au service des Bourbons, Félix part, muni des recommandations de Mme de Mortsauf. Elle lui a remis une longue lettre où elle étudie avec pénétration les conditions dans lesquelles doit évoluer un jeune homme qui débute dans la société. Il est amené à revenir deux fois à Clochegourde, où Mme de Mortsauf a craint pour la santé de son fils, puis de son mari, qu'elle soigne, aidée de Félix, avec un admirable dévouement. Mais celui-ci doit de nouveau repartir pour Paris. Là, le bruit de l'aventure sentimentale vécue par ce jeune homme, devenu un brillant homme du monde, finit par courir les salons, et une jeune Anglaise très belle, lady Arabelle Dudley, entreprend de le séduire, et y réussit. Il devient son amant, sans perdre les sentiments qu'il éprouve pour l' « épouse de l'âme » qu'est restée Mme de Mortsauf.

Celle-ci a appris l'infidélité de Félix. Elle ne répond plus à ses lettres ; éperdu, il part pour Clochegourde, où Mme de Mortsauf le reçoit avec tristesse et lui annonce qu'elle sent sa mort prochaine (thème balzacien de la prémonition). Rentré à Paris, il finit par être exaspéré par la légèreté et la frivolité moqueuse d'Arabelle. Des nouvelles inquiétantes lui parviennent de Clochegourde ; Mme de Mortsauf est au plus mal. Il accourt pour assister à ses derniers jours ; la maladie qui la mine est implacable. Elle sait qu'elle va mourir, et, au dernier moment, exhale avec une amertume désespérée ses regrets de n'avoir pas vraiment vécu ; elle dénonce les mensonges de la morale traditionnelle qui l'ont forcée à renoncer au droit de vivre et d'aimer. Et cela, en des termes d'une violence telle que Balzac a cru devoir, dans les éditions ultérieures, en supprimer une partie, sur le conseil de Mme de Berny. Calmée par l'opium, rassérénée, elle meurt chrétiennement, recevant les secours de la religion, non sans avoir remis à Félix une lettre qu'il doit lire après sa mort. Elle y déclarait que son dévouement à son mari et à ses enfants n'était en quelque sorte que la rançon de son amour pour Félix.

Là s'arrête le récit de Félix de Vandenesse. Le livre s'achève par une lettre de Nathalie de Manerville. Elle ne peut accepter l'amour du narrateur. Elle craint que l'image de la pure et noble créature que fut Mme de Mortsauf ne s'interpose sans cesse entre Félix et elle ; elle lui rend sa liberté et ne sera pour lui qu'une amie. Le succès de librairie du roman fut considérable. Y contribua, il est vrai, une polémique financière entre l'auteur et Buloz, dans la revue de qui avaient paru les deux premières parties. La critique ne fut pas unanime : la brutalité des dernières pages apparut à certains comme une indécence.

La postérité a fait à ce chef-d'œuvre des fortunes diverses. Il fut longtemps considéré, et par les meilleurs, comme une œuvre médiocre. Les fervents de Balzac ont légitimement réformé ce jugement. D'aucuns, avec Alain, y voient le chef-d'œuvre du romancier. Le discrédit dont l'œuvre a trop longtemps souffert s'explique peut-être par une vue un peu étroite de ce qu'on pourrait appeler la spécialité de Balzac : on n'a voulu voir en lui que le peintre réaliste de la société moderne. Balzac a voulu prouver qu'une simple et pure histoire pouvait aussi inspirer son génie. Il avait peu goûté *Volupté* de Sainte-Beuve, et a voulu montrer ce qu'un vrai romancier pouvait tirer de la situation imaginée par ce dernier. *Le Lys dans la vallée* représente l'apport de Balzac au genre du roman personnel, qui va de *René* à *Dominique*.

Quatre interprétations pour l'illustration du *Lys*. Les deux premières, respectivement de Bertall et de Staal, représentent Mme de Mortsauf et ses enfants; la troisième est due à Cossé, d'après Stall *(sic)* : elle montre la promenade en bateau; et la quatrième, de Maxime Dethomas, a pour sujet la rencontre au bal, à Tours. *Phot. Lauros-Giraudon, X, Larousse, Lauros-Giraudon.*

Madame de La Chanterie. V. *Envers de l'histoire contemporaine (l').*

Madame Firmiani, courte nouvelle parue en février 1832 dans la *Revue de Paris.* N° 14 *(Scènes de la vie privée).*

Mme Firmiani est une jeune et charmante veuve, qui a une belle fortune et tient rue du Bac un salon brillamment fréquenté. Son mari est mort en Grèce. Mais les lenteurs consulaires et administratives ne lui ont pas encore permis d'en avoir la confirmation légale. Elle passe pour la maîtresse du jeune Octave de Camps, qui vit modestement rue de l'Observatoire en donnant des leçons de mathématiques. Cette situation surprend et indigne l'oncle du jeune homme, le vieux M. de Bourbonne. Celui-ci est convaincu que son neveu s'est ruiné pour Mme Firmiani, et il vient lui demander des explications. Octave les donne : il n'est pas l'amant, mais le mari de Mme Firmiani, qu'il a épousée secrètement, en attendant la confirmation officielle de son veuvage, à Gretna Green. Mais il a confié à sa femme que la fortune de son père, dont il jouissait, était édifiée sur la ruine d'une certaine famille Bourgneuf, réduite sinon à la misère, du moins à la gêne. Mme Firmiani tenait à avoir pour Octave plus que de l'amour, de l'estime, et elle a demandé à son mari de restituer aux victimes les sommes détournées. C'est ce qui explique sa pauvreté. À la fin de la conversation, Mme Firmiani arrive pour apprendre à son mari que, informée légalement du décès de son premier époux, elle peut disposer en toute propriété de l'énorme héritage qu'il lui a laissé. Elle supplie Octave d'accepter sa fortune ; il est plus riche qu'elle, car il a « dans le cœur des trésors auxquels Dieu seul saurait ajouter ». Le vieillard témoin de la scène conclut que Mme Firmiani est « tout ce qu'il y a de bon et de beau dans l'humanité ».

Cette nouvelle touchante, où Balzac a su éviter la mièvrerie qui menace les histoires édifiantes, présente, en outre, un intérêt plus profond : Balzac s'est amusé, dans une introduction relativement très longue par rapport aux dimensions du récit, à faire parler de Mme Firmiani des personnages très divers, qui donnent de la situation sociale, matérielle, de la beauté, du caractère de l'intéressée, une série de descriptions ou d'explications toutes différentes, mais également fausses. « Nous sommes tous des planches lithographiques dont une infinité de copies se tirent par la médisance. »

Madame Marneffe, « drame-vaudeville » en cinq actes, tiré de *la Cousine Bette* par un certain Clairville, et représenté au Gymnase en 1849.

Mademoiselle du Vissard ou la France sous le Consulat. Nous n'avons que le début de ce récit, resté inachevé, et dont Balzac avait conçu le sujet en janvier 1847, ce qui explique qu'il ne figure pas dans le plan de *la Comédie.* Le titre lui-même, dans l'ignorance où nous sommes de ce qu'a voulu faire l'auteur, constitue une énigme. Car il y est essentiellement question du jeune Amédée Rifoël, chevalier du Vissard. Mais il a « la voix douce », « les manières féminines » ; tout en lui est « d'une distinction et d'une grâce adorables ». Balzac envisageait-il de lui faire jouer le rôle d'un travesti ? Au demeurant, cette apparence féminine cache une âme de fer. L'intrigue (qui se rattache visiblement à celle des *Chouans*) nous montre le chevalier, hôte de la comtesse du Gua, prêt à reprendre les armes pour la cause du roi, et attendant impatiemment la venue de Cadoudal. Un inconnu, qui a gagné la côte à la nage, se présente ; il se fait reconnaître comme homme de confiance de Cadoudal. L'histoire, après quelques pages, s'interrompt ici.

MAFFEI (comtesse Clara), chez qui Balzac fut reçu lors de son séjour à Milan en 1837. Il lui a dédié *la Fausse Maîtresse*.

Maffliers. V. *Isle-Adam (L')*.

magnétisme. Il est banal de signaler dans la pensée et l'œuvre de Balzac la croyance en la puissance des forces occultes. Lui-même non seulement croyait aux magnétiseurs, mais se considérait comme doué d'un réel pouvoir magnétique, et n'hésitait pas à s'en vanter. Les contemporains les moins crédules et les moins bienveillants ont reconnu cette espèce de pouvoir magique qui émanait de son regard ; s'il est permis d'être sceptique sur l'origine surnaturelle de ce pouvoir, on est bien obligé de croire les contemporains lorsqu'ils admirent la puissance étonnante de ces « yeux bruns remplis d'or », dont la beauté, dès la première rencontre, frappa Mme de Pommereul. Incontestablement, certains succès féminins de Balzac s'expliquent non seulement par sa personnalité et par sa gloire d'écrivain, mais par l'ardeur et la profondeur d'un regard dont l'iconographie n'a que partiellement traduit la beauté.
Cette puissance magnétique, Balzac l'a prêtée à tel de ses personnages, et en particulier à Vautrin, qui subjugue ceux qu'il a choisis comme victimes, non seulement par la force de sa personnalité, mais par l'énergie de son regard.

MAGUS (Elie), usurier, marchand de tableaux et spécialiste en faux. Il transforme une série de pastiches en chefs-d'œuvre munis de signatures flatteuses et les vend au naïf M. Vervelle *(Pierre Grassou)*. On le retrouvera dans *le Cousin Pons*, lorsqu'il vient expertiser la collection de celui-ci, qu'il achète à Schmucke pour une bouchée de pain.

maison de Balzac, dite *musée Balzac*, propriété de la Ville de Paris, 47, rue Raynouard (métro Passy ; tél. 224-56-38). Ouverte tous les jours, y compris le dimanche (sauf mardi et jours fériés), de 10 heures à 12 heures et de 14 heures à 17 heures (18 en été). Entrée : 2 F. Petit guide descriptif. Catalogue en projet. Bibliothèque de documentation balzacienne.

1. HISTORIQUE. C'est la maison de la rue Basse, où Balzac habita de 1840 à 1847. Trouvant les « Jardies » trop éloignées, il souhaita, sans résider dans Paris, ce qui l'aurait contraint à accomplir des périodes de garde national, se rapprocher sensiblement de la capitale. Passy était alors un village non encore intégré à Paris. La maison était entourée de parcs et de jardins. Elle constituait une dépendance d'un hôtel datant du XVIIIe siècle, et qui, après des fortunes diverses, était alors la propriété d'un sieur Grandemain, boucher retraité. Cette modeste demeure donnait sur un petit jardin. Pour y arriver, il fallait traverser une maison, aujourd'hui démolie, et descendre un escalier. On aboutissait alors (et l'on aboutit toujours) à une construction apparemment sans étage, mais qui était, en réalité, le deuxième étage de l'habitation. Un escalier dérobé, commandé par une porte discrète, descendait au premier étage, puis au rez-de-chaussée, qui donnait sur la rue du Roc, aujourd'hui rue Berton. Cette disposition s'explique par le fait que la rue Basse, comme la rue Raynouard qui l'a remplacée, courait sur une sorte de falaise descendant en pente rapide sur la rive de la Seine. Cette particularité était précieuse ; harcelé par des créanciers, Balzac avait la possibilité de s'esquiver prestement. Par une précaution supplémentaire, il s'abritait là sous l'identité d'une certaine Mme de Brugnol*, sa gouvernante, qui ouvrait aux visiteurs, habita longtemps avec lui, et se livra plus tard à un chantage peu reluisant. Mme de Balzac vint habiter la rue Basse de novembre 1840 à mai 1841 ; elle se lassa de la vie que menait son fils, et lui-même de l'humeur de sa mère.

2. ÉTAT ACTUEL. La maison est admirablement conservée. Peu de meubles. Ils prirent en 1847 le chemin de la rue Fortunée, et furent vendus aux enchères à la mort de Mme Honoré de Balzac. Subsistent cependant des souvenirs très précieux : fauteuil, cafetière, et le fameux christ légué par Balzac à Mlle Marie du Fresnay*. On a pu rassembler dans les diverses pièces de la maison des documents de toutes sortes et de grande valeur : nombreux portraits, en particulier l'agrandissement de la miniature, faite à Vienne, de Mme Hanska, agrandissement que Balzac reçut avec enthousiasme et qu'il avait sans cesse devant les yeux. Iconographie très riche de Balzac, de sa famille, de ses amis et relations ; documents authentiques sur sa vie, ses projets, ses comptes, etc.

3. Le visiteur qui veut s'imprégner de l'atmosphère agreste où vivait alors Balzac doit absolument parcourir l'ancienne rue du Roc, aujourd'hui rue Berton (pas d'accès direct actuellement du rez-de-chaussée de la maison). En sortant du musée, prendre à gauche la rue Raynouard, et de nouveau la rue Berton, qui se poursuit en un véritable sentier entre des murailles bordant des jardins. Une borne signalée par une inscription marque la limite des villages qu'étaient alors Passy et Auteuil.

Maison du Chat-qui-Pelote (la) [titre primitif conservé jusqu'en 1833 : *Gloire et Malheur*], court roman écrit à Maffliers et daté octobre 1829 ; paru en avril 1830. N° 4 *(Scènes de la vie privée)*.

La maison du Chat-qui-Pelote, ainsi nommée à cause de son enseigne, est une boutique de drapier, tenue, rue Saint-Denis, par un sieur Guillaume, et qui prospère grâce au sens des affaires du négociant. Celui-ci a deux filles ; l'aînée, Virginie, n'a guère que des qualités morales ; la cadette, Augustine, est une merveilleuse beauté. Joseph Lebas, commis chez Guillaume, est amoureux de la plus jeune, mais c'est l'aînée qu'il devra épouser. Car un peintre de talent, Théodore de Sommervieux, ayant admiré le ravissant profil d'Augustine, aperçue par hasard, a fait son portrait qui, exposé au Salon, lui

Maison de Balzac : le fauteuil du romancier, le moulage de sa main, la célèbre cafetière. *Maison de Balzac. Phot. Lauros-Giraudon.*

a valu gloire et décorations. Augustine, amoureuse de son peintre, obtient, malgré les résistances de ses parents, l'autorisation de l'épouser. Le drapier marie ses deux filles le même jour. Et il se retire des affaires, en transmettant son fonds de commerce à son ancien commis, devenu son gendre. Celui-ci conserve les bonnes traditions de la maison, qui continue à prospérer. En revanche, le mariage d'Augustine n'est pas heureux. Son mari la délaisse, la trompe. Malgré les conseils de ses parents, elle refuse de divorcer, et mène une vie languissante, jusqu'à sa mort, à l'âge de vingt-sept ans.

Pour la description de la maison et de l'activité commerciale de Guillaume, Balzac s'est inspiré du magasin de drapier que tenait son oncle Sallambier, à l'enseigne de *la Toison d'or.*

Le récit est, dans une certaine mesure, un roman à thèse. Augustine, fille d'honnêtes commerçants, n'est pas faite pour être la compagne d'un homme de génie. Elle ne le comprend pas; elle souffre, et son étroitesse d'esprit exaspère son mari. Elle n'est pas faite pour « les puissantes étreintes du génie ».

Maison Nucingen (la), roman en forme de conversation, paru en octobre 1838. N° 56 *(Scènes de la vie parisienne).* Dédié à Zulma Carraud.

Dans un cabinet particulier d'un restaurant parisien, de joyeux convives (qui figurent d'ailleurs dans d'autres romans de Balzac), le caricaturiste Bixiou, les journalistes Finot et Blondet, et quelques autres, échangent sur les personnages qu'ils ont connus, et dont beaucoup apparaissent dans *la Comédie humaine,* des indiscrétions, des impressions, des commentaires souvent spirituels et mordants, mais généralement sans indulgence. Ils en viennent ainsi à entendre l'exposé, par la bouche de l'un d'eux, des conditions dans lesquelles s'est constituée la fortune de Nucingen.

Celui-ci est le type des « personnages reparaissants » de Balzac. Mais l'exposé qui occupe une partie importante du roman est essentiellement consacré à l'étude de la manière dont s'est construite la « Maison Nucingen », autrement dit des manœuvres qui ont permis à son fondateur d'être un des plus illustres et des plus puissants représentants de la « haute banque » (titre auquel avait songé Balzac). Schématiquement, sa fortune s'est édifiée sur trois « liquidations ». Alsacien, fils d'un juif converti, il a débuté à douze ans comme commis dans la banque Aldrigger de Strasbourg, puis, ayant vite acquis un sens aigu de la finance, il se lança dans les affaires, et procéda à une première liquidation en désintéressant ses créanciers par des valeurs dépréciées. La deuxième liquidation fut facilitée par une spéculation habile sur l'effondrement des valeurs à l'occasion de la chute de l'Empire. Ne dédaignant pas de joindre les spéculations commerciales aux spéculations financières, Nucingen profite de l'occupation étrangère pour vendre aux Alliés un stock impressionnant de champagne et de bordeaux qu'il a su acheter à bas prix. La troisième liquidation, celle qui est

expliquée de la manière la plus complète (et souvent technique), est le chef-d'œuvre du genre. Elle repose sur le faux bruit, qu'a fait courir Nucingen lui-même, de sa disparition et de sa fuite à l'étranger.

Ce démontage des rouages de la haute banque n'aurait guère qu'un intérêt technique si Balzac n'avait su y joindre un élément humain. Ces spéculations font des victimes, et le sort de quelques-unes d'entre elles résume la somme des malheurs qui atteignent les dupes de ces trop habiles manœuvres. La baronne d'Aldrigger, veuve de ce même Aldrigger dans la banque de qui Nucingen avait fait ses premières armes, voit ce qui lui reste de fortune englouti dans la faillite Claparon (l'homme de paille qui fut l'instrument et la victime de Nucingen pour la troisième « liquidation »). Elle vit modestement avec sa fille aînée Malvina, qui ne se marie pas, et gagne leur existence en donnant des leçons de piano. L'autre fille, Isaure, a épousé Godefroid de Beaudenord, qui, riche lui aussi, ne l'est plus après la faillite du même Claparon, qui lui coûte toute sa fortune. Le gendre, son épouse, la baronne d'Aldrigger et sa fille Malvina en sont réduits à végéter ensemble dans un même petit logement. Il est juste de dire que Nucingen fera réintégrer plus tard Beaudenord dans l'administration des Finances, à laquelle il avait appartenu, et d'où il avait été chassé par la Révolution de 1830.

On voit avec quelle virtuosité Balzac évolue dans le dédale des affaires financières. L'exposé qu'il en fait ici pourrait paraître fastidieux s'il ne tendait à mettre en valeur une thèse : Nucingen se tire victorieusement d'affaires douteuses parce que « les lois sont des toiles d'araignée à travers lesquelles passent les grosses mouches et où restent les petites ». Si la métaphore est hardie, le sens est clair. Balzac, qui évita de justesse la prison pour dettes pour des... manipulations mineures, est mieux placé que personne pour s'indigner de l'impunité où prospèrent des aigrefins dont les spéculations ruinent les familles. La thèse morale et sociale évolue même en thèse politique : le salut ne peut venir que du « gouvernement absolu, le seul où les entreprises de l'Esprit (il faut entendre l'esprit de spéculation retorse) contre la loi puissent être réprimées ».

La ressemblance de Nucingen avec le baron James de Rothschild* est purement extérieure. Celui-ci, dont les affaires, d'ailleurs, étaient gérées honnêtement, garda toujours la sympathie et la reconnaissance de Balzac.

Maître Cornélius, nouvelle écrite au château de Saché, publiée en décembre 1831 dans la *Revue de Paris.* N° 122 (*Études philosophiques*).

L'histoire se déroule sous Louis XI. Marie de Sassenage, fille du roi, et épouse d'un vieux jaloux, le comte Aymar de Poitiers, sire de Saint-Vallier, est aimée d'un jeune gentilhomme, Georges d'Estouteville. Il désirerait la rejoindre chez elle nuitamment. Mais il n'y a d'autre moyen d'y arriver qu'en venant de la maison d'un voisin du sire de Saint-Vallier, messire Hoogsworth. Celui-ci, nommé Maître Cornélius, est argentier du roi. D'une avarice sordide, il vit avec sa vieille sœur. Georges d'Estouteville se présente chez lui en se faisant passer pour un certain Philippe Goulenoire, et porteur d'une lettre de change émanant d'un banquier de Bruges, Osterlinck. Cette caution lui permet de demander et d'obtenir l'autorisation de passer la nuit chez Maître Cornélius. La nuit, au prix d'acrobaties périlleuses, il s'introduit auprès de celle qu'il aime, puis regagne sa chambre. Mais il est tout surpris, en se réveillant trop tard, de trouver auprès de lui des gens armés. Maître Cornélius, qu'on a plusieurs fois cambriolé, et qui a déjà fait supplicier plusieurs de ses serviteurs accusés du méfait, a encore été volé cette nuit-là. Nul doute : le jeune homme est cette fois le coupable. On l'emmène pour lui faire subir la question. Mais Marie de Saint-Vallier demande audience à son père, le roi, et lui affirme que Georges d'Estouteville est innocent, puisqu'il a passé la nuit auprès d'elle. Le roi se mue alors en enquêteur privé, et finit par découvrir que son argentier est somnambule et se vole lui-même. A cette révélation, la vieille sœur de Cornélius tombe raide morte, et lui-même

sombre rapidement dans une mélancolie telle qu'il en est réduit à se couper la gorge avec un rasoir.

Amusant portrait de deux avares, le roi et son argentier, et spécimen réussi de ce que nous appellerions aujourd'hui le roman de détection.

maladie dans « la Comédie humaine » (la). Dans le monde que décrit Balzac, la maladie joue un tel rôle qu'elle méritait d'être étudiée en tant que telle. Cette étude passionnante a été l'objet de l'important travail que M. Le Yaouanc a consacré à *la Nosographie de l'humanité balzacienne.* En se bornant aux éléments qui frappent à première vue, dans ce domaine, le lecteur de *la Comédie,* on est amené à observer ce qu'on pourrait appeler des constantes.

Un certain nombre de maladies sont, si l'on peut dire, banales ; telle celle qui frappe, à la fin du *Lys,* Mme de Mortsauf. Beaucoup de personnages meurent dans leur lit, ou sont tués à la guerre ou en duel, ou assassinés. Mais nombreux sont ceux qui meurent subitement, à la suite d'un choc émotionnel. Tout se passe, c'est une idée chère à Balzac, comme si l'émotion était capable de provoquer une véritable sidération de l'organisme. La comtesse Stéphanie de Vandières meurt aussitôt qu'elle a recouvré la raison (*Adieu*). Les deux fiancés de *l'Enfant maudit* sont tellement épouvantés de la fureur démente du père qu'ils périssent sur place de saisissement. Il suffit d'une allusion cruelle pour tuer Mme d'Aiglemont (*Femme de trente ans*). La mère qui, à la place du fils impatiemment attendu, voit arriver chez elle un inconnu, expire dans la nuit (*Réquisitionnaire*). Là, il est vrai, la mort s'explique, si l'on peut dire, par un phénomène de télépathie, de « sympathie », dit Balzac, le fils ayant été, loin de sa mère, exécuté cette même nuit.

D'autres personnages, s'ils ne meurent pas subitement, sont frappés de maladies étranges et mystérieuses. Il suffit que Ferragus, désireux de venger sa fille, touche du doigt les cheveux de Maulincour pour que celui-ci succombe à un mal inconnu. Montès de Montéjanos a communiqué à

Crevel et à sa femme, l'ex-Mme Marneffe, une maladie exotique qui les fait périr dans d'atroces souffrances, et dont lui seul connaît le contrepoison *(Cousine Bette)*. Parfois, la maladie est plutôt énigmatique que mystérieuse. La jeune Wanda souffre d'un mal qui déconcerte tous les médecins, jusqu'à ce que l'un d'eux obtienne la guérison *(Envers)*.

Les maladies mentales jouent également leur rôle ; mais il serait inexact de les couvrir toutes du nom général de folie, car elles prennent des formes diverses. Lorsque Frenhofer *(Chef-d'œuvre)* et Gambara poursuivent un idéal artistique qui dépasse leurs possibilités de réalisation, on ne saurait nier qu'il s'agit là d'une forme de l'idée fixe. La raison de Louis Lambert vacille sous le poids d'une pensée trop lourde à porter : « Une méditation profonde, une belle extase, sont peut-être des catalepsies en herbe. » D'ailleurs, Louis Lambert est-il réellement un aliéné ? « Les gens vulgaires (dit sa fiancée, Mlle de Villenoix), à qui cette vélocité de vision mentale est inconnue, ignorant le travail intérieur de l'âme, se mettent à rire du rêveur, et le traitent de fou s'il est coutumier de ces sortes d'oublis. » Mais au fond, Louis Lambert est heureux : « S'il respire l'air des cieux avant le temps où il nous sera permis d'y exister, pourquoi souhaiterions-nous de le revoir parmi nous ? » Il y a, dans le roman de Balzac, l'étude d'un cas clinique particulièrement intéressant pour le spécialiste.

Souvent l'évolution est plus brutale : le choc émotionnel, qui, ailleurs, provoque la mort subite, entraîne chez la victime un état caractéristique de démence. L'héroïne de *l'Adieu* a perdu la raison lors du dramatique passage de la Bérésina ; et il est curieux de voir Balzac, par une anticipation médicale pénétrante, rechercher la guérison de la malade par la reconstitution des événements qui ont provoqué sa folie. A la fin du drame intitulé *l'École des ménages*, la douleur de la séparation provoque la folie des deux personnages principaux. La jeune Lydie Peyrade, enlevée et enfermée dans une maison de tolérance *(Splendeurs)*, en sort dans un état d'hébétude dont Bianchon lui-même ne

pense pas pouvoir la tirer. On pourrait multiplier les exemples. Parfois, l'émotion provoquant une folie, durable ou passagère, peut donner à la victime des forces quasi surnaturelles. Mme de Sérisy, pour voir le cadavre de Rastignac *(Splendeurs)*, brise des barreaux qui résisteraient au plus vigoureux athlète.

A la limite, certains personnages, et des plus importants, peuvent être considérés comme faisant partie de la catégorie des « petits mentaux ». Leur passion a pris une forme quasi pathologique : Grandet a réellement la manie physique, instinctive, de l'or ; témoin le geste par lequel, mourant, il tend la main pour essayer de saisir le crucifix ; et le baron Hulot d'Ervy *(Cousine Bette)* est certainement à ranger parmi les obsédés sexuels.

Ce n'est pas un des moindres intérêts de Balzac que cette étude de l'interférence des éléments psychiques et physiques.

maladies de Balzac. Malgré une robuste constitution, qu'il avait héritée de son père, et qui lui permit le travail réellement surhumain auquel il sut souvent s'astreindre, la santé de Balzac subit des atteintes que le surmenage devait finalement aggraver. Les plaintes qu'il exhale dans ses Lettres à sa famille, ou dans ses Lettres à l'Étrangère, ne sont pas toujours exagérées. Déjà les Oratoriens de Vendôme avaient noté qu'il avait une tendance à l'essoufflement. Mais, sans parler de divers malaises, c'est déjà à partir de 1834 que le Dr Nacquart l'avait mis en garde contre le surmenage intellectuel. Il avait eu à ce moment-là une légère congestion cérébrale ; la menace se renouvela en 1836, 1840, 1841. Et c'est en 1843 qu'on dut diagnostiquer une arachnite, ou arachnoïdite, c'est-à-dire, en somme, une méningite chronique. En 1844, il eut une très grave hémorragie nasale, puis une jaunisse. L'abus du café, dont il essaya à plusieurs reprises de se passer, mais auquel il dut revenir pour pouvoir continuer à travailler, lui apporta des névralgies, et par moments des crises de tics. À partir de 1845, il se plaignit de troubles de mémoire, et ne put, jusqu'à sa mort, mener à bonne fin que deux romans, d'ailleurs géniaux, *le Cousin Pons* et *la Cousine Bette*. Mais c'est surtout à Wierzchownia, à partir du printemps 1849, que sa santé s'altéra gravement et définitivement. Il y fut soigné par un médecin quelque peu fantaisiste, le même que celui de Mme Hanska, le Dr Knothé, qui entreprit de traiter par des poudres des crises d'étouffement inquiétantes. Le Dr Knothé était assisté de son fils, qui, lui, était un partisan de la médecine occidentale. Survinrent des complications au cœur, aux poumons, aux yeux (Balzac ne pouvait plus écrire). Un voyage à Kiev pour l'obtention des passeports n'arrangea pas les choses. Le climat « asiatique » de la province apporta, avec le dégel printanier de 1850, une certaine rémission qui permit la célébration du mariage avec Mme Hanska. Le retour à Paris fut retardé par une rechute, et le voyage fut un véritable calvaire. L'arrivée rue Fortunée, marquée par un incident lamentable (v. *Hanska*), fut suivie d'une crise cardiaque. Nacquart, mandé en toute hâte, fut si inquiet qu'il appela trois confrères en consultation. Balzac ne quitta plus le lit. En juillet, il eut une péritonite. Au début d'août, une plaie à la jambe dégénéra en gangrène. Et ce fut la fin, le 18 août 1850.

MALAGA, surnom de Marguerite Turquet, enfant trouvée, écuyère, faisant partie d'une troupe de cirque. Elle joue surtout un rôle important comme fausse maîtresse du comte Thadée Paz (*Fausse Maîtresse*). On la retrouve dans *la Cousine Bette*, où elle initie Josepha dans l'art de plumer les vieillards. C'est dans son salon qu'est racontée l'histoire de l'habile subterfuge par quoi Maxime de Trailles se trouva obligé de payer une lettre de change. Elle y donne parfois la réplique au conteur (*Homme d'affaires*).

MALIN DE GONDREVILLE. Né roturier, Malin, compatriote de Danton à Arcis-sur-Aube, put, grâce à l'appui de celui-ci, réussir dans la politique, devenir sénateur et comte de Gondreville. C'est l'histoire de sa séquestration qui constitue un des éléments essentiels d'*Une ténébreuse*

affaire. Sa fortune politique survécut à tous les régimes, et il est signalé sous Louis-Philippe comme conservant une énorme influence locale dans la circonscription d'Arcis (*Député*).

Son épouse est un personnage effacé; son fils Charles n'est rencontré que dans les *Petits Bourgeois*. De ses deux filles, l'une, Cécile, devient Mme François Keller, l'autre (sans prénom indiqué) la duchesse de Carigliano.

MALUS, famille apparentée à Mme de Balzac mère. Mme Malus était sa sœur; elle fut reçue à Villeparisis chez les Balzac, avec son fils, Édouard; son mari était mort en 1816. Après la mort de la mère, puis celle du fils, tuberculeux au dernier degré, Mme de Balzac hérita, en tant que parente la plus proche, d'une somme qu'elle chiffre elle-même à environ 100 000 francs.

MANERVILLE (famille *de*), vieille famille normande, comprenant :
1. Le comte et la comtesse, père et mère du suivant (*Contrat*);
2. Le comte Paul François Joseph de Manerville, leur fils, né en 1794. Il fait d'abord un court séjour à Paris (*Fille aux yeux d'or*), songe à épouser Mlle Émilie de Fontaine, qui le repousse (*Bal*), et finalement s'installe à Bordeaux, où il épouse Nathalie Evangelista, après l'établissement laborieux du contrat (*Contrat*);
3. La comtesse Paul de Manerville, née Nathalie Evangelista, en 1801, réussit à faire la conquête de Paul de Manerville, l'entraîne à Paris, où elle mène une vie de luxe qui ruine son époux (*Contrat*). Devenue la maîtresse de Félix de Vandenesse, elle lui demande le récit de son amour avec Mme de Mortsauf, et, après avoir lu le long roman qui constitue ce récit, lui rend sa liberté (*Lys*), ce qui ne l'empêchera pas, lorsque Félix sera marié, d'essayer, d'ailleurs inutilement, de le reconquérir (*Fille d'Ève*).

Marana (les), récit paru dans la *Revue de Paris* en décembre 1832-janvier 1833, la seconde partie portant primitivement en sous-titre *Histoire de Mme Diard*. N° 118 (*Études philosophiques*).

Les Marana sont, si l'on peut dire, une famille de femmes, constituant une sorte de dynastie italienne de courtisanes. Dans le récit, l'une d'elles, la Marana (sans prénom), a juré que sa fille Juana, issue d'une liaison avec un jeune Italien, de Mancini, qui l'a reconnue, restera vertueuse. Elle la confie à un riche marchand de Tarragone, Pérez de Lagounia, qui veille jalousement sur sa vertu. Celui-ci, lors de la prise de la ville par les Français, est contraint de loger un jeune officier, le marquis de Montefiore, qui remarque bien vite la jeune fille et la séduit. La Marana, avertie par on ne sait quel pressentiment, accourt d'Italie à Tarragone, et exige, sous la menace, que le marquis répare. Mais il s'est conduit d'une manière si veule que Juana refuse le mariage que sa mère avait imposé au séducteur. Elle épousera un certain Diard, compagnon de guerre de Montefiore, et entré en même temps que lui à Tarragone. Ce mariage ne sera pas heureux. Diard délaisse sa femme, se ruine, recourt au jeu pour renflouer ses finances, gagne d'abord, puis reperd tout son gain en jouant contre son ami Montefiore. Il l'attire à Bordeaux dans un guet-apens, et le tue pour s'emparer de son argent. Sa femme l'apprend, et, comme il est trop lâche pour se faire justice, elle le tue elle-même d'un coup de pistolet. Elle se retirera en Espagne pour élever ses deux enfants, et ne reverra sa mère que mourante.

Marâtre (la), drame intime en cinq actes et huit tableaux, représenté pour la première fois sur le Théâtre-Historique, le 25 mai 1848. La pièce, promise à Hostein, directeur du théâtre, en 1847, fut écrite au début de 1848. Elle fut, à la lecture, appréciée des acteurs, parmi lesquels figurait Marie Dorval ; celle-ci, peu de temps avant la représentation, ayant perdu un enfant mort de maladie, dut être remplacée dans la distribution. Contrairement à ce qui s'était passé pour les œuvres théâtrales précédentes de Balzac, la pièce fut bien accueillie, mais, par suite des événements politiques, il y avait peu de monde dans la salle, et le théâtre dut faire relâche au bout de six jours. Les représentations reprirent en juillet, et l'œuvre fut jouée trente-six jours de suite. Pour une fois, la critique, même le redoutable Janin, ratifia dans ses éloges le jugement du public. La pièce ne fut remontée qu'en 1859, au Vaudeville, et fort bien. Il avait été question plusieurs fois de la reprendre après la mort de l'auteur, mais Mme Honoré de Balzac s'était légitimement opposée à toute coupure et remaniement, et avait exigé que l'œuvre fût jouée telle que Balzac l'avait fait représenter.

La marâtre (il faut prendre le mot dans son sens primitif de belle-mère), c'est Gertrude. Elle est la seconde femme du général comte de Grandchamp, vieux soldat qui a quitté l'armée à la Restauration et a gardé à l'Empereur un véritable culte. La vie semble heureuse dans cette famille : Gertrude s'occupe avec dévouement de son mari, du jeune enfant qu'elle lui a

LA MARATRE

DRAME INTIME EN CINQ ACTES ET HUIT TABLEAUX

PAR

H. DE BALZAC

Page de titre de la Marâtre. Maison de Balzac. Phot. Lauros-Giraudon.

donné, et de Pauline, sa belle-fille, que le général a eue d'un premier mariage.

Mais le drame couve : Gertrude a aimé — et aime toujours follement — le jeune Ferdinand Marcandal, fils d'un général qui a trahi la cause napoléonienne en se ralliant aux Bourbons. Le jeune homme s'est trouvé ruiné ; pour le sauver, elle est entrée comme institutrice dans la maison du général de Grandchamp, qu'elle a épousé, et elle a réussi à faire entrer Ferdinand dans une fabrique de drap que le général a fondée après avoir quitté l'armée. Ferdinand a donc pu vivre tout près de Gertrude, sous un faux nom naturellement, car Grandchamp n'aurait pu accepter, ni même concevoir, l'éventualité d'employer le fils d'un « traître ». Mais dès qu'il a aperçu Pauline de Grandchamp, Ferdinand en est devenu éperdument amoureux, et cet amour est partagé. Gertrude ne le sait pas encore, mais lorsqu'elle voit Pauline refuser un mari qu'on lui propose, elle conçoit des soupçons qui vont prendre corps. Ferdinand, venu à la nuit dans la chambre de Pauline, lui révèle le passé, qu'elle ignorait, lui confie son intention de s'éloigner pour quelque temps, et lui remet des lettres très compromettantes que Gertrude lui a jadis écrites. Celle-ci a épié les deux amoureux : elle supplie Ferdinand de lui rester fidèle : en vain ! Il n'aime que Mlle de Grandchamp. Gertrude conçoit alors le plan machiavélique de soumettre à son mari un projet de mariage entre Pauline et Ferdinand : l'identité du jeune homme sera ainsi dévoilée. Mais Pauline a éventé le piège ; elle sait quelles seraient alors les réactions de son père, et elle repousse le projet.

Gertrude sait que Pauline porte sur elle les lettres que Ferdinand lui a confiées ; après l'avoir endormie avec de l'opium mêlé à une tasse de thé, elle les lui reprend.

Pauline prend le parti désespéré de s'enfuir avec Ferdinand. Ce projet est déjoué par la marâtre, prête à tout pour l'empêcher, prête à révéler à son mari l'identité du jeune homme, quitte à avouer son propre passé. Désespérée, Pauline s'empoisonne avec de l'arsenic. Alertée, la police arrive. On accuse Gertrude du crime. Pauline, avant de mourir, a la générosité de disculper sa belle-mère. Ferdinand s'empoisonne lui-même, et, à l'article de la mort, apprend son identité au général, que cette révélation, jointe à la mort de sa fille, fait sombrer dans la folie.

Une sèche analyse pourrait faire croire que, en écrivant *la Marâtre*, Balzac a commis un mélodrame de plus. Mais la critique du temps ne s'y est pas trompée. Elle a vu que l'auteur avait pu « réaliser enfin sur un théâtre un de ses drames les plus terribles » (Jules Janin). Il faut négliger les rebondissements mélodramatiques et les morts spectaculaires, dont Balzac n'est pas avare, même dans ses romans. La « guerre », le « duel » entre les deux femmes, dont la plus âgée essaie de dérober à la plus jeune l'amour d'un homme, cette habileté sournoise et féroce qu'elles mettent, l'une à surprendre, l'autre à essayer de cacher leur secret, voilà le vrai sujet du drame. Et certaines scènes, qui témoignent d'un sens très sûr, cette fois, du théâtre, sont dignes des passages les plus tendus de *la Comédie*. Gautier pouvait, lors de la reprise en 1859, affirmer que « avec Balzac la France *avait* perdu un auteur dramatique égal au romancier ».

La Marâtre fut reprise par Dullin au théâtre des Célestins, à Lyon, en 1949. Ce fut la dernière création du grand comédien (mort la même année).

MARBOUTY (Mme), fille d'un conseiller à la cour de Limoges et femme du greffier en chef du tribunal (1803-1890). Elle essaya de se faire un nom dans les lettres sous le pseudonyme de Claire Brunne, ou Brunne de Marbouty. Elle est surtout connue pour l'extravagant voyage qu'elle fit en 1836 avec Balzac en Italie, travestie en garçon. Balzac devait s'y rendre pour s'occuper des affaires du comte Guidoboni, et on ne sait pourquoi l'un ou l'autre voyageur (ou les deux) eut l'idée de ce déguisement. Mme Marbouty devint Marcel, « jeune neveu » de Balzac. Il n'est pas sûr que leurs relations aient été autres que celles de patron à secrétaire. Les affaires du comte Guidoboni traînant en longueur, ils rentrèrent à Paris, où ils n'eurent plus que des relations banales.

Marcas. V. Z. Marcas.

MARCEL. V. Marbouty (M*me*).

MARCHANT DE LA RIBELLERIE (Albert) [1800-1840], condisciple de Balzac au collège des Oratoriens de Vendôme, et à qui est dédié le Réquisitionnaire.

marcheuse. Cette créature est définie par Balzac dans les Comédiens sans le savoir. C'est un rat* que sa mère a vendu « le jour où elle n'a pu devenir ni premier, ni second, ni troisième sujet de la danse ». C'est une « figurante » de la danse. Son salaire est dérisoire, mais elle vit dans le luxe, car elle est somptueusement entretenue. Carabine (l'une d'elles) « est une puissance ; elle gouverne en ce moment du Tillet, un banquier très influent à la Chambre ».
Autre « marcheuse », parmi celles, fort nombreuses, que l'on rencontre dans la Comédie : M*lle* Lolotte, à qui Philippe Bridau confie la tâche d'épuiser J.-J. Rouget pour l' « achever » (Rabouilleuse).

MARGONNE (M. de). V. Saché.

MARGUERITE, cuisinière de Laure Surville, que Balzac avait retenue comme domestique pour la rue Fortunée, et qui effectivement y arriva le 1er février 1850. Mme de Balzac mère, qui s'occupe de la maison en l'absence de son fils, mande à celui-ci fidèlement des nouvelles de cette installation. C'est là apparemment une affaire importante : la servante apparaît plus de trente fois dans la correspondance entre la mère et le fils. Marguerite est arrivée avec son chat, et Mme de Balzac a compris qu'elle ne voudrait pas se séparer de cet animal, et que, si l'on insistait, elle préférerait s'en aller. Douloureux problème ! Balzac répond qu'on ne peut admettre un chat dans une si belle maison, et que d'ailleurs Mme Hanska a horreur de ces animaux. Que faire du chat ? On peut à la rigueur le « tenir »

Portrait de Maria du Fresnay, sans indication d'auteur. Cette miniature, représentant Maria du Fresnay enfant, est un des très rares portraits de la discrète amie de Balzac. Maison de Balzac. Phot. Lauros-Giraudon.

à la cuisine. Mais est-on sûr « qu'il ne s'échappera pas ? et l'odeur ? », etc.
Ce n'est là qu'un échantillon des graves problèmes que pose la présence de la servante. Mais dans la correspondance entre Balzac et sa mère, les difficultés financières, les discussions sur les créances les plus diverses jouent un rôle si attristant qu'on sourit avec soulagement en voyant apparaître des préoccupations domestiques mineures aussi peu dramatiques que l'arrivée de Marguerite et de son chat.

MARIA, personne à qui est dédiée Eugénie Grandet, dans les termes suivants : « Que votre nom, vous dont le portrait est le plus bel ornement de cet ouvrage, soit ici comme une branche de buis bénit, prise on ne sait à quel arbre, mais certainement sanctifiée par la religion, et renouvelée, toujours verte, par des mains pieuses, pour protéger la maison. » Il semble bien, sous toutes réserves, qu'il s'agisse de Maria du Fresnay, née Daminois, qui visitait Balzac rue Cassini discrètement, qui ne lui demandait rien, et qui lui aurait dit un jour : « Aime-moi un an, je t'aimerai toute ma vie. » Balzac affirma à sa sœur qu'il avait rendue mère cette « gentille personne, la plus naïve créature qui soit tombée comme une fleur du ciel ». Il en faudrait conclure que l'enfant à qui Balzac fait allusion serait Marie du Fresnay, née le 4 juin 1834. Il est, de toute façon, certain qu'il légua à Marie du Fresnay le christ de Girardon auquel il tenait particulièrement. On sait fort peu de choses sur Maria, mais il semble qu'il n'ait plus été question d'elle après 1834.

MARIETTE. V. *Godeschal* (Marie).

MARION (famille). Le président, sa femme, son frère et sa belle-sœur n'interviennent que dans *Une ténébreuse affaire* et *le Député*.

MAR.O'C, pseudonyme burlesque dont Balzac s'est peu servi, et dont il a signé certains articles de la *Chronique de Paris*. Il s'explique par le fait que, dans un petit groupe d'amis dont il faisait partie, chacun avait son surnom à l'usage des intimes. Celui de Balzac était le Mar(about), ce qui autorisait un certain nombre d'affreux calembours, dont le pseudonyme ci-dessus est un exemple.

MARSAY (comte Henri *de*) [né en 1792 ou 1801 — les dates indiquées par Balzac sont contradictoires] est un de ces personnages que l'on rencontre à peu près partout dans *la Comédie*, sans qu'il joue jamais un rôle de premier plan, du moins dans les principaux romans. Fils naturel, de notoriété publique, de lord Dudley, il devait son nom au fait que sa mère, pour légitimer la naissance de cet enfant avait épousé le vieux gentilhomme de Marsay, qui endossa cette paternité, contre promesse d'une rente *(Fille aux yeux d'or)*. Type parfait du dandy ou du lion, d'une

très grande beauté, merveilleusement séduisant, il eut d'innombrables aventures, dont une des premières fut sa courte liaison avec la jeune Paquita Valdès *(Fille aux yeux d'or)*. Mais une aventure avec la belle duchesse Charlotte de X... *(Autre Étude)* le guérit à tout jamais de l'amour, et il ne connut plus que des liaisons sans passion, mais innombrables, avec des lorettes comme Coralie *(Illusions)*, ou plus souvent avec des femmes du monde, entre autres la baronne de Nucingen *(Père Goriot)*, Diane de Maufrigneuse *(Splendeurs)*, et jusqu'à sa belle-mère, Lady Dudley *(Lys)*. Il fit une fin en épousant une Anglaise, Dinah Stevens, aussi laide que riche d'argent et d'espérances *(Contrat)*. Très brillant causeur, il figure dans diverses réunions ou raouts *(Autre Étude*, notamment). Sa vie politique fut courte, mais brillante. Sous la monarchie de Juillet, on le voit ministre, puis président du Conseil. C'est pourquoi il est évoqué dans plusieurs romans où l'intrigue politique est essentielle *(Député, Ténébreuse)*.

MARTINEZ DE LA ROSA (Francisco), écrivain espagnol, connu aussi comme homme politique (1789-1862). Libéral, il fut, selon les vicissitudes politiques de son pays, tantôt député aux Cortès, tantôt exilé (et vivant en France), tantôt ambassadeur, à Paris, à Rome, et de nouveau à Paris. Sa nationalité explique qu'il soit le dédicataire de *El Verdugo*.

Martyr calviniste (le). V. *Sur Catherine de Médicis*.

Martyrs ignorés (les), fragment d'un ensemble prévu sous le titre *le Phédon d'aujourd'hui*, et le n° 106 *(Études philosophiques)*. Un premier fragment parut sous le titre *Ecce Homo* dans la *Chronique de Paris* en juin 1836, le reste en juillet 1837. Suite de récits en forme de dialogue. Apparaissent d'abord les « Silhouettes des interlocuteurs », qui sont censés se réunir au café Voltaire, place de l'Odéon, à une table nommée la table des Philosophes. Chacun d'eux (origine, métier, habillement, habitudes) est minutieusement décrit. Les histoires que les uns et les autres racontent sont des récits de mystifications qui ont mal tourné, et ont abouti à la folie ou à la mort des victimes. Puis le dialogue s'élève jusqu'à des considérations philosophiques. On disserte sur la force des idées. Un médecin philosophe expose que la pensée « est plus puissante que ne l'est le corps; elle le mange, l'absorbe et le détruit ». Il suffit de « réunir sur un point donné quelques pensées violentes pour tuer un homme », « comme s'il recevait un coup de poignard ». En revanche, l'absence de pensée assure la longévité.

A la fin de cet exposé, qui illustre les théories spiritualistes du romancier, le médecin philosophe en vient à parler des « crimes purement moraux », des « horribles supplices infligés dans l'intérieur des familles, dans le plus profond secret, aux âmes douces par les âmes dures ». Le lecteur retrouve ainsi le milieu que Balzac a si souvent décrit dans la Comédie, où apparaissent plusieurs figures de « martyrs ignorés ».

Massimila Doni, roman paru en août 1839 (un fragment fut publié en même temps dans la France musicale, le 25 août). N° 110 (Études philosophiques). L'intrigue se déroule à Venise. Massimila Doni, Florentine très noble et très belle, a été mariée au duc de Cataneo. Mais il est si vieux et si usé de vices qu'il ne peut faire valoir ses droits d'époux. Il laisse toute liberté à la comtesse de prendre un primo cavaliere servante. Ce sera Emilio Memmi, jeune gentilhomme ruiné, mais plein de délicatesse et de noblesse, et très timide envers les femmes. L'amour qu'il voue à la comtesse est parfaitement pur et platonique. Mais un jour, rencontrant la prima donna assoluta Clarisse Tinti, il succombe à ses charmes. Au matin, il se reproche, ayant découvert l'amour physique, d'avoir été infidèle à la pure passion qui le lie à la comtesse. Il veut se suicider, mais la comtesse l'en empêche, et se donne à lui. Le comte étant mort, l'histoire s'achève par un dénouement que Balzac « n'ose pas dire, il est trop horriblement bourgeois : la duchesse était grosse ». Elle épousera

Emilio Memmi, devenu, au cours du récit, duc de Varèse, titre qu'il a hérité de Facino Cane.

On les retrouvera plus tard, à la fin de Gambara, et ce ne sera pas une coïncidence. Car, dans les deux récits, la musique* joue, si l'on peut dire, le principal rôle. Balzac l'aimait beaucoup, mais la connaissait mal. Il apprit la théorie musicale, et Massimila Doni comporte de longues et subtiles dissertations esthétiques sur le Moïse de Rossini, que Balzac avait longuement entendu, réentendu et étudié avant d'écrire le récit.

MASSOL (Léon), avocat stagiaire d'abord, puis rédacteur à la Gazette des tribunaux. Il est chargé par le procureur général de Granville de rédiger, sur la mort de Rubempré, le communiqué qui permettra d'étouffer l'affaire (Splendeurs). On le retrouve associé à du Tillet et Nathan pour la publication d'un journal (Fille d'Ève). Conseiller d'État à la fin de sa vie, il fera gagner son procès au provincial Gazonal (Comédiens).

MATIFAT, droguiste fort estimé en tant que commerçant par Birotteau (Grandeur), ce qui ne l'empêche pas de souper avec divers noceurs (Rabouilleuse) et d'entretenir Florine (Illusions). Ses affaires prospèrent, et, bien qu'il perde une grosse somme dans la troisième liquidation Nucingen (Maison Nucingen), il reste assez riche pour être un des actionnaires du théâtre Gaudissart (Cousin Pons).

Sa femme et sa fille apparaissent principalement dans la Maison Nucingen.

MATURIN (Charles-Robert), écrivain irlandais d'origine française (1782-1824), auteur de drames, et surtout de romans, dont le plus célèbre est Melmoth the Wanderer (Melmoth le Vagabond), paru en 1820. Considéré comme un des représentants les plus remarquables de l' « école frénétique », il accumule dans ses récits des aventures fantastiques. Son influence sur Balzac est d'autant plus visible que celui-ci lui a emprunté son héros pour une histoire fantastique : Melmoth réconcilié*.

MAUFRIGNEUSE (duc et duchesse **de**), prince et princesse de Cadignan. (V. **Cadignan**.)

MAUFRIGNEUSE (duc et duchesse Georges **de**). Le mari, né en 1815, est le petit-fils du vieux prince de Cadignan, le fils unique du prince et de la princesse *(Secrets)*. (Son père n'étant pas mort, dans *la Comédie*, il ne porte jamais le titre princier.) Sa femme, née Berthe de Cinq-Cygne, en 1814, apparaît dans le même roman ; on les retrouve épisodiquement l'un et l'autre dans *Béatrix* ; la duchesse figure également dans *le Député*.

MAULINCOUR (de), famille noble représentée par deux personnages :
1. La vieille baronne douairière de Maulincour, née de Rieux, et que Balzac fait mourir deux fois par inadvertance. Avant sa première mort (1819), elle apparaît dans *Ferragus*. Elle ressuscite pour figurer dans *le Contrat*, où elle conseille judicieusement son petit-neveu Paul de Manerville ;
2. Son petit-fils, Auguste Charbonnon de Maulincour (né en 1796), officier et homme du monde, fréquente les salons *(Père Goriot)*. Il a la vilaine habitude d'épier et de suivre les jolies femmes qui ont repoussé ses avances, et de colporter le récit, vrai ou faux, de leurs aventures ; il en use ainsi avec la duchesse de Langeais *(Duchesse)*. Il récidive pour son malheur — et celui de sa victime — avec Mme Jules Desmarets ; mais cette fois, le père de la jeune femme, Ferragus, la vengera en communiquant au goujat une maladie mystérieuse et mortelle *(Ferragus)*.

MAUPIN (Camille). V. **Touches (des)**.

Maximes et pensées de Napoléon, recueil de pensées, plus ou moins authentiques, de Napoléon, que Balzac avait consignées, et qu'il vendit à un certain Gaudy, qui les publia comme ayant été recueillies par lui-même (1858), dans l'espoir d'obtenir la Légion d'honneur.

Médecin de campagne (le), roman publié en septembre 1833. N° 102 *(Scènes de la vie de campagne)*. Dédié à la mère de l'auteur.

Cette œuvre très importante réunit des éléments divers : une intrigue sentimentale, des théories politiques et sociales, la description d'un milieu rural, une évocation historique.

1. L'intrigue sentimentale, si elle n'apparaît qu'à la fin de l'œuvre, justifie le titre, et surtout l'épigraphe : « Aux cœurs blessés, l'ombre et le silence. » Le commandant Genestas, chef d'escadron à Grenoble, ayant entendu parler des cures remarquables effectuées par un certain médecin de campagne, le Dr Benassis, décide de lui confier son fils malade, et va lui rendre visite, dans le village où il exerce, en plein cœur du Vercors, très vraisemblablement à Voreppe. C'est au cours des entretiens qu'il a avec le docteur, et de ses promenades dans le village et la région, que se situent les développements qui donnent à l'œuvre son intérêt général. À la fin du roman, le commandant est amené à demander au Dr Benassis pourquoi il est venu achever sa vie dans ce modeste village. D'où la confession que voici : le docteur, après avoir achevé ses études de médecine, et gaspillé

Le **Commandant Genestas**, personnage du *Médecin de campagne*. *Phot. Larousse.*

un héritage considérable, a abandonné sa jeune maîtresse Agathe, qui meurt après lui avoir donné un fils, qu'elle lui a demandé d'élever. Il s'éprend ensuite d'une jeune fille appartenant à une famille d'une stricte piété janséniste, Evelina (pas de nom de famille). Il lui a caché son passé et l'existence d'un enfant naturel, mais la famille finit par l'apprendre, et Evelina refuse d'être sa femme. (Dans un premier projet, abandonné par Balzac, le docteur se présentait comme la victime d'une femme qui l'avait abandonné après lui avoir laissé espérer le mariage ; souvenir visible de la rancœur que venait d'éprouver Balzac, repoussé par Mme de Castries*.) Benassis apprend ensuite la mort de son fils naturel ; il songe au suicide, puis à entrer dans les ordres ; et c'est en se rendant au monastère de la Grande-Chartreuse qu'il a l'occasion de s'arrêter dans un modeste village, et de vouer sa vie au bonheur des malheureux qui l'habitent.

2. Les théories politiques et sociales sont vraiment l'essentiel de l'œuvre. Royaliste et à l'époque légitimiste, Balzac estime cependant que le rôle de la vieille noblesse est terminé, et que, à son influence auprès du peuple, doit se substituer un véritable apostolat de missionnaires laïcs décidés à apporter aux humbles la prospérité et le bonheur. Encore faut-il que cette mission s'accomplisse sur place, et sans tenir compte des directives d'un État centralisé, qui n'a ni le désir ni les moyens de connaître les difficultés réelles, qui doivent se résoudre par les moyens du bord. La théorie du Dr Benassis est résolument antiétatiste. Révélateur, en particulier, est le passage où il explique à son interlocuteur comment il a obtenu de M. Gravier, chef de division à la préfecture de Grenoble, l'autorisation de faire construire des fermes sur des terres qui ne rapportaient rien. Cette conception est à rapprocher de celle du jeune ingénieur Grégoire Gérard, lassé du lourd appareil administratif, et qui a entrepris avec succès d'assurer la prospérité d'un village (v. le Curé de village). On ne peut s'empêcher de songer aux combats de Voltaire pour assurer la prospérité de Ferney, et

plus encore à l'apothéose de l'action pratique, qui figure à la fin du *Faust* de Goethe.

3. Mais la réalisation matérielle n'est rien si elle ne s'accompagne de l'amour des hommes. Le médecin ne se borne pas à arracher les malheureux à la misère ou à la maladie. Il a pour eux une affection profonde, qui se manifeste au cours de la longue promenade faite en compagnie du commandant Genestas ; c'est l'occasion pour Balzac de présenter des types ruraux toujours pittoresques, et souvent émouvants. Telle est la Fosseuse, qui n'a d'autre état civil que ce surnom, et qui est la fille orpheline du fossoyeur du village. Maladive, réduite à la mendicité, elle est sauvée par le docteur qui lui assure santé, travail et dignité, et dont elle tombe secrètement amoureuse sans même s'en rendre compte. Il fera d'elle son héritière.

Si le médecin juge avec indulgence, ou même avec affection ou sympathie, les gens du village qu'il a présentés au commandant, il n'est ni démagogue ni même démocrate ; sa théorie est rigoureusement absolutiste, et s'il entend faire le bonheur du peuple, il se refuse à l'assurer par le suffrage universel, auquel il reste absolument opposé.

4. Au nombre des personnages pittoresques dont l'auteur nous présente un échantillonnage, figure un vieux soldat de l'Empire, Goguelat, qui conte à sa manière, familière, affectueuse et enthousiaste, l'épopée impériale, depuis les campagnes d'Italie et d'Égypte jusqu'à la seconde abdication. Cette sorte de morceau de bravoure a fait l'objet d'un tirage à part, en 1833, sous forme d'une plaquette intitulée : *Dialogue d'un vieux grenadier de la Garde impériale surnommé le Sans-Peur*. C'est la contribution de Balzac au mouvement qu'on peut observer alors chez d'autres écrivains, et qui tend à magnifier les souvenirs de l'épopée impériale.

Si la gestation de l'œuvre fut pénible, et sa publication fertile en difficultés tumultueuses avec l'éditeur Mame, Balzac avait conçu de vastes espoirs sur ce roman. Il y voyait le type de l'œuvre populaire, édifiante, au bon sens du mot, capable, écrivait-il à Mame, d'obtenir un succès comparable à celui de l'Évangile ou de l'*Imitation*. Il espérait que ce roman lui vaudrait le prix Montyon. Il n'en fut pas question, et l'accueil des journaux, même légitimistes, comme *la Quotidienne*, fut sévère. Le public de l'époque semble n'avoir pas compris ce qui nous apparaît aujourd'hui comme une évidence : *le Médecin de campagne* est une contribution précieuse au mouvement des idées politiques et sociales du premier tiers du XIXe siècle. Et il est certain que la pensée saint-simonienne a tenu une place importante dans le système philosophique dont le roman est l'illustration.

Méfaits d'un procureur du roi (les). Il ne reste que les premières pages de ce roman, conçu, semble-t-il, vers 1847, et qui, pour cette raison, ne figure pas dans le plan de *la Comédie*. Toutefois, il aurait pu s'y rattacher s'il avait été achevé, car on y retrouve plusieurs des personnages reparaissant dans l'ensemble de l'œuvre. Le procureur du roi est Augustin Bongrand (prénommé Eugène dans *Ursule*), fils d'Honoré Bongrand, qui a joué un rôle dans ce dernier roman. Une introduction annonce que le marquis et la marquise (ex-Ursule Mirouet) de Portenduère, de retour à leur château du Rouvre après un voyage en Italie, ont formé et fait aboutir le projet de marier Augustin à Mathilde Derville, fille de l'avoué. Le chapitre Ier commence par une description du Morvan, et s'interrompt au moment où le procureur Bongrand s'installe à Château-Chinon. On ne sait donc pas quels « méfaits » Balzac comptait lui attribuer.

Melmoth réconcilié, conte paru en juin 1835 dans le recueil collectif *le Livre des conteurs*. N° 109 (*Études philosophiques*). Le nom du personnage est emprunté à Maturin[*], dont le *Melmoth the Wanderer* a largement inspiré Balzac. Aussi bien est-il présenté dans la nouvelle comme le fils spirituel du révérend Maturin. L'Irlandais Melmoth, doué d'une puissance diabolique, que révèle son faciès fantomatique, se présente un jour à la banque Nucingen au moment où le caissier Casta-

nier se dispose, à l'aide d'une fausse lettre de change, à dérober 500 000 francs dans la caisse, pour s'enfuir avec sa maîtresse Aquilina. L'étranger encaisse lui-même une lettre de change du même montant, qu'il vient de présenter, et disparaît comme par enchantement. Mais sa présence satanique continue à se manifester autour de Castanier, et celui-ci en vient à lui « vendre son âme » et à échanger son être avec le sien. Las du pouvoir surnaturel dont il dispose désormais, il décide de le restituer à son premier détenteur. Mais il arrive trop tard : sir John Melmoth vient de mourir, « réconcilié » avec l'Église, et assisté des secours de la religion. Toujours embarrassé de son pouvoir surnaturel, Castanier le transmet à un financier aux abois, Claparon, trop heureux de pouvoir ainsi payer une dette massive. Castanier, redevenu un homme ordinaire, usé par une vie de plaisirs, se demande avec angoisse « s'il aura le temps de se repentir ». Claparon lui-même, inquiet, essaie de négocier en Bourse ce « traité du diable », qui, devant la perplexité des acquéreurs, finit par passer, de main en main, à un peintre en bâtiment, puis à un clerc. Celui-ci, après douze jours d'orgies, finit par mourir, en même temps que le don surnaturel, à cause d'un abus de médicament. Et son cadavre devient noir, ce qui permet de penser qu'un diable est « certainement passé par là ».

Il est à peine besoin de souligner que toute cette histoire est imprégnée des préoccupations ésotériques qui ont toujours hanté Balzac. Au surplus, Bohm[*] est cité nommément dans les dernières lignes.

Mémoire sur la situation actuelle de la contrefaçon des livres français en Belgique, présenté à Messieurs les ministres de l'Intérieur et de l'Instruction publique, par Hugo, Balzac et plusieurs autres, au nom de la *Société des Gens de Lettres*.
On sait que la Belgique pratiquait la contrefaçon des publications françaises à un point scandaleux.

1. **Mémoires de deux jeunes mariées** (ce titre ne comporte pas d'article), roman

sous forme de lettres dont Balzac avait conçu une première ébauche, très indécise, et très éloignée du roman définitif, sous le titre de *Sœur Marie des Anges** ; paru de novembre 1841 à janvier 1842, d'abord en feuilleton dans *la Presse*, en volume en mars 1842. N° 6 (*Scènes de la vie privée*). Dédié à Georges (*sic*) Sand. Des lettres échangées entre les deux jeunes mariées, ou qu'elles échangent avec d'autres personnages, se dégagent en opposition deux intrigues différentes, images de deux destinées.

Armande Louise Marie de Chaulieu est entrée comme novice au couvent des Carmélites de Blois parce que ses parents ont voulu réserver leur fortune à ses deux frères. Héritant de sa grand-mère, elle peut alors s'affranchir de la vie monastique, pour laquelle elle ne se sent aucune vocation. Très belle, très intelligente, ayant une parfaite conscience de sa valeur et de ses charmes, elle s'éprend de son professeur d'espagnol, un proscrit nommé Hénarès, nom sous lequel il dissimule sa véritable identité : Don Félipe Hénarez de Soria. Ayant pu récupérer sa fortune, il prend le titre d'une terre qu'il possède en Sardaigne, et, devenu baron de Macumer, épouse Mlle de Chaulieu, dont il est lui-même très amoureux. Mais elle conçoit l'amour comme un idéal d'exaltation et de passion à tel point exclusive qu'elle ne se juge jamais assez profondément adorée par son mari, qui pourtant lui donne toutes les marques possibles d'idolâtrie, et qui meurt, apparemment victime de l'esclavage sentimental où l'a tenu sa femme. Devenue veuve, elle se remarie avec l'écrivain Marie Gaston, fils orphelin de Mme Willemsens (*la Grenadière**). Elle l'aime de toute la passion exaltée qu'elle attendait de son premier mari, et est bientôt dévorée d'une jalousie injustifiée : elle tombe malade, et, aggravant son état par des imprudences volontaires, meurt le jour même de sa fête.

Son amie d'enfance, Renée de Maucombe, qui fut novice avec elle chez les Carmélites de Blois, est d'un caractère opposé. Parfaitement douce, équilibrée, paisible, volontiers dogmatique dans sa correspondance avec son amie, elle aura une vie sans histoire et sans orages. Elle épouse sagement un émigré, d'ailleurs estimable, Louis, vicomte, puis comte de l'Estorade, qui, soutenu par la finesse et l'énergie tranquille de sa femme, arrive aux plus hautes dignités. Il lui donne trois enfants — une fille et deux fils —, qu'elle élève admirablement, qui promettent de réussir brillamment, et dont leur mère est très fière.

Il est certain qu'il faut chercher dans ce roman l'écho des récriminations de Balzac à Mme Hanska, qui se plaint de n'être jamais assez profondément aimée, et qui conçoit et formule à l'égard de celui qui l'aime des soupçons et des jalousies, sur l'injustice desquels celui-ci ne cesse de gémir dans ses *Lettres à l'Étrangère*.

2. *Mémoires de deux jeunes mariées*. Vaudeville en un acte tiré de l'œuvre de Balzac par Dennery* et Clairville.

Mercadet (*le Faiseur*), comédie en prose, publiée dans la version originale balzacienne en cinq actes, sous le titre *le Faiseur*, dans *le Pays*, du 28 août au 13 septembre 1851 ; représenté pour la première fois, dans une version modifiée et réduite à trois actes par Dennery, le 25 août 1851, au théâtre du Gymnase.

La rédaction de cette pièce est la réalisation d'un projet qui semble remonter à 1839. En 1840, l'essentiel de l'œuvre était écrit, et l'auteur destinait la pièce à Frédérick Lemaître ; mais elle ne semble pas avoir été achevée avant 1844. Remaniée en 1848, elle fut reçue à l'unanimité par le comité de lecture du Théâtre-Français, mais, en l'absence de l'auteur, parti pour l'Ukraine, le comité revint sur sa décision, et Balzac retira sa comédie. En 1851, le théâtre du Gymnase entra en pourparlers avec Mme Honoré de Balzac pour une représentation de l'œuvre, allégée et mieux adaptée à la scène par Dennery. La veuve de l'auteur accepta sans enthousiasme, reconnaissant que la pièce gagnerait en valeur scénique ce qu'elle perdait en valeur littéraire. La première fut un triomphe. La pièce, à partir du 23 août 1851, fut jouée soixante-treize fois. La critique ne fut pas unanime à ratifier le jugement du public. Cependant, l'œuvre n'est pas tombée dans l'oubli. Le Théâtre-Français l'a reprise en 1868 ; elle est restée à son répertoire de 1870 à 1880 ; elle y reparaît en 1890, 1899 (centenaire de la naissance de l'auteur) et 1918. Et Dullin l'a reprise à l'Atelier en 1935-36 (version Jollivet, en trois actes et quatre tableaux, sous le titre *le Faiseur*) et de nouveau en 1948, au théâtre Sarah-Bernhardt.

La scène se passe sous la monarchie de Juillet. Mercadet, le Faiseur, est dans la finance. Son associé Godeau est parti avec la caisse. Depuis, il se débat dans d'inextricables difficultés, et ne se maintient sur la corde raide qu'à force de bagou et de subtilités financières peu orthodoxes. Mais il est aux abois ; la prison pour dettes le menace. Et, s'il a un somptueux train de vie, ses fournisseurs et même ses domestiques ne sont pas payés. Au lever du rideau, une meute de créanciers l'assaille. Mais un moyen s'offre à lui de sortir de ce guêpier : Mercadet a une fille, Julie, laide à la vérité. Elle est cependant courtisée par un employé pauvre, Minard, qui déclare l'aimer, et qu'elle aime. Mercadet signifie à Minard d'avoir à renoncer à sa fille, dans l'intérêt de leur bonheur commun. Car le financier a en vue pour sa fille un riche mariage avec le jeune Michonnin de La Brive, un dandy dont la richesse doit renflouer les finances de la famille Mercadet. Mais le Faiseur s'est trompé : La Brive est pauvre, pourri de dettes, et ne songe à entrer dans la famille Mercadet, qu'il croit très riche d'après son train de vie, que pour sortir d'embarras. Le futur beau-père et le futur gendre constatent presque en même temps qu'ils ont été trompés l'un et l'autre.

Qu'à cela ne tienne ! Mercadet improvise un plan subtil : il va faire passer La Brive pour Godeau, revenu richissime des Indes. Aussitôt, ces mêmes créanciers, qui l'avaient menacé des pires représailles, reparaissent, et, oubliant leurs revendications, font le siège de Mercadet pour obtenir d'être associés aux affaires mirifiques qu'il ne va pas manquer de monter... Ce serait le triomphe pour le Faiseur. Mais Mme Mercadet, honnête femme désireuse

Fac-similé de la feuille de présence du comité de lecture de la Comédie-Française, acceptant la comédie *le Faiseur (Mercadet)* à l'unanimité (août 1848)... Mais la pièce ne fut jouée qu'à partir de 1851. *Maison de Balzac. Phot. Lauros-Giraudon.*

de sauver au moins l'honneur de la famille, dégonfle la baudruche : elle affirme que Godeau n'est pas rentré. La situation de Mercadet redevient désespérée.

Coup de théâtre. Godeau, le vrai Godeau, cette fois, est effectivement revenu, et avec une grosse fortune. Il a payé toutes les dettes, et, ô miracle, reconnu en Minard son fils légitime, qui s'appellera désormais Adolphe Godeau. Celui-ci épousera Julie. Quant à Mercadet, renonçant à la finance, il ira vivre tranquillement à la campagne. Cette pièce est la seule de Balzac qui soit encore jouée de nos jours. Elle est susceptible, en effet, de porter sur tous les publics. Le rôle de Mercadet, extraordinaire prestidigitateur en finances et en paroles, est un rôle « en or ». Et l'auteur a fait preuve d'un sens étonnant du théâtre comique. Les scènes où Mercadet et La Brive constatent qu'ils se sont lourdement illusionnés sur leur situation financière respective s'apparentent au meilleur vaudeville. Et la pièce fourmille de mots d'auteur, dont certains feraient la fortune d'une « comédie de boulevard » (« Il y a des hommes sensés qui pensent que la beauté passe. — Il y en a de plus sensés qui pensent que la laideur reste »). Cette pièce, comme la Marâtre, et dans un tout autre registre, autorise à penser avec Gautier que Balzac, s'il eût vécu, eût pu être un excellent écrivain de théâtre.

MERLIN (Maria **de Las Mercedes Santa Cruz y Montalvo,** comtesse) [1788-1852]. Elle était française par son mariage, ayant épousé le général Antoine François Eugène Merlin. Écrivain de talent, elle a notamment laissé sur son pays d'origine (Cuba) des œuvres où elle évoque l'atmosphère de l'île. Spirituelle et jolie, elle tint un salon célèbre que Balzac fréquenta assidûment. C'est sans doute à cause des origines de la comtesse que Balzac a choisi de lui dédier les Marana.

Message (le), très court récit, paru dans la Revue des Deux Mondes en février 1832. N° 19 (Scènes de la vie privée). Dédié au marquis Damaso Pareto.
Récit rédigé à la première personne. Le narrateur se rend, sur l'impériale de la diligence, de Paris à Moulins, lorsque la voiture se renverse. Un jeune homme, qui s'est lié avec le narrateur au cours du voyage, pris sous la diligence, est écrasé sous son poids et meurt. Avant d'expirer, il a le temps de remettre à son compagnon une lettre et une mèche de cheveux destinés à son amante, la comtesse de Montpersan. Le narrateur s'acquitte de cette douloureuse mission.
Indépendamment de l'émotion très sobre que dégage ce récit, il se recommande par un portrait très court, mais hautement pittoresque : celui du comte. Sa femme, au moment du dîner, a été cacher son désespoir dans la grange, et ne s'est pas présentée à table. Nullement décontenancé par cette absence, le comte, qui vient d'être malade et doit suivre un régime très strict, profite de ce que la comtesse ne peut pas le surveiller pour engloutir des quantités prodigieuses de nourriture.

Messe de l'athée (la), court récit paru en janvier 1836 dans la Chronique de Paris. N° 28 (Scènes de la vie privée). Dédié à Auguste Borget.
L'athée, c'est le Dr Desplein, qui, dans l'œuvre de Balzac, représente, avec Bianchon, l'un des deux sommets de la science médicale. C'est Desplein lui-même qui raconte à Bianchon comment il a réussi à poursuivre ses études médicales. Issu d'une très humble famille provinciale, il faisait ses études à Paris, au prix des privations les plus cruelles. Son voisin de palier était un certain Bourgeat, enfant trouvé, porteur d'eau. Cet homme inculte, mais simple et bon, a compris que Desplein avait une mission à accomplir dans la société. En se privant lui-même, il lui fournit les moyens de vivre et de poursuivre ses études. Il meurt dans les bras de Desplein, après avoir vu la réussite de son protégé, mais sans avoir eu la joie de le voir accéder aux dignités suprêmes (membre de l'Académie des sciences et de l'Académie de médecine, pair de France), que Desplein devait obtenir plus tard. Mais ce bienfaiteur, « catholique ardent », avait « la foi du charbonnier ». Et le seul hommage que l'athée pouvait rendre à sa mémoire fut de fonder à son intention une messe trimestrielle, à laquelle il ne manqua jamais d'assister. Car il donnerait sa fortune pour que « la croyance de Bourgeat pût entrer dans sa cervelle ». Aussi bien, Bianchon, qui a survécu à Desplein, n'ose-t-il pas affirmer « que l'illustre chirurgien soit mort athée ».

MIGNON DE LA BASTIE (famille). V. **La Bastie-La Brière.**

MINARD (Auguste Jean François) [né en 1802], d'abord employé au ministère des Finances (Employés), se lance dans le commerce des denrées coloniales, où il réalise une grosse fortune (*Petits Bourgeois*). Sa femme, son fils Julien, sa fille Prudence figurent dans ce dernier roman.

MINORET. Ce nom, utilisé par Balzac pour des personnages divers, *et non apparentés*, peut prêter à confusion. Il convient de distinguer :

1. L'innombrable famille des Minoret et Minoret-Levrault, qui apparaissent tous dans *Ursule Mirouet* ;

2. Le vivrier Minoret, et la compagnie vivrière dont il est le chef (*Femme auteur, Entre savants*) ;

3. Mlle Minoret, danseuse (*Employés, Petits Bourgeois),* et sa fille Flavie (mêmes romans), née en 1800, et qui deviendra Mme Colleville.

MIRAH. V. *Josepha.*

MIROUET (famille), famille dont tous les membres figurent chronologiquement d'abord dans *les Héritiers*, puis dans *Ursule Mirouet* (ces derniers à partir de *Valentin Mirouet*). Il y a trois Ursule Mirouet, la première dans *les Héritiers*, les deux autres dans *Ursule* ; de ces deux dernières, l'une, qui deviendra Mme Denis Minoret, est la tante de l'héroïne du roman, qui deviendra la vicomtesse Savinien de Portenduère.

MNISZECH (comte Jorzy Filip Nerymund Andrzej Stanislaw) [Balzac l'appelle souvent familièrement son « cher Zorzi »], mari d'Anna Hanska (1828-1915), qu'il épousa à Wiesbaden le 13 septembre 1846 (1822-1881). Il tenait de son père, qui mourut en 1846, la moitié du domaine familial de Wisniowiec en Volhynie ; son frère cadet, qui avait reçu l'autre moitié, y habitait. Lui était installé avec sa femme à Wierzchownia. Balzac avait connu le comte, alors que celui-ci n'était encore que le fiancé d'Anna, au cours de divers voyages qu'il fit pour rencontrer Mme Hanska et sa fille, notamment à Dresde en 1845. Balzac eut toujours beaucoup d'affection pour le comte et sa femme, et parle avec émotion de la gentillesse dont ils l'entourèrent lors de son séjour et de ses maladies à Wierzchownia en 1849 : « La comtesse Anna et

le comte Georges sont deux perfections idéales » (lettre à Laure Surville de novembre 1849).

Mode (la), publication créée en 1829 par Émile de Girardin, et qui eut un énorme succès. Balzac y fit paraître des articles jusqu'en 1830, et plusieurs de ses œuvres, notamment : *l'Adieu, Étude de femme, El Verdugo.*

Modeste Mignon, roman paru d'abord en 1844 dans *le Journal des débats* par fragments : première partie en avril, deuxième en mai, troisième en juillet ; publication en librairie la même année. N° 8 (*Scènes de la vie privée*). Dédié « à une Polonaise » (il s'agit évidemment de Mme Hanska).

Modeste Mignon, fille du colonel Mignon de La Bastie et d'une Allemande, Bettina Wallenrod, s'est enthousiasmée à distance pour le célèbre poète Melchior de Canalis, qu'elle n'a jamais vu, et dont elle est devenue si amoureuse qu'elle lui adresse une correspondance enflammée. Canalis, pour qui ce genre de correspondance n'est pas nouveau, lui fait répondre par son secrétaire. Cette étrange correspondance est découverte par la famille de la jeune fille, et un vieil ami, Dumay, vient à Paris pour demander des comptes à Canalis. Celui-ci lui jure — et non sans raison, puisqu'il n'a rédigé aucune des lettres destinées à la jeune fille — qu'il ne connaît absolument pas Modeste Mignon. Mais le secrétaire chargé de la correspondance, Ernest de La Brière, est tombé, lui, réellement amoureux de celle à qui il écrivait sous le nom de Canalis. Le père de Modeste exige alors que sa fille soit confrontée avec les deux Canalis, le vrai et l'autre, et qu'elle soit mise en demeure de choisir : les deux prétendants vivront quelque temps dans l'intimité avec la famille Mignon de La Bastie. Canalis accepte avec d'autant plus de facilité qu'il sait maintenant la famille très riche. Modeste est d'abord éblouie par le prestige du grand poète, mais elle ne tarde pas à soupçonner son amour de l'argent. Elle en est bientôt convaincue par un clerc de notaire, dévoué à la famille Mignon, qui fait croire à Canalis que la situation financière de l'héritière est infiniment moins brillante qu'il ne l'avait imaginé. Le zèle matrimonial du poète s'en trouve singulièrement refroidi. Modeste, éclairée sur la médiocrité morale de celui qu'elle avait tant admiré, est touchée, au contraire, de la tendresse et de la sincérité du jeune secrétaire. C'est lui qu'elle épousera.

Le point de départ de ce roman est une nouvelle écrite par Mme Hanska et qu'elle détruisit. Indépendamment du thème qui lui était ainsi fourni, Balzac a eu certainement d'autres sources d'inspiration, en particulier la *Correspondance de Gœthe avec Bettina* (Bettina Brentano d'Arnim), publiée en 1835, et que Balzac avait lue en français à Saint-Pétersbourg. Le thème (une jeune fille qui s'éprend d'un poète qu'elle n'a jamais vu) est le même. D'une manière plus générale, il s'agit dans le roman de Balzac de l'étude fort pénétrante d'un « amour de tête », tel que peut en éprouver une jeune personne passionnée pour un artiste prestigieux, que l'éloignement idéalise. N'était-ce pas le cas pour Mme Hanska elle-même ? Bien qu'elle eût, par la nouvelle qu'elle écrivit, suggéré le thème du roman, elle conçut une certaine humeur à la lecture des reproches que le père de Modeste Mignon adresse à sa fille.

Le portrait du poète Canalis est une savoureuse description de l'artiste dont l'œuvre évolue dans le sublime et l'idéal le plus pur, mais qui ne dédaigne pas pour autant les réalités matérielles. Le portrait physique de Canalis évoquant Lamartine, on pourrait en conclure un peu vite que c'est lui qu'a voulu peindre Balzac. C'eût été de sa part une injustice, Lamartine ayant toujours été courtois vis-à-vis du romancier, qu'il admirait sincèrement. On préfère croire que Balzac, quels que soient les traits sous lesquels il a peint Canalis, a voulu simplement camper un type, sans viser la personnalité de qui que ce fût.

Modiste (la), texte qui ne figure pas dans le plan de *la Comédie*, qui n'était sans doute pas destiné à s'y incorporer, et qui ne comporte qu'un début de quelques pages. Il est signé sur le manuscrit Honoré Balzac (sans particule), ce qui permet d'en situer la rédaction avant 1830.

Le peu qui fut écrit de l'ouvrage se limite à une scène qui se passe chez le traiteur Ramponneau. Le chevalier de La Ville, chevau-léger, s'y trouve en bonne fortune avec Mlle Alexandrine, modiste. Mais il est agacé par les plaisanteries que lui décoche le forgeron Benoît Vautour, dit l'Exempt ; l'affaire tourne à la bagarre, et, finalement, la maréchaussée arrête l'Exempt.

Molière, notice préliminaire rédigée par Balzac pour l'édition de l'*Œuvre complète* de cet auteur dans la maison d'édition à laquelle il s'était associé (1826).

MONGENOD (né en 1764), banquier, figure ainsi que toute sa famille dans l'*Envers de l'histoire contemporaine*. Il est le fondateur de la banque Mongenod et Cie, qui est citée dans plusieurs romans comme étant la banque de divers personnages.

Fac-similé, pour l'édition publiée par la librairie Ollendorff (1902) de *Modeste Mignon*, de la dédicace « A une Polonaise » (Mme Hanska, évidemment). Maison de Balzac. Phot. Lauros-Giraudon.

DÉDICACE

A UNE POLONAISE

...ille d'une terre esclave, ange par l'amour, démon par l'antaisie, enfant par la foi, vieillard par l'expérience, ...me par le cerveau, femme par le cœur, géant par ...pérance, mère par la douleur et poète par tes rêves ; ...oi, qui es encore la Beauté, cet ouvrage où ton amour ...a fantaisie, ta foi, ton expérience, ta douleur, ton ...oir et tes rêves sont comme les chaînes qui soutiennent ... trame moins brillante que la poésie gardée dans ton ...e, et dont l'expression, quand elle anime ta physio-...ie, est, pour qui t'admire, ce que sont pour les savants ...caractères d'un langage perdu.

DE BALZAC

Monographie de la presse parisienne, parue en 1843 dans *la Grande Ville*, œuvre collective où figurent les noms de plusieurs écrivains et illustrateurs, et qui présentait un « nouveau tableau de Paris ». Le tableau tracé par Balzac est évidemment une fantaisie, parfois caricaturale ; on y voit défiler plusieurs genres : le publiciste, le critique, avec des sous-genres : a) le critique de vieille roche ; b) le jeune critique blond ; etc.
Le ton paradoxal de l'ensemble sera suffisamment indiqué par cet « axiome », qui figure dans la conclusion : « Si la presse n'existait pas, il faudrait ne pas l'inventer. »

Monographie de la vertu, titre correspondant au n° 136 (*Études analytiques*). Si l'on en excepte quelques phrases éparses, il n'a rien été écrit de cette œuvre.

MONTAURAN (marquis Alphonse *de*), dit *le Gars*, le héros des *Chouans*. Son activité au service du roi Louis XVIII est déjà signalée dans *Grandeur*. Le souvenir de ses exploits est évoqué à plusieurs reprises (*Vieille Fille, Chevalier,* notamment). Son frère, le marquis Nicolas de Montauran, apparaît également dans *les Chouans*, puis devient un des Frères de la Consolation (*Envers*).

MONTCORNET (général, puis maréchal comte *de*), personnage essentiel des *Paysans*. Précédemment, il avait fait une apparition dans *la Paix du ménage*. On le retrouve dans *la Cousine Bette* ; Valérie Fortin, qui deviendra Mme Marneffe, est sa fille naturelle, bien qu'il l'ait complètement oubliée dans son testament.

Montglas. Propriété située à La Ferté-Gaucher, appartenant aux d'Assonvillez de Rougemont, amis de la famille Balzac. Mme d'Assonvillez était une amie de Laure Surville, qui fit à Montglas de longs et fréquents séjours.

MONTHEAU (Mlle Marie *de*), petite-fille de Mme Delannoy*. Balzac lui a dédié la *Maison du Chat-qui-Pelote*.

MONTRIVEAU (général marquis Armand *de*), fils et neveu de deux Montriveau qui n'apparaissent que dans *la Duchesse de Langeais,* et l'un des deux personnages principaux de ce dernier roman. Membre des Treize, il mène également une active vie mondaine (*Père Goriot*). Il fréquente les raouts de Félicité des Touches (*Autre Étude*). Il est pendant un temps l'amant de Diane de Maufrigneuse (*Secrets*). Ses relations avec Marsay lui assurent une belle carrière politique (*Contrat*).

MONTZAIGLE (Laurence **de Balzac,** Mme **de**), troisième enfant et deuxième fille de M. et Mme de Balzac (1802-1825). Elle avait épousé en 1821 Armand Michaut de Saint-Pierre de Montzaigle, qui se révéla très vite un individu méprisable. Chargé de dettes, bien qu'il se fût fait passer pour riche, il abandonna sa femme avec deux enfants ; elle mourut peu de temps après.

MOREAU, nom porté par des familles différentes : Moreau, tapissier à Alençon

---

Faire-part du mariage de Laurence de Balzac. Il y a une curieuse contradiction entre les deux faire-part, dont l'un porte la particule et non l'autre

Mr de Balzac, ancien Secrétaire au Conseil du Roi, ex-Directeur des Vivres de la première Division Militaire, et Mme de Balzac ont l'honneur de vous faire part du Mariage de Mlle Laurence de Balzac, leur Fille, avec Monsieur Armand-Désiré-Michaut de Saint-Pierre de Montzaigle.

(Vieille Fille), Moreau, cultivateur, et sa femme (Médecin), Moreau-Malvin, boucher à Paris (Ferragus), et surtout Moreau, dit de l'Oise (né en 1772), régisseur du comte de Sérisy, puis marchand de biens, qui, ainsi que sa femme et ses enfants, joue un rôle dans Un début dans la vie.

MORILLON (Victor), nom d'emprunt que Balzac avait un moment envisagé lors de la publication du Dernier Chouan, qu'il signa finalement de son vrai nom (sans particule).

MORTSAUF (famille de), famille dont tous les représentants sont des personnages du Lys dans la vallée (allusions très rapides dans quelques autres romans). Seule, Madeleine de Mortsauf, fille de l'héroïne du Lys, et née en 1805, reparaîtra à plusieurs reprises comme duchesse de Lénoncourt (v. ce nom).

Moscou, titre portant le n° 90 (Scènes de la vie militaire), et correspondant à une œuvre qui ne fut pas rédigée. Il se

serait agi, évidemment, de l'incendie de Moscou.

MUNCH (François), domestique alsacien de Balzac, qui l'avait engagé pour la maison de la rue Fortunée. Il n'apparaît dans la correspondance du romancier que sous son prénom, mais il y apparaît très souvent (plus de cinquante fois dans les lettres que Balzac échange avec sa mère, demeurée rue Fortunée pendant l'absence de son fils [fin 1848-1850], dont elle gardait et entretenait la maison). Son nom est lié à la scène hallucinante que connurent Balzac et son épouse lorsque, de retour de Russie, ils arrivèrent rue Fortunée : François, devenu fou, avait illuminé toute la maison, et n'ouvrait pas aux coups de sonnette; il fallut requérir un serrurier.

Muse du département (la), roman publié d'abord en feuilleton dans le Messager du 20 mars au 29 avril 1843 sous le titre Dinah Piédefer. N° 41 (Scènes de la vie de province). Dédié au comte Ferdinand de Gramont.

C'est, comme dans plusieurs autres romans, l'histoire d'une femme de lettres. Dinah Piédefer, d'une vieille famille de huguenots de Bourges, s'est distinguée, au pensionnat de Bourges, où elle faisait ses études, par son esprit et sa beauté. Désireuse de se marier, elle a abjuré le protestantisme et épousé Polydore Milaud de La Baudraye, beaucoup plus âgé qu'elle, une sorte d'avorton fin de race, qui ne tarde pas à justifier la réputation d'avarice qui lui est faite. Si la stérilité de Dinah est l'objet des commentaires peu flatteurs des commères locales, l'admiration d'un petit cercle d'amis fait d'elle une « femme supérieure ». Elle a à cœur de justifier cette réputation, tente de former une Société dite littéraire, écrit, publie des poèmes sous le pseudonyme de Jan Diaz, et devient la « Sapho de Saint-Satur » (alors faubourg de Sancerre). Mais devenue une « femme de province » désœuvrée, déçue, elle décide d'inviter à Sancerre deux enfants du pays, le médecin Horace Bianchon, et l'écrivain Lousteau, dont elle a lu les œuvres. Longues conversations où

(bien que M. de Balzac père eût adopté précisément la particule au baptême de Laurence). Coll. Lovenjoul, Chantilly. Phot. Larousse.

M.

Monsieur Balzac, ancien Secrétaire au Conseil du Roi, ex-Directeur des Vivres de la première Division militaire, et Madame Balzac, ont l'honneur de vous faire part du Mariage de Mademoiselle Laurence Balzac, leur Fille, avec Monsieur Armand-Désiré Michaut de Saint-Pierre de Montzaigle.

Bianchon raconte une histoire, et où Lousteau brille par son esprit et par les citations de ses œuvres, dont il parle complaisamment. Séduite par cet homme de lettres, elle entretient avec lui une correspondance enflammée et le rejoint un jour inopinément à son domicile à Paris, ce qui a pour premier effet de ruiner le projet de mariage de l'écrivain avec la fille d'un notaire. D'abord hésitant, Lousteau se souvient à temps de l'état de santé précaire du mari de la Muse, et d'un mot de Bianchon affirmant que celle-ci « sera une riche veuve ». Il se met en ménage avec Dinah ; deux enfants naissent, dont M. de La Baudraye est le père légal. Dinah assiste son amant comme une épouse dévouée, allant même jusqu'à rédiger, pour l'aider dans un moment difficile, la nouvelle Un prince de la bohème. Mais, peu à peu, Mme de La Baudraye se lasse de « s'immoler au bien-être de Lousteau ». D'autre part, le mari avorton entreprend de satisfaire tous les désirs que sa femme « avait à vingt ans ». « Il devient jeune, il devient gentilhomme, il devient magnifique. » Nommé comte, pair de France, il subvient aux générosité aux besoins de son épouse, lui achète un bel hôtel à Paris. Celle-ci, au cours d'un dîner d'adieu qu'elle offre à Lousteau au Rocher-de-Cancale, se sépare de lui. Elle vit à Paris, essaie de « s'y faire une société ». Un vieil admirateur, amoureux platonique de la Muse de Sancerre, et qui s'est fait nommer à Paris pour l'assister de sa protection, M. de Clagny, l'aide à prendre rang dans le monde parisien. Lousteau, de son côté, végète, s'enlise dans les dettes ; il va être saisi, quand il vient demander à Mme de La Baudraye un secours qu'elle ne lui refuse pas. Un moment, elle se sent troublée par la présence de « celui qu'elle avait tant aimé ». Dix jours après, elle ferme son hôtel et regagne le Sancerrois. « Elle fut charmante, dit-on, pour le comte. » Si elle « revenait tout bonnement à la Famille et au Mariage », c'est, « selon quelques médisants », qu'elle « était forcée d'y revenir, car les désirs du petit pair de France seraient sans doute accomplis : il attendait une fille ». Conclusion qui laisse évidemment entendre que cette fille est le dernier souvenir que Lousteau, avant la séparation définitive, a laissé à la comtesse.

Plusieurs fois ébauché et remanié, ce roman reprend un thème que Balzac a souvent traité : celui de la femme séduite par le prestige de l'homme de lettres. L'intrigue est dominée non seulement par la personnalité de Dinah Piédefer, mais surtout par celle de Lousteau, qui, plus encore que dans Illusions, est présenté comme un être ignoble, capable des pires goujateries.

musée Balzac de Paris. V. maison de Balzac.

musée Balzac de Saché. V. Saché.

Musée des familles (le), magazine littéraire illustré, fondé en 1833 par diverses personnalités, au nombre desquelles figure Émile de Girardin, dont l'ubiquité journalistique était déconcertante. Cette publication, qui survécut jusqu'en 1900, eut un vif succès. Elle s'adressait aux gens du monde, aux femmes, aux jeunes gens, et se recommandait (titre oblige !) par un parfait conformisme moral. C'est peut-être ce qui explique que, après avoir commandé à Balzac Un début dans la vie, le journal en ait refusé la publication. L'Envers de l'histoire contemporaine a paru dans ce magazine, par fragments, de septembre 1842 à octobre-novembre 1844 (?).

musique. Balzac n'avait pas appris la théorie musicale, mais il aimait la musique et éprouvait une vive admiration non seulement pour les œuvres de certains de ses amis, comme Rossini, mais aussi pour celles de grands compositeurs comme Beethoven. Toujours soucieux de se renseigner sur les sujets dont il se proposait de parler, il s'était documenté sur la musique avant de rédiger Massimila Doni. Et son analyse des œuvres, si elle n'est pas celle d'un théoricien, révèle la pénétration d'un mélomane parfois enthousiaste. Sa description de la première partie du final de la symphonie en ut mineur de Beethoven, à la fin de Grandeur, est remarquable. Sans doute, la critique musicale ne se fait plus ainsi, et cette transcription littéraire des beautés de l'œuvre musicale prêterait aujourd'hui à sourire. Mais on ne doit pas oublier que, longtemps, et encore à l'époque de Balzac, le public mélomane cultivé fut plus soucieux de la valeur expressive de la musique que de la perfection et de la beauté techniques d'une œuvre.

MY DEE, déformation à l'anglaise, par lady Dudley, du prénom Amédée, adopté par Félix de Vandenesse dans sa liaison avec elle.

N

NACQUART (Dr Jean-Baptiste) [1780-1854]. Il habitait rue Sainte-Avoye, aujourd'hui partie de la rue du Temple, près de la famille Balzac, qui demeura cinq ans (1814-1819) 40, rue du Temple (n° 122 actuel). Ami de la famille, il fut témoin au mariage de Laurence, en 1821, et resta l'ami fidèle et le médecin attitré de Balzac, qu'il aida même pécuniairement. Il le mit en garde souvent contre le surmenage ; il se rendit à son chevet lorsque le romancier rentra gravement malade d'Ukraine, rue Fortunée.
C'est lui qui est le modèle du Dr Bianchon*. Balzac lui a dédié *le Lys dans la vallée*.
Mme H. de Balzac lui donna, à la mort du romancier, la célèbre canne*.

NAPOLÉON Ier (1769-1821). Balzac, et pour cause, n'avait jamais rencontré Napoléon ; mais son admiration pour l'empereur, le rôle que tient la Grande Armée dans *la Comédie* (*l'Adieu*, etc.), ne sont pas surprenants à une époque où l'épopée impériale inspirait poètes et romanciers (Hugo, Stendhal et d'autres). Le récit de Goguelat dans *le Médecin de campagne* est un morceau de bravoure où l'héroïsme est transcrit, par une âme simple, en termes populaires. Une grande partie des *Scènes de la vie militaire*, qui n'ont jamais été écrites (sauf deux), eût été consacrée à la marche de la Grande Armée à travers l'Europe. Ce qui est particulièrement curieux, encore que d'une totale invraisemblance, c'est l'intervention de Napoléon en tant que personnage, à la fin d'*Une ténébreuse affaire*. Laurence de Cinq-Cygne est venue jusqu'à Iéna pour demander à l'Empereur la grâce des jumeaux Simeuse, et on l'a laissée arriver jusque-là ! S'établit entre elle et Napoléon un dialogue vraiment déconcertant ; l'Empereur entend justifier la sévérité de la loi qui a frappé les pseudo-coupables : « Voici, dit-il avec son éloquence à lui qui changeait les lâches en braves, voici trois cent mille hommes, ils sont innocents, eux aussi ! Eh bien, demain, trente mille hommes seront morts, morts pour leur pays ! (...) Sachez, Mademoiselle, qu'on doit mourir pour les lois de son pays comme on meurt ici pour sa gloire. »

NATHAN (Raoul), « fils d'un brocanteur juif », mais élevé par sa mère dans la religion chrétienne. C'est un personnage que l'on retrouve à peu près partout dans *la Comédie* ; on ne peut qu'indiquer ici les principales étapes de sa vie et de sa carrière. Écrivain, il dut le commencement de sa gloire au succès de son vaudeville, *l'Alcade dans l'embarras*, écrit en collaboration avec Cursy (*Illusions*). Mais il s'était déjà fait connaître comme romancier, et représente dans l'œuvre de Balzac le type de l'écrivain doué, brillant, mondain, capable de réussir dans les genres les plus divers, y compris le journalisme. Il fréquente, entre autres, Blondet, qui resta toujours son ami, Philippe Bridau (*Rabouilleuse*), et diverses dames de théâtre ou lorettes, notamment Esther Gobseck (*Splendeurs*). Mais c'est avec Florine qu'il eut une longue liaison (*Illusions*), qui devait se terminer par le mariage (*Fille d'Ève*).
La période la plus importante de sa vie est précisément exposée dans ce dernier roman : il entreprend de conquérir la jeune comtesse Félix de Vandenesse, et

échoue de justesse. La même année, il songe à une carrière politique, et fonde un journal dont l'échec l'accule à la ruine. À la fin de sa vie, cet ambitieux « finit par capituler et par se caser dans une sinécure ».

NAVARREINS ou **NAVARREINS-LANSAC** (famille de), illustre famille d'origine méridionale, et à la grandeur de laquelle il est souvent fait allusion ; elle est représentée par :
1. Le duc de Navarreins (né en 1764), propriétaire de la forêt domaniale de Montégnac, que des embarras d'argent le contraignent à vendre à Graslin (*Curé de village*). Il joue un rôle important comme père de la duchesse de Langeais (*Duchesse*). On le trouve en relation avec Félicité des Touches, chez qui il rencontre Rubempré (*Illusions*), avec Mme d'Espard (*Splendeurs*), surtout avec Raphaël de Valentin, qui le met en relation avec la princesse Foedora (*Peau*) ;
2. La duchesse de Navarreins, sa femme, fille du vieux prince de Cadignan (*Secrets*), et qu'on retrouve épisodiquement dans la *Cousine Bette* ;
3. Sa fille, Antoinette, qui deviendra la duchesse de Langeais (v. ce nom).

Nègre (le). V. théâtre.

NÈGREPELISSE (famille de), très vieille famille dont l'origine remonte aux croisades. Le nom de la branche aînée passe par mariage aux d'Espard (v. ce nom, *Interdiction*). La branche cadette est représentée par un vieux comte de Nègrepelisse, dont la fille, Marie-Louise-Anaïs, deviendra Mme de Bargeton, puis comtesse Sixte du Châtelet (*Illusions*).

Ne touchez pas à la hache. V. *Duchesse de Langeais (la)*.

NODIER (Charles), homme de lettres, romancier, critique (1780-1844). Auteur de *Contes* célèbres, il fut nommé en 1823 bibliothécaire de l'Arsenal. C'est à partir de ce moment qu'il réunit, dans les fameuses soirées de l'Arsenal, l'élite de l'*intelligentsia* romantique : Lamartine, Hugo, Vigny, Musset, Sainte-Beuve, etc.

La *Revue de Paris* publia en octobre 1832 une lettre* importante rédigée par Balzac sur l'article de Nodier intitulé « De la palingénésie humaine et de la résurrection ». C'est à Nodier qu'est dédiée *la Rabouilleuse*, et le dédicataire, en réponse à l'envoi de ce livre, exprimait avec sincérité sa déception de voir l'Académie*, où Balzac aurait eu sa place mieux que personne, être « sans cœur ni pitié pour l'homme de génie qui est pauvre ou dont les affaires vont mal ».

noms de personnes. Balzac était convaincu qu'il existait une sorte de prédestination des noms de personnes, et que le patronyme d'un individu était le reflet de son caractère ou portait en germe sa destinée. Il apporte parfois à cette constatation un humour évident. C'est ainsi que l'ivrogne des *Illusions*, le père Séchard, est « fidèle à la destinée que son nom lui a faite », ou que G. Rigou, des *Paysans*, justifie par son avarice le sobriquet tout indiqué de Grigou. Mais la conviction de Balzac va plus loin que ces plaisanteries : il s'en explique longuement dans Z. *Marcas*, et fait de sa conviction une véritable théorie : « Entre les faits de la vie et le nom des hommes, il est de secrètes et inexplicables concordances, ou des désaccords visibles qui surprennent » (l'attribution du nom de Marcas à un modeste artisan est un de ces désaccords) ; « souvent, des corrélations lointaines, mais efficaces, s'y sont révélées. Notre globe est plein, tout s'y tient. Peut-être reviendra-t-on quelque jour aux sciences occultes. »

notes pour mes affaires. Ces notes, très précieuses, étaient inédites avant que M. Hastings les eût incorporées à son édition des Lettres de Balzac à sa famille (pp. 250 sqq ; v. bibliographie). Avant de quitter Paris en septembre 1848 pour un séjour en Russie qu'il pensait devoir être long, et qui le fut en effet, Balzac rédigea ces notes, qui constituent, à l'intention de sa mère, un véritable et long (près de dix pages imprimées) aide-mémoire. Y sont mentionnées minutieusement les dettes à payer, et leur ordre d'urgence, les commandes déjà faites et dont il faut surveiller ou réclamer la livraison, et les moindres détails de l'installation de la maison, y compris un cordon de sonnette pour la salle à manger. « Il le faut en torsade de soie noire, à glands pareils à ceux des sonnettes d'en haut », etc.

En même temps qu'il rédigeait ces notes, Balzac établissait par-devant notaire une procuration générale à sa mère, le 19 septembre 1848, et qui, en deux longues pages, énumérait tous les pouvoirs que le romancier donnait à Mme de Balzac, non seulement dans le domaine mobilier, immobilier, ou financier, mais pour « signer tous traités relatifs à la librairie ou à la publication d'ouvrages ».

NOURRISSON (Mme), cumulant les professions d'usurière, entremetteuse, propriétaire de maison de tolérance, joue un rôle important dans *Splendeurs et misères des courtisanes* et dans *la Cousine Bette*. On la revoit dans *les Comédiens*.

nourriture. Balzac était un prodigieux mangeur en public, c'est-à-dire lorsqu'il participait à des agapes avec des amis. On frémit devant les menus pantagruéliques (quant à la quantité surtout) que certains affirment l'avoir vu dévorer. Mais lorsqu'il était seul et au travail, son menu était très simple. Il était surtout grand amateur de fruits crus. Dans une lettre à l'Étrangère, il déclare, étant au régime, devoir se contenter de fraises : « J'en mange deux saladiers par jour. Aussi est-ce une dépense » (précision savoureuse, quand on sait avec quelle allégresse il dépensait l'argent dans l'achat d'objets divers).

Sa seule intoxication fut le goût du café*. Et, s'il lui est arrivé d'être gai, et même assez lourdement, à la fin de tel ou tel repas, *il n'était pas, il n'a jamais été alcoolique,* ni adonné aux stupéfiants (v. *hôtel Pibodan*).

Nouvel Abeilard (le), titre correspondant au n° 127 *(Études philosophiques).* On ne sait rien de précis sur cette œuvre, dont Balzac avait indiqué le projet en juillet 1837 dans une lettre à Mme Hanska, mais qui ne fut jamais rédigée.

NUCINGEN (baron Frédéric *de*), banquier d'origine israélite. Il apparaît non seule-

Armoiries de Nucingen, d'après l'Armorial de *la Comédie humaine.* Aquarelle de la comtesse Ida de Bocarmé*. *Coll. Lovenjoul, Chantilly. Phot. Larousse.*

ment dans le récit où est exposé le mécanisme de sa fortune *(Maison Nucingen),* mais dans de nombreux autres romans dont on ne peut citer que ceux où il joue un rôle important. Alsacien, il parle avec un accent très prononcé que Balzac a restitué phonétiquement avec une patience inlassable, mais lassante à la longue pour le lecteur. Il est le mari de Delphine Goriot, qui le trompe avec Rastignac *(Père Goriot),* ce qui n'empêchera pas celui-ci d'épouser plus tard la propre fille de Nucingen *(Député).* On retrouve le baron dans divers dîners offerts par des femmes de mœurs légères, mais, s'il lui arrive de protéger une actrice, il n'était jamais tombé amoureux jusqu'au jour où le hasard lui fait découvrir Esther Gobseck *(Splendeurs).* Après le suicide de celle-ci, il poursuit sa carrière de financier et, à la faveur de la monarchie de Juillet, joue un rôle politique discret, mais efficace *(passim,* et notamment *Fille d'Ève* et *Député).*

NUCINGEN (Delphine *Goriot,* baronne Frédéric *de*) [née en 1792]. Le début de sa vie, sa liaison avec Marsay, puis avec Rastignac, sont longuement exposés dans *le Père Goriot*. Sans être proprement la collaboratrice financière de son mari, elle sut parfois le conseiller habilement *(Maison Nucingen)*. C'est sur son insistance que Bianchon et Desplein vinrent examiner le baron de Nucingen, qui dépé-

rissait d'amour pour Esther Gobseck *(Splendeurs)*. On la retrouve également auprès de la comtesse Félix de Vandenesse, lorsque celle-ci essaie de porter secours à Nathan *(Fille d'Ève)*.

Sa fille Augusta épousa l'ancien amant de sa mère, Rastignac *(Député)*.

O

obsèques. Balzac en mourant (v. *maladies*) avait reçu les secours de la religion. Son beau-frère Surville et Victor Hugo furent les derniers à venir le voir dans sa chambre. Le service très simple (3e classe, v. *testament*) fut célébré à Saint-Philippe-du-Roule. Y figuraient les représentants du pouvoir (en l'occurrence, le ministre de l'Intérieur, Baroche*, dont la seule intervention fut une monumentale ânerie), de l'Institut, de l'Académie ; de nombreux écrivains (dont Hugo* et Sainte-Beuve*), des acteurs (dont Frédérick Le-

maître*), des musiciens (dont Berlioz*), et les représentants de la plupart des grands corps constitués, plus de nombreux étrangers. L'inhumation eut lieu au cimetière du Père-Lachaise (cimetière de l'Est). Il y eut deux discours : celui, célèbre, de Hugo, et celui, sans intérêt, de Desnoyers, président de la Société* des Gens de Lettres, au nom de cette société, où Balzac avait joué un rôle très important.

occultisme. Ce serait une vue simpliste et arbitraire que d'expliquer toute la pensée

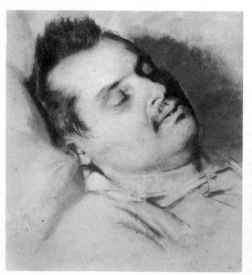

« Balzac sur son lit de mort. » Pastel par Giraud. *Musée de Besançon. Phot. Lauros-Giraudon.*

Main de Balzac. *Maison de Balzac. Phot. Bulloz.*

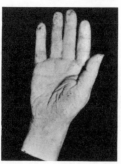

de Balzac par l'ésotérisme. Mais il est certain que l'occultisme a joué dans sa vision et dans sa transcription du monde un rôle important. La lecture des œuvres ésotériques que contenait la bibliothèque de Mme de Balzac mère a influencé sa jeunesse. Il croyait aux diseurs de bonne aventure (v. *Balthazar*). Il croyait au magnétisme*, et pour commencer à sa propre puissance magnétique. Il affirme que sa mère a été guérie de maux d'estomac par un magnétiseur.

Il a fait d'ailleurs aux diseurs de bonne aventure une place éminente dans ses œuvres. La visite de Gazonal chez Mme Fontaine, la cartomancienne (*Comédiens*), n'est pas du tout traitée en caricature ou en farce. Gazonal est réellement impressionné par l'exactitude avec laquelle Mme Fontaine lui a décrit son passé, et lorsqu'il sort tout ému de l'antre de la cartomancienne, ses amis, qui sont pourtant, dans d'autres circonstances, de joyeux compagnons fort sceptiques, lui rappellent que des gens éminents et graves ont couramment recours aux lumières de cette voyante, et qu'eux-mêmes n'hésitent pas à recourir aux sciences occultes.

Il est à peine besoin de rappeler que l'intrigue de plusieurs romans, et non des moindres (entre autres, *Peau*, *Ursule*, *Séraphita*), est entièrement fondée sur des phénomènes surnaturels.

Ode à une jeune fille, poème publié en 1828 dans les *Annales romantiques*, et que l'on retrouve dans *Illusions*.

Œuvres de jeunesse. Ce sont les romans qui ont été écrits avant la première œuvre portant la signature de Balzac (*le Dernier Chouan*, 1829). On trouvera chacun d'eux à sa place alphabétique. En voici la liste : indépendamment de *Sténie** et de *Falthurne**, non édités du vivant de l'auteur, parurent en janvier 1822 *l'Héritière de Birague*, signée Viellerglé* et lord R'hoone*; en mars 1822, *Jean-Louis ou la Fille trouvée*, mêmes auteurs; en juillet 1822, *Clotilde de Lusignan ou le Beau Juif*, par lord R'hoone seul; en novembre 1822, *le Centenaire ou les deux Beringhem*, signé Horace de Saint-Aubin*, et le

Vicaire des Ardennes; en mai 1823, *la Dernière Fée ou la Lampe merveilleuse*; en avril 1824, *Annette et le criminel*, ces trois derniers romans toujours signés Horace de Saint-Aubin; en septembre 1825, *Wann Chlore*, anonyme.

Balzac a-t-il écrit, dans sa jeunesse, d'autres romans? Laure Surville avance le chiffre de douze à quinze volumes. Il est probable que Balzac a pu collaborer à des œuvres parues sous le nom de Viellerglé. Les biographes ne sont à peu près certains que de la collaboration de Balzac : 1° à *Une blonde*, publié en 1833 et signé de Raisson*; 2° à *l'Excommunié*, dont, d'après Gramont*, signataire de l'œuvre, la première partie serait de Balzac, la seconde du cru de Gramont lui-même.

En 1835, pressé par le besoin d'argent, Balzac accepta que fussent rééditées les œuvres signées Horace de Saint-Aubin, et *sous ce nom*; mais le romancier était alors trop connu pour que ce pseudonyme pût tromper qui que ce fût. Il conclut à cet effet un traité avec Souverain. Il demanda et obtint 10 000 francs (v. *revenus littéraires*). Le traité fut signé par Regnault*, une contre-lettre désignant évidemment Balzac comme le bénéficiaire de l'opération. Une notice liminaire fut rédigée par Sandeau. Les romans furent largement modifiés, corrigés, édulcorés; quatre changèrent de titre : *Wann Chlore* (devenu *Jane la Pâle*, 1836), *le Centenaire* (devenu *le Sorcier* — relativement peu expurgé, 1837), *Annette et le criminel* (devenu *Argow le Pirate*, 1837), *Clotilde de Lusignan* (devenu *l'Israélite*, 1840). Ont gardé leurs titres : *la Dernière Fée* (1836, premier roman publié dans la réédition, avec un dénouement complètement modifié) et *le Vicaire des Ardennes* (1836), soigneusement dépouillé de tout ce qui pouvait avoir un parfum d'anticléricalisme (l'œuvre avait été interdite à la publication).

Ces œuvres ont été peu rééditées; en 1853, Mme Honoré de Balzac, pressée, elle aussi, par le besoin d'argent, vendit à l'éditeur Maresq le droit de réimprimer les œuvres de jeunesse, y compris celles qui étaient signées Viellerglé et lord

R'hoone; les éditions Michel Lévy procédèrent à une nouvelle réédition en 1856-1867 et 1868.

Récemment, les « Bibliophiles de l'originale » ont publié une très belle reproduction en fac-similé de la première édition de ces œuvres (y compris les œuvres dues à la collaboration Viellerglé-lord R'hoone). Si les œuvres de jeunesse ont été si longtemps méconnues (nous pourrions dire inconnues) du public, et méprisées comme indignes du génie de Balzac, une des raisons majeures en est peut-être tout simplement qu'elles restaient introuvables, alors que *la Comédie* a été et est sans cesse réimprimée, et mise, dans d'excellentes éditions, à la portée du public. Sans doute, il y a loin de *Wann Chlore*, par exemple, au *Lys dans la vallée*. On peut même parier que, si Balzac n'avait pas été plus loin que cette même *Wann Chlore*, l'œuvre d'Horace de Saint-Aubin ne serait plus maintenant qu'un objet de curiosité, à l'usage des spécialistes. Mais il s'en faut de beaucoup que, dans la formation de la pensée, de la technique romanesque de notre auteur, ces premiers romans soient dénués d'intérêt. On peut y rechercher et y trouver en germe bien des éléments qui, plus tard, s'épanouiront en chefs-d'œuvre. Ce travail de recherche a été fait très pertinemment par plusieurs balzaciens. Citons, entre autres : M. Barbéris, en commentaire à l'édition des « Bibliophiles de l'originale » (v. plus haut) [*Aux sources de Balzac; les romans de jeunesse*, 1965], M. Arrigon (*les Débuts littéraires de Balzac*, Perrin, 1924), M. Bardèche, qui a consacré toute une première partie, importante, de son *Balzac, romancier* (Plon, 1945) à l'étude des premières œuvres de l'auteur.

omnibus. Une mirifique opération par laquelle Vautrin espérait faire fructifier (*Splendeurs*) les premiers subsides versés par Nucingen à Esther. Cette spéculation reposait sur un fait réel : pour la première fois (1826) se constituaient des sociétés parisiennes de transport en commun, qui se multiplièrent et se firent concurrence,

pour aboutir plus tard à fusionner dans une Compagnie générale, ancêtre lointaine de notre R. A. T. P.

Oratoriens de Vendôme (Collège des). Ce collège, installé dans les bâtiments qu'occupe actuellement le lycée Ronsard, doit certainement sa notoriété, nous pourrions dire sa gloire, au séjour qu'y fit Balzac comme élève, de 1807 à 1813. Le collège, fondé en 1623 par les Oratoriens, avait été sécularisé, ainsi que les pères qui y enseignaient, et dont certains étaient des esprits et des éducateurs distingués. Mais la discipline de la maison était rude. On trouve dans *Louis Lambert* une description très minutieuse de la vie que dut mener Balzac dans ce collège. Même en faisant la part de l'exagération littéraire, le lecteur peut admettre que ces six années furent les plus pénibles de l'enfance* de Balzac, que sa mère ne vint voir que deux fois en six ans. Le jeune Honoré était d'ailleurs un élève médiocre, et encourut bien souvent le cachot. Il s'en consolait en y lisant les livres que lui prêtait l'abbé Lefebvre*. Il faut accepter avec la plus grande réserve l'affirmation de Laure Surville, d'après laquelle Balzac aurait rédigé à Vendôme un *Traité de la volonté*. Il est certain, en revanche, que les nombreuses lectures du futur romancier ont été plus enrichissantes pour lui que les études — assez incertaines — qu'il y fit.

Original (l'), roman qui n'a jamais été rédigé. Il n'en subsiste que le titre, auquel Balzac avait songé en 1833, et qui porte le n° 44 (*Scènes de la vie de province*). Il était prévu comme le premier groupe d'œuvres qui portent le sous-titre général : *les Rivalités.*

Orphelins (les), titre primitif de la nouvelle intitulée plus tard *la Grenadière.*

OZAROWSKI (abbé), prêtre polonais, ami de la famille Hanski, qui reçut la confession de Balzac avant la célébration du mariage, et félicita Mme Hanska de la noblesse d'âme de son fiancé.

Pacha (le), titre correspondant au n° 83 (*Scènes de la vie militaire : sous-groupe les Français en Égypte*). On ne sait rien de cette œuvre, qui ne fut pas écrite.

Pair de France (le). V. *Bal de Sceaux (le).*

Paix du ménage (la), court récit écrit en juillet 1829, à la Bouleaunière*, auprès de Mme de Berny*, et publié en 1830. N° 13 (*Scènes de la vie privée*). Dédié à Valentine Surville* (Valentine est née en 1830, et la dédicace est de 1842. Détail qui vérifie une fois de plus le caractère rétrospectif des dédicaces* de Balzac).

La comtesse de Vaudrémont est une riche veuve qui a été la maîtresse du général comte de Soulanges. Celui-ci n'a pas hésité à lui offrir un diamant qu'il a pris dans l'écrin de bijoux de sa jeune femme. Mme de Vaudrémont abandonne Soulanges pour un jeune et brillant maître des requêtes au Conseil d'État, le comte Martial de La Roche-Hugon, et lui fait, à son tour, cadeau du diamant. Mais, dans un bal, elle s'aperçoit que son jeune amant fait une cour assidue à la comtesse de Soulanges. Elle rompt avec lui. Et la comtesse, à la faveur de la cour que lui fait La Roche-Hugon, récupère son diamant. Elle se réconciliera avec son mari.

Récit cyclique, un peu artificiel ; l'intrigue n'est d'ailleurs pas de Balzac ; il l'a empruntée à Dufresny (*Aventure du diamant*, 1707).

PALMA, banquier, usurier, apparaît comme tel dans *Grandeur, Gobseck, Ursule*. Il est, en outre, actionnaire d'une maison de calicot où Maximilien de Longueville a des intérêts, ce qui vaut à celui-ci le mépris de Mlle de Fontaine (*Bal*).

Paméla Giraud, pièce en cinq actes, en prose, représentée pour la première fois sur le théâtre de la Gaîté, le 26 septembre 1843. Il fut longtemps admis que, si le nom de Balzac figurait seul sur l'affiche, il n'avait guère fourni que cette caution, ainsi que l'idée générale, que d'autres avaient été chargés de mettre en œuvre. Les recherches de M. Milatchitch (voir *Théâtre*) ont établi qu'il existait bien un manuscrit de la main de l'auteur, et où la pièce figure en entier. La version qui en a été tirée par deux adaptateurs n'en est que le remaniement.

L'insuccès de la représentation, s'il fut moins tumultueux que celui des *Ressources de Quinola,* fut à peu près le même : la pièce n'eut que vingt et une représentations, et la critique, notamment celle de Jules Janin, fut très dure. Elle le fut plus encore pour la reprise, en 1859, par le théâtre du Gymnase-Dramatique, où, pourtant, on réussit à la jouer trente-cinq fois. Et une nouvelle reprise en 1917, à l'Odéon, fut un échec (huit représentations).

La pièce est une sorte de drame bourgeois, dont l'intrigue se situe au début de la Restauration. La fleuriste Paméla Giraud est amoureuse d'un certain Jules Rousseau, qu'elle croit être un modeste employé. En fait, il est le fils d'une famille très riche et s'est compromis dans une conjuration bonapartiste, dont le vrai chef est le général de Verby. Il est poursuivi par la police, se cache sous un faux nom dans la mansarde de Paméla, où l'on vient l'arrêter à la suite d'une dénonciation. Ici intervient l'honnête homme de la pièce, l'avocat Dupré ; il ne voit plus de moyen pour faire libérer le jeune homme : Paméla affirmera faussement qu'au jour de la conjuration à laquelle Jules Rousseau était censé participer, celui-ci avait passé la nuit dans la mansarde de la jeune fille. Par amour et par dévouement, elle accepte de faire ce faux témoignage. La famille Rousseau, soulagée, estime qu'elle sera quitte envers Paméla en lui offrant de l'argent. Indignation de Dupré : il déclare à la famille que, si elle ne consent pas au mariage de Jules et de Paméla, lui, Dupré, est disposé à révéler le faux témoignage et à faire rouvrir le procès. La famille s'incline. Les jeunes gens se marieront.

Ce ne sont là que les très grandes lignes d'une intrigue où interviennent des personnages mineurs, souvent destinés à infléchir le drame vers la comédie. On a reproché à l'auteur d'avoir montré exclusivement des personnages tout bons ou tout mauvais. Le genre l'exigeait sans doute, mais il n'est pas contestable que, dans l'étude des milieux bourgeois, Balzac romancier a été mieux inspiré que dans Paméla.

PAMIERS (vidame de), ancien commandeur de l'ordre de Malte, aimable vieux gentilhomme, ami de la baronne de Maulincour, au neveu de qui il est amené à donner des conseils qui ne furent pas suivis (Ferragus). Il n'a pas plus de succès avec sa petite-nièce, la duchesse de Langeais, qu'il essaie de mettre en garde contre Montriveau (Duchesse). Il fréquente également, entre autres, Félicité des Touches (Cabinet), les Grandlieu (Splendeurs), etc.

Parasite (le). V. Cousin Pons (le).

Parents pauvres (les), titre commun à la Cousine Bette et au Cousin Pons. Édition en volumes groupant les deux romans, chez Chlendowski et Pétion, en 1847. L'ensemble de l'œuvre est dédié à don Michele Angelo Cayetani, prince de Téano.

Paris dans « la Comédie humaine ».

On ne saurait en quelques lignes établir une géographie complète du Paris que présentent les romans de Balzac. Il est seulement possible de dégager quelques indications générales et de déterminer des « régions » où, selon leur niveau social, habitent ou exercent les personnages de la Comédie.

Paris, à l'époque où écrit Balzac, ne comportait que douze arrondissements.

Balzac indiquant rarement le numéro des maisons, la localisation, sur la carte ci-jointe, ne peut être qu'approximative.

1. Les « beaux quartiers » sont essentiellement représentés par le faubourg Saint-Germain (VIIe arrondissement). Le baron Hulot (Cousine Bette) habite, au temps de sa splendeur, rue de l'Université (1), Mme Firmiani rue du Bac (2); les Beauséant (Père Goriot) ont leurs hôtels, le père rue Saint-Dominique (3), le fils rue de Grenelle (4). Valentin (Peau), devenu riche, est installé rue de Varenne (5).

2. Les « beaux quartiers » ont, si l'on peut dire, une annexe sur la rive droite (VIIIe arrondissement approximativement). Mme Rabourdin (Employés) tient salon rue Duphot (6). L'hôtel des Laginski (Fausse Maîtresse) est rue de la Pépinière (7). La princesse de Cadignan (Secrets), lorsqu'elle est forcée de restreindre son train de vie, reste fidèle à ce quartier et loue un rez-de-chaussée rue de Miromesnil (8).

3. Un peu plus à l'est (Ier et IIe arrondissement) se trouve un quartier moins bourgeoisement habité, mais qui est le centre des affaires et du commerce de luxe. César Birotteau (Grandeur) a sa boutique rue Saint-Honoré (9). C'est dans la rue Vivienne qu'est l'étude de Me Derville (Colonel) [10]. Le marchand de châles Fritot (Gaudissart II) a son magasin au coin de la rue de Richelieu et de la rue Ménars (11).

4. Le Marais, qu'a si bien connu Balzac dans sa jeunesse (et qui correspond à peu près au IIIe arrondissement), est habité par des gens modestes, mais qui ne sont pas des miséreux. Le domicile du cousin Pons est rue de Normandie (12). La Maison du Chat-qui-Pelote est à l'extrême limite du Marais, au coin de la rue Saint-Denis et d'une rue disparue, proche de l'actuelle rue Tiquetonne (13). Et l'intrigue d'Une double famille se situe, au début, rue du Tourniquet-Saint-Jean, aujourd'hui disparue (14).

5. La montagne Sainte-Geneviève (V^e arrondissement actuel) est le refuge des pauvres, des jeunes gens impécunieux qui débutent dans la vie (Rastignac, Bianchon),

des anciens riches, de ceux qui ont de bonnes raisons de camoufler leur identité (Vautrin) ou leur richesse (Gobseck) derrière une façade de médiocrité, sociale ou pécuniaire. La célèbre pension Vauquer (*Père Goriot*) était rue Neuve-Sainte-Geneviève (l'actuelle rue Tournefort) [15]. Si Mme d'Espard a conservé son bel hôtel du faubourg Saint-Honoré (*Interdiction*), son mari, pour vivre le plus économiquement possible, est venu habiter la montagne Sainte-Geneviève (16). Gobseck a un modeste logement rue des Grès (aujourd'hui rue Cujas) [17]. Rubempré, lorsque Mme de La Baudraye l'a abandonné à son sort (*Illusions*), en est réduit à vivre dans l'ancienne rue de Cluny (18). C'est tout près de cette rue, dans un modeste hôtel de la rue des Cordiers, aujourd'hui disparue, que, durant trois ans, Valentin (*Peau*) mène une vie d'ascète avant de connaître la fortune (19).

Beaucoup plus loin, dans une des maisons qui « ont la misère » des habitations de la campagne « sans en avoir la poésie », le colonel Chabert a trouvé refuge au faubourg Saint-Marceau, rue du Petit-Banquier (aujourd'hui rue Watteau, dans l'*actuel* XIIIe arrondissement) [20].

6. Les lorettes sont parfois somptueusement installées, mais il semble que leurs protecteurs veuillent éviter de contaminer les beaux quartiers par le voisinage de ces créatures un peu voyantes ; c'est généralement au nord-nord-est du Paris d'alors qu'elles habitent (IXe arrondissement, approximativement). Esther Gobseck se voit offrir par Nucingen (*Splendeurs*) le bel appartement qu'habitait rue Taitbout (21) Mlle de Bellefeuille. Florine passe de la rue d'Hauteville (22) à la rue Pigalle (23). Carabine habite rue Saint-Georges (24).

En somme, les unes et les autres s'éloignent peu de la paroisse Notre-Dame-de-Lorette, qui leur a donné leur nom.

Parisiens en province (les), groupe prévu comme devant être le pendant des *Provinciaux à Paris*, et devant comporter cinq romans, dont deux seulement ont été réalisés : l'*Illustre Gaudissart* et la *Muse du département*.

Partisans (les), titre correspondant au n° 93 (*Scènes de la vie militaire*). On ne sait rien de ce projet, qui n'a jamais abouti.

PASSEZ (M^e), notaire, rue du Temple. C'est dans son étude que Balzac, qui était

Paris au temps de Balzac : le boulevard des Capucines et le boulevard des Italiens en 1830. *Phot. Harlingue-Viollet.*

censé poursuivre ses études de droit, fut clerc pendant quelques mois, en 1818, en sortant de l'étude d'avoué de Mᵉ Guillonnet de Merville*.

passion dans le désert (Une), courte nouvelle parue dans la *Revue de Paris* en décembre 1830, la seule œuvre (avec *les Chouans*) qui ait été écrite, parmi les vingt-trois que Balzac avait prévues comme devant constituer les *Scènes de la vie militaire*. Elle y porte le nº 84, 3ᵉ épisode du groupe : *les Français en Égypte*. Un soldat de l'armée d'Égypte, surnommé le Provençal, fait prisonnier par les Maugrabins, s'évade et rencontre dans le désert une panthère femelle qui l'effraie d'abord, mais qui se révèle très douce et affectueuse, et dont il fait sa compagne. Il l'a surnommée Mignonne, du nom d'une ancienne maîtresse qu'il appelait ainsi par antiphrase, car elle avait mauvais caractère. Un jour, au cours de leurs jeux, par suite d'un geste maladroit de la panthère, le Provençal se croit menacé, et tue sa compagne, qui meurt en lui lançant un dernier regard de reproche.

L'histoire de cette « passion » pour le moins étrange ne serait qu'une curiosité si Balzac n'avait su évoquer avec bonheur l'atmosphère du désert, qui est « Dieu sans les hommes ».

PASTORET (Amédée-David, marquis **de**) [1791-1857], haut fonctionnaire du gouvernement de la Restauration, à qui il resta fidèle sous la monarchie de Juillet, homme de lettres et historien, membre de l'Académie des beaux-arts. Ce n'est pas par hasard que Balzac lui dédia *Sur Catherine de Médicis*. Il se plaint dans sa dédicace de ce que l'histoire romaine a donné lieu à des recherches infinies, tandis que celle de la Réformation reste « pleine d'obscurités », et il estime que ses « études historiques » sur la reine « seraient convenablement adressées à un historien qui depuis si longtemps travaille à l'histoire de la Réformation ».

Pathologie de la vie sociale, titre portant le nº 135 (*Études analytiques*). Balzac avait envisagé d'y fondre en un tout cohérent un certain nombre d'études parues antérieurement, et qui sont demeurées indépendantes, notamment : *Des mots à la mode, Théorie de la démarche, Traité de la vie élégante, Traité des excitants modernes.*

Paysans (les), roman dont la première partie (*Qui terre a, guerre a*, treize chapitres) parut du 3 au 21 décembre 1844, dans *la Presse* ; la seconde partie, laissée inachevée, complétée par Mᵐᵉ de Balzac, sur les notes et d'après les fragments laissés par son mari, parut du 1ᵉʳ au 15 juin 1855. Nº 101 (*Scènes de la vie de campagne*). Dédié, dès 1844, à Gavault*.

Le général, puis maréchal comte de Montcornet s'est rendu acquéreur du domaine des Aigues, en Bourgogne, à la grande déception du régisseur du château, Gaubertin, qui avait espéré racheter le domaine à la mort du précédente propriétaire. Montcornet conserve Gaubertin quelque temps comme régisseur, puis, s'étant aperçu qu'il était honteusement volé par lui, le chasse. Gaubertin a voué au comte une haine inexpiable ; il entreprend de conspirer à sa ruine. Il y est aidé par un certain (G.) Rigou, usurier influent et célèbre à la ronde par le surnom qui lui a été donné (Grigou), et involontairement par le comte lui-même. Celui-ci administre son domaine avec rigueur ; il veut faire cesser les pratiques de pillage qui s'étaient instituées avant son arrivée, et dont se rendent coupables un grouillement de vagabonds et de paysans sans scrupule, qui tiennent leurs assises au cabaret du Grand-I-Vert. Exaspérés et non point matés par la rigueur du comte, ils entreprennent de lui rendre la vie intenable. On détruit ses arbres. Son garde général Michaud, homme probe et dévoué, qui s'est attiré pour cette raison la haine des paysans, est tué par un assassin qu'on ne pourra découvrir. Un certain Bonnébaud, ancien soldat, se voit offrir 1 000 écus pour tuer le comte. Trois fois, il le tient au bout de son fusil ; trois fois il renonce à assassiner un ancien serviteur de l'Empereur ; il l'avertit même du danger. Lassé de la lutte sournoise que mènent contre lui des ennemis insaisissables, le comte

renonce : il vend son domaine à perte ;
et si des parcelles parviennent entre les
mains des paysans, c'est Gaubertin et
Rigou qui vont s'attribuer la plus large
part.

Ce portrait peu flatteur de la paysanne-
rie est une sorte de roman à thèse ; il s'y
exprime une théorie politique, économique
et sociale chère à l'auteur. Dans une préface courte, mais très précise, Balzac
exprime sa pensée de la manière la plus
catégorique. Déjà, le Dr Benassis *(Médecin)*, s'il fait le bonheur des humbles, se
déclare formellement opposé au suffrage
universel. Dans *les Paysans*, Balzac va
beaucoup plus loin : il s'insurge contre
ceux qui ont « presque déifié le prolétaire », contre le « vertige démocratique » ;
il déclare avoir eu, lui, « le courage d'aller
au fond des campagnes pour étudier la
conspiration permanente de ceux que nous
appelons encore les faibles, contre ceux
qui se croient les forts, du paysan contre
le riche » ; il entend présenter « cet infatigable sapeur, ce trongeur qui morcelle
et divise le sol, le partage et coupe un
arpent de terre en cent morceaux, convié
toujours à ce festin par une petite bourgeoisie qui fait de lui, tout à la fois, son
auxiliaire et sa proie ». Et la conclusion
du roman tend à justifier cette condamnation du partage des terres : les bénéficiaires de l'opération sont un régisseur
enrichi et un usurier.

PAZ (comte Thadée), noble polonais (né
en 1805). Il joue un rôle essentiel dans
la Fausse Maîtresse, et ne reparaît qu'au
mariage de Steinbock avec Hortense Hulot
d'Ervy *(Cousine Bette)*.

Peau de chagrin (la), parue en fragments
dans *la Caricature*, la *Revue des
Deux Mondes*, la *Revue de Paris*, de
décembre 1830 à mai 1831 ; en librairie
en août 1831, sous la signature d'Honoré
de Balzac (première apparition dans la
signature du romancier du de nobiliaire).
N° 107 *(Études philosophiques)*.

C'est un conte fantastique qui se déroule
dans la société parisienne. Le marquis
Raphaël de Valentin, héritier d'une petite
somme à la mort de son père, décide de

**Détail d'illustration pour *la Peau de
chagrin*, « drame fantastique » tiré du
roman de Balzac et joué à l'Ambigu-
Comique, le 6 septembre 1851. La scène
représente Raphaël chez le brocanteur.**
Maison de Balzac. Phot. Lauros-Giraudon.

la faire durer en menant une vie parci-
monieuse qu'il consacre à l'étude. Il
médite un *Traité de la volonté* en vue
duquel il étudie les langues orientales.
Mais, sous l'influence de Rastignac, qu'il
a rencontré et qui a raillé cette vie de
reclus, il décide de mener une vie moins
austère, et entreprend sans succès la
conquête de la belle comtesse Foedora.
Ruiné, désespéré, il songe au suicide, et,
avant de s'y résoudre, va tenter sa chance
dans une salle de jeu au Palais-Royal. Il y
perd son dernier louis, et songe à se jeter
dans la Seine, lorsqu'il entre par hasard
dans le magasin d'un brocanteur. Celui-ci
lui montre une étrange peau de chagrin,
accompagnée d'une inscription d'après
laquelle le possesseur de ce talisman verra
tous ses vœux réalisés. Mais chaque fois,
la surface de la peau de chagrin dimi-
nuera, et lorsqu'il n'en restera plus rien,
ce sera la mort du détenteur. Le brocanteur, après avoir solennellement mis en
garde Raphaël contre le pouvoir redoutable du talisman, lui en fait cadeau. Dès
lors, le moindre vœu de Raphaël est
exaucé ; mais il constate avec horreur que,

chaque fois, la peau rétrécit. C'est en vain qu'il essaie d'éviter le moindre désir ; en vain il croit fuir la malédiction en jetant la peau dans un puits, d'où le jardinier la ressortira par hasard, en puisant de l'eau. Elle s'est encore inexorablement rétrécie. Raphaël tombe malade ; les savants qu'il a consultés sont impuissants devant le mystère du talisman, les médecins les plus célèbres impuissants à le guérir. Et il meurt devant la dernière parcelle — bientôt disparue — de la peau de chagrin, et non sans avoir essayé de posséder, dans une sorte de frénésie désespérée, la jeune fille qu'il aime.

On ne peut s'empêcher de songer à la lecture de ce récit, aux *Contes fantastiques* d'Hoffmann ; mais Balzac affirmait ne pas les avoir lus avant d'écrire *la Peau de chagrin*. On peut le croire ; son goût de l'ésotérisme et du merveilleux suffit à expliquer le choix du thème. D'ailleurs, le symbole est clair : l'homme ne peut vivre sans désirer ; chaque désir — et sa réalisation — est un pas vers la mort.

Les aventures de Raphaël permettent à Balzac d'esquisser plusieurs tableaux de mœurs : sa célèbre description de l'orgie est un morceau de bravoure qui avait paru à part sous le titre *Une débauche* dans la *Revue des Deux Mondes*. Les milieux avec lesquels le héros prend contact sont décrits souvent avec des intentions satiriques : journalisme, maisons de jeux, salons littéraires, et aussi les milieux scientifiques et médicaux ; Balzac se plaît à souligner l'impuissance des savants et des médecins en face des mystères de la nature et de la vie. Cette prise de position explique que l'œuvre ait été classée dans les *Études philosophiques*.

PÉLISSIER (Olympe), « mauvaise courtisane célèbre pour sa beauté », d'après Balzac. Elle avait été d'abord rat* à l'Opéra et, vendue par sa mère, avait eu la chance, en fin de compte, de se voir attribuer, par un admirateur d'âge canonique, une rente confortable. Ses amis furent nombreux, Vernet, Sue, entre autres. Balzac ne dédaignait pas de fréquenter le salon de cette « mauvaise courtisane », où se retrouvait d'ailleurs

Illustration pour *la Peau de chagrin*, par Tony Johannot et Porret. Le document représente l'épisode final. *Maison de Balzac. Phot. Lauros-Giraudon.*

une société masculine fort aristocratique ; on affirme même qu'il fut de ses amants. Il s'en défend dans une lettre à Mme Hanska, mais en des termes si peu catégoriques (« Je ne puis faire un pas qu'on ne l'interprète à mal ») que le démenti est peu convaincant. Olympe Pélissier fut la maîtresse de Rossini*, qui l'épousa plus tard ; et Balzac, toujours somptueux lorsqu'il entreprenait de recevoir, offrit aux deux amants, rue Cassini, un dîner dont la splendeur éblouit le compositeur.

Pénissière (la), titre correspondant au n° 99 (*Scènes de la vie militaire*). L'œuvre ne fut jamais rédigée. Mais le titre au moins est clair, et fait allusion à un événement historique : l'encerclement dans le château de la Pénissière, près de Clisson, en 1832, d'une cinquantaine de partisans de la duchesse de Berry.

pensionnat de demoiselles (Un). Après l'enfance, et pour suivre le plan chronologique d'une humaine (v. *Enfants*), Balzac se proposait d'étudier non point les jeunes filles, qui apparaîtront si souvent dans son œuvre, mais exactement les adolescentes « entre quatorze et quinze ans ». Le titre de cette œuvre a souvent varié, et elle n'apparaît sous le titre ci-dessus que dans le classement établi en 1845. N° 2 (*Scènes de la vie privée*). Elle n'a jamais été rédigée.

Père Goriot (le), roman composé en partie en octobre 1834 au château de Saché, publié par la *Revue de Paris*, la première partie en décembre 1834, la seconde en janvier et février 1835, en volume chez Werdet en mars 1835. N° 26 (*Scènes de la vie privée*). Dédié au « grand et illustre Geoffroy Saint-Hilaire, comme un témoignage d'admiration de ses travaux et de son génie ».

Mme Vauquer, mégère affreuse et cupide, dirige à Paris, rue Neuve-Sainte-Geneviève, dans un quartier alors misérable, « entre le dôme du Val-de-Grâce et le dôme du Panthéon », une minable pension de famille. Au nombre des « internes » (qui logent dans la maison et y prennent leurs repas) que la modestie de leurs moyens contraint à se contenter de ce séjour figurent, comme personnages essentiels : un sieur Poiret, célibataire, et une demoiselle Michonneau; une jeune fille, Mlle Victorine Taillefer, dont le père, bien que très riche, lui sert une misérable pension, et une dame Couture, parente éloignée de la jeune fille et qui la protège; deux étudiants, l'un en médecine, Bianchon, l'autre en droit, Eugène de Rastignac, fils d'une famille pauvre et noble de Charente, qui se saigne aux quatre veines pour assurer son séjour à Paris et la poursuite de ses études; un personnage discret et étrange, M. Vautrin, qui se dit rentier, et enfin un ancien vermicellier, M. Jean Joachim Goriot, dont les ressources ont diminué au point de l'obliger à abandonner la meilleure chambre pour une chambre médiocre, puis à loger au grenier. Perdant ainsi la considération générale, il n'est plus dans la pension que « le père Goriot ».

Mais il a eu une énorme fortune, 60 000 livres de rente, acquise dans la spéculation sur les farines. Veuf de bonne heure d'une femme qu'il adorait, il a reporté une affection exclusive, quasi fétichiste,

sur ses deux filles, et les a richement mariées. L'aînée, Anastasie (Nasie pour son père), est devenue la comtesse de Restaud; la cadette, Delphine, est devenue, par son mariage avec un riche banquier israélite, Mme de Nucingen. Mais Goriot s'est dépouillé pour les doter : leurs goûts de luxe, la légèreté de leur caractère, les dettes qu'elles accumulent achèvent de le ruiner. L'adoration qu'il leur porte est telle que, méprisé par ses gendres, et ne recevant de ses filles — qu'il est réduit à voir en cachette — aucune marque d'affection, il poussera l'aberration du sentiment paternel jusqu'à favoriser l'adultère de l'une d'elles, et à dissiper, pour subventionner leurs fantaisies, tout ce qui lui reste, au point d'en être réduit à la misère.

Rastignac est ambitieux; il est venu à Paris pour y faire une brillante carrière; mais il ne sait trop comment. Son ambition a tout de suite été percée à jour par Vautrin; celui-ci n'est autre que l'ancien forçat Jacques Collin, qui s'est évadé, et qui s'y connaît en hommes. Il donne au jeune ambitieux une extraordinaire leçon d'arrivisme cynique. Vautrin explique à Rastignac qu'il ne peut arriver par les voies ordinaires; il lui faut de l'argent, et beaucoup. Déjà, pour se lancer dans le monde, et faire sa cour à la belle Delphine de Nucingen, dont il est tombé amoureux, il a dû faire appel à la maigre cassette paternelle, puisant sur l'argent qui devait revenir à ses sœurs. Mais il peut s'enrichir, et monstrueusement, et vite. La jeune Victorine Taillefer, qui éprouve pour Rastignac une tendresse secrète, n'est pauvre qu'en apparence. Son père a une grosse fortune, dont Vautrin a subodoré l'origine suspecte (en fait, criminelle; v. *l'Auberge rouge*). Mais il destine tout à son fils. Un bon duel peut faire disparaître ce fils gênant; la fortune du père ira alors à Victorine, et il ne restera plus à Rastignac qu'à l'épouser.

Le jeune homme repousse avec horreur cette suggestion. Il ne voudra pas profiter de la machination envisagée par Vautrin, et que celui-ci met cependant à exécution. Le fils Taillefer, provoqué en duel par un protégé de Vautrin, le colonel Franchessini, est tué.

Vautrin lui-même est poursuivi par un ancien compagnon de bagne, Bibi-Lupin, devenu chef de la Sûreté, et qui a su découvrir sa retraite. Grâce à l'espionnage de Poiret et de Mlle Michonneau, il l'arrête (sa carrière n'est pas achevée; on le retrouvera dans d'autres romans). Les deux espions, devant l'indignation des pensionnaires de Mme Vauquer, doivent quitter la pension.

Épuisé, accablé par l'ingratitude de ses filles, le père Goriot est frappé d'apoplexie. Il va mourir; seuls, Bianchon et Rastignac l'assistent. Le père abandonné appelle en vain ses filles, leur prodiguant tour à tour, et en leur absence, malédictions et mots de tendresse. Une seule viendra, mais trop tard; il ne pourra pas la reconnaître.

Il est mort si pauvre que ses misérables obsèques ont dû être payées par Bianchon et Rastignac. Derrière le corbillard suivent les deux voitures de la comtesse de Restaud et de Mme de Nucingen : les voitures sont vides.

Resté seul, Rastignac, contemplant du haut du cimetière du Père-Lachaise la capitale, lui lance « ces mots grandioses : « À nous deux maintenant ».

Cette fin célèbre précise les intentions de Balzac quant à l'évolution de Rastignac, qui est avec le père Goriot le personnage essentiel du roman. Il était arrivé plein d'ambition, mais loyal et pur, pour faire la conquête de Paris. Après avoir refusé avec indignation le moyen criminel suggéré par Vautrin, son expérience de la vie parisienne lui a prouvé que l'ancien forçat voyait juste. Devenu l'amant de Delphine de Nucingen, il a pu connaître les dessous d'une société brillante, mais corrompue, où il prend la détermination de faire la carrière d'arriviste mondain dont Balzac montrera le développement dans d'autres romans. L'art du romancier lui a permis d'établir un lien entre cette évolution et l'histoire pitoyable du père Goriot. Devant l'égoïsme monstrueux des deux filles, Rastignac a perdu toute illusion sur la société où il est bien décidé à triompher.

C'est donc bien le père Goriot qui reste le personnage essentiel, le pivot de l'intrigue

Illustration pour *le Père Goriot*, par Laisné, pour les *Œuvres illustrées* de Balzac, éditées par Michel Lévy en 1867. « Rastignac, resté seul, fit quelques pas vers le haut du cimetière. » *Maison de Balzac. Phot. Lauros-Giraudon.*

romanesque. Par une analyse extraordinaire, quasi tératologique, de l'amour le plus noble et le plus pur, poussé à son paroxysme, Balzac a créé un type dont la puissance dramatique s'égale à celle du roi Lear (rapprochement classique et qui s'impose, en effet).

Mais ce qui était nouveau, c'est la description du milieu social où évolue le vieillard. Dans cette pension misérable s'agitent des personnages d'un pittoresque savoureux, pitoyable ou inquiétant. Ce microcosme de la misère est d'autant plus tragique qu'il s'agit non pas de déchets humains, mais de personnages dont certains, à leur manière, s'efforcent de garder une sorte de dignité bourgeoise.

Le succès de l'œuvre fut immédiat, malgré la critique, et son retentissement énorme. Là, comme pour *Eugénie Grandet,* il faut noter que le public sut d'instinct reconnaître la marque du génie. Il était fréquent à cette époque que les romans à succès fussent l'objet d'adaptations théâtrales ; la législation ne prévoyait alors le prélèvement d'aucun droit en faveur de l'auteur de l'œuvre originale. Mais le fait que, dès le début de 1835, deux adaptations aient été portées à la scène suffit à prouver la popularité du roman — et du romancier.

PERIOLAS (Louis-Nicolas) [Balzac écrit parfois le nom avec deux *l*], officier d'artillerie (1785-1859), à qui est dédié *Pierre Grassou*. Balzac l'avait connu en 1829 chez les Carraud, et conserva toujours avec lui d'excellentes relations. Cet officier avait fait toutes les campagnes napoléoniennes, et Balzac comptait beaucoup sur les renseignements obtenus de lui pour écrire une sorte d'épopée militaire romanesque. En particulier, la bataille de Wagram lui paraissait être un merveilleux sujet de développement. De ce projet, qu'il ne put mener à bien, témoigne la présence, dans le plan de *la Comédie*, de plusieurs titres figurant dans les *Scènes de la vie militaire*, et correspondant à des œuvres qui ne furent pas écrites. (On sait que seuls les numéros 81 — *les Chouans* — et 84 — *Une passion dans le désert* — ont été rédigés.)

Petits Bourgeois **(les),** roman dont le projet primitif avait été conçu sous le titre *Gendres et belles-mères*. N° 31 *(Scènes de la vie privée),* non rédigé, puis qui, à partir de la peinture d'un « tartuffe - démocrate - philanthrope », devait s'élargir pour devenir le portrait de la bourgeoisie de 1830, l' « épopée de la bourgeoisie ». L'éditeur Hetzel avait d'abord conseillé pour titre *les Bourgeois de Paris* ; puis le roman, laissé inachevé, fut terminé, probablement, par Charles Rabou, et parut posthume en 1854. Était prévu par Balzac sous le numéro 66 *(Scènes de la vie parisienne).* Dédié sur épreuves à Constance Victoire (Mme Hanska). L'état définitif du roman permet de dégager les grandes lignes de l'intrigue suivante.

Théodose de La Peyrade, neveu du Peyrade qui figure dans d'autres romans *(Ténébreuse, Splendeurs),* est une sorte de sous-Rubempré ou de sous-Rastignac. Ambitieux comme eux, et désireux de faire carrière, il croit habile de se présenter comme socialiste catholique. Des hommes d'affaires véreux, et tout spécialement Cérizet*, lui ont prêté de l'argent, à charge à lui de les rembourser lorsqu'il aura épousé la jeune Céleste Colleville. Celle-ci est la fille adultérine d'un certain Louis Thuillier, qui, n'ayant pas d'enfant légitime, est disposé à la doter richement. Mais Théodose ne plaît pas à Céleste, qui aime le jeune Félix Phellion, professeur de mathématiques et fils d'un employé.

Cérizet apparaît dans une sorte d'intrigue parallèle, ou plus exactement antérieure. Un vieil ivrogne, Poupillier, étant sur le point de décéder, sa seule parente vivante, Mme Cardinal, l'apprend par hasard, et découvre que le vieillard est possesseur d'une somme importante en louis d'or, qu'il cache sous son lit. Elle prend conseil de Cérizet et les deux complices s'entendent pour dépouiller de son or le moribond.

C'est sur cette scène que s'achève la partie du roman écrite personnellement par Balzac, et composée sur épreuves. La suite, rédigée par Rabou, évolue vers une fin heureuse. Le policier Corentin*, vieil ami de Peyrade* (l'oncle, qui meurt à la fin de *Splendeurs*), sera le *deus ex machina* de la situation. Il a juré de se venger de Théodose, qui a déshonoré sa cousine germaine, et charge une comtesse qui lui est toute dévouée de séduire et de compromettre Théodose. Les projets matrimoniaux de celui-ci s'écroulent. Il épousera la jeune Lydie Peyrade, sa cousine, toujours démente depuis son aventure relatée dans *Splendeurs*, et que Corentin a recueillie. Ce mariage rendra la raison à la jeune malade. Céleste Colleville épousera, de son côté, son cher professeur de mathématiques.

Les balzaciens font toute réserve sur cette fin. Mais ce qui est authentiquement de Balzac aurait pu s'inscrire parmi les belles pages de *la Comédie*. Si l'on en excepte l'idylle Céleste Colleville-Félix Phellion, la plupart des personnages sont dessinés d'un trait dur et sans indulgence. Certaines situations sont d'un comique féroce : telle la dernière scène due à la plume de

Balzac, et où l'on voit Cérizet emplissant ses poches de l'or dérobé au vieillard, et évoluant devant la mère Cardinal en lui demandant s'il n'a pas l'ai. d'être chargé d'une manière suspecte. On doit regretter que le romancier n'ait pu mener lui-même l'œuvre à bonne fin.

Petites Misères de la vie conjugale (ce titre ne comporte pas d'article), œuvre parue à différentes époques et par fragments, à partir de 1830, parue complète en 1845-46. N'étant pas prévue dans le plan de *la Comédie humaine*, elle ne comporte pas de numéro; se rattacherait rationnellement aux *Études analytiques*. Pas plus que la *Physiologie du mariage*, dont elle est en quelque sorte la suite, l'œuvre n'est un roman. Elle est à la physiologie, selon l'auteur, « ce que l'histoire est à la philosophie, ce qu'est le fait à la théorie ». Effectivement, elle est infiniment moins dogmatique, et beaucoup plus anecdotique, encore que les récits et les réflexions soient parfois interrompus par des « axiomes ». Cependant, le fil qui relie les diverses anecdotes est tellement lâche qu'on ne saurait parler proprement d'intrigue. Les deux personnages principaux, le mari, la femme, Adolphe, Caroline, sont des symboles. Et d'ailleurs le prénom, s'il est attribué à plusieurs reprises à des personnages précis, Adolphe (De Chodoreille), Caroline (Heurtaut, épouse de Chodoreille), désigne beaucoup plus souvent le mari en soi, la femme en tant qu'épouse. Apparaissent des comparses dont le rôle est seulement de créer autour des deux époux un minimum de cadre social, Mme de Fischtaminel, le cousin Ferdinand, présenté à un moment donné comme l'amant de Caroline, et tellement symbolique que l'auteur l'appelle dans un « Commentaire » le Ferdinand. Pratiquement, aucun de ces personnages ne reparaît dans *la Comédie humaine*, si ce n'est à titre tout à fait épisodique et accidentel.
Une première partie est consacrée aux « petites misères » du mari. C'est incontestablement la plus drôle. Elle comporte, interrompue par diverses réflexions, une série de petits tableaux que nous pour-

rions presque appeler des « sketches », et dont l'humour fait parfois pressentir Courteline : Caroline, qui prétend avoir passé la nuit éveillée afin de pouvoir réveiller son mari à l'heure qu'imposent ses affaires, mais qui se recouche toute la matinée, et « ne peut rien faire de la journée, parce que vous vous êtes levé matin » ; Caroline, qui, au retour d'une promenade en voiture dans la banlieue, presse son mari de surmener le cheval, parce que les enfants ont faim, et l'accuse « de tenir plus à sa rosse qu'à son enfant » ; Caroline, qui feint de dépérir parce que sa santé exige l'acquisition d'une villa à la campagne ; Caroline, qui, dans les salons, commet des « gaffes » si monumentales que son mari souhaiterait rentrer sous terre ; Caroline, qui décide de prendre en main la gestion des dépenses du ménage, s'en tire mal, mais triomphe parce que le mari, reprenant la responsabilité de la comptabilité, ne s'en tire pas mieux ; Caroline, qui, amoureuse d'un petit cousin, affecte de ne plus tenir à une existence que la maladie va abréger, et traite d'imbécile le médecin qui lui a trouvé « une santé féroce », etc.
Mais l'équité exige que soit présentée l'autre face du tableau. En l'occurrence, la « partialité serait évidemment du crétinisme ». « Voici maintenant le côté femelle du livre. » C'est la seconde partie. Moins allègre et moins pittoresque, elle est peut-être plus pénétrante. Dans une série de lettres-confessions, Caroline, et plusieurs autres jeunes mariées, confient à leurs correspondantes les désillusions que leur valent des mariages d'où elles attendaient le bonheur. Diverses anecdotes mettent l'accent sur de menues déceptions qui peuvent être aussi douloureuses qu'une crise aiguë. Caroline, qui adore son Adolphe, le pare de toutes les beautés, et parce qu'un gaffeur, ignorant qui elle est, désigne Adolphe comme « un gros monsieur, habillé comme un garçon de café », se demande « si son mari est aussi bien qu'elle le croit ». Caroline, qui attend dans la fièvre un mari adoré absent depuis trois mois, qui s'est parée pour le recevoir, qui l'a attendu toute la journée, qui s'endort de fatigue, pour apprendre au ma-

Illustration de Bertall pour les *Petites Misères de la vie conjugale*. Balzac, juché sur un tonneau, fait, au son de son violon, danser les principaux personnages. *Phot. Lauros-Giraudon.*

tin que le malotru, rentré dans la nuit, loin de courir dans la chambre de sa femme, est allé se coucher dans la chambre d'ami, avec l'ordre qu'on ne le réveillât point. Caroline, qui a préparé avec amour un plat de champignons qui doit combler les goûts gastronomiques de son époux, et s'entend déclarer que ce ne sont pas ceux-là qu'il aime.

À la fin, une mutuelle discrétion permettra à Caroline de prendre avec le cousin Ferdinand les libertés que son époux prend de son côté.

La conclusion est-elle « qu'il n'y a d'heureux que les mariages à quatre » ? Et l'auteur a-t-il voulu se venger « bien durement de ne pas pouvoir écrire l'histoire de ménages heureux » ? Ce sont les derniers mots de l'œuvre.

Et on peut se demander si, pour Balzac, qui désirait tant le mariage avec Mme Hanska, les *Petites Misères* ne sont pas autre chose qu'un amusant exercice de style.

Petit Souper (le). V. *Sur Catherine de Médicis.*

PEYRADE (de La Peyrade des Canquoëlles, dit), issu d'une vieille famille pauvre du Vaucluse, vient tenter sa chance à Paris, et réussit à entrer dans la police ; chargé de mission à Londres, il mène son enquête à bien, grâce à une parfaite maîtrise de la langue anglaise, qui lui permettra plus tard de se faire passer pour un lord anglais (v. ci-après). Il se distinguera dans l'affaire du sénateur Malin de Gondreville ; ayant échoué avec son chef Corentin au cours d'une enquête politique, il se vengera plus tard en impliquant les jumeaux Simeuse dans l'enlèvement *(Ténébreuse Affaire)*. Indépendamment des aventures (accessoires) qui lui sont prêtées dans *Valentine et Valentin,* son rôle est surtout essentiel dans *Splendeurs*. Bien que plus ou moins écarté de la police officielle à ce moment-là, il est toujours employé par Corentin : c'est lui qui est chargé d'enquêter sur l'énigmatique et inquiétant Carlos de Herrera. Il utilisera sa connaissance de l'anglais pour se faire passer pour un riche milord. Sous ce déguisement, il entretient (médiocrement) Suzanne du Val-Noble, ce qui lui permet de s'insinuer chez Esther. Mais ce sera sa perte, car il finit par être démasqué et, au cours d'un repas, Asie l'empoisonne. En même temps, Vautrin fait enlever Lydie Peyrade, fille naturelle et reconnue du policier, et la fait introduire dans une maison de prostitution, où elle est violée. La malheureuse en sort folle. Corentin, par affection pour Peyrade, recueille la malade ; et, dans les *Petits Bourgeois* (sous toute réserve), il est censé la marier à Théodose de La Peyrade, neveu de Peyrade. Ce mariage rend la raison à la jeune femme.

Peytel (l'Affaire). V. *Lettre sur le procès de Peytel.*

Phédon d'aujourd'hui (le). V. *Martyrs ignorés (les).*

PHELLION (famille), famille composée du père (né en 1779), rédacteur au ministère des Finances, de la mère, des enfants, notamment du fils, Félix (né en 1817), et qui apparaît dans *les Employés*, d'abord, puis dans *les Petits Bourgeois*.

Philanthrope (le), titre correspondant au n° 115 *(Études philosophiques).* L'œuvre ne fut jamais écrite.

Physiologie de l'employé, étude parue en 1841, et dont Balzac s'est resservi en partie pour son roman *les Employés.* On sait que la « physiologie » est à la mode à l'époque où écrit le romancier *(Physiologie du goût,* etc.).

Physiologie du goût ou Méditations de gastronomie transcendantale, œuvre célèbre (1825) de Brillat-Savarin, mélange de réflexions humoristiques, d'anecdotes, d' « aphorismes », de considérations gastronomiques, de recettes culinaires. C'est en partie la publication de cet ouvrage qui créa la mode des « physiologies », titre qui se retrouve dans plusieurs œuvres, écrites ou seulement projetées, de Balzac. C'est d'ailleurs à la suite d'une réimpression de cette *Physiologie* que parut le *Traité des excitants modernes.*

Physiologie du mariage (ce titre ne comporte pas d'article), œuvre dont la première version avait été esquissée en 1824 sous le titre de *Code conjugal,* parue en décembre 1829 sous le titre complet : *Physiologie du mariage ou Méditations de philosophie éclectique sur le bonheur et le malheur conjugal.* N° 134 *(Études analytiques);* seul numéro paru parmi les cinq que devait comprendre cette partie de *la Comédie.*
Cette œuvre n'est pas un roman. Les anecdotes qui l'illustrent n'ont pas de lien entre elles ; les personnages qui y figurent épisodiquement ne sont généralement désignés que par des initiales ou des prénoms. C'est une série de « Méditations » (trente, précédées d'une Introduction), divisées en trois parties : 1. Considérations générales ; 2. Des moyens de défense à l'intérieur et à l'extérieur (il faut comprendre : du ménage) ; 3. De la guerre civile (il faut également comprendre à l'intérieur du ménage). De loin en loin surgissent, sans préparation, des aphorismes groupés *(Catéchisme conjugal)* ou des « théorèmes » ; on

y trouve présentés, avec une profondeur affectée, ou avec un cynisme qui se voudrait paradoxal ou choquant, des truismes (« Physiquement, un homme est plus longtemps homme que la femme n'est femme »), des conseils brutaux destinés à « accrocher » le lecteur (« Ne commencez jamais le mariage par un viol »), mais aussi des aperçus psychologiques dont la subtilité fait prévoir l'auteur de *la Comédie humaine* (« Les actions d'une femme qui veut tromper son mari seront presque toujours étudiées, mais elles ne seront jamais raisonnées »).
En substance, le contenu de l'œuvre est à peu près le suivant : par une comptabilité démographique spécieuse, mais amusante, Balzac essaie de déterminer le nombre de femmes capables de provoquer une passion, et, parmi celles-ci, la proportion de femmes vertueuses, proportion qui, par des éliminations mathématiques successives, se trouve réduite considérablement. L'auteur donne ensuite de longs et minutieux conseils de « stratégie » aux maris désireux de n'être pas « minotaurisés », où se mêlent, dans un désordre que ne masque pas une numérotation apparente, des considérations sur les sujets les plus variés (le rôle de la belle-mère, ou les avantages comparés, minutieusement étudiés, du lit commun, des lits jumeaux ou de la chambre séparée).
Visiblement, malgré la gravité didactique du ton de l'œuvre, l'auteur a voulu s'amuser. Mais ce serait une erreur de voir dans la *Physiologie* une série de boutades ou de paradoxes agressifs. La lecture du livre permet déjà non seulement d'entrevoir, mais de discerner très précisément un sens psychologique très aigu, le même dont Balzac fera preuve dans ses études ultérieures de la société et de l'âme humaines. Telle réflexion profonde, égarée parmi des aphorismes sans portée, pourrait trouver place dans *Illusions perdues* ou dans *Splendeurs.* Il n'est pas excessif de dire qu'en Balzac l'analyste du cœur humain s'est « essayé » dans une tentative de jeunesse qui porte en germe des aperçus plus vastes et plus pénétrants.
L'influence de Sterne est d'autant plus visible que Balzac lui-même, l'appelant

« le plus original des écrivains anglais », invoque son autorité, en citant la lettre de M. Shandy à son frère, lettre où figurent justement des « idées et des préceptes concernant le mariage ». L'expérience que l'auteur avait déjà de la psychologie féminine, et en particulier celle que lui valait sa liaison avec Mme de Berny, a certainement contribué à la genèse de l'œuvre.

L'accueil fait au livre fut bien celui que Balzac avait cherché. Le succès en fut plus grand que celui des *Chouans*, mais la critique, celle du *Globe*, celle des *Débats*, signée de Jules Janin, fut parfois sévère. Ce qui est essentiel, c'est que ce livre fut sans doute à l'origine des rapports de Balzac avec Mme Hanska. Elle avait déjà admiré *les Chouans*, mais la lecture de la *Physiologie* fut pour elle, comme pour beaucoup d'autres femmes, une révélation. Malgré le cynisme apparent de la rédaction, les femmes avaient l'impression que, pour la première fois, un écrivain mettait l'accent sur leur autonomie sentimentale, et prolongeait bien au-delà de l'âge des héroïnes classiques la période où elles avaient le droit et le pouvoir d'aimer et d'être aimées. Si on se souvient que Mme Hanska, lors de la publication du livre, avait vingt-neuf ans, on peut s'expliquer que dans l'âme de cette jeune femme imaginative et passionnée aient pu se développer pour l'auteur une gratitude et une admiration qui devaient bientôt faire place à d'autres sentiments.

Physiologie de la toilette, courte étude parue dans *la Silhouette* en 1830, et comprenant deux parties : *De la cravate,* « considérée en elle-même et dans ses rapports avec la société et les individus », et *Des habits rembourrés.*

Balzac avait, on le sait, des prétentions à l'élégance vestimentaire.

Pierre Grassou, très courte nouvelle parue en 1840 dans *Babel*. N° 27 (*Scènes de la vie privée*). Dédiée au lieutenant-colonel d'artillerie Périollas.

Pierre Grassou, fils d'un paysan royaliste de Fougères, vient à Paris pour faire des études de peinture. Il ne réussit qu'à faire des œuvres platement conventionnelles, généralement des pastiches ; mais un vieux juif, Elie Magus, brocanteur, les lui achète pour les revendre plus cher, patinées et encadrées. Un jour, la chance — l'exposition au Salon d'un tableau représentant la toilette d'un chouan condamné à mort — lui vaut la clientèle de la famille royale, et Magus le présente à un marchand de bouchons, M. Vervelle, qui veut faire faire le portrait de toute sa famille. Grassou épouse la fille de la maison. Au cours des fiançailles, il a aperçu avec effarement dans la maison de son futur beau-père des tableaux signés de noms prestigieux, Rubens, etc., qui sont ses propres croûtes, vendues par Magus sous des signatures flatteuses. Vervelle n'est pas du tout écrasé par cette révélation ; il offre, au contraire, de doubler la dot de sa fille. Grassou, que tout le monde dans la famille appelle M. de Fougères, et que sa femme adore et admire, est, à la fin du récit, un peintre estimable, qui gagne bien sa vie, et qui, bienfaiteur de ses confrères moins heureux, est d'une « obligeance parfaite ».

Description d'une réussite modeste, qui est en quelque sorte le pendant d'une vie ratée, telle que la présente *Z. Marcas.*

Pierrette, roman paru en feuilleton dans *le Siècle*, en janvier 1840, sous le titre primitif *Pierrette Lorrain*. N° 36 (*Scènes de la vie de province, les Célibataires*). Dédié à Anna Hanska, pour « lui parler des malheurs qu'une jeune fille adorée comme « elle » ne connaîtra jamais ».

Pierrette est la petite-fille d'une habitante de Pen-Hoët, Mme Lorrain. Ses parents sont morts, et elle est élevée par sa grand-mère. Elle a pour compagnon de jeux un enfant du pays, Jacques Brigaut. Son parrain est Denis Rogron, qui, après avoir tenu un commerce à Paris, s'est retiré à Provins avec sa sœur Sylvie. Le frère et la sœur sont assez mal accueillis par la société de la petite ville. Ils s'ennuient, et acceptent de prendre avec eux Pierrette. Elle est d'abord bien accueillie ; mais comme sa gentillesse lui vaut des invitations dans la ville, Sylvie, jalouse, finit par la prendre en haine, la traite comme une servante et la brutalise. Dans l'intervalle, Jacques

Brigaut, devenu ouvrier menuisier, entre au service de M. Frappier, menuisier à Provins, pour se rapprocher de sa jeune amie d'enfance, de qui il est amoureux. Il alerte Mme Lorrain, la grand-mère, qui arrive en toute hâte pour arracher sa petite-fille à la harpie qui la martyrise. On transporte la victime chez Frappier, puis de là chez son subrogé tuteur, le notaire Auffray. Mais une mastoïdite, imputable aux mauvais traitements subis, emporte la malheureuse enfant, malgré les soins des plus hautes sommités médicales. Une plainte pour sévices, déposée par Mme Lorrain, n'aboutit pas, grâce à la roublardise de l'avocat Vinet. Vinet lui-même, devenu député et procureur général grâce à ses intrigues, fait nommer Rogron receveur général. Le silence se fait peu à peu sur cette affaire. De temps en temps, quelqu'un rappelle que « les Rogron ont eu... une triste affaire à propos d'une pupille ». Mais les partisans de Vinet finissent par poser les Rogron en victimes, pour conclure que « le diable nous punit toujours d'un bienfait ».

Comme souvent dans les romans de Balzac, l'intrigue s'inscrit sur une toile de fond représentée par l'atmosphère de la petite ville, par la description des clans qui s'y opposent, de la rivalité entre les conservateurs et les libéraux.

PILLE-MICHE, surnom du redoutable et intrépide chouan Jean Cibot, un des personnages des *Chouans*. On le retrouve encore auprès de la comtesse du Gua (*Mademoiselle du Vissard*). L'affaire des chauffeurs de Mortagne met fin à sa carrière et à sa vie (*Envers*).

PILLERAULT (Claude Joseph) [né en 1755 ou 1756] est l'oncle de la future Mme César Birotteau (*Grandeur*). On le retrouve comme propriétaire de la maison où habitent Pons et Schmucke (*Cousin Pons*).

PIXERÉCOURT (René Charles Guilbert **de**), auteur dramatique (1773-1844), aujourd'hui bien oublié, mais dont on peut dire qu'il créa le mélodrame, ou du moins le porta à un degré de perfection tel qu'il mérita le titre de « père du mélodrame » ou de « Corneille du Boulevard ». Sa pro-

Dédicace de *Pierrette* à Anna de Hanska (la future comtesse Mniszech) [**édition Ollendorff, 1901**]. *Maison de Balzac.* Phot. Lauros-Giraudon.

duction fut énorme (plus de cent pièces), et n'était pas dénuée de valeur : il avait le sens de la scène. Ses succès lui valurent une fortune considérable, et il n'est pas douteux que son exemple incita Balzac à chercher dans la littérature alimentaire, et en particulier au théâtre, la fortune après laquelle il courut toute sa vie.

Plaine de Wagram (la). V. *Sous Vienne.*

POIRET, famille se composant :
1. D'une mère d'« une inconduite désastreuse » (*Employés*);
2. D'un fils aîné, employé au ministère des Finances (*Employés*), et qui, dans la pension Vauquer, espionnera Vautrin pour le compte de Bibi-Lupin (*Père Goriot*). Il épousera sa complice en espionnage, Mlle Michonneau (même roman). Celle-ci reconnaîtra plus tard Vautrin lorsqu'on la confrontera avec lui (*Splendeurs*);
3. D'un fils cadet, également employé au ministère des Finances, personnage falot (*Employés*, puis *Petits Bourgeois*).

POMMEREUL (général baron **de**), ancien officier d'artillerie sous l'Ancien Régime. Il s'était retiré dans sa terre de Marigny, près de Fougères, en 1819. Vieil ami du père de Balzac, il reçut la visite du romancier en 1828, et c'est au cours de cette visite que Balzac se documenta en vue des *Chouans*.

POPINOT, famille bourgeoise de Sancerre comportant plusieurs branches (*Héritiers*) et comptant de très nombreux membres, dont les principaux sont :

1. Popinot, échevin à Sancerre (*Grandeur*);
2. Sa fille, née vers 1748 et qui deviendra Mme Ragon (*Grandeur*);
3. Son fils aîné, Anselme, et sa femme (*Grandeur*);
4. Son fils cadet Jean-Jules, magistrat intègre, qui joue un rôle important dans l'*Interdiction*; son bon sens épargne des poursuites à Gaudissart, coupable de propos imprudents (*Splendeurs*); homme de cœur, toujours prêt à faire le bien, il contribue à la fondation de l'œuvre des Frères de la Consolation (*Envers*). Il avait épousé une demoiselle Bianchon, tante du célèbre Dr Horace Bianchon (*Héritiers*);
5. Le comte Anselme Popinot, fils d'Anselme (n° 3) [né en 1797], qui arrive aux plus hautes situations après avoir débuté modestement comme caissier chez Birotteau (*Grandeur*). Sa fortune, pécuniaire et politique, sera rapide; ministre du Commerce de la monarchie de Juillet (*Illustre*), il devient pair de France (*Cousine Bette*). On le retrouve dans *le Cousin Pons*, où, après avoir eu de bonnes relations avec le vieux musicien, il s'éloigne de lui sous l'influence des calomnies de Mme Camusot de Marville;
6. La comtesse Anselme Popinot (née en 1801), qui est la fille de Birotteau (*Grandeur*); le ménage a trois enfants :
a) un fils aîné, vicomte Popinot, et sa femme, née Cécile Camusot en 1822, paraissant dans *le Cousin Pons*;
b) un fils cadet, Me Popinot, avocat (*Cousine Bette*);
c) une fille qui deviendra Mme Boniface Cointet (*Illusions*).
Signalons, dans *les Héritiers* ou dans *la Muse*, de nombreux figurants sous des noms divers : Popinot-Chandier, Popinot-Mirouët.

Pontons (les), titre correspondant au n° 95 (*Scènes de la vie militaire*). L'œuvre n'a jamais été réalisée. Il y aurait été évidemment question de la vie des « pontons », vieux vaisseaux désarmés dont les Alliés se servaient comme de casernes pour les prisonniers français.

PORCIA (prince Antonio Serafino), prince italien qui, dans son magnifique palais de Milan, offrit l'hospitalité à Balzac, de passage dans cette ville en 1838; ce qui lui valut la dédicace de *Splendeurs*, comme d'une œuvre « méditée » chez lui (le début seulement, évidemment, puisque la dédicace est de juillet 1838, et que le roman ne fut achevé que beaucoup plus tard).

PORTENDUÈRE (famille de), famille de marins originaire de Provence et comprenant :
1. L'amiral comte de Portenduère, lieutenant général des armées navales, évoqué dans *Gobseck*, signalé comme décédé dans *Ursule*;
2. Son petit-fils, comte Luc-Savinien de Portenduère (*Ursule*);
3. Son neveu, vicomte, et sa femme, née de Kergarouët-Ploëgat, et qui, devenue veuve, vit à Nemours (*Ursule*);
4. Le fils des deux précédents, vicomte Savinien de Portenduère (né en 1814), et son épouse, née Ursule Mirouët; ce sont les deux personnages importants d'*Ursule* : mais le vicomte a été évoqué précédemment avant de paraître dans l'intrigue de ce dernier roman, notamment chez les Rabourdins (*Employés*) et comme prétendant éventuel de Mlle Émilie de Fontaine (*Bal*). Le jeune ménage figure épisodiquement dans *Béatrix*, dans *la Fausse Maîtresse*, et dans *les Méfaits*.

préfaces. La préface n'apparaît pas systématiquement au début de chaque roman balzacien; certaines œuvres n'en comportent que dans les rééditions. Plusieurs sont signées simplement de l'éditeur. Il en est qui sont des plaidoyers *pro domo*, non seulement dans le domaine littéraire, mais aussi dans le domaine juridique : c'est ainsi que le long « historique du procès auquel a donné lieu *le Lys dans la* vallée », paru dans la *Chronique de Paris* du 2 juin 1836, est devenu une véritable préface dans l'édition Werdet. L'auteur y expose surabondamment ses démêlés avec Buloz. Un échantillonnage des préfaces des romans de Balzac ne saurait entrer dans le cadre du présent article ; mais on ne saurait négliger l'introduction aux *Études de mœurs au XIXᵉ siècle*, datée du 27 avril 1835, et rédigée par Félicien Davin. Ce très long document, beaucoup plus long que l'avant-propos de *la Comédie humaine*, qu'il annonce d'ailleurs, reflète très exactement la pensée de Balzac, et a été certainement non seulement inspiré, mais corrigé, augmenté et précisé par lui-même, à tel point qu'on peut y voir l'expression exacte de son idéal romanesque. La signature de Davin autorisait certains éloges de l'œuvre balzacienne, éloges que l'auteur lui-même n'aurait pu décemment formuler aussi nettement.

L'introduction commence par rappeler les « principales lignes » des *Études de mœurs*, en énumérant les six « portions » dont elle se compose : *Scènes de la vie privée, de la vie de province, de la vie parisienne, de la vie politique, de la vie militaire, de la vie de campagne.*

L'auteur s'efforce d'établir un lien logique dans la succession de ces groupes, en montrant que leurs « énoncés reproduisent déjà les ondulations de la vie humaine ». Dans les *Scènes de la vie privée*, « la vie est prise entre les derniers développements de la puberté qui finit et les premiers calculs d'une virilité qui commence ». Dans les *Scènes de la vie de province*, il s'agit de présenter « cette phase de la vie humaine où les passions, les calculs et les idées prennent la place des sensations. » L'auteur croit pouvoir établir que, dans ce cadre mieux qu'ailleurs, on aperçoit les « désillusionnements » qui « commencent ». Les « questions s'élargissent » dans les *Scènes de la vie parisienne*, où « l'existence arrive graduellement à l'âge qui touche à la décrépitude ». Description qui n'était possible, affirme Davin (Balzac), que dans le cadre d'une capitale. Voilà où « finissent les peintures de la vie individuelle ». Les deux groupes suivants tendent

à l'étude de la vie collective ; il s'agit de montrer « l'effroyable mouvement de la machine sociale » *(Scènes de la vie politique)*, puis les conséquences de ce mouvement : « la vie des masses en marche pour se combattre » *(Scènes de la vie militaire)* ; et voici « le repos après le mouvement » : *la vie de campagne*, et « cette dernière partie de l'œuvre sera comme le soir après une journée bien remplie ».

Le très beau — trop beau — panorama que déroule ainsi Davin prend un caractère systématique d'où n'est même pas exclue quelque naïveté ; le système était susceptible de retouches : la preuve en est dans le fait que Balzac a maintes fois hésité dans la répartition de ses romans entre les divers groupes de scènes ; et ses *Scènes de la vie militaire*, qui (sauf deux) n'ont jamais été écrites, apparaissent comme une de ces fausses fenêtres peintes en trompe-l'œil pour donner l'illusion de l'harmonie de la façade. L'essentiel, cependant, et qui correspond bien au propos du romancier, c'est que l'unité de l'œuvre « devait être le monde, l'homme n'étant que le détail ».

Suit un vif éloge, quasi dithyrambique, et d'ailleurs justifié, de ce qu'on pourrait appeler l'omniscience de Balzac, et qui lui permet d'être « homme de science avec le savant (...), escompteur avec Gobseck » ; Balzac a su « n'oublier ni la physionomie d'un personnage, ni les plis de ses vêtements, ni sa maison, ni même le meuble auquel son héros a plus spécialement communiqué sa pensée ». C'est là un point sur lequel l'auteur a insisté avec raison, et où Balzac innovait, à l'excès selon certains contemporains (« Trop de cheminées », dit l'un d'eux, plaisamment).

Voici qui est plus exact encore : Balzac a su « connaître aussi bien la femme que l'homme ». « La surprise fut bien grande (...) quand on vit ces premières études de femmes si profondes, si délicates, si exquises, telles enfin qu'elles semblèrent ce qu'elles étaient, une découverte, et commencèrent la réputation de l'auteur. » Tout cela est parfaitement vrai, et les femmes « de trente ans » l'ont senti d'instinct, qui adressèrent à l'auteur des *milliers* de lettres enthousiastes (sans parler évidemment de Mme Hanska et de la duchesse de Castries). « Pour compléter sa révélation de la femme, M. de Balzac avait à faire une étude parallèle, spéciale, et non moins pénétrante, celle de l'amour. » Suit une longue revue de divers romans, où Davin expose comment le romancier a réalisé le plan qu'il s'était proposé. Et il insiste longuement sur une idée que Balzac reprendra lui-même dans l'avant-propos : la justification morale de l'œuvre. Il est bien connu qu'une certaine critique et un certain public reprochaient au romancier l'immoralité de certaines intrigues et de certains caractères. Balzac, par la plume de Davin, se défend d'avoir systématiquement présenté des personnages immoraux : l'écrivain « ne peut, quoi qu'en dise la pruderie, faire un choix entre le beau et le laid, le moral et le vicieux (...). Il doit, sous peine d'inexactitude et de mensonge, dire tout ce qui est, montrer tout ce qu'il voit (...). Si tout est vrai, ce n'est pas l'ouvrage qui peut être immoral ».

Cette longue préface s'achève sur la présentation du triptyque qui constituera ce que, à la date où écrit Davin, Balzac n'appelle pas encore la Comédie humaine. Pour les esprits « attentifs », le lien apparaît clairement entre les Études de mœurs et les Études philosophiques. La description des mœurs, montrant l'homme « en lutte avec sa pensée », prépare « magnifiquement le système des Études philosophiques, où M. de Balzac démontre les ravages de l'intelligence » ; « belle thèse dont (...) les Études analytiques contiendront la conclusion ».

C'est sur ces mots, nécessairement un peu rapides, vu la date de la rédaction de la préface, que s'achève ce long plaidoyer. Il est évidemment très élogieux, mais il faut reconnaître et son importance et la pénétration avec laquelle Davin (ou Balzac) a analysé le sens et la portée de l'œuvre balzacienne. L'avant-propos de la Comédie, sur ce point, ne sera pas plus explicite ; et on ne peut dénier une valeur de prophétie au passage qui annonce le projet de l'auteur (retour des personnages) et la pérennité de sa création : « En voyant reparaître dans le Père Goriot quelques-uns des personnages déjà créés, le public a compris l'une des plus hardies intentions de l'auteur, celle de donner la vie et le mouvement à tout un monde fictif dont les personnages subsisteront peut-être encore, alors que la plus grande partie des modèles seront morts et oubliés ».

Première Demoiselle (la). V. École des ménages (l').

Président Fritot (le), titre correspondant au n° 114 (Études philosophiques). On ne sait rien de l'œuvre, qui ne fut pas rédigée.

Presse (la), journal créé par Émile de Girardin en juillet 1836 et dont la conception marque une date dans l'histoire du journalisme. Le roman-feuilleton en constituait un attrait essentiel. Y furent notamment publiés de Balzac : 1836 : la Vieille Fille ; 1839 : le Curé de village (fragments) ; 1837 : les Employés ; 1841 (début), puis 1842 (fin) : la Rabouilleuse ; de novembre 1841 à janvier 1842 : Mémoires de deux jeunes mariées ; 1843 : Honorine ; 1844 : les Paysans (début).

Prêtre catholique (le), fragments, à peine ébauchés, d'un roman idéaliste qui devait présenter une noble et belle figure de prêtre. Ce prêtre est l'abbé de Vèze (le même qu'on retrouve dans l'Envers). Dans une première version, intitulée la Vieille Fille (aucun rapport avec les titres, projetés ou retenus, d'autres œuvres du romancier), on trouvait l'abbé de Vèze à Tours, prêchant à la cathédrale Saint-Gratien. Une seconde version, portant cette fois le titre le Prêtre catholique, nous le montre à Angoulême. Les fragments qui subsistent sont si insuffisants qu'on ne peut rien dire de l'intrigue à laquelle songeait Balzac. De toute façon, l'œuvre n'était pas prévue dans le plan de la Comédie.

prince de la bohème (Un), nouvelle primitivement intitulée les Fantaisies de Claudine, parue le 25 août 1840 dans le second numéro de la Revue parisienne. N° 62 (Scènes de la vie parisienne). Dédiée à Henri Heine.

La nouvelle est présentée comme ayant été

écrite par Mme de La Baudraye (née Dinah Piédefer), une femme de lettres qui est censée l'avoir tirée de ce que lui a dit l'écrivain Nathan.

Le comte Gabriel (et sept autres prénoms) Rusticoli de La Palférine, d'une très ancienne famille d'origine italienne, est ce qu'on appelle un « lion », mais un lion sans sou ni maille. Il loge dans une mansarde, et, s'il vit dans la bohème, il s'y comporte en prince : splendide dans sa gueuserie, spirituel, désinvolte, entreprenant auprès des femmes, avec un aplomb phénoménal, arrogant avec ses créanciers, qu'il éconduit d'une manière si spirituellement insolente que les victimes sont souvent les premières à rire. Il a eu quelque temps comme maîtresse une femme galante, Antonia (Chocardelle), et, rompant avec elle, lui reproche dans une courte lettre d'avoir eu « l'indélicatesse de lui retenir une brosse à dents, que ses moyens ne lui permettent pas de remplacer ». Lettre qui « rendit célèbre » la destinataire. Mais c'est surtout sa conduite à l'égard d'une danseuse de l'Opéra, Claudine, dénommée Tullia au théâtre, qui fait l'essentiel de la nouvelle. Claudine a épousé le vaudevilliste de Cursy, pseudonyme d'un certain du Bruel. Ayant été rencontrée par hasard par La Palférine, elle devient sa maîtresse avec une soumission aussi tendre, aussi dévouée, aussi entière, qu'est désinvolte et cavalière, jusqu'à la brutalité, l'attitude de son amant. Il lui signifie qu'elle ne peut rester sa maîtresse que si elle le représente « dignement », que si elle est « admirée de tout Paris ». Elle accepte le marché, pousse son du Bruel dans le monde et la politique ; il devient pair de France, la voilà comtesse du Bruel. Elle a exécuté les « conditions du programme imposé », et un jour « grimpe, dans toute sa gloire », jusqu'à la minable chambre d'hôtel qu'habite son amant. Il est trop tard : il veut encore autre chose ; on lui a parlé de la « Croix du Sud », il veut la voir. « Je te l'aurai », répond la malheureuse (le jeu de mots la voir - l'avoir facilite cette naïveté). Éclat de rire de La Palférine, qui apprend à Claudine, « triste et humiliée » qu'il s'agit d'une constellation. À l'honneur

de ce roué, il faut dire que, « saisi d'admiration pour cette intrépidité de l'amour vrai », « malgré la férocité de son esprit, La Palférine eut une larme aux yeux ».

Le portrait est pittoresque, mais la nouvelle vaut peut-être surtout par cette analyse du caractère de la femme que l'adoration qu'elle porte à son amant pousse à une soumission et même à une servilité touchantes.

Programme d'une jeune veuve (le), projet (début 1844 ?) dont il ne subsiste que des notes, où il n'est absolument pas question d'une veuve, jeune ou non. On ne sait quelles étaient les intentions de Balzac quant au développement de cette œuvre. Le peu qui est rédigé met en scène un jeune soldat nommé Robert de Sommervieux. Il s'illustre par son courage comme soldat du 1er bataillon des chasseurs d'Afrique, et la suite des notes semble indiquer que le jeune homme a voulu oublier dans une aventure guerrière un procès pénible où il était accusé de carambouillage. Il avait d'ailleurs été relaxé.

Sa filiation, parmi les personnages de la Comédie, n'est pas claire : les Sommervieux de la Maison du Chat-qui-Pelote avaient un fils, mais dont le prénom n'est pas indiqué, et dont la vie n'est pas retracée.

L'œuvre, si elle avait été rédigée, aurait trouvé place dans les Scènes de la vie privée. Cette place n'était pas prévue dans le plan.

projets non réalisés. La liste des sujets de romans ou de pièces de théâtre auxquels Balzac avait songé serait interminable (sans parler des romans de la Comédie* prévus dans le plan de 1845, qui ne furent jamais écrits, ou furent seulement ébauchés). Les sujets restés à l'état de projets ne correspondent le plus souvent qu'à des titres, et le contenu de ce qu'aurait été l'œuvre n'apparaît que vaguement (ou même pas du tout) dans la correspondance de l'auteur ou dans les notes, hâtivement rédigées, qu'on a pu recueillir. Une liste sommaire des projets non réalisés pourrait se subdiviser en trois rubriques.

1. POÈMES (pour mémoire). C'est dans ce genre littéraire que Balzac s'est essayé au début de sa carrière (son drame *Cromwell** était écrit en vers). Il avait songé à un *Saint Louis*, à un *Livre de Job*.

2. ROMANS. *Coquecigrue* (vers 1819), qui lui « paraît trop difficile et trop au-dessus de ses forces » ; *les Trois Cardinaux* (vers 1832), toujours annoncés au futur dans sa Correspondance (« Je commencerai... Je ferai *les Trois Cardinaux* ») ; *Histoire de la succession du marquis de Carabas* (vers 1832), également annoncée au futur (voir *Aventures administratives...*), etc.

3. THÉÂTRE. C'est surtout dans ce domaine que les idées de Balzac foisonnent ; il avait toujours été convaincu qu'un ou plusieurs succès au théâtre lui apporteraient la fortune que ni les affaires ni les romans n'avaient pu lui procurer. Les titres (rien que les titres, le plus souvent) se succèdent d'un bout à l'autre de sa carrière littéraire : *Alceste*, tragédie ; *le Lazzarone*, drame (vers 1822 ?) ; *les Trois Manières*, en vers (à partir de 1830 ?) ; *Catilina*, pièce pseudo-historique à allusions contemporaines (même époque) ; *la Vieillesse de Don Juan ou l'Amour à Venise*, fantaisie pour la scène, dont il ne subsiste guère qu'une liste de personnages (1832) ; *Prud'homme marié*, comédie (vers 1835) ; *Pierre et Catherine ou le Roi des mendiants*, annoncé de Wierzchownia (1849) comme devant être envoyés... et qui n'arrivèrent jamais, etc.

Il faut mettre à part *Richard** Cœur d'Éponge*, parce que c'est la seule œuvre théâtrale non réalisée qui hanta Balzac pendant toute sa vie.

Prophète (le), titre correspondant au n° 82 (*Scènes de la vie militaire*, sous-groupe *les Français en Égypte*). Conçu d'abord comme un conte philosophique, le projet de cette œuvre s'est évidemment modifié lorsque Balzac l'a insérée dans le cadre des aventures militaires en Égypte. On se demande qui peut être le prophète. L'œuvre n'a jamais été écrite.

Proscrits (les), court roman paru dans la *Revue de Paris* le 1er mars 1831. N° 130

(*Études philosophiques*). Dédié « *almae sorori* » = à ma douce sœur (Laure Surville).

L'intrigue se déroule en 1308. Joseph Tirechair, sergent du guet à Paris, est propriétaire, au bord de la Seine, d'une maison où sa femme, demoiselle Jacqueline Tirechair, a accepté de loger deux étrangers dont l'identité est inconnue, et dont la présence et l'allure énigmatique inquiètent le sergent. Il s'agit de Dante Alighieri (de qui l'identité ne sera connue qu'à la fin) et d'un jeune homme prénommé Godefroid, venu à Paris pour suivre les cours de théologie du célèbre docteur Sigier (Siger de Brabant ? La source n'est pas impossible, puisque ce célèbre théologien est évoqué par Dante au chapitre X du *Paradis* ; mais Siger de Brabant a vécu au XIIIe s.). La femme de Tirechair, repasseuse de son métier, a également comme aide-repasseuse une dame d'un certain âge, dont l'allure l'intrigue. Celle-ci semble s'intéresser beaucoup au jeune Godefroid, ce qui permet un moment à Jacqueline Tirechair de penser qu'elle est la maîtresse du jeune homme. En fait, il s'agit de la comtesse Mahaut, dont Godefroid est le fils naturel, et qui tient à surveiller le jeune homme. Celui-ci est un mystique ; il regrette « une patrie plus belle que toutes les patries de la terre », et d'où il se croit à jamais banni. Désespéré, il se pend au cours d'une nuit. Le clou ayant cédé, Dante, qui travaille dans la chambre voisine, accourt, alerté par le bruit, assez tôt pour secourir et sauver le jeune homme, qui lui explique naïvement avoir voulu prendre « pour aller à Dieu, la seule route que nous ayons ». Dante lui expose que nous devons marcher « résignés dans les rudes chemins où le doigt puissant (de Dieu) a marqué notre route ». Le récit s'achève sur une conclusion heureuse et assez maladroitement accélérée. Un courrier arrive : les Blancs triomphent à Florence. Dante Alighieri (on apprend son nom seulement à cet instant) va pouvoir rentrer dans sa patrie. Au même instant entre la comtesse Mahaut, qui apprend à son fils le secret de sa naissance, lui annonce que cette naissance est reconnue, et que les droits de Godefroid, comte de Gand, sont maintenant « sous la protection du roi de France ».

Malgré cette fin arbitraire, le roman contient de réelles beautés. Le récit fait par Dante lui-même de sa descente aux Enfers est une page d'anthologie, d'un style visiblement travaillé avec minutie.

Provincial à Paris (le). V. *Comédiens sans le savoir (les).*

pseudonymes. Le début de la carrière journalistique de Balzac fut marqué par l'emploi de plusieurs pseudonymes. Sans parler du burlesque Mar.O'C*, dont l'usage fut limité, on trouve, surtout dans *la Caricature*, l'emploi des signatures Alex (ou Alexandre) de B., Alfred Coudreux, Eugène Morisseau. Le romancier avait également envisagé le nom de Morillon (Victor) pour la publication du *Dernier Chouan*, puis il y renonça. Les deux pseudonymes les plus célèbres des débuts de sa carrière littéraire furent lord R'hoone (anagramme d'Honoré) jusqu'à *Clotilde de Lusignan* (1822), et surtout Horace de Saint-Aubin, dont la signature apparaît dans *le Vicaire des Ardennes* (1822). La première œuvre signée Balzac fut *le Dernier Chouan.*

PUTTINATI, sculpteur italien qui avait fait une statue de Balzac, et à qui est dédiée *la Vendetta.*

Q

Qui terre a, guerre a. V. *Paysans (les).*

R

RABOU (Charles) [1803-1871], ami de Balzac, qui collabora avec le romancier et Philarète Chasles aux *Contes bruns.* Après la mort de Balzac, il se chargea de terminer deux œuvres inachevées du romancier : *le Député d'Arcis* et *les Petits Bourgeois.*

Rabouilleuse (la), roman paru en deux parties, l'une, intitulée *les Deux Frères*, en feuilleton dans *la Presse*, du 24 février au 4 mars 1841, l'autre, *Un ménage de garçon en province*, du 27 octobre au 19 novembre 1842, dans le même journal. C'est ce dernier titre que Balzac a conservé d'abord pour l'ensemble des deux parties (le plan primitif prévoyait comme titre *le Bonhomme Radiguet*). C'est seulement dans le « Furne corrigé » que Balzac a prévu, en vue d'une réédition, le titre qui est maintenant définitif. N° 38 *(Scènes de la vie de province).* Dédié à Charles Nodier.

L'intrigue se déroule à Issoudun. Dans la langue du Berry, *rabouiller*, c'est battre les ruisseaux pour en faire sortir les écrevisses. La Rabouilleuse, c'est le surnom donné à Flore Brazier, héroïne du roman,

Flore Brazier, la « rabouilleuse », et Maxence Gilet. Illustration de Ch. Huard pour l'édition Conard (1913).
Phot. Larousse.

parce qu'elle était chargée de rabouiller pendant son enfance.

Le Dr Rouget, installé à Issoudun, et devenu veuf, a précisément remarqué Flore occupée à rabouiller un ruisseau, et, après avoir désintéressé sans peine l'oncle et tuteur de la jeune fille, alors âgée de douze ans, et d'ailleurs ravissante, il installe celle-ci chez lui. Elle y vit choyée et bien habillée, d'autant plus heureuse que le docteur est « forcé par son âge de la respecter ». Le docteur, ayant déshérité sa fille, qu'il n'aime pas, laisse en mourant un fils, dont la niaiserie apparente, la gaucherie, la timidité ont toujours désespéré son père. Ce fils, Jean-Jacques Rouget, hérite des biens de son père, de sa maison, et... de la Rabouilleuse, dont il fait, ayant vaincu sa timidité, sa maîtresse, et qui, bien vite, fait la loi chez lui.

Alors apparaît un enfant du pays, un certain Maxence Gilet, de naissance obscure, encore que la rumeur publique fasse de lui, d'ailleurs à tort, le fils naturel du Dr Rouget. Revenu à Issoudun après s'être illustré comme soldat héroïque et redoutable duelliste, il s'installe, en qualité d'amant de cœur de la Rabouilleuse, chez le faible Jean-Jacques, dont la veulerie accepte cette situation. Maxence pourrait continuer à mener cette existence facile, si n'intervenait un deuxième soudard, Philippe Bridau.

Il est apparenté à J.-J. Rouget, car sa mère, née Agathe Rouget, est précisément la fille que le vieux docteur avait déshéritée. Mariée, elle a eu deux fils, fort différents (cf. le premier titre : *les Deux Frères*). L'un, Joseph Bridau, est un peintre de grand talent. L'autre, Philippe, ancien colonel de l'Empire, est absolument dénué de scrupule : désireux d'évincer Maxence, il le provoque en duel et le tue. Son influence auprès de la Rabouilleuse se substitue à celle de Maxence : il pousse la servante-maîtresse à épouser J.-J. Rouget ; le couple s'installe à Paris, où Rouget, poussé entre les bras de Mlle Lolotte, une des plus célèbres « marcheuses » de Paris, ruine si bien sa santé par ses excès qu'il ne tarde pas à mourir. Bridau épouse la veuve, met la main sur la fortune qu'elle tient du précédent mari, puis pousse sa femme à la débauche et l'abandonne. Elle meurt dans la misère.

Il est incontestable que peu de romans de Balzac étalent un échantillonnage aussi sinistre d'individus méprisables à des titres

divers. Mais il faut noter que les deux personnages dont l'intervention est particulièrement décisive et odieuse sont d'anciens soldats qui se sont illustrés sous les armes : ce n'est pas une coïncidence. Balzac a voulu montrer l'influence des circonstances et du milieu sur le comportement des individus. Maxence et Philippe étaient faits pour être des soldats ; ils seraient restés d'admirables soldats si la Restauration n'avait mis fin à leur carrière. Mais ils n'ont pas su s'adapter à la vie civile. C'est une vue profonde : la démonstration est peut-être outrée, mais la fiction et la réalité ont montré depuis la justesse de la thèse, qui a été reprise par divers romanciers. (V., en particulier, *Capitaine Conan*, de R. Vercel.)

Émile Fabre a écrit et fait jouer à la Comédie-Française une adaptation théâtrale de *la Rabouilleuse* (1903).

RABOURDIN, famille comprenant : le mari, Xavier (né en 1784), chef de bureau au ministère des Finances ; la femme, née Célestine Leprince, en 1796 ; leur fils Charles (né en 1815), et une fille (sans prénom) [née en 1817]. Pratiquement, et à part quelques allusions dans *Grandeur* et dans *les Petits Bourgeois*, le père et la mère ne figurent comme personnages importants que dans *les Employés*. Le fils joue un rôle dans *Z. Marcas*.

RADCLIFFE (Ann **Ward,** Mrs.), romancière anglaise (1764-1823), qui excella dans le roman « noir », où elle accumule de sombres, dramatiques et sanglantes péripéties. Elle exerça une influence certaine sur Balzac, au temps où il signait ses premiers romans Horace de Saint-Aubin. Cette influence subsista, et, dans la préface de l'*Histoire des Treize*, il cite nommément la romancière comme le modèle des auteurs « noirs ». Certains passages de la trilogie de cette œuvre, notamment la fin de *la Fille aux yeux d'or*, sont d'une sauvagerie visiblement calculée.

RAGON, parfumeur (né en 1748), et sa femme, née Popinot (v. ce nom), vers 1748, n'apparaissent que dans *Un épisode* et dans *Grandeur*.

RAISSON (Horace), courtier littéraire, qui eut une certaine influence sur les débuts de Balzac. Il avait lancé la mode des *Codes*, et c'est sans doute sur ses conseils que Balzac écrivit le *Code des gens honnêtes*. Il collabora avec le romancier pour une *Histoire impartiale des Jésuites*.

raout. Ce mot, d'origine anglaise, et qui, sous cette forme, est employé pour la première fois par Stendhal en 1824, est aujourd'hui vieilli. Il désignait — et notamment dans Balzac — une réunion mondaine où s'échangent des propos brillants. C'est dans les raouts de Félicité des Touches, en particulier, que sont racontées certaines histoires (*Autre Étude*, notamment).

RASTIGNAC (famille de), habitant le domaine de Rastignac, près d'Angoulême. Ne joue qu'un rôle accessoire, le seul personnage important étant Eugène (v. *infra*), à propos de qui les autres membres de la famille sont seulement évoqués. Elle comprend :
1. Le chevalier de Rastignac, grand-oncle d'Eugène (*Père Goriot*) ;
2. Le baron et la baronne de Rastignac, père et mère d'Eugène (*Père Goriot* ; apparitions dans *Illusions*) ;
3. Eugène de Rastignac ;
4. Laure et Agathe de Rastignac, nées respectivement en 1801 et 1802, sœurs d'Eugène (*Père Goriot*), et dont l'une (non précisée) épouse Martial de La Roche-Hugon (*Fille d'Ève*) ;
5. Gabriel de Rastignac, frère d'Eugène (né en 1804), entré dans les ordres, joue un rôle assez important dans *le Curé de village* ;
6. Henri de Rastignac, autre frère d'Eugène (né en 1809), à peine évoqué dans *le Père Goriot*. Ne réapparaît plus nulle part.

RASTIGNAC (Eugène, devenant comte de) [né en 1798] est peut-être, avec Rubempré et Vautrin, un des trois personnages les plus importants de *la Comédie*. Ses apparitions y sont si fréquentes qu'on ne peut donner qu'un schéma de sa carrière romanesque.

Elle commence dans *le Père Goriot*. Ayant, à la fin de ce dernier roman, pris la décision de se mesurer avec Paris, il édifie rapidement une grosse fortune, dont Bixiou explique le mécanisme dans un entretien avec ses amis (*Maison Nucingen*). Sa liaison avec Mme de Nucingen dure treize ans, bien qu'entre-temps il ait été question à plusieurs reprises de l'éventualité de son mariage : avec Émilie de Fontaine (*Bal*), qui le refuse ; avec une veuve alsacienne, à qui il renonce en fin de compte (*Peau*). Sa fidélité à Mme de Nucingen est toute relative. Il songe un moment à lui faire succéder Mme d'Espard (*Interdiction*). Il semble avoir été une des « erreurs » de Diane de Maufrigneuse (*Secrets*). Et il ne tient qu'à lui de séduire Mme de Listomère, à qui il adresse par erreur une lettre d'amour qui lui est pas destinée, ce dont il vient s'excuser auprès de la victime, bien marrie que l'étourdi n'ait pas profité de l'occasion pour pousser ses avantages (*Étude de femme*). Entre-temps, il mène la vie d'un roué très lancé dans le monde des viveurs, ce qui le met en contact avec Rubempré (*Illusions*). Il le retrouve dans *Splendeurs*, étant d'ailleurs un des commensaux assidus d'Esther Gobseck (entre autres lorettes ou femmes entretenues). Et il accompagne le cortège funèbre de Rubempré jusqu'au Père-Lachaise.

Cet arriviste se devait de faire un riche mariage. Dès que prend fin sa liaison avec Mme de Nucingen, il est déjà question de son mariage avec Augusta de Nucingen, fille de son ancienne maîtresse. Ce mariage ne se fera que six ans plus tard (*Député*).

Le tableau de Rastignac ne serait pas complet s'il ne se couronnait d'une brillante carrière politique ; il se glisse habilement dans le sillage de Marsay. Il le suit dans son ministère comme sous-secrétaire d'État (*Fille d'Ève*). Après une éclipse due aux fluctuations politiques, il devient ministre, et on le voit confier à Maxime de Trailles une mission politique dans l'Aube (*Député*). Il apparaît enfin comme ministre de l'Intérieur, poste où il a l'occasion de rendre service au provincial Gazonal (*Comédiens*).

Armoiries de Rastignac, tirées de l'Ar-morial de la Comédie humaine. Aqua-relle de la comtesse Ida de Bocarmé*. Coll. Lovenjoul, Chantilly. Phot. Larousse.

Sa femme, comtesse Eugène de Rastignac, née Augusta de Nucingen, et fille de son ancienne maîtresse, n'apparaît guère que comme comparse de son mari (*Splendeurs, Maison Nucingen*). On la retrouve parmi les dames qui s'intéressent aux infortunes de la baronne Hulot (*Cousine Bette*).

Il n'est fait mention dans *la Comédie* d'aucun enfant du couple.

Le parallèle entre Rastignac et Rubempré est classique.

rat, petite fille élève de la classe de danse à l'Opéra. Balzac donne d'elle une description et une définition complètes dans *les Comédiens sans le savoir*. Un rat de treize ans est un « rat déjà vieux », car le rat a commencé ses études à l'âge de huit ans. Il n'y a que « la plus profonde misère » qui puisse amener une famille à infliger à une enfant les « durs supplices » que représente l'apprentissage de la danse ; mais c'est un placement. « Le rat, c'est l'espérance. » Sa mère, qui le chaperonne toujours, l'obligera à « rester sage jusqu'à ses seize ou dix-huit ans ». À quinze ans, le rat « vaudra soixante mille francs sur la place », et deviendra, selon sa chance, « un nom célèbre ou une vulgaire courtisane ». En fait, c'est le second élément de l'alternative qui apparaît le plus souvent dans les romans de Balzac.

Un rat qui n'a que médiocrement réussi peut devenir une marcheuse*.

Recherche de l'Absolu (la), roman. Première édition en 1834 ; réédition en 1839 sous le titre *Balthazar Claës ou la Recherche de l'Absolu*. N° 113 (*Études philosophiques*). Dédié à Mme Delannoy.

Balthazar Claës-Molina, né en 1761, descend d'une vieille famille de Gand, dont une branche s'est fixée à Douai. Jouissant d'une fortune importante, il part à vingt-deux ans pour Paris, afin d'y « achever son éducation ». Les sciences l'intéressent, il fréquente des savants, et en particulier Lavoisier. Mais, trouvant, en fin de compte, que la vie mondaine qu'on mène à Paris est « creuse », il regagne Douai. Après la mort de ses parents, il épouse Mlle Joséphine de Temninck, apparentée à la famille espagnole des Casa-Real, contrefaite et boiteuse, mais « douée du charme irrésistible que produisent les sentiments vrais », et capable, elle le prouvera, du plus noble dévouement. Pendant de longues années, le ménage mène une vie parfaitement heureuse. Le malheur s'introduit dans la maison sous les traits d'un gentilhomme polonais, Adam de Wierzchownia ; passionné de chimie, mais pauvre, celui-ci a dû renoncer à son activité de savant pour se faire soldat. Passant par Douai, il a été hébergé par les Claës une nuit, une seule nuit, qui suffit à ruiner le bonheur du ménage. En effet, au cours d'une longue conversation scientifique avec Balthazar, il l'a entretenu de ses recherches ; il prétend qu'on peut arriver à découvrir l'*Absolu*, c'est-à-dire le « principe commun errant dans l'atmosphère telle que la fait le soleil », la « substance commune à toutes les créations, modifiée par une force unique ».

C'en est assez pour raviver chez Balthazar, intéressé par les sciences dès sa jeunesse, le goût de la recherche ; il va s'appliquer à découvrir l'Absolu. Installant un laboratoire, il ne vivra plus que pour ses travaux ; il s'endette, se ruine en matériel scientifique, perd sa fortune, et devient, par une véritable monomanie, étranger à tout ce qui l'entoure, au grand désespoir de sa femme, qui s'efforce en vain de l'arracher à cette idée fixe, et qui, finalement, meurt, vaincue dans cette lutte contre la science.

Le soin de diriger la maison incombe maintenant à Marguerite, fille aînée des enfants du ménage. Elle adore son père, que la mort de l'épouse n'a pas guéri de sa manie. Mais elle s'efforce de sauver d'un désastre définitif au moins l'héritage de sa mère, qui l'a commise, en mourant, au soin de veiller aux intérêts de ses frères et sœur. Balthazar continue à s'enliser dans les dettes. Malgré l'affection qu'elle porte à son père, Marguerite a le devoir de mettre fin à ses folies : on a trouvé pour Claës, en Bretagne, une place de receveur des Finances ; il doit se rendre dans cette province et abandonner son laboratoire.

Les années passent. Marguerite et sa sœur cadette Félicie vont se marier. Pour cette fête familiale, le père est rappelé de son « exil ». A son retour à Douai, il constate avec enthousiasme qu'une de ses expériences qu'il avait dû abandonner s'est poursuivie d'elle-même et a abouti : dans « une capsule qui communiquait avec une pile », qu'on « avait laissée en train de faire des siennes », s'est formé un très beau diamant blanc de forme octaédrique. Il n'en faut pas plus pour revigorer la monomanie de Claës ; il entreprend à nouveau la recherche de l'Absolu, avec une obstination sénile qui, cette fois, consomme définitivement sa ruine. Sa fille Marguerite a quitté Douai pour l'Espagne avec son mari, Emmanuel de Solis, à qui vient d'échoir, dans ce pays, une riche succession. Ils y resteront trois ans, mais les nouvelles qu'ils reçoivent de la santé de Claës les rappellent en France. Ils trouveront, dans une maison dépouillée de tous ses meubles, que le vieillard a dû vendre, un homme de plus en plus en proie à son idée fixe. Bientôt, il est frappé d'une attaque de paralysie ; un dernier coup va l'achever : étendu sur son lit, il a par hasard connaissance d'un article de journal où il est annoncé qu'un célèbre mathématicien polonais, ayant découvert l'Absolu, a essayé d'en monnayer le secret. Claës meurt sans avoir pu « léguer à la Science le mot de l'énigme ».

Ce roman répond évidemment à certaines préoccupations scientifiques et métaphysiques de Balzac, et cela explique qu'il l'ait finalement classé parmi les *Etudes philosophiques*. Mais c'est surtout la valeur humaine de ce récit qui en fait l'intérêt et la beauté. L'auteur reprend ici un thème qui lui est familier : la poursuite d'un idéal inaccessible, dans le domaine de l'art (*Chef-d'Œuvre inconnu*), de la métaphysique (*Louis Lambert*), de la science, dépasse les possibilités de la raison humaine. Ici, Balzac va plus loin : l'idéaliste, s'il perd la raison, fait aussi le malheur des siens. Claës s'inscrit dans la longue liste des personnages (Hulot, Grandet, etc., et même César Birotteau) dont les passions, nobles ou inavouables, ruinent le bonheur de leur famille.

REGNAULT (Émile), étudiant en médecine de qui Balzac avait fait la connaissance par Sandeau et George Sand, qui étaient ses amis. C'est lui qui servit de prête-nom pour la signature du contrat relatif à la réimpression des œuvres d'Horace de Saint-Aubin, en 1835. Le contrat fut signé le 9 décembre, et, dès le lendemain, une contre-lettre stipulait que l'opération était effectuée pour le compte et au bénéfice de Balzac.

Rénovateur (le), journal légitimiste, patronné par le duc de Fitz-James, et dont le directeur était Charles de Laurentie. Balzac, alors sous l'influence de Mme de Castries, et donc du duc, oncle de celle-ci, était converti aux doctrines néo-légitimistes. Il fit paraître dans ce journal, en 1832, une série d'articles dont le plus caractéristique est *Sur la situation du parti royaliste.* Mais Laurentie refusa son article *Du gouvernement* * moderne*, ce qui mécontenta fort le romancier. Un certain nombre des idées que contenait cet article ont été reprises dans *le Médecin de campagne.*

Réquisitionnaire (le), nouvelle parue dans la *Revue de Paris* en février 1831. N° 119 (*Etudes philosophiques*). Dédiée à Marchand de La Ribellerie.

La comtesse de Dey s'est retirée à Carentan au moment de la Révolution. Son fils Auguste, combattant dans les rangs des émigrés, est fait prisonnier par les bleus. Il a pu faire parvenir à sa mère un message annonçant sa prochaine évasion et son arrivée dans la maison familiale, où elle l'attend dans la fièvre et l'angoisse. Se présente à la mairie de Carentan un réquisitionnaire, qui demande un billet de logement. Il dit s'appeler Julien Jussien, et c'est effectivement son nom. Mais il ressemble tellement à Auguste de Dey que le maire le prend pour celui-ci, et, feignant ironiquement d'accepter l'identité qui lui est donnée, l'adresse à la comtesse, convaincu qu'il fait une bonne œuvre en envoyant le fils chez sa mère. Celle-ci, en découvrant que l'homme qu'on lui envoie n'est pas le fils si fébrilement attendu, est prise d'une telle crise de désespoir qu'elle meurt dans la nuit. À ce même moment, le fils, loin d'elle, est fusillé.

Balzac a voulu, dans cette courte nouvelle, apporter sa contribution à « toutes les observations sur les sympathies qui méconnaissent les lois de l'espace », et qui « serviront un jour à asseoir les bases d'une science nouvelle ». On retrouve, dans cette étude d'un cas de télépathie, le goût de Balzac pour des phénomènes psychologiques encore inexpliqués. C'est ce qui fait comprendre que l'œuvre ait été classée dans les *Études philosophiques*.

Ressources de Quinola (les), comédie en cinq actes, en prose, et précédée d'un prologue, représentée pour la première fois sur le second Théâtre-Français (Odéon), le 19 mars 1842.

La genèse, les circonstances de la rédaction et de la représentation de la pièce ont certainement plus d'intérêt, du point de vue anecdotique et biographique, que la pièce elle-même n'a de valeur littéraire. C'est, une fois de plus, animé par des considérations pécuniaires, que Balzac se lança dans la rédaction de cette pièce, qui devait être une compensation, à tous points de vue, de l'échec de *Vautrin*. En quoi il rejoignait les préoccupations du directeur de l'Odéon, dont les recettes étaient au plus bas, et qui spéculait sur la notoriété de l'auteur pour renflouer la caisse de son théâtre.

Balzac avait songé d'abord au titre de

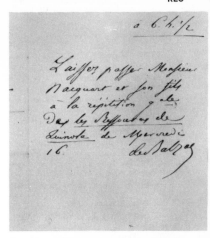

Laissez-passer rédigé de la main de Balzac et adressé au docteur Nacquart pour la répétition générale des *Ressources de Quinola*. *Maison de Balzac. Phot. Lauros-Giraudon.*

Hadamar. Il y renonça pour les *Rubriques de Quinola*, annoncées sous ce titre dans une lettre à Mme Hanska, et qui devaient devenir l'*École des grands hommes*, pour porter en fin de compte le titre définitif. Gozlan a raconté dans quelles conditions eut lieu la lecture de la pièce devant les acteurs, et décrit leur stupéfaction, spécialement celle de Marie Dorval, quand l'auteur, ayant lu quatre actes, leur annonça avec sérénité que le cinquième acte n'était pas écrit, mais qu'il allait le leur raconter. Vaille que vaille, la pièce fut mise en répétitions; travail ardu, parce que Balzac apportait à modifier les répliques autant d'ardeur qu'il en mettait à surcharger de corrections les placards des épreuves de ses romans. L'auteur était tellement sûr du succès qu'il se chargea lui-même de placer et de vendre les billets; il avait fixé un prix tellement prohibitif que la salle fut loin d'être pleine lors de la première représentation (un spectateur intenta même un procès au directeur de l'Odéon en « restitution de somme non due », et le gagna).

La première, c'est Balzac qui le dit lui-même, et les témoignages des contemporains le confirment, fut presque une répétition burlesque de la bataille d'*Hernani* : chahut au parterre, cris d'animaux divers, etc., à tel point que Hugo, venu écouter la pièce, préféra renoncer et revenir un autre jour. La critique fut encore plus sévère, s'il se peut, que le public. La pièce n'eut que dix-neuf représentations. Balzac fut naturellement ulcéré de cet échec, et en garda même longtemps, et à tort, une rancune contre ses meilleurs amis, Hugo, Gautier, qu'il soupçonnait de sombres machinations. La préface, datée de Lagny, qu'il rédigea pour la publication de l'œuvre en volume est l'écho de son amertume.

Il eut une revanche, malheureusement posthume. Avec l'autorisation de Mme Honoré de Balzac, le théâtre du Vaudeville reprit la pièce en 1863, quelque peu modifiée et allégée. Elle eut plus de succès, même auprès de la critique, et fut jouée quarante-trois fois.

La pièce, évidemment, n'est pas excellente. L'intrigue, assez embrouillée, peut se résumer ainsi : Quinola est le valet d'un certain Fontanarès, qui a mis au point un procédé permettant de faire naviguer un bateau sans voiles et sans rames, grâce à une sorte de moteur à vapeur (nous sommes sous le règne de Philippe II, en Espagne, c'est-à-dire au XVIe siècle!!). Mais il lui faut un bateau pour appliquer son invention, et il est pauvre. Quinola, qui lui est tout dévoué et qui a les « ressources » d'ingéniosité du valet traditionnel de la comédie, trouve le moyen de faire recevoir l'inventeur par le roi, qui, conquis, met à la disposition de Fontanarès le bateau demandé. Le jour de l'inauguration, tout réussit : le bateau marche comme l'avait prévu son inventeur. Mais un jaloux, don Ramon, prétend qu'il est le véritable inventeur de cette merveille, et réussit à le faire croire. De rage et de désespoir, Fontanarès fait couler le bateau en pleine mer : l'invention périra à jamais...

Dans cette affabulation, il est facile de retrouver un des soucis de Balzac : celui de faire fortune par des inventions ou des spéculations hardies. Comment ne pas reconnaître dans les « souffrances » de Fontanarès les « souffrances de l'inventeur » qui nous sont décrites dans *Illusions* ? La comédie n'a guère d'autre intérêt que de nous montrer la reprise, au théâtre, d'un thème cher et familier au romancier.

RESTAUD (comte [né en 1774] et comtesse [née Anastasie Goriot, vers 1791] *de*), deux personnages importants du *Père Goriot* et de *Gobseck*. C'est dans ces deux romans, notamment, que sont racontées la vie tumultueuse de la comtesse, sa liaison avec Maxime de Trailles, les imprudences et les folies qu'elle commet pour payer les dettes de celui-ci, et qu'est expliqué comment Gobseck réussit à protéger scrupuleusement les intérêts pécuniaires du fils aîné du ménage. La comtesse, veuve, réapparaît épisodiquement (*Maison Nucingen, Bal, Peau*).

Apparaissent également, dans *Gobseck* et dans *le Père Goriot,* les trois enfants du ménage :

Ernest, l'aîné (né en 1818), qui épousera (probablement) Camille de Grandlieu (v. ce nom, branche cadette, n° 4) ;

George et Pauline, cadets, fils et fille adultérins de Maxime de Trailles.

retour des personnages. Le principe du « retour des personnages » ou des « personnages reparaissants », qui devait depuis être adopté par plusieurs romanciers, est appliqué pour la première fois dans *le Père Goriot.* Il consiste à faire se retrouver dans des intrigues successives ou interférentes des personnages qui se sont déjà manifestés dans d'autres romans, et dont l'ensemble constitue une société complète. Si l'on en croit le témoignage de Laure Surville, c'est en 1833 que Balzac conçut cette formule ; elle rapporte que le romancier arriva chez elle en disant joyeusement : « Saluez-moi, car je suis tout simplement en train de devenir un génie. »

Le mot n'est pas trop fort : l'idée était, en effet, géniale, et conforme au propos d'un romancier qui devait ensuite écrire la célèbre phrase : « Moi, j'aurai porté une société tout entière dans ma tête » (Lettre à Mme Hanska du 6 février 1844). En fait, *la Comédie humaine* fait intervenir quelque 2 000 personnages. Il s'en faut de beaucoup que ces 2 000 personnes reparaissent dans plusieurs romans; un grand nombre d'entre eux, et non des moindres (Eugénie Grandet), restent, si l'on peut dire, enfermés dans le roman qui les présente. Mais la nécessité d'identifier leur présence — et à plus forte raison leur retour — dans un ou plusieurs romans s'imposait; après l'excellent, mais, vu la date (1887), nécessairement incomplet, *Répertoire de « la Comédie humaine »* d'A. Cerfberr et Jules Christophe, d'ailleurs épuisé, M. Fernand Lotte a entrepris et mené à bonne fin l'énorme travail que représente son *Dictionnaire* (v. Bibliographie), qui, dans ce domaine, fait autorité. Balzac ne se dissimulait pas les difficultés de l'entreprise : la vie des personnages qui reparaissent ne se déroule pas nécessairement dans l'ordre chronologique des intrigues des romans; on peut, il le dit lui-même, « trouver le milieu d'une vie avant son commencement, le commencement après la fin, l'histoire de la mort avant celle de la naissance », surtout si on lit les romans dans l'ordre où il les a présentés et classés lui-même dans son catalogue de 1845. C'est ce qui a amené certains éditeurs à modifier cet ordre pour suivre la « chronologie interne » de l'œuvre (v. **Comédie humaine**).

revenus littéraires. Balzac n'a vécu que de sa plume, les spéculations auxquelles il avait songé étant restées imaginaires (v. **Sardaigne**) ou s'étant révélées catastrophiques (v. **imprimerie**). L'ouvrage de MM. Bouvier et Maynial (v. **dettes**) renseigne avec beaucoup de précision sur les innombrables contrats que le romancier a établis avec divers directeurs de publications ou éditeurs. On ne peut ici qu'indiquer quelques ordres de grandeur. Il convient avant tout de noter que beaucoup des œuvres de Balzac ont paru d'abord dans des périodiques, hebdomadaires ou mensuels, étant entendu que l'auteur, au bout d'un temps variable, reprenait la propriété de son œuvre, en vue de la publication en volume. (Pour la conver-

sion en francs d'aujourd'hui, v. **argent**.) Si l'on en croit une lettre de Balzac à sa sœur, de janvier (ou février) 1822, il avait obtenu :

pour *l'Héritière de Birague* :   800 F;
— *Jean-Louis* :   1 300 F;
— *Clotilde de Lusignan* :   2 000 F.

Si l'on se réfère ensuite à une période où il était déjà en possession de son talent et de sa notoriété, on constate que, dans un contrat signé en septembre 1832 avec la *Revue de Paris* (représentée alors par Pichot, qui la dirigeait avant Buloz), il s'engageait à fournir tous les mois la valeur de quarante pages de la revue, moyennant 500 francs par mois ; en outre, il s'engageait à ne faire reparaître le texte en volume qu'au bout de quatre mois.

De la même *Revue de Paris*, le 30 mai 1834, il recevait *comptant* pour la *première partie de Séraphita*, 1 700 francs.

Dans une lettre à sa sœur de septembre 1835, il déclare espérer « arriver à 10 000 francs en billets de banque » pour la réimpression des œuvres complètes d'Horace de Saint-Aubin (v. *Œuvres de jeunesse*).

Dans une lettre (toujours à sa sœur) du 15 novembre 1837, il affirme : « Il faut que *César Birotteau* (acheté 20 000 francs par un journal — il s'agit du *Figaro* —) soit fini le 10 décembre. » Notons en passant qu'effectivement, et pour une fois, la date prévue fut, au prix d'un labeur surhumain, à peu près respectée.

En 1839, un contrat avec Dutacq, alors directeur du *Siècle*, prévoyait que Balzac fournirait à ce journal deux ouvrages inédits, *Béatrix* et *les Mémoires d'une jeune mariée*. Le prix convenu était de 200 francs pour 9 colonnes ; et chaque roman devait comporter entre 135 et 180 colonnes. Si l'on admet que le tout, en gros, équivalait à 320 colonnes, on calcule aisément que ces deux œuvres, si elles avaient été fournies conformément au contrat, auraient rapporté au romancier un peu plus de 7 000 francs. En fait, le contrat donna lieu à d'infinies modifications et difficultés.

Il est certain que Balzac a reçu, au cours de sa carrière littéraire, des sommes très importantes, et que, seul, le désordre de son budget et de sa trésorerie explique le désarroi trop fréquent de ses finances.

Revue des Deux Mondes, fondée en 1829, et qui, à l'époque où elle inséra des textes de Balzac, avait un caractère essentiellement littéraire. Elle publia :
en janvier 1831, l'*Enfant maudit* (début) ;
en février 1832, le *Message.*

Revue de Paris, revue littéraire fondée en 1829, achetée en 1839 par Buloz, qui la dirigea jusqu'en 1844. Il dirigeait aussi la *Revue des Deux Mondes.* La publication du *Lys* fut l'objet de discussions et d'un procès entre Balzac et lui ; le romancier l'accusa d'avoir laissé imprimer dans la *Revue de Saint-Pétersbourg* des épreuves de la publication du *Lys,* prévue pour la *Revue de Paris,* avant même que le roman eût été publié en France. Le procès fut d'ailleurs une bonne affaire pour l'écrivain, en ce sens que la publicité qui l'entoura valut au roman, lorsqu'il parut chez Werdet, un succès immédiat et inespéré.
La participation de Balzac à cette revue fut très importante ; citons, entre autres :
novembre 1830, *Sarrasine* ;
décembre 1830, *Une passion dans le désert* ;
mai 1831, *les Proscrits* ;
août 1831, l'*Auberge Rouge* ;
décembre 1831, *Maître Cornélius* ;
février 1832, le *Message* ; *Madame Firmiani* ;
octobre 1832, *la Grenadière* ;
décembre 1832 - janvier 1833, *les Marana* ;
mars-avril 1833, *Ferragus* ;
juin-juillet 1834, *Seraphita* (début) ;
décembre 1834 - février 1835, le *Père Goriot* ;
novembre-décembre 1835, le *Lys dans la vallée* (début) [v. **supra**] ;
mars 1836, *Facino Cane* ;
décembre 1836 - janvier 1837, le *Secret des Ruggieri.*

Revue parisienne, publication mensuelle, fondée par Balzac en 1840, et qui n'eut que trois numéros : juillet, août et septembre, laissant un déficit de près de 2 000 francs. La revue devait présenter « une chronique réelle des affaires pu-

REVUE
PARISIENNE
DIRIGÉE PAR
M. DE BALZAC.

PARIS,
À LA REVUE PARISIENNE,
Rue du Croissant, 16, hôtel Colbert.
1840

Page de titre de la *Revue parisienne.*
Maison de Balzac. Phot. Lauros-Giraudon.

bliques » ; la critique littéraire devait « marcher parallèlement avec la critique politique » ; et l'on y trouverait, en outre, un « fragment littéraire ». La revue eut peu de succès, et dans une note aux abonnés parue dans le dernier numéro, Balzac constate avec amertume que, parmi les cinq ou six cents abonnés, il ne trouve point de connaissances, ni d'amis, « hormis deux ou trois exceptions ». Balzac assurait à lui seul l'essentiel de la rédaction. Dans cette publication éphémère figurent des pages remarquables, des *Lettres sur la littérature, le théâtre et les arts* ; une longue *Lettre sur Sainte-Beuve,* à propos de la publication du 1er tome de *Port-Royal,* et qui est fort sévère ; des *Lettres russes* (en partie seulement de la main de Balzac), et qui, dédiées à un prince imaginaire et anonyme, sont, en fait, une critique de la politique française du moment ; et surtout, ces remarquables *Études* sur M. Beyle (v. **Stendhal**), où Balzac critique d'une manière approfondie et pertinente la *Chartreuse de Parme.*
Quant aux fragments littéraires annoncés, ils sont représentés essentiellement par *Z. Marcas* et par *les Fantaisies de Clau-*

dine, devenues plus tard *Un prince de la bohème*.

RHÉTORÉ (Alphonse **de Chaulieu**, duc **de**) et duchesse, née princesse Francesca Soderini, en 1802, veuve du duc d'Argaïolo. La duchesse ne joue un rôle important que dans *Albert Savarus*, où, veuve, on la voit épouser Rhétoré, après avoir promis sa main à Savarus, projet qui fut ruiné par la perfidie de Mlle de Watteville.

Le duc, avant son mariage, a mené à Paris une vie fort tumultueuse, qui lui vaut de figurer fréquemment dans *la Comédie* : comme protecteur de Tullia *(Mémoires)*, comme commensal des Florine, Florentine et autres femmes entretenues *(Illusions)*. Il est cité aussi comme un chasseur de première force *(Modeste)*, et comme ayant ses entrées dans le salon très fermé des Grandlieu *(Splendeurs)*.

Richard Cœur d'Éponge, œuvre théâtrale dont Balzac semble avoir eu l'idée dès 1830. Ce projet le hanta toujours, et on le voit, avec son bel optimisme, annoncer à sa sœur (lettre du 19 octobre 1835) que, « sur les 5 000 francs du Richard (Cœur d'Éponge), « il paiera trois créanciers ». En fait, il n'écrivit guère qu'une esquisse et quelques ébauches de scènes (dont des fragments figurent à Chantilly). Il remit à Frédérick Lemaître en 1840 une première version de l'œuvre, que le grand comédien refusa de jouer.

Rivalités (les), titre donné primitivement par Balzac à deux romans qui se font suite : *la Vieille Fille**, *le Cabinet des antiques*.

robes de chambre. C'est dans cette tenue, illustrée par des peintres et de nombreux caricaturistes, que Balzac aimait travailler. Mais la robe de chambre n'était pas pour lui un costume commode de tâcheron littéraire ; elle devait être élégante et blanche, et ne pouvait sortir que des mains du meilleur tailleur. En 1831, il devait à Buisson*, pour les seules robes de chambre, 150 francs. Et il parle avec ravissement dans une lettre à Laure Sur-

ville (20 octobre 1849) de la robe de chambre en termolama* qui lui a été offerte.

ROCHEFIDE (de), famille de noblesse assez récente. Le père, vieux marquis *(Béatrix)*, la fille, Berthe (née en 1800) [?] et qui devient la marquise Miguel d'Ajuda-Pinto *(Béatrix)*, sont des personnages épisodiques.

Il n'en est pas de même du fils, Arthur, marquis de Rochefide, dont la vie est longuement racontée dans *Béatrix*, ainsi que celle de son épouse. Marié à Mlle de Castéran, il voit, cinq ans après, sa femme s'enfuir avec Conti en lui laissant un fils dont elle se désintéressera totalement. Il se consolera, après diverses aventures, par une longue liaison avec Mme Schontz, qu'il entretient, et qui se comporte comme une mère auprès du jeune enfant que sa véritable mère a abandonné. Il réapparaît épisodiquement dans *la Cousine Bette*.

Sa femme, née Béatrix-Maximilienne-Rose de Castéran, en 1808, est, comme l'indique son prénom même, l'héroïne centrale de *Béatrix*. Mais avant de s'enfuir avec Conti, elle est signalée, par diverses apparitions ou allusions, dans d'autres œuvres ; elle figure à un raout de Félicité des Touches *(Autre Étude)*. Et même avant son mariage, Bixiou *(Maison Nucingen)* lui prête une aventure avec Beaudenord.

Le fils, comte de Rochefide, né en 1829, ne réapparaît nulle part dans *la Comédie*.

Rocher de Cancale (le), restaurant célèbre, situé rue Montorgueil. Indépendamment des repas que Balzac eut l'occasion d'y prendre avec des amis, ce restaurant figure comme un établissement de qualité et de luxe exceptionnels où ont lieu des dîners fins donnés par des personnages de roman. Cf., en particulier, le dîner de rupture que Mme de La Baudraye offre à Lousteau dans *la Muse ;* nombreux autres exemples.

ROGUIN (M^e), notaire. Se rencontre épisodiquement dans divers romans. Mais c'est surtout sa liaison avec Sarah van Gobseck, la belle Hollandaise, qui a des incidences importantes sur plusieurs intrigues : ruiné par cette liaison, entraînant diverses dupes dans une spéculation malheureuse sur les terrains de la Madeleine, il disparaît avec l'argent qui lui a été confié, d'où la ruine de Birotteau (Grandeur), de Guillaume Grandet (Grandeur, puis Eugénie).

Sa femme (née en 1766), fille de banquier, a une liaison durable avec du Tillet (Grandeur).

Leur fille, prénommée Mathilde dans la Vendetta, épouse le président Tiphaine (Pierrette); elle est prénommée Mélanie dans ce dernier roman.

Romans et contes philosophiques, publication chez Gosselin (1831) comportant la Peau de chagrin, Sarrasine, la Comédie du diable, El Verdugo, l'Enfant maudit, l'Élixir de longue vie, les Proscrits, le Chef-d'Œuvre inconnu, le Réquisitionnaire, Étude de femme, les Deux Rêves, Jésus-Christ en Flandre, l'Église.

Dans la construction ultérieure de la Comédie, plusieurs de ces œuvres ont été réparties sous des rubriques, qui souvent d'ailleurs leur convenaient mieux, dans les Scènes de la vie parisienne, de la vie privée ou de la vie de province. L'une (la Comédie du diable) ne figure pas dans la Comédie humaine.

RONCERET (famille **du**), famille comportant :
1. Le père, président du tribunal d'Alençon, siégeant à ce titre dans la cour spéciale réunie pour juger les « chauffeurs » de Mortagne (Envers). Il fréquente, avec sa femme, le salon de Mlle Cormon (Vieille Fille) et des Du Croisier (Du Bousquier) [Cabinet];
2. Son fils, baron Fabien du Ronceret (né en 1802), magistrat également, commence sa carrière à Alençon (Cabinet). Mais il renonce à la magistrature pour venir à Paris, et des amis, désireux de « caser » Mme Schontz en la séparant de son vieux protecteur Rochefide, le convainquent d'épouser la demi-mondaine (Béatrix).

RONQUEROLLE (famille **de**), famille composée de :
1. Le marquis, très répandu dans les salons, et ami de Marsay (Autre Étude).

Affilié aux Treize, il rendit divers services à Ferragus, en particulier celui de défier en duel, sur l'ordre de celui-ci, Auguste de Maulincour (Ferragus). Il aida Montriveau à enlever la duchesse de Langeais (Duchesse). On le retrouve homme politique et ambassadeur (Fausse Maîtresse) sous Louis-Philippe, mais il est mentionné également comme propriétaire en Bourgogne (Paysans);
2. Sa sœur, Clara-Léontine, devenue comtesse Hugret de Sérisy;
3. Son autre sœur, sans prénom, devenue marquise du Rouvre.

ROSSINI (Gioacchino), célèbre compositeur italien (1792-1868) qui, après plusieurs déplacements, se fixa à Paris en 1853, où il mourut et où il fut inhumé jusqu'en 1886, date de son transfert à Florence (son mausolée, très prétentieux, est au Père-Lachaise). Balzac, qui lui dédia le Contrat de mariage, était très lié avec lui depuis 1830, et admirait profondément ses œuvres. Il avait minutieusement étudié le Moïse du compositeur, et les commentaires de cette œuvre tiennent une place importante dans Massimila Doni. Rossini fut l'amant, après d'autres (dont Balzac lui-même, dit-on) d'Olympe Pélissier*, qu'il finit par épouser.

ROTHSCHILD (baron James **de**) [Balzac, qui a un rare talent pour estropier les noms propres, orthographie parfois le nom Rotschild ou Rostchild]. C'est au baron qu'est dédié Un homme d'affaires, en ces termes : « À Monsieur le Baron James Rothschild, consul général d'Autriche à Paris, banquier. » James de Rothschild (1792-1868), qui fonda la banque de Paris qui porte le nom de la maison, rendit de nombreux services à Balzac, et son nom revient très souvent dans ses Lettres à la famille. Le romancier fut souvent reçu chez les Rothschild. James de Rothschild joua un rôle important dans la création de la Compagnie des Chemins de fer du Nord, création qui donna à Balzac l'idée mirifique de faire de fructueuses spéculations sur les traverses de chêne*.

L'Enfant maudit est dédié à la baronne de Rothschild.

ROUVRE (famille **du**), famille des environs de Nemours, comprenant :
1. Le marquis du Rouvre, qui s'est ruiné pour Florine *(Fausse Maîtresse, Ursule)*;
2. Sa fille, Clémentine *(Ursule)*, qui deviendra comtesse Laginska *(Fausse Maîtresse)*;
3. Le chevalier du Rouvre, frère du marquis, et qui sauve une partie du patrimoine de la famille au profit de sa nièce Clémentine *(Fausse Maîtresse)*.

RUBEMPRÉ (Lucien **Chardon de**) [né en 1800], est sans doute, avec Rastignac et Vautrin, l'un des personnages les plus importants de *la Comédie*. On peut à peine le considérer comme un « personnage reparaissant », car toutes ses aventures tiennent dans *Illusions* et dans *Splendeurs*, réserve faite pour quelques allusions fugitives, notamment dans *les Secrets*.
L'opposition entre Rastignac et lui est classique : le premier est un arriviste lucide et énergique ; Rubempré est un faible, jouet beaucoup moins de ses passions que de l'autorité de ceux entre les mains de qui il est un instrument.

Rubriques de Quinola (les). V. *Ressources de Quinola (les).*

Armoiries de **Rubempré**, tirées de l'Armorial de *la Comédie humaine.* Aquarelle de la comtesse Ida de Bocarmé*. *Coll. Lovenjoul, Chantilly. Phot. Larousse.*

QUID ME CONTINEBIT

Lucien de Rubempré. Illustration pour l'édition d'*Illusions perdues***, chez Michel Lévy frères (1867).** *Maison de Balzac. Phot. Lauros-Giraudon.*

rue Basse. V. *Maison de Balzac.*

rue des Batailles (auj. avenue d'Iéna, dans le quartier de Chaillot). C'est là, au n° 13, que Balzac se transporta au début de 1835. Il commençait à être trop connu pour son goût, rue Cassini, par les créanciers et par l'état-major de la garde nationale, qui l'accusait de sauter trop souvent son tour de garde (v. *hôtel des Haricots*). Balzac reprit l'appartement que Sandeau venait justement de quitter. La maison paraissait déserte ; l'accès du logement était d'une parfaite discrétion, et le romancier y demeurait sous l'identité fictive d'une certaine Mme Durand. Les visiteurs n'étaient admis que s'ils prononçaient à l'entrée un mot de passe.
La description du boudoir qui figure dans *la Fille aux yeux d'or* est très exactement celle du boudoir que Balzac s'était installé rue des Batailles.

rue Cassini. C'est dans cette rue, au n° 1, près de l'Observatoire, qu'était situé le logement où Balzac habita de 1828 à 1835. Il l'avait loué dès 1827 sous le nom de son beau-frère Surville et, après l'avoir amoureusement décoré et meublé, il s'y installa au début de 1828. Ce logement avait l'avantage de se trouver à proximité de celui de Mme de Berny, qui habitait rue d'Enfer (le nom de Denfert-Rochereau se substitua, sous la IIIe République, à celui de la rue d'Enfer, par un commode, mais affreux calembour sur lequel a ironisé Anatole France). La maison habitée par Balzac n'existe plus; il y occupait un appartement de trois pièces, au second étage, et payait 420 francs de loyer. Le quartier, situé presque à la limite sud du Paris d'alors, était peu sûr à la nuit tombée.

rue de Clichy, où fut transférée en 1827 la prison pour dettes, qui se trouvait précédemment à Sainte-Pélagie*.

rue Fortunée (auj. rue Balzac). C'est là que se situe le dernier logement qu'habita Balzac, et où il mourut. La maison a disparu; une inscription au n° 14 de la rue Balzac signale son emplacement. C'était une partie de la *Chartreuse Beaujon*, construite par le célèbre financier au faubourg du Roule, et elle était contiguë à la chapelle Saint-Nicolas, dépendant de la paroisse Saint-Philippe-du-Roule. Balzac l'avait achetée en 1847 dans l'intention d'y installer sa future épouse (avec qui, en fait, il n'y habita que quelques mois) et éventuellement l'enfant qu'il espérait. La bâtisse, de l'aveu même de Balzac, n'était pas belle, mais elle était située dans un quartier (les Champs-Elysées) qui devait prendre au bout de peu de temps de la valeur et en donner à la maison — spéculation qui n'était pas absurde. En outre, et le romancier était très fier de ce détail, on pouvait passer directement de l'immeuble à une tribune de la chapelle mitoyenne. Balzac installa cette maison avec sa somptuosité habituelle, accumulant des dépenses aberrantes, malgré les conseils de prudence de Mme Hanska. Celle-ci, venue passer quelques mois à Paris, et logée, pour ce séjour, dans un petit appartement meublé de la rue Neuve-de-Berry*, ne manifesta point, lorsqu'elle découvrit la maison de la rue Fortunée, l'enthousiasme qu'attendait son fiancé. Lorsque, deux ans après, elle y

Maison de la rue Fortunée, photographiée peu de temps avant sa démolition, en 1899. *Phot. X.*

revint mariée, elle trouva une demeure que la pauvre vieille Mme de Balzac mère avait habitée et minutieusement installée pour la rendre digne de son fils et de sa bru (v. *Balzac* [Mme Bernard-François]). Les deux nouveaux époux ne purent, lorsqu'ils débarquèrent du chemin de fer du Nord, entrer chez eux que grâce à l'intervention d'un serrurier (v. *Hanska* [Mme] et *Münch* [François]).

rue de Lesdiguières, proche de l'Arsenal (cette rue existe toujours). C'est au n° 9 de cette rue que Balzac fut installé en 1819, à peu près au moment où sa famille quittait le Marais pour Villeparisis. Il habitait une mansarde dont le loyer était de 60 francs *par an*; la description de la mansarde et de son très modeste mobilier se retrouvera dans plusieurs romans, notamment dans *la Peau de chagrin*. C'est là que Balzac pensait pouvoir enfin donner la mesure de son génie. Il avait obtenu de sa famille l'autorisation d'abandonner ses études de droit pour se consacrer à la littérature et montrer ce dont il était capable en ce domaine. On lui avait accordé, pour faire ses preuves, un sursis de deux ans ; et, pour justifier cette séparation auprès des amis et connaissances de la famille, on déclarait que le jeune homme s'était rendu à Albi chez un cousin. Les deux années n'étaient pas encore écoulées lorsque, après une lecture publique en famille du *Cromwell** du jeune apprenti écrivain, ses parents le sommèrent d'abandonner sa mansarde, et de gagner Villeparisis, où il occupa la chambre laissée libre par le mariage et le départ de sa sœur Laure.

rue des Marais-Saint-Germain, où Balzac s'installa en 1826. V. *imprimerie.*

rue Neuve-de-Berry, près des Champs-Élysées. Balzac y loua en 1847, pour deux mois, un appartement meublé de cinq pièces, au prix de 300 francs par mois. C'est là qu'il installa Mme Hanska lorsque

---

« La Maison de la rue Cassini au temps de Balzac. » Lithographie Champin, dessinée par Regnier. *Bibl. nat., Paris. Phot. Lauros-Giraudon.*

celle-ci vint à Paris, à la fin de l'hiver, pour y visiter la maison de la rue Fortunée que Balzac venait d'acheter.

rue Portefoin. Au n° 17 de cette rue, Balzac habita peu de temps pendant l'été de 1821, entre deux séjours à Villeparisis. Mme de Berny habitant également cette rue pendant l'hiver 1821-22, il lui rendit visite au début de l'année 1822.

rue de Richelieu. Balzac, tout en conservant son installation aux « Jardies », loua chez son tailleur Buisson, en 1839, un pied-à-terre dans cette rue, au n° 108.

rue du Roi-Doré, dans le quartier du Marais (elle porte toujours ce nom). La famille Balzac (père, mère et belle-mère) y habita au n° 7, entre deux séjours à Villeparisis, de 1822 à 1824.

rue du Temple. La famille Balzac y habita au n° 122 actuel, de fin 1814 à l'été 1819. L'installation à Paris avait été rendue nécessaire par la nomination du père de Balzac au poste de directeur des subsistances de la première division militaire. Le séjour rue du Temple prit fin lorsque la famille décida de s'installer à Villeparisis.

rue de La Tour. Dans cette rue, au n° 18, Balzac installa Mme Hanska et sa fille Anna lors de leur premier voyage à Paris (juillet 1845). Elles ne pouvaient décemment loger rue Basse, mais elles venaient y prendre leurs repas, et on y loua même un piano à l'intention d'Anna, qui était une excellente musicienne.

rue de Tournon. C'est au 2 de cette rue que Balzac s'installa en 1824, après un très court séjour dans le pied-à-terre de sa famille, rue de Berri, et sans doute à l'instigation de Mme de Berny. Le romancier avait l'impression qu'il lui était impossible de faire une carrière littéraire s'il restait exilé en banlieue, avec sa famille, à Villeparisis. Et son père ne vit d'ailleurs pas d'un mauvais œil cette installation à Paris. Balzac ne devait quitter la rue de Tournon que pour prendre l'imprimerie de la rue des Marais-Saint-Germain.

Saché, commune d'Indre-et-Loire, près d'Azay-le-Rideau, et que M. Bouteron appelle avec juste raison le « lieu balzacien par excellence ». Il y a, dans l'existence de Balzac, essentiellement quatre havres agrestes et provinciaux qui furent pour lui des refuges de détente, de repos, et aussi de travail : la Bouleaunière (avec Mme de Berny), la Poudrerie, près d'Angoulême, Frapesle, près d'Issoudun (avec les Carraud), et Saché, chez les Margonne. M. de Margonne (né le 3 janvier 1780, à Nogent-le-Rotrou) était le propriétaire du château de Saché, où il s'installa en 1804. Il avait, comme tous les châtelains des environs de Tours, une résidence dans cette ville, et c'est là qu'il rencontra la famille Balzac, dont lui-même et son beau-père, Henry-Joseph de Savary, devinrent les amis. Il faut bien reconnaître que la coquetterie et la légèreté de Mme Balzac ne surent pas résister aux avances de M. de Margonne. On attribue communément à celui-ci la paternité d'Henri de Balzac ; celui-ci ne fut jamais reçu à Saché, mais son père adultérin ne l'oublia pas dans son testament. Balzac n'ignora pas la filiation de son frère. Dans une lettre à Mme Hanska du 19 juin 1848, il écrit : « (Mme Donnadieu) sait que M. de Margonne est le père de Henry. »

L'amitié de M. de Margonne ne manqua jamais aux Balzac ; il les obligea souvent, bien qu'il fût assez serré, si l'on en croit le romancier ; Mme de Balzac, dans une lettre à son fils d'octobre 1847, rappelle à celui-ci que, entre autres obligations, elle doit encore de l'argent à M. de Margonne.

En tout état de cause, le romancier fut reçu à Saché aussi souvent et aussi longtemps qu'il le voulut, et moins souvent que ses hôtes l'eussent souhaité. Un passage très important d'une lettre à Mme Hanska (1833) nous renseigne sur ce qu'était à ses yeux le séjour de Saché : « Saché est un débris de château sur l'Indre, dans une des plus délicieuses vallées de Touraine. Le propriétaire, homme de cinquante-cinq ans, m'a fait jadis sauter sur ses genoux. Il a une femme intolérante et dévote, bossue, peu spirituelle. Je vais là pour lui, puis j'y suis libre. On m'accepte dans le pays comme un enfant ; je n'y ai aucune valeur, et je suis heureux d'être là, comme un moine dans un monastère. Je vais toujours méditer là quelques ouvrages sérieux. Le ciel y est pur, les chênes si beaux, le calme si vaste ! ... C'est votre Ukraine, moins votre musique et votre littérature. Mais plus une âme pleine d'amour est resserrée physiquement, et mieux elle jaillit vers les cieux. C'est là un des secrets de la cellule et de la solitude. » Solitude et sérénité qui lui manqueront presque toujours à Paris, et qu'il viendra souvent chercher en Touraine.

Les mois de juillet et août 1823 le voient dans cette province, d'abord chez M. de Savary, qui habitait Vouvray, puis chez les Margonne. Il retourne chez ses deux hôtes en septembre et octobre 1825. Il y travaille, semble-t-il, à la *Physiologie du mariage*. Durant l'été 1829, il fait encore à Saché un court séjour, qu'il abrège pour aller rejoindre Mme d'Abrantès à Maffliers. On le voit de nouveau chez les Margonne de la fin de juillet au début de septembre 1830, et aussi dans la seconde quinzaine de septembre 1831. Il y revient la même année, de novembre à décembre ; c'est de là qu'il date *Maître Cornélius*. Le 7 juin 1832, il s'y installe pour deux mois ; il y travaille à *Louis Lambert*, qu'il datera également de Saché. Il y attend Mme Deurbroucq* ; mais, comme elle n'apparaît finalement pas, il part

**Le château
de Saché.**
*Phot. Lauros-
Giraudon.*

pour Angoulême, avec l'intention de rejoindre ensuite Mme de Castries. La fin de septembre et la première quinzaine d'octobre 1834 le revoient à Saché; il y travaille au *Père Goriot*, daté également du même lieu.

Au cours de l'été 1836, Balzac, qui se trouve de nouveau à Saché (avant de partir pour l'Italie avec Mme Marbouty), est victime d'un « coup de sang », dû à la chaleur, et peut-être déjà au surmenage (il supportait très mal la chaleur). À l'occasion d'un nouveau voyage en Touraine, en novembre, il est reçu par Talleyrand* au château de Rochecotte. Il rentre à Paris le 1er décembre. Le climat de la Touraine, malgré les charmes qu'il apprécie tant, ne semble pas (pure coïncidence sans doute) lui avoir toujours été favorable, car en août 1837, alors qu'il est venu à Saché encore une fois, après avoir échappé à la prison pour dettes (v. *Guidoboni-Visconti*), il est victime, cette fois, d'une « inflammation de la poitrine ».

Il ne reviendra à Saché que dix ans plus tard, en 1848, entre ses deux voyages en Ukraine. Il passe en Touraine le mois de juin et ne repart que le 7 juillet. Mais cette fois, sa santé est si mauvaise qu'il ne peut songer à travailler.

S'il est vrai que, dans les premières années de son séjour en Touraine, il

« n'avait aucune valeur » (on peut le croire, puisqu'il n'a jamais hésité, ailleurs, à affirmer qu'à Angoulême un jeune homme, se trouvant inopinément en face de lui, s'évanouit d'émotion), il n'en était plus de même en 1848. Sa chambre était devenue un véritable lieu de pèlerinage littéraire.

Il est certain que Balzac travailla beaucoup à Saché, même si les romans qu'il a datés du château n'y ont été qu'en partie rédigés. Mais la Touraine dans l'ensemble, et le site de Saché en particulier, ont toujours été pour lui une source d'inspiration. Est-ce parce qu'il était né à Tours qu'il a toujours voulu se considérer (abusivement) comme Tourangeau? qu'il a tenu à suivre les traces *(Contes drolatiques)* de son compatriote Rabelais? On a remarqué qu'il a toujours tenu à faire les honneurs de sa province aux femmes qu'il aimait, à Mme de Berny avec qui il s'installa en juin-juillet 1830 à la Grenadière, à Mme Hanska, en août 1845. Quant à l'œuvre, elle a souvent la Touraine comme toile de fond. L'intrigue du *Lys* se déroule, comme dit M. A. Bellessort, « au milieu de ces *Géorgiques françaises* qui l' (Balzac) enveloppaient de leur calme douceur sans lui donner la paix ». Au château de Moncontour, à Vouvray, que Balzac songea un moment à acheter, se situe une des scènes de *la Femme de trente ans.* On peut citer encore, *l'Illustre Gaudissart,* où le romancier évoque la « douceur harmonieuse des plus beaux paysages de France ».

MUSÉE. Le château de Saché est devenu un musée Balzac (le seul en France, avec la maison de Balzac à Paris). Il est la propriété du département d'Indre-et-Loire (fondation Métadier). Tél. : 10 à Saché; fermé tous les mardis, du 15 octobre au 15 mars; fermé totalement en janvier. Catalogue illustré complet, établi par M. B. Paul Métadier.

Ont été conservés intégralement avec leurs meubles : le salon et la chambre qu'occupait Balzac, cette chambre qui était « comme la cellule d'un moine ». Très nombreux documents : photocopie du manuscrit de *Cromwell,* nombreuses éditions originales (du *Lys,* de *Grandeur,* entre autres); un spécimen d'une contrefaçon belge (plaie de l'édition au XIXe siècle); épreuves de *Béatrix,* spécimen des œuvres de La Fontaine* et de Molière* éditées par Balzac; et de très nombreux portraits et caricatures, etc.

DOCUMENTATION. On pourra consulter l'ouvrage de M. B. Paul Métadier : *Saché dans la vie et l'œuvre de Balzac* (préface de M. A. Billy; Calmann-Lévy, éd.), les bulletins *Balzac à Saché* (publication de la Société Honoré-de-Balzac de Touraine et aussi l'album illustré *Balzac en Touraine* (texte de M. Métadier, préface de M. Castex; Hachette, éd.).

SAINT-HÉRÉEN (comtesse **de**), née Moïna d'Aiglemont. V. *Aiglemont (famille d').*

SAINT-MARTIN (Louis-Claude **de**), dit **le Philosophe inconnu** (1743-1803). Initié aux mystères de l'illuminisme, il réagit vivement dans ses œuvres contre le rationalisme du XVIIIe siècle, auquel il oppose la pureté du spiritualisme. Il traduisit en français plusieurs œuvres de Jacob Bohme*, et ses livres figuraient, avec ceux d'autres mystiques et spiritualistes, dans la bibliothèque de Mme de Balzac* mère. Il est fait plusieurs allusions à sa pensée et à ses théories dans divers romans de Balzac.

SAINTE-BEUVE (Charles Augustin **de**), poète, romancier et critique français (1804-1869). Il eut avec Balzac des relations souvent épineuses. On conçoit aisément que l'élégance classique du grand critique que fut et qu'est resté Sainte-Beuve n'ait pu s'accommoder de la puissance, parfois tumultueuse, de Balzac. Il est difficile, comme souvent en pareille matière, de déterminer lequel des deux a commencé, et ce point est d'ailleurs accessoire. Ce qui est certain, c'est que Sainte-Beuve n'apprécia pas du tout le principe du retour* des personnages, où il voyait « une idée des plus fausses, des plus contraires à l'intérêt » d'une œuvre. Il reproche à Balzac de manquer de goût : « C'est une grande avance, je le sais, à qui veut passer pour un homme de génie auprès du vulgaire, que de manquer absolument de bon sens dans la pratique de la vie et dans la conduite du talent. » Balzac, de son côté, reproche à Sainte-Beuve ce que nous pourrions appeler une certaine fluidité distinguée et soporifique. Son « éreintement » de *Port-Royal,* dans l'éphémère *Revue parisienne,* est un morceau aussi réussi que, dans la même revue, et dans un autre genre, son célèbre éloge de Stendhal. « M. Sainte-Beuve a eu la pétrifiante idée de restaurer le genre ennuyeux (...). C'est un travail gigantesque que celui de varier l'ennui (...). Tantôt l'ennui saute aux yeux et vous endort avec la puissance du magnétisme, comme en ce pauvre livre qu'il appelle *l'Histoire de Port-Royal.* »

Le même Sainte-Beuve est brocardé dans *Un prince de la bohème,* où Nathan, qui raconte l'histoire, s'amuse à « user du style employé par M. Sainte-Beuve pour ses biographies d'inconnus », et persévère en se servant du « style macaronique » de celui-ci.

C'est à cette rivalité des deux écrivains que nous devons sans doute un chef-d'œuvre. Balzac avait lu en août 1835 le roman (l'unique roman) de Sainte-Beuve, *Volupté.* En novembre, indigné de la critique très dure que Sainte-Beuve avait consacrée à *la Recherche de l'Absolu,* il s'écria, selon la petite histoire : « Il me le payera. Je lui passerai ma plume au travers du corps. Je referai *Volupté*. » Et ce fut *le Lys dans la vallée*. On ne lit plus *Volupté*. On lit toujours, et plus que jamais, le *Lys*. Si la rédaction de ce roman a été une gageure, on peut dire que Balzac l'a gagnée.

Sainte-Pélagie (prison de), maison d'arrêt située rue du Puits-de-l'Ermite, et démolie en 1899. Affectée à divers usages, elle était de 1797 à 1834 plus spécialement destinée à l'incarcération des détenus pour dettes.

SALLAMBIER (famille), bonne famille de la bourgeoisie parisienne. Le père, à sa mort, en 1803, était directeur général de la Régie des hospices de Paris. C'est sa fille, Anne Charlotte *Laure*, qui devint en 1797 Mme Bernard-François Balzac, mère du romancier. Mme Marie-Barbe-Sophie Sallambier, mère de Mme de Balzac, était une vieille dame peu cultivée (sa correspondance est rédigée en un curieux style), et surtout hypocondriaque, d'un commerce peu agréable. Elle a vécu un certain temps avec ses enfants à Villeparisis, et son gendre s'accommodait mal de son humeur. Cette dame se créait — et créait aux autres — de graves soucis pour des raisons futiles, comme par exemple la disparition d'un paquet d'aiguilles. L'hérédité peut expliquer que Mme Laure de Balzac ait été une hypernerveuse.

Mme Sallambier devait être aussi quelque peu naïve; si l'on en croit une lettre de Mme de Balzac (octobre 1847), elle avait confié à son gendre, qu'elle n'aimait pas et dont elle devait connaître la désinvolture financière, la somme de 40 000 francs, qu'il « perdit dans des spéculations de bourse » (naturellement !); dès lors, M. de Balzac servit à Mme Sallambier une rente annuelle de 2 000 francs, et cette rente était reversée au ménage pour payer la pension de la vieille dame.

Il était dit que, de toutes les manières, la pauvre Mme de Balzac devait être la victime des entreprises et des aventures financières de son mari et de son fils.

SAMANON, usurier et prêteur sur gages; il exerce son industrie aux dépens de plu-

sieurs personnages : Rubempré *(Illusions)*, le baron Hulot *(Cousine Bette)*.

SAND (Amandine Lucie Aurore **Dupin,** baronne **Dudevant,** dite **George**) [1804-1876] (Balzac s'obstine à écrire Georges). Elle mérite d'être particulièrement signalée parmi les relations amicales et littéraires de Balzac, parce qu'elle est presque certainement l'original de Félicité des Touches* (*Béatrix* et divers autres romans), bien que dans ce personnage l'original soit, à divers titres, assez enjolivé, notamment au point de vue physique. Sur ce dernier point, c'est Mlle George* qui aurait servi de modèle. George Sand avait fait la connaissance de Balzac en 1831, quand elle était venue rejoindre à Paris Jules Sandeau, avec qui elle avait une liaison amoureuse et littéraire, qui devait aboutir à la publication du roman *Rose et Blanche*, signé Jules Sand.

L'année 1838 fut particulièrement importante pour les relations de George Sand

---

Portrait de George Sand, par Alfred de Musset, exécuté en 1833. Coll. Lovenjoul, Chantilly. Phot. J. A. Bricet.

et de Balzac : celui-ci, en revenant d'Issoudun, où il avait séjourné chez les Carraud, s'arrêta plusieurs jours à Nohant, chez George Sand. Elle lui raconta l'histoire des amours de Liszt et de Mme d'Agoult, et c'est de là qu'est sortie la première idée de *Béatrix*, dont George Sand aurait même suggéré le titre.

Les Mémoires de deux jeunes mariées sont dédiés à la romancière. L'auteur « désire attester ainsi l'amitié vraie qui s'est continuée entre *eux* à travers *leurs* voyages et *leurs* absences, malgré *leurs* travaux et les méchancetés du monde ».

SANDEAU (Léonard Sylvain Jules), romancier et épisodiquement auteur dramatique (1811-1883), auteur de nombreux romans, en particulier *Mademoiselle de La Seiglière*, qui n'est pas tombé dans l'oubli. Il fut longtemps l'ami de Balzac, qui fit sa connaissance en 1831, l'hébergea rue Cassini, et qui envisagea avec lui diverses collaborations.

SAN SEVERINO (comtesse Serafina), sœur du prince Porcia (à qui est dédié *Splendeurs*). Elle habitait Paris, et Balzac lui dédia *les Employés*, par une dédicace où il évoque les « belles et nobles amitiés dont les suffrages aident à vaincre les ennuis de la vie littéraire ».

Sardaigne (mines de). Un des rares projets financiers de Balzac (peut-être le seul) qui, pour une fois, ne fût pas chimérique. Il avait entendu dire en mars 1837, par un négociant génois du nom de Giuseppe Pezzi, que les mines d'argent de Sardaigne, incomplètement exploitées par les Romains, pouvaient à nouveau être mises en valeur. C'était exact. Mais il tarda à saisir l'occasion, et ne revint en Italie qu'en mars 1838 ; il avait été devancé. « Le Génois (le même qui lui a fourni le renseignement) a un contrat en bonne forme avec la cour de Sardaigne ; il y a un million d'argent dans les scories et dans les plombs (...). Il fallait, l'année dernière, ne pas lâcher prise sur l'idée, et les devancer » (lettre à Laure Surville de mai 1838). Mais l'optimisme de Balzac reste inébranlable, et il poursuit dans la même lettre :

« Enfin, j'ai trouvé aussi bien, et mieux même. Je causerai de tout cela avec ton mari à mon retour (...). Le frère mathématicien conviendra, j'espère, qu'on ne peut trouver une affaire plus belle, et il sera aussi joyeux que moi. » Il semble qu'il ne sera plus question de cette « belle affaire ».

Sarrasine, nouvelle publiée dans la *Revue de Paris* en novembre 1830. N° 54 (*Scènes de la vie parisienne,* bien que le drame principal se déroule à Rome). Dédiée à Charles de Bernard.

Sarrasine est le fils d'un procureur franc-comtois qui le destine à la magistrature ; mais le jeune homme, très doué pour les arts, fait dans ce domaine de brillantes études qui lui permettent d'obtenir le prix de Rome ; il part pour la villa Médicis. À Rome, il tombe en admiration, au théâtre, devant une cantatrice à qui il déclare son amour et qui feint de ne pas le décourager. Son nom est Zambinella. Or, dans une réception à l'ambassade de France, il constate avec stupeur que Zambinella est habillée en homme. Il apprend qu' « elle » est un castrat (il ignorait que seuls les castrats — l'histoire est censée se passer en 1758 — avaient le droit de se produire, à la place des femmes, sur les planches des théâtres romains), et que ce castrat est le « protégé » du cardinal Cicognara. Hors de lui, il jure de se venger : il enlève Zambinella dans l'intention de le tuer ; mais il est devancé par les sbires du cardinal, qui l'assassinent. Avant de mourir, il avait fait une statue de Zambinella, dont le cardinal fit faire la réplique en marbre.

SAVARY (Félix), astronome, membre du Bureau des longitudes, puis de l'Académie des sciences, dédicataire de *la Peau de chagrin* (1797-1841).

Scènes de la vie militaire. Ces scènes, qui font partie des *Études de mœurs,* devaient comporter 23 numéros. Balzac n'en a rédigé entièrement que deux : le n° 81 (*les Chouans*) et le n° 84 (*Une passion dans le désert*). Encore doit-on remarquer que la deuxième de ces œuvres représente difficilement un épisode de la vie militaire.

Pourtant Balzac aurait aimé consacrer une vaste fresque à l'épopée de la Révolution et de l'Empire. C'est ce qui explique que le numérotage des œuvres suive approximativement l'ordre historique des événements. Grand admirateur de Napoléon, s'il met parfois en scène la Grande Armée (l'Adieu), Balzac ne présente directement l'Empereur que dans les dernières pages d'Une ténébreuse affaire. Peut-être la documentation (sans parler du temps) a-t-elle manqué au romancier, toujours scrupuleux quant à l'exactitude des renseignements qu'il utilise. Il avait demandé au colonel Périolas* de le documenter sur les guerres de l'Empire. De toute façon, en traitant systématiquement des thèmes assez voisins, il lui eût été bien difficile d'éviter une impression de monotonie que l'on ne ressent pas dans l'étude des milieux infiniment divers que présente la Comédie.

Scènes de la vie privée et publique des animaux, publication paraissant par livraisons, et pour laquelle Balzac s'est amusé à écrire des réflexions savoureuses, sous des titres qui ne le sont pas moins : Peines de cœur d'une chatte anglaise ; Guide-Ane à l'usage des animaux qui veulent parvenir aux honneurs ; Voyage d'un lion d'Afrique à Paris et ce qui s'ensuivit ; les Amours de deux bêtes offertes en exemple aux gens d'esprit (en sous-titre : Histoire animausentimentale [sic]). [Tous ces articles en 1842.]

SCHILTZ (famille). Le père, colonel d'Empire, la mère, d'origine allemande, n'ont d'intérêt que parce qu'ils sont signalés (Béatrix) comme père et mère de Joséphine Schiltz, alias Mme Schontz (v. ce nom).

SCHINNER (Hippolyte), peintre d'un très grand talent, prix de Rome, qui apparaît dans la Bourse, où il fait la connaissance d'Adélaïde de Rouville, dont il s'éprend et qu'il épouse. On le retrouve à plusieurs reprises, et surtout dans Début ; il a confié un travail de décoration à son élève Bridau, qui, par plaisanterie, a usurpé, au cours d'un voyage en diligence, l'identité de son maître.

SCHMUCKE, musicien allemand qui, avant d'apparaître comme l'ami de Pons (Cousin Pons), a été le professeur de piano de plusieurs héroïnes : les demoiselles de Granville (Fille d'Ève), Ursule Mirouet, Lydie de Peyrade (Splendeurs) ; il a obligé Mme Félix de Vandenesse en signant des lettres de change (Fille d'Ève).

SCHONTZ (Joséphine **Schiltz**, Mme Aurélie) [née en 1805], l'une des plus célèbres et des plus belles demi-mondaines de la Comédie. Elle figure à titre épisodique dans les Petites Misères. Mais c'est surtout dans Béatrix que sa carrière, si l'on peut dire, est racontée : élevée à Saint-Denis, au titre de fille d'officier supérieur, elle décide de tirer parti de sa beauté ; elle est liée un moment avec Lousteau (Muse) ; puis, remarquée par le marquis Arthur de Rochefide, elle lui reste généralement fidèle, et en est récompensée par une ascension régulière dans la société des demi-mondaines, avec loge aux Italiens, et hôtel particulier rue La Bruyère. Désireuse de faire une fin, elle épouse Fabien du Ronceret (Béatrix). On la voit réapparaître épisodiquement dans la Cousine Bette.

SCHWARZENBERG (prince Frédéric) [1800-1870], à qui est dédié l'Adieu. C'est lui qui fit visiter à Balzac le champ de bataille de Wagram ; le romancier attachait une grande importance à la documentation relative à cette période de l'histoire ; il avait envisagé d'y consacrer plusieurs récits, dont le titre figure dans les Scènes de la vie militaire, mais qui ne furent jamais écrits.

SCOTT (sir Walter), romancier écossais (1771-1832) qui avait débuté dans la poésie, et dont l'œuvre romanesque, jalonnée de titres célèbres, eut un énorme retentissement. Sa gloire dépassa très vite les limites de la Grande-Bretagne, et son influence s'exerça sur toute la génération romantique. Il est incontestable qu'on lui doit une grande part du succès du roman historique dans la littérature occidentale de cette époque. Balzac était un fervent admirateur du romancier anglais ; il écrit à sa sœur (juillet 1821) : « Je t'engage beaucoup à lire *Kenilworth,* le dernier roman de Scott : c'est la plus belle chose du monde. » Ailleurs (lettre d'octobre 1833 à la même), il déclare que des admirateurs, chez le baron Gérard, « le voient déjà, à la tête de l'Europe littéraire, remplacer Byron, Valter *(sic)* Scott, Goethe, Hoffmann » ; l'association de ces noms prouve en quelle haute estime il tenait le romancier écossais. Un autre détail montre à quel point les romans de Scott lui étaient familiers, ainsi qu'à Laure Surville d'ailleurs : dans une lettre de Wierzchownia de novembre 1849, il fait un vif éloge de la comtesse Mniszech, et déclare qu'elle est « la Fenella de la maison (...), le feu follet de nos âmes, de notre gaîté, la vie du château ». Balzac n'a pas eu besoin de rappeler que Fenella est l'elfe du *Peveril of the Peak* de Walter Scott : l'allusion ne lui a même pas semblé valoir un éclaircissement.

C'est surtout au début de sa carrière littéraire que Balzac a subi l'influence de Scott, influence qui apparaît avec éclat dans un roman comme *Clotilde de Lusignan.* (V. l'ouvrage de F. Baldensperger cité en bibliographie.)

Secrets de la princesse de Cadignan (les), court roman paru dans *la Presse* du 2 au 21 août 1839, sous le titre primitif : *Une princesse parisienne.* Dédié à Théophile Gautier.

Diane d'Uxelles, mariée au duc de Maufrigneuse, et devenue princesse de Cadignan à la mort de son beau-père, a été ruinée par les événements de 1830. Son mari, qui d'ailleurs lui avait toujours laissé les libertés dont il usait lui-même, a dû quitter la France pour suivre son roi. Elle vit modestement rue de Miromesnil. Elle a eu des aventures, mais elle voudrait bien « ne pas quitter ce monde sans avoir connu les plaisirs du véritable amour ». Elle a inspiré une passion qui était une « sainte et belle chose » à un jeune amoureux transi, Michel Chrestien, qui, avant de mourir dans l'affaire du cloître Saint-Merri, lui a adressé une lettre émouvante. Il se trouve que celui-ci était connu du baron Daniel d'Arthez, gentilhomme picard devenu un homme de lettres très

célèbre. Ce prétexte permet à des amis de la princesse de lui présenter d'Arthez, qui évoque avec tristesse la fin de son ami. Cette rencontre suffit à le rendre amoureux de la princesse, à qui il n'est pas indifférent. Il lui rend visite. Elle lui joue une admirable scène de séduction en lui révélant ses secrets, et en particulier celui qui fait d'elle une innocente et touchante victime : c'est sa mère qui, maîtresse de Maufrigneuse, n'a pas hésité à la marier, elle, Diane, à dix-sept ans, avec son amant. Elle brode sur ce thème et sur ses aventures passées, de telle manière que d'Arthez ne voit plus en elle qu'une « vierge » et une « martyre ». « Enharnaché de tendresse », « ensorcelé », d'Arthez, aveuglé, se refuse à croire toutes les vérités que dit le monde sur le compte de la princesse. Elle et lui vivront heureux, à Genève le plus souvent, en se tenant à l'écart de la société parisienne.

Admirable étude psychologique sur le thème, souvent repris par Balzac, de la rouerie féminine.

Secret des Ruggieri (le). V. *Sur Catherine de Médicis.*

SÉCHARD (famille), famille comprenant le père, Jérôme-Nicolas (né en 1743), le fils, David, l'épouse de celui-ci (née Ève Chardon, en 1804), et sœur de Rubempré, leur fils Lucien (né en 1822). Tous ces personnages ne paraissent, comme Rubempré lui-même, que dans *Illusions* et dans *Splendeurs.*

SÉDILLOT (Charles Antoine), cousin de Mme de Balzac mère. Il intervint en 1828 pour liquider l'opération désastreuse qu'avait été l'entreprise de fonderie de caractères, et pour obtenir de Mme de Balzac les sacrifices et les engagements nécessaires. On le retrouve encore en 1846, date à laquelle il négocie avec Balzac pour le recouvrement des anciennes dettes que celui-ci avait contractées envers sa mère.

Séraphita, roman laborieusement écrit, dont le début parut en juin-juillet 1834 dans la *Revue de Paris.* Interrompue, la rédaction ne fut reprise qu'en 1835, pour

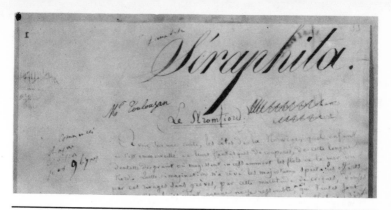

Fac-similé du départ de la première page du manuscrit de *Séraphita*.
Maison de Balzac. Phot. Lauros-Giraudon.

la publication en volume (décembre). N° 132 *(Études philosophiques)*. Dédié à « Éveline de Hanska, née comtesse Rzewuska ».

Le jeune Wilfrid, après une jeunesse tumultueuse, se trouve, au cours d'un voyage en Norvège, immobilisé par l'hiver dans le village de Jarvis, en 1800. Il y fait la connaissance du pasteur Becker et de sa fille Minna, mais aussi d'un être étrange, Séraphita, d'une beauté étonnante, dont il tombe amoureux. Mais Minna elle-même est amoureuse de ce même être, qu'elle voit sous une forme masculine. Il s'agit d'une créature mystérieuse, un androgyne, Séraphitus-Séraphita, dont le pasteur Becker raconte à Wilfrid l'origine et la naissance : le baron Seraphitz, cousin de Swedenborg, et sa fiancée se sont unis à Jarvis. Leur union a donné naissance à l'androgyne et ils se sont éteints en même temps sans souffrir, alors que l'enfant avait neuf ans (il en a maintenant dix-sept). À cette occasion, le pasteur raconte Swedenborg à Wilfrid « en entier ». Mais Séraphitus-Séraphita n'est pas de ce monde. L'auteur le conçoit comme « un ange arrivé à sa dernière transformation et brisant son enveloppe pour monter aux cieux. Il est aimé par un homme et une femme auxquels il dit, en s'envolant aux cieux, qu'ils ont l'un et l'autre aimé l'amour qui les liait, en le voyant en lui, ange tout pur » (lettre de Balzac à Mme Hanska). C'est exactement la conclusion de ce qu'il faut bien appeler l'intrigue. Séraphitus-Séraphita, avant de s'élever dans une « assomption » lumineuse, révèle aux deux jeunes gens qu'ils s'aiment. Ils ont « entrevu les hauts mystères » et ils iront « ensemble au ciel ».

On conçoit que cette œuvre étrange, où certains voient un des chefs-d'œuvre de Balzac, ait pu être pour lui l'occasion d'une « lutte semblable à celle de Jacob » (dédicace). Derrière le thème de l'androgynat, mais d'un androgynat purement mystique, il s'agit, en fait, d'un développement de la pensée swedenborgienne, d'ailleurs largement exposée au cours de l'œuvre, et notamment par le pasteur Becker. Malgré le souci du détail matériel (Balzac avait été jusqu'à se renseigner sur la flore norvégienne, et un curieux passage décrit une excursion à skis), l'œuvre est proprement plus qu'un roman, une « étude philosophique », où l'on pourrait retrouver, outre l'influence des lectures swedenborgiennes de sa jeunesse, naturellement, les tendances mystiques qui ont toujours transparu, plus ou moins explicites, dans l'œuvre du romancier. Il reste que la lecture et l'étude de l'œuvre s'imposent à qui veut approfondir l'importance de l'élément ésotérique dans la pensée de Balzac.

SÉRISY (comte **Hugret de**), le fils (le père n'est représenté qu'épisodiquement), figure surtout dans *Un début dans la vie*, où il fait le voyage de Paris à son domaine, en compagnie de gens qui ne le reconnaissent pas. On le retrouvera dans *Splendeurs et misères des courtisanes*, où il intervient en faveur du marquis d'Espard dans la *suite* du procès en interdiction intenté par la marquise contre le marquis, et dont le début figure dans l'*Interdiction*. Il supporte avec résignation, mais avec dignité, l'inconduite de sa femme, et pousse la générosité jusqu'à l'accompagner au Palais de Justice, où elle essaie de sauver Rubempré, dont le comte acceptera d'être l'exécuteur testamentaire (*Splendeurs*).

SÉRISY (Clara Léontine **de Ronquerolle**, comtesse **Hugret de**), épouse du précédent. Elle a mené une vie mondaine, mais fort tumultueuse. Parmi ses amants figurent le jeune baron de Maulincour (*Duchesse*), le marquis d'Aiglemont (*Femme de trente ans*), et surtout Rubempré, qui fut le seul grand amour de sa vie et qu'elle enleva à Mme de Maufrigneuse. Elle fut désespérée d'apprendre sa liaison avec Esther Gobseck, mais tenta l'impossible pour le sauver après son arrestation, et faillit devenir folle en découvrant son cadavre (*Splendeurs*).
Le comte et la comtesse n'avaient qu'un fils, le vicomte Jules, qui mourut à Toulon des suites d'une blessure reçue dans la guerre d'Algérie (*Début*).

Siècle (le), journal. V. **Dutacq**. Ont paru de Balzac dans ce périodique : décembre 1838-janvier 1839, *la Fausse Maîtresse* ; janvier 1840, *Une fille d'Ève* ; mars-avril 1841, *les Lecamus* ; décembre 1841, *Pierrette* ; mai-juin 1842, *Albert Savarus* ; juillet 1845, *Entre savants* (début).

Silhouette (la), hebdomadaire dont Émile de Girardin fut, en 1829, l'un des fondateurs. Plusieurs œuvres de Balzac y furent publiées, notamment : avril 1830, *la Vendetta* ; octobre 1830, *Zéro*.

SIMEUSE (famille **de**), famille de noblesse lorraine, et dont tous les membres paraissent presque exclusivement dans *Une ténébreuse affaire*, réserve faite pour quelques apparitions du vice-amiral (grand-père des jumeaux), qu'on trouve épisodiquement dans *Gobseck*, dans *la Vieille Fille* et dans *Ursule*.

ski. Il y a plus d'un siècle, alors que la pratique du ski était totalement inconnue en France, Balzac en donnait déjà, dans *Seraphita* (chap. 1), une description très complète, très minutieuse et très exacte (y compris l'utilisation des peaux de renne alors employées pour éviter le glissement en arrière). Ce ne serait là qu'une curiosité, si ce souci de précision ne prouvait avec quel scrupule Balzac établissait sa documentation.

Société des gens de lettres. Cette société, dont la création semblait depuis longtemps nécessaire à plusieurs écrivains, fut constituée le 16 avril 1838. Balzac n'en fit pas partie tout d'abord. On se méfiait de sa personnalité, et lui-même ne semblait pas particulièrement tenir à y adhérer. Mais il changea vite d'avis, à la suite de plusieurs escroqueries littéraires (qui étaient d'ailleurs monnaie courante à l'époque) dont il fut victime : Allemands, Italiens, Belges surtout, n'hésitaient pas à publier des passages entiers de ses œuvres, et même les œuvres entières, sans d'ailleurs verser le moindre droit aux éditeurs ou à l'auteur. Admis de justesse comme membre de la Société, il fit bientôt partie du comité, et fut élu président en 1839. Il est certain que sa connaissance, par expérience, des problèmes juridiques que pose la propriété littéraire rendait sa collaboration précieuse. Comme président de la Société, il établit plusieurs projets, dont la plupart ne purent aboutir, mais dont certains étaient marqués au coin du bon sens, notamment un projet de *Code littéraire*, qui n'aboutit à rien, mais qui contenait, à côté d'idées discutables, des éléments aujourd'hui considérés comme évidents par la loi ou la jurisprudence.
La présence de Balzac au comité et à la présidence de la Société eut, en outre, l'avantage de resserrer ses liens avec Hugo[*].

Sœur Marie des Anges, titre d'un projet de roman où Balzac aurait étudié un « Louis Lambert femelle », l'âme d'une jeune nonne qui perd la foi par excès même de dévotion. Il ne subsiste que quelques pages, sous forme de fragments épars et qui ne représentent même pas une ébauche d'intrigue, de cette œuvre qui n'est pas prévue dans le plan de la Comédie. Elle aurait pu prendre place dans les *Scènes de la vie privée.* (V. *Mémoires de deux jeunes mariées [les].*)

SOFKA, personne à qui est dédiée *la Bourse.* Il s'agit de Sophie Rebora (ou Koslowska), fille naturelle du prince Koslowski. Balzac la connaissait par l'intermédiaire de la comtesse Guidoboni-Visconti, et, selon lui, cette dédicace est « moins un hommage que l'expression de l'affection fraternelle qu'il lui a vouée ».

Soldats de la République (les), œuvre qui n'a pas été écrite et devait comporter trois épisodes. N° 78 (*Scènes de la vie militaire*).

SOMMERVIEUX (baron Théodore de), peintre. Après avoir épousé Augustine Guillaume (née en 1793) [*Maison du Chat*], il ne tarde pas à la tromper, avec la duchesse de Carigliano, avec Mme Marmus de Saint-Leu (*Entre savants*). Il est signalé à diverses reprises comme illustrateur ou portraitiste de grand talent.

SONET, marbrier, auteur du monument funéraire de Rubempré et d'Esther Gobseck (*Splendeurs*). Il se trouve embarrassé pendant plusieurs années par un projet de monument funéraire qu'il essaie vainement de présenter à plusieurs amateurs, et en fin de compte à Schmucke (*Cousin Pons*).

SOULANGES (colonel comte de), un des personnages essentiels de *la Paix du ménage.* Il fait une brillante carrière militaire. On le retrouve dans *les Paysans.* Il y est le voisin de Montcornet, avec qui il se brouille parce qu'il lui a refusé la main de sa fille, qu'il estimait trop jeune pour un tel prétendant.

L'une des filles fut à l'origine de la brouille entre Soulanges et Montcornet (v. *supra*); l'autre, Amélie, faillit être la femme de Philippe Bridau. Mais le comte, informé par Bixiou de l'indignité du prétendant, abandonna le projet (*Rabouilleuse*).

Sous Vienne, titre correspondant au n° 87 (*Scènes de la vie militaire*), et devant comporter trois parties, dont aucune n'a été rédigée : 1. *Un combat*; 2. *L'Armée assiégée*; 3. *La Plaine de Wagram.* On ne sait pas exactement à quoi songeait Balzac pour les numéros 1 et 2. En revanche, pour la troisième partie, ses intentions sont plus claires. La bataille de Wagram lui avait toujours paru un beau sujet d'épopée romanesque. Il avait tenu à se documenter auprès du colonel Périolas*, et plus tard, en 1835, à visiter lui-même le champ de bataille. Comme il arrive souvent, il signale dans sa correspondance, comme à peu près terminée cette œuvre dont il n'avait rien écrit.

Souvenirs d'un paria, titre donné dans les éditions posthumes aux fragments des *Mémoires de Sanson* rédigés par Balzac.

Splendeurs et misères des courtisanes (ce titre ne comporte pas d'article). Titre général qui groupe quatre romans se faisant suite, et parus à diverses périodes, dans divers journaux et chez divers éditeurs, sous des titres qui ont parfois changé, savoir : 1re partie : *Comment aiment les filles,* titre primitif *la Torpille*; titre de l'édition de 1844 de la Comédie : *Esther heureuse*; 2e partie : *À combien l'amour revient aux vieillards*; 3e partie : *Où mènent les mauvais chemins* (titré en 1847 pour une édition à part : *Un drame dans les prisons*); 4e partie : *la Dernière Incarnation de Vautrin.* Le début de la première partie chez Werdet, en 1838; la fin de cette première et l'essentiel de la deuxième dans *la Presse*, du 25 mai au 1er juillet 1843; la fin de cette deuxième partie en novembre 1844; la troisième partie, du 7 au 29 juillet 1846, dans *l'Époque*, la quatrième, du 13 avril au 4 mai 1847, dans *la Presse.* Les quatre parties ne constituent un tout que dans l'édition posthume de 1855 chez Houssiaux. N° général, couvrant l'ensemble de

l'œuvre, 59 (Scènes de la vie parisienne).
Dédié au prince Porcia.

Une des œuvres les plus importantes de Balzac, et par ses dimensions, et par la personnalité des individus qui interviennent dans l'intrigue.

1. *Comment aiment les filles.* Rubempré, sauvé du désespoir par Vautrin, qui a pris l'identité du prêtre Carlos de Herrera *(Illusions)*, a été relancé dans le monde parisien par l'autorité de son protecteur. Le titre de noblesse qu'il porte est maintenant officiel. La courtisane Esther Gobseck, arrière-petite-nièce de l'usurier Gobseck, l'ayant rencontré par hasard, est devenue follement amoureuse de lui, au point d'abandonner son pitoyable métier, et de se retirer dans une modeste chambre, où elle gagne sa vie en ourlant des chemises. Dans un bal masqué où elle s'est rendue pour le rejoindre, l'ancienne courtisane, célèbre parmi les viveurs sous le sobriquet de « la Torpille », est reconnue par des danseurs et vilipendée. Rentrée chez elle désespérée, elle va s'asphyxier au charbon de bois, quand Vautrin arrive et la sauve. Il la fait entrer dans une « maison célèbre par l'éducation aristocratique et religieuse qui s'y donne », où l'on instruit et baptise cette jeune juive. « Elle est édifiante », mais « elle meurt d'amour pour Lucien », qui est lui-même désolé de l'avoir perdue. L'abbé consent donc à ce qu'Esther et Rubempré reprennent leur liaison, mais comme Lucien est voué à de hautes destinées, il est entendu que cette liaison restera secrète, et qu'Esther sera cloîtrée dans le bel appartement où le prêtre l'installe. Les deux amoureux connaissent des années de bonheur. Esther ne sort que la nuit ; le hasard veut que le baron de Nucingen, l'ayant rencontrée, soit surpris de cette « vision céleste », au point de connaître pour la première fois « le véritable amour ». Il va mettre tout en œuvre pour retrouver la belle inconnue. Vautrin l'apprend et, comme la situation financière du protecteur et des deux amoureux est terriblement obérée, et qu'il faut trouver à tout prix un million pour permettre à Rubempré un prestigieux mariage avec Mlle de Grandlieu, il va « vendre » habilement Esther à Nucingen.

Il ordonne à la jeune femme de quitter son appartement pour aller habiter chez un garde de la forêt de Saint-Germain. La fin de cette première partie est allongée par l'exposé de négociations financières et de complications policières. En conclusion, Vautrin ordonne à Esther de devenir « la maîtresse d'un homme riche qu'elle n'aimera pas », et de garder le secret sur la liaison qu'elle a eue avec Rubempré, sous peine de mort pour celui-ci.

2. *À combien l'amour revient aux vieillards.* Le baron a fini par retrouver Esther. Ce n'est pas par l'effet du hasard, naturellement. Vautrin y a pourvu, avec la complicité de deux femmes qui lui sont toutes dévouées, sa tante, une ignoble mégère surnommée Asie, et la femme de chambre Europe, dont les conseils auront pour but d'initier Esther dans l'art de dépouiller Nucingen. Sous des prétextes variés (dettes, achats monstrueusement majorés, etc.), tous ces complices aident Esther, qui n'a encore rien accordé au baron, à lui extorquer des sommes fabuleuses, qui passent dans la cassette de l'abbé à l'intention de Rubempré. Esther accepte, car Vautrin (qui a estimé pouvoir maintenant se démasquer comme ancien forçat auprès d'elle et de Rubempré) lui explique qu'il s'agit du bonheur de Lucien. Celui-ci lui reviendra comme amant quand il aura fait sa fortune en épousant Mlle de Grandlieu. Rubempré touche presque au but ; il est censé avoir pu, grâce aux libéralités de son beau-frère Séchard, acheter plus d'un million la terre angoumoise dont il porte le titre. Mais une enquête sur place prouve que les Séchard sont pauvres, que l'argent ne vient pas d'eux, mais émane d'une source « impure ». Lucien se voit fermer les portes de l'hôtel de Grandlieu ; ses espoirs matrimoniaux sont ruinés.

Esther a dû se résigner à donner à Nucingen le gage que celui-ci attend avec impatience. Le lendemain de la nuit où elle s'est donnée à lui, elle s'empoisonne, de dégoût et de désespoir, au moment même où l'on apprend qu'elle vient d'hériter de son grand-oncle Gobseck une fortune qui lui aurait permis d'épouser Lucien. Les premières constatations font conclure à un crime, dont Rubempré

Première page de *Splendeurs et misères des courtisanes*, illustrée par C. Nanteuil. *Phot. Bulloz.*

semble apparemment l'auteur. Celui-ci, qui ignore tout du drame, est allé attendre sur la route d'Italie Mlle de Grandlieu, qui l'aime toujours, et lui promet de n'épouser personne, si on ne la laisse pas se marier avec lui. À ce moment, on vient l'arrêter. On lui annonce qu'il retrouvera en prison l'abbé de Herrera, démasqué, et identifié comme Trompe-la-Mort.

3. *Où mènent les mauvais chemins.* Cette troisième partie est un véritable, et remarquable document sur la procédure pénale. Le rôle du juge d'instruction et les modalités de l'interrogatoire qui est l'essentiel de ses attributions y sont exposés et analysés avec une étonnante minutie. Le juge d'instruction Camusot est chargé d'instruire l'affaire Carlos de Herrera-Rubempré. Il est partagé entre ses devoirs et les influences qui protègent Rubempré, dont il connaît les hautes relations. L'interrogatoire de Vautrin reste négatif; l'ancien forçat, étonnant d'énergie et de

ruse, s'enferme sous l'identité du prêtre, et on ne peut le confondre.

Rubempré sera moins adroit. Sans doute pourrait-il voir proclamer son innocence, car le juge a maintenant en main une lettre admirable où Esther annonce son suicide à Rubempré. D'autre part, la comtesse de Sérisy, qui fut son amante avant Esther, et l'aime toujours follement, a été alertée par Vautrin grâce à une de ses ruses de forçat, et met en œuvre en toute hâte ses hautes relations pour éviter à tout prix qu'on n'interroge Rubempré. Trop tard. Il vient d'être interrogé après Vautrin et, moins fort que lui, a tout confessé au juge, sur l'identité du faux abbé et sur ses relations avec lui. Les hauts magistrats qui suivent l'affaire voient qu'on ne pourra éviter un procès qui éclaboussera les plus grandes familles. C'est compter sans Mme de Sérisy, qui se saisit devant eux des procès-verbaux d'interrogatoires et les brûle. Les magistrats se résignent à enterrer l'affaire. Trop tard encore. Rubempré, désespéré de la mort d'Esther et d'avoir trahi son bienfaiteur, se pend dans sa cellule. On emmène Mme de Sérisy, devenue folle de douleur. Et les magistrats établiront pour l'opinion publique un compte rendu d'après lequel M. de Rubempré, ayant bénéficié d'un non-lieu, a succombé d'une mort subite et naturelle.

4. *La Dernière Incarnation de Vautrin.* L'abbé Carlos de Herrera, que maintenant, d'après Balzac lui-même, on peut appeler de son ou de ses vrais noms, Jacques Collin, dit Trompe-la-Mort, apprend dans sa cellule la mort de Rubempré, et est saisi d'une crise de désespoir. On le fait descendre pour la promenade rituelle dans le préau de la prison où évoluent d'autres condamnés, dont beaucoup l'ont connu, et dont certains le reconnaissent (ici, longue digression sur les mœurs et l'argot des truands), bien que son ennemi Bibi-Lupin, ex-forçat comme lui, devenu chef de la Sûreté, qui l'a déjà arrêté dans le *Père Goriot*, et qui lui voue une haine inextinguible, ne soit même pas sûr de l'identité de son vieil adversaire. Et subitement Jacques Collin cesse de lutter. En enterrant Lucien, on va enterrer « *sa* vie (à lui), *sa* beauté, *sa* vertu, *sa* conscience,

toute *sa force* ». Et c'est pourquoi il vient dire au procureur général qu'il est Jacques Collin, qu'il se rend, et se « met au service de la Justice ». Il ne demande qu'une chose : la grâce d'un condamné à mort qui lui est cher, qui est enfermé dans cette même prison que lui, et dont il a eu le temps, avant de demander audience au procureur, de truquer la culpabilité par d'habiles manœuvres. Il rendra en échange des lettres brûlantes adressées à Lucien, que lui, Collin, a mises en lieu sûr, et qui, émanant de trois dames de la haute société parisienne, Mme de Maufrigneuse, la comtesse de Sérisy et Mlle Clotilde de Grandlieu, sont rédigées en un style tel que leur publication couvrirait de honte trois grandes familles. Le marché est conclu, et loyalement exécuté. Jacques Collin sera mis à l'épreuve pendant six mois comme adjoint de Bibi-Lupin, complètement décontenancé de ce revirement officiel ; Vautrin le remplacera ensuite et exercera ses fonctions pendant quinze ans. Cette œuvre immense, en dépit des digressions qui ralentissent le récit, prend souvent la forme d'un roman policier, y compris le « mystère de la chambre close » *(Dernière Incarnation),* et même parfois d'un roman noir ou d'un roman populaire tel que les aimaient les lecteurs d'Eugène

Sue. Mais Balzac a su y camper des caractères vraiment étonnants, non seulement ceux des protagonistes : Esther (Balzac a su traiter ici magistralement le thème dangereux de la courtisane à qui l'amour « refait une virginité »), Nucingen, Rubempré, Vautrin, mais ceux de personnages moins essentiels, le juge d'instruction Camusot, le procureur général de Grandville. C'est peut-être le roman où l'auteur a réussi à faire intervenir habilement, dans une intrigue dont les grandes lignes restent simples, le plus grand nombre de « personnages reparaissants ».

STEINBOCK (comte Wenceslas), sculpteur, né en Pologne en 1809. C'est un des personnages de *la Cousine Bette* (il a épousé Hortense Hulot, née en 1816). Il est de temps en temps question de ses travaux dans *la Fausse Maîtresse.*

STENDHAL (Henri **Beyle,** dit) [1783-1842]. Balzac avait une grande admiration pour Stendhal, qu'il avait d'ailleurs connu personnellement, d'une manière nécessairement intermittente (vu la longue absence de Stendhal lorsqu'il était consul à Civitavecchia), avec qui il correspondait, et qu'il cite souvent dans ses romans et dans ses Lettres à l'Étrangère. Il déclare, dans l'article cité plus bas : « J'avais rencontré deux fois M. Beyle dans le monde, en douze ans, jusqu'au jour où j'ai pris la liberté de le complimenter sur *la Chartreuse de Parme* en le trouvant au boulevard des Italiens. Chaque fois, la conversation n'a pas démenti l'opinion que j'avais de lui d'après ses ouvrages. » L'admiration de Balzac s'exprime particulièrement dans le long article intitulé *Études* (au pluriel) *sur M. Beyle (Frédéric Stendalh - sic),* qui parut dans la *Revue parisienne* du 25 septembre 1840. C'est surtout *la Chartreuse de Parme* (parue en 1839) qui provoque l'enthousiasme de Balzac. Celui-ci y voit, « dans notre époque et jusqu'à présent », « le chef-d'œuvre de

Stendhal : crayon par Henry Lehmann, exécuté en août 1841, à Civitavecchia.
Phot. Roger-Viollet.

la littérature à idées ». Il fait cependant de sérieuses réserves sur le style : « Le côté faible de cette œuvre est le style, en tant qu'arrangement des mots. » « Sa phrase longue est mal construite, sa phrase courte est sans rondeur. » Et en conclusion : « Je souhaite que M. Beyle soit mis à même de retravailler, de polir *la Chartreuse de Parme* ». Ce qui n'empêche pas le critique de résumer ainsi les motifs de son admiration : « M. Beyle se sauve par le sentiment profond qui anime la pensée. »

Sténie ou les Erreurs philosophiques, roman par lettres esquissé par Balzac dans sa mansarde de la rue Lesdiguières, et dont M. Prioult a donné une édition critique (Courville, éd.). L'intrigue se déroule à Tours ou dans les environs de cette ville. Le jeune Jacob de Ryès, revenant à Tours après une longue absence, rencontre sa sœur de lait, Stéphanie de Formosaud (Sténie), qu'il avait laissée toute jeune fillette. La mère de Sténie l'oblige à épouser M. de Plancksey. Désespoir de Job (Jacob), qui était devenu amoureux de Sténie. Longues relations épistolaires. Au cours d'une promenade à Saint-Cyr-sur-Loire, Sténie, elle-même amoureuse du jeune homme, est près de succomber. Le mari, informé, provoque Job en duel, et celui-ci, peu après, succombe à une « inexplicable mort ».

STERNE (Laurence), pasteur et écrivain anglais (1713-1768). Obligé par son état de santé de faire des séjours dans le midi de la France, il en profita pour voyager, et tira de ses observations un livre célèbre, *le Voyage sentimental.* Mais l'œuvre de Sterne qui eut la plus profonde influence sur Balzac fut *Tristram Shandy,* qui parut en 9 volumes de 1759 à 1767, et dont le titre complet est *la Vie et les opinions de Tristram Shandy, gentleman.* Ce livre est dûment cité dans la *Physiologie du mariage,* qu'il a inspirée, comme étant l'œuvre du « plus original des écrivains anglais ».

STIDMANN, sculpteur, personnage relativement épisodique, mais qu'on rencontre assez fréquemment, comme maître de

Steinbock *(Cousine Bette),* comme auteur du monument funéraire de Marsay, de Charles Keller *(Cousin Pons),* comme décorateur de l'appartement de Jenny Cadine *(Béatrix).* Son talent est vivement contesté par un des personnages des *Comédiens.*

STRUNZ (Jacques), musicien allemand qui avait fourni à Balzac de nombreux renseignements techniques dans le domaine musical, où le romancier était un profane. On sait que Balzac aimait se documenter abondamment avant d'aborder certaines descriptions ou certains commentaires. Ce fut le cas lorsqu'il entreprit la rédaction de *Massimila Doni,* qui est dédié à Strunz, comme « l'une des deux œuvres que Balzac n'aurait pu faire sans *la* patiente complaisance, les bons soins, et la consciencieuse assistance » de celui-ci.

style. Il n'entre pas dans le cadre de cet ouvrage de faire une étude du style de Balzac. Mais il nous faut au moins signaler les deux courants critiques qui se sont opposés sur ce point. Les uns, partisans d'un style classique, souple et mesuré, ont insisté, après Sainte-Beuve, sur le caractère tumultueux, parfois surabondant, et même amphigourique, de l'écriture balzacienne. Opinion tenace, et qu'on retrouve même chez des critiques aussi avertis que Gustave Lanson, qui a écrit : « Lisez, si vous pouvez, *le Lys dans la vallée* ». On a beaucoup reproché à G. Lanson, et parfois avec indignation, les mots « si vous pouvez », qui auraient longtemps accrédité la conviction que « Balzac écrivait mal ». Il a fallu la haute autorité et l'intelligence de Taine pour établir que le problème était mal posé. Dans un de ses *Nouveaux Essais de critique et d'histoire (Journal des débats,* février 1858), Taine n'a pas nié la présence dans le style de Balzac des caractères qu'avaient relevés ses devanciers, et n'a pas hésité à en donner des exemples ; mais il fait observer que c'était une idée fausse, ou du moins étroite, de parler d'*un* style idéal, que « la prétention de juger tous les styles d'après une seule règle est aussi énorme que le dessein de réduire tous les esprits à un seul moule », que Balzac « savait sa langue, la savait mieux que personne ; seulement l'employait à sa façon ».

C'est précisément l'extraordinaire richesse, le prodigieux foisonnement de la langue et du style balzaciens que ses commentateurs ont su mettre en lumière. On pourra consulter sur ce point notamment : les *Seconds Essais sur Balzac*, de Paul Flat (Plon, 1894) ; *la Qualification affective dans les romans d'Honoré de Balzac*, de M. Gilbert Mayer (Droz, 1940), et aussi le bel article de M. Mario Roques, « la Langue de Balzac », dans le *Livre du centenaire*.

SUE (Marie-Joseph, dit **Eugène**), romancier (1804-1857), extraordinairement fécond, dont les romans d'aventures, d'abord (ne faisait-on pas de lui le « Fenimore Cooper français » ?), puis mondains, enfin sociaux, connurent un énorme succès. Succès non seulement littéraire, mais financier. Ses « rez-de-chaussée », notamment au *Journal des débats*, lui assuraient une vaste clientèle, l'admiration du faubourg Saint-Germain et la fortune. On lui attribuait un train de vie fastueux : il fut un temps l'amant d'Olympe Pélissier*. Les succès de Sue ne pouvaient manquer de provoquer sinon la jalousie, du moins « l'aigreur » de Balzac, bien que ce dernier se soit défendu d'éprouver l'une et l'autre ; et il faut reconnaître que Balzac n'avait pas entièrement tort. S'il est exact, comme il l'affirme, que les *Mystères de Paris* et le *Juif errant* (que Balzac baptise le *Suif errant*) rapportèrent à Sue 310 000 francs, on doit admettre, même si les chiffres sont exagérés, qu'il n'y avait pas de commune mesure entre les revenus littéraires des deux romanciers. Sans méconnaître les dons d'imagination de Sue et l'influence qu'il exerça sur les idées sociales et sur certaines formes du roman de son temps, il faut bien constater que la postérité l'a mis à sa légitime et vraie place, loin de Balzac.

Sur Catherine de Médicis, titre général qui couvre trois récits précédés d'une introduction : I. Le *Martyr calviniste* (n° 124, *Études philosophiques*) ; II. La *Confession des Ruggieri* (n° 125) ; III. Les *Deux Rêves*

(n° 126). Le classement établi par Balzac ne correspond pas à la chronologie de la publication. Les *Deux Rêves* ont d'abord paru dans *la Mode* en mai 1830, et ont reparu en décembre 1830 et mars 1831, sous le titre *le Petit Souper* (abandonné ensuite au profit du titre primitif). La *Confession des Ruggieri* ne paraît qu'ensuite, dans la *Revue de Paris*, de décembre 1836 à janvier 1837, sous le titre *le Secret des Ruggieri*. La première partie ne parut que plus tard, en mars-avril 1841, dans *le Siècle*, sous le titre *les Lecamus*. L'ensemble de l'œuvre, dédiée à M. le marquis de Pastoret, se présente comme un roman historique, mais dont les prolongements psychologiques et métaphysiques, surtout visibles dans la deuxième et la troisième partie, justifient l'insertion dans les *Études philosophiques*.

I. Après une introduction d'ordre historique, la première partie *(le Martyr calviniste)* justifie son titre par le récit des aventures de Christophe Lecamus. Celui-ci est le fils du sieur Lecamus, fourreur, syndic des pelletiers de Paris ; il a des accointances secrètes avec le parti des huguenots, avec La Renaudie, avec le prince de Condé. Il est chargé d'aller porter à la reine mère, Catherine de Médicis, à Blois, un projet de traité d'alliance entre la Couronne et les protestants contre les Guise. Mais, au cours de l'entrevue qu'il a avec la reine mère, il est surpris par la reine Marie Stuart, et soumis à la question extraordinaire, au cours de laquelle ses deux jambes sont brisées. Il a eu le courage de garder le silence, sauvant ainsi le prince de Condé. Remis en liberté après la mort de François II, il guérit de ses blessures grâce aux soins d'Ambroise Paré. Revenu de Blois à Paris, il épouse Babette Lallier, fille d'un riche orfèvre parisien ; et, si le prince de Condé se montre à son égard d'une parfaite ingratitude, il n'en est pas de même de Catherine de Médicis, qui voulut bien signer, avec son fils Charles IX, le contrat de mariage des jeunes époux.

Cette longue chronique a sa place dans les *Études philosophiques*. C'est par la puissance de sa volonté que le jeune Christophe résiste aux affres de la torture.

C'est une illustration de plus de la thèse, chère à Balzac, d'après laquelle « la pensée » est plus puissante que ne l'est le corps » (v. *Martyrs ignorés*).

II. La deuxième partie *(la Confession des Ruggieri)* est à ce point de vue plus intéressante encore, car elle semble n'avoir été écrite que pour guider le lecteur vers un entretien final où se révèle le goût du romancier pour les sciences occultes. Le jeune roi Charles IX se sent, de tous côtés, environné d'embûches. Dans un fort beau chapitre, il confie ses appréhensions à sa favorite Marie Touchet, et se décide, en sa présence, à faire comparaître les deux frères Ruggieri, Cosme (Cosimo), astrologue attitré de Catherine de Médicis, et son frère Laurent (Lorenzo). Il leur a donné sa parole de gentilhomme de les laisser repartir libres, quoi qu'ils puissent lui dire. Et tout de suite l'entretien prend un tour métaphysique : c'est Laurent, le vieil alchimiste, qui expose sa philosophie. « L'homme n'est pas une création immédiatement sortie des mains de Dieu, mais une conséquence du principe semé dans l'infini de l'éther. » L'alchimie n'est pas ce qu'un vain peuple pense, « sa doctrine des transformations est la mathématique du matérialisme ». Quant à l'avenir, Laurent indique avec précision comment il se présente pour chacun de ceux sur qui le roi l'interroge, et dont le vieux Florentin peut annoncer, ou bien la mort prochaine, y compris les modalités de cette mort, ou bien, le cas échéant, la longévité. « Les événements qui suivirent cette scène, dit Balzac, confirmèrent les oracles portés par les Ruggieri. » On sait que le romancier croyait aux prédictions des devins (v. *Balthazar*).

III. La troisième partie *(les Deux Rêves)* est la plus courte et la plus étrange. Le romancier parle à la première personne. En août 1786 (à noter qu'il est né en 1799), il s'est trouvé à un dîner où étaient réunis des personnages de l'époque, entre autres Calonne, Beaumarchais, et un inconnu bizarre, dont le signalement est assez clair pour qu'on reconnaisse Robespierre, qui ne sera nommé que dans les dernières lignes. Celui-ci raconte un rêve étrange : il a vu en songe Catherine de Médicis ; il lui a reproché son crime, la Saint-Barthélemy, et elle a entrepris de faire de ce crime une étrange apologie, qu'on peut résumer ainsi : « L'entreprise, mal conduite, a échoué » ; mais si la reine a condamné les huguenots sans pitié, « elle l'a fait sans emportement ». Il fallait dans l'État « un seul Dieu, une seule foi, un seul maître ». Et, bien que le conteur déclare s'être réveillé en pleurant, il doit reconnaître qu'il a « trouvé tout à coup en lui-même une partie de lui qui adoptait les doctrines atroces déduites par cette Italienne ». L'allusion au « fanatisme » de Robespierre est claire.

Le second rêve est moins net ; il est raconté par un chirurgien, identifié à la fin du récit comme étant Marat : il a rêvé d'un peuple, la veille du jour où il devait couper la cuisse d'un malade, et « il a trouvé le peuple dans la cuisse de ce malade ». Ayant eu la singulière faculté d'entrer sous la peau du patient, il y a trouvé « un univers » de petits êtres qui « s'agitaient, pensaient et raisonnaient », « animaux malfaisants qui rongeaient déjà les os du malade ». Symbolisme assez facile : le malade était évidemment la France, Balzac veut sans doute montrer les dangers que présente pour le corps social l'abus de la prolifération des penseurs et des raisonneurs.

L'impression que laisse l'ensemble de l'œuvre est hybride : *Sur Catherine de Médicis* n'est ni tout à fait un roman historique ni tout à fait un roman philosophique.

SURVILLE (famille). Cette famille, qui joua un rôle si important dans la vie de Balzac, se composait du père, de la mère et de deux filles. Le personnage essentiel est la mère.

1. Eugène Auguste Georges Louis Midy de La Grenneraye, né à Rouen, le 5 juillet 1790, d'une famille de bonne bourgeoisie normande, avait pris le nom de sa mère, Catherine Allain, dite Surville. Il était ingénieur des Ponts et Chaussées, et travaillait à la construction du canal de l'Ourcq lorsqu'il fit la connaissance de la famille Balzac. Il fut d'abord attiré par Laurence de Balzac (qui devait devenir

plus tard, pour son malheur, Mme de Mont-zaigle), puis porta son choix sur Laure de Balzac, qu'il épousa le 18 mai 1820. Le ménage s'établit d'abord à Bayeux, puis à Versailles, où M. et Mme de Balzac vinrent également s'installer en 1826, ensuite à Champrosay, où Mme de Balzac, devenue veuve, vint rejoindre les Surville quelque temps. On retrouve ensuite le ménage à Paris, où il demeurera, réserve faite pour des séjours d'assez longue durée de Mme Surville à Montglas*.

Balzac en usa avec quelque désinvolture avec Surville. Il avait le talent de domicilier chez lui des effets qui demeuraient impayés. C'est sous le nom de Surville que fut louée la maison de la rue Cassini.

Les affaires de Surville n'étaient pas toujours brillantes, en dépit des idées mirifiques, mais inapplicables, que lui suggérait son beau-frère (v. chêne [traverses de]), et il en concevait quelque aigreur. On trouve l'écho littéraire de ses échecs dans Aventures* administratives d'une idée heureuse.

2. Mme Laure Surville (Laure de Balzac), née le 29 septembre 1800, fut pour son frère une confidente, une amie et, dans une certaine mesure, une collaboratrice. Le ton des lettres que Balzac écrit à sa sœur est tout autre que celui des lettres à Mme de Balzac mère. Il est certain que le romancier a trouvé en sa sœur une confidente à qui il pouvait tout dire, en toute affection, ses joies, ses soucis sentimentaux et financiers (et d'ailleurs les Surville vinrent à plusieurs reprises au secours de la trésorerie de Balzac), ses espoirs, ses projets, ses rancœurs et ses déceptions. Il la tient au courant de ses moindres intentions littéraires, et n'hésite pas à solliciter ses avis et à accueillir les idées de sujets qu'elle lui suggère ; c'est à elle, et il l'en remercie avec beaucoup de gentillesse dans la dédicace, qu'il doit l'idée du Voyage en coucou, devenu Un début dans la vie.

Laure Surville était d'ailleurs elle-même un écrivain agréable. Elle a publié dans le Journal des enfants, sous des pseudonymes divers, des contes qui ne sont pas sans charme. Ils ont été réunis en deux tomes : le Compagnon du foyer (1854) et

la Fée des nuages ou la Reine Mab, conte des familles (1854). Ce qui est plus important, c'est sa contribution à l'étude de la vie et de la pensée de son frère : Balzac, sa vie et ses œuvres, d'après sa correspondance (1858, réimprimé dans l'édition Calmann-Lévy des Œuvres complètes de Balzac) ; contribution non négligeable, malgré l'évident et compréhensible parti pris d'affection et d'admiration dont témoigne l'auteur. Ses Lettres à une amie de province (de 1831 à 1837) ont été publiées en 1952* par André Chancerel et J.-N. Faure-Biguet.

Elle mourut en 1871.

3. Les Surville avaient deux filles, Sophie (née en 1823) et Valentine (née en 1830), à qui leur oncle a toujours témoigné beaucoup d'affection. Leur nom revient souvent dans sa correspondance. On y trouve aussi une lettre de lui, écrite de Wierzchownia, à ses « chères petites chattes », et où il les remercie et les félicite des lettres qu'elles lui envoient, et qui, dit-il, « ont les honneurs d'une lecture publique ». Balzac

Laure de Balzac enfant. Pastel anonyme sur carton, vers 1808. Maison de Balzac. Phot. Lauros-Giraudon.

Portrait de Laure Surville. *Coll. part. Phot. X.*

SWEDENBORG (Emmanuel), théosophe et visionnaire suédois, né à Stockholm (1688-1772). Il se consacra d'abord à des travaux littéraires, philosophiques et scientifiques. Se trouvant à Londres en 1743, il eut ses premières visions, et se déclara alors en relation directe avec l'inconnaissable et le spirituel. Dans ses ouvrages, il affirme que le monde spirituel nous entoure et agit directement sur nous. Il donna une interprétation personnelle du mystère de la Trinité, dont le personnage essentiel est pour lui le Christ ; nous pouvons nous élever au Christ par l'amour, seul capable de purifier l'humanité.

Si sa pensée a surtout poussé des ramifications dans les pays anglo-saxons, où existent toujours d'importantes associations swedenborgiennes, son œuvre fut connue en France par des traductions. Et son influence sur Balzac fut considérable. Swedenborg figurait dans la bibliothèque de Mme de Balzac, déjà portée au mysticisme par un instinct naturel. Il est certain que le fils se nourrit de cette lecture, qui explique en grande partie l'ésotérisme de plusieurs de ses œuvres. Sans doute, la pure doctrine swedenborgienne ne se retrouve pas intacte dans telle œuvre où interviennent des phénomènes supranaturels ou surnaturels, associés à divers éléments : magnétisme, rêves prémonitoires, etc. Mais une œuvre comme *Séraphita* peut être considérée comme la tentative la plus curieuse pour tirer de la pensée swedenborgienne la matière d'un roman.

a dédié *la Paix du ménage* à « sa chère nièce Valentine Surville », et *Ursule Mirouet* à « Mademoiselle Sophie Surville », avec une dédicace assez significative quant aux intentions de l'auteur ; on y lit notamment : « Vous autres jeunes filles, vous êtes un public redoutable ; car on ne doit vous laisser lire que des livres purs comme votre âme est pure... »

TAGLIONI (Marie), célèbre danseuse (1804-1884) évoquée à plusieurs reprises dans l'œuvre de Balzac, et qui se produisit avec grand succès à l'Opéra de Paris, de 1827 à 1847.

TAILLEFER (Jean-Frédéric), né vers 1779, s'enrichit par un assassinat dont il laisse accuser un camarade, qui sera fusillé. Sa fortune lui permettra de devenir fournisseur aux armées, puis banquier. Mais le crime qu'il a commis étant raconté plus tard par un narrateur qui ignore l'identité du coupable, en présence de l'assassin, celui-ci se trouble, se trouve mal, et meurt *(Auberge)*. Pendant la période où il a vécu dans l'impunité et le faste, il a offert à ses amis un banquet somptueux, dont Balzac donne une description célèbre *(Peau)*. Il a chassé sa femme et déshérité sa fille Victorine, qui végète dans la pension Vauquer *(Père Goriot)*. Son fils Frédéric-Michel est tué en duel à l'instigation de Vautrin (même roman).

TALLEYRAND-PÉRIGORD (Charles-Maurice **de**), prince de Bénévent, illustre homme d'État et diplomate (1754-1838). La scène où Balzac lui fut présenté est célèbre : il était venu de Saché* rendre visite au prince, alors très vieux, et qui vivait en compagnie de sa nièce par alliance, la duchesse de Dino (1792-1862), mariée à Edmond de Talleyrand (1787-1872), de qui elle vivait séparée. Balzac fut retenu à dîner, et, pour une fois, fut si impressionné par l'étiquette du château et la grandeur de son hôte qu'il fut prodigieusement intimidé et ne fut pas l'éblouissant causeur que les salons connaissaient d'ordinaire ; il laissa même une fâcheuse impression à la duchesse. Épisode qui est sans importance. Ce qui compte,

c'est le jugement pénétrant que le romancier porte sur le grand homme d'État, dans son œuvre ; il fait dire à Vautrin, dans le *Père Goriot* : « Le prince auquel chacun lance sa pierre et qui méprise assez l'humanité pour lui cracher au visage autant de serments qu'elle en demande, a empêché le partage de la France au Congrès de Vienne : on lui doit des couronnes, on lui jette de la boue. » Ailleurs *(Prince)*, il évoque la hauteur avec laquelle Talleyrand avait éconduit un créancier, et rapporte un mot de La Palférine dans une circonstance analogue : « Remarquez combien sa position était difficile. Déjà, en semblable circonstance, Talleyrand avait dit : « Vous êtes bien curieux, mon cher. » Il s'agissait de ne pas imiter cet homme inimitable. » Balzac avait su apprécier et la grandeur et la désinvolture du personnage.

ténébreuse affaire (Une), roman paru en feuilleton dans le *Commerce*, du 14 janvier au 2 février 1841, puis en volume en mars 1843. N° 72 *(Scènes de la vie politique)*. Dédié à M. de Margonne.
Le point de départ de ce roman est un fait historique : en septembre 1800, le sénateur comte Dominique Clément de Ris, au cours d'un séjour dans son château de Beauvais (Indre-et-Loire), fut enlevé par une bande de « brigands », qui pillèrent son château et le tinrent lui-même enfermé pendant dix-neuf jours dans un souterrain, puis le relâchèrent. Fouché fit arrêter, comme coupables de ce coup de main, un certain nombre de « faux chouans » qui n'étaient pour rien dans l'affaire, les traduisit devant un tribunal spécial, et les fit exécuter. En fait, les historiens sont d'accord pour conclure qu'il s'agissait là d'une sombre machination de Fouché. Il se serait assuré

la complicité de Clément de Ris dans une conspiration contre Bonaparte, alors en Italie. La victoire de Marengo ayant anéanti les espoirs des conjurés, Fouché n'aurait eu de cesse qu'il récupérât les documents compromettants détenus par le comte dans son château : la mise en scène dont le châtelain avait été victime n'aurait eu d'autre but que de trouver et de reprendre les documents en question. Mais Bonaparte, à son retour, ayant exigé des sanctions, Fouché, pour couvrir ses sbires, aurait fait porter la responsabilité de l'affaire sur des chouans parfaitement inoffensifs.

Il est certain que Balzac, friand de sombres affaires policières, a été tenté par cette ténébreuse affaire, dont il donne une version romancée, assortie d'une intrigue sentimentale.

L'œuvre n'est pas un compte rendu historique ; les personnages sont de pure imagination ; l'intrigue a été déplacée par Balzac dans le temps (1803-1806) et dans l'espace (elle se déroule dans l'Aube). Seul est conservé le mécanisme de l'affaire, et l'œuvre présente une sorte de dédoublement de l'intrigue, une première partie (purement imaginaire) annonçant l'affaire proprement dite.

Mlle Laurence de Cinq-Cygne, seule descendante d'une vieille lignée fidèle à la royauté, jeune femme d'une énergie indomptable sous un aspect frêle, a assuré la protection de ses cousins, les jumeaux de Simeuse, qui ont combattu pour la cause royale, et viennent d'être compromis dans la conspiration de Polignac. La conspiration a été découverte ; c'est ce que vient d'apprendre par hasard un certain Michu, ancien intendant de la famille Simeuse, et qui, pour préserver les biens et la vie de ses maîtres à qui il est entièrement dévoué, a affecté pendant la Révolution et le Consulat un zèle de révolutionnaire fanatique. Il fait prévenir Mlle de Cinq-Cygne et les jumeaux d'une prochaine perquisition. Et lorsque le policier Corentin se présente, il ne peut mettre la main sur ceux qu'il cherche. Ainsi s'explique le titre de la première partie : les Chagrins de la police.

Corentin est bien décidé à se venger de son échec. C'est ici que le roman reprend les lignes générales de l'affaire authentique. Le rôle historique de Clément de Ris est tenu dans le roman par un certain Malin de Gondreville, né roturier, mais qui a su s'enrichir à la faveur de la Révolution, et acquérir la terre dont il prendra le nom. Jouant double jeu, il a réussi à s'assurer les faveurs de Napoléon, qui l'a fait comte de l'Empire. Mais Fouché le soupçonne d'avoir conservé des documents compromettants, datant de l'époque où lui-même et Malin conspiraient contre Bonaparte, avant Marengo. Il le fait enlever, cacher dans une forêt, et ordonne au château de Gondreville une perquisition qui n'aboutit à rien, le châtelain ayant eu, depuis longtemps, la prudence de brûler les papiers compromettants. L'affaire a été menée par le policier Corentin, flanqué de son acolyte Peyrade, et qui voit là l'occasion de tirer vengeance de son échec, échec d'autant plus cuisant que les frères Simeuse, rayés de la liste des émigrés, peuvent vivre à Cinq-Cygne sans être inquiétés. Corentin fait accuser de l'enlèvement, d'abord Michu, puis les jumeaux de Simeuse, et leurs cousins, les frères Robert et Adrien de Hauteserre. Ils passent tous en justice. Michu est condamné à mort et exécuté ; sa femme, arrêtée avec lui, meurt de chagrin dans sa prison ; les frères Hauteserre sont condamnés à dix ans de travaux forcés, les jumeaux de Simeuse à vingt-quatre ans.

Juste avant l'arrestation des pseudo-coupables se situe un épisode de l'intrigue sentimentale, que Balzac a tissée en filigrane de l'affaire politique. Mlle de Cinq-Cygne était aimée de son cousin Adrien de Hauteserre et des jumeaux. Elle décide d'accorder sa main au jumeau que le sort désignera, et qui se trouve être l' « aîné » des deux. L'arrestation des jeunes gens empêche la réalisation de ce projet. Laurence n'hésitera pas à aller jusqu'à Iéna, à la veille de la bataille, demander leur grâce à Napoléon, qui l'accorde, et donne aux deux frères des brevets de sous-lieutenants. Ils seront tués ensemble au combat de Somosierra. Des deux frères Hauteserre, graciés également, l'aîné sera tué à la Moskowa. L'autre, Adrien, blessé à

Dresde, mais qui a survécu à ses blessures, rentre à Cinq-Cygne. Laurence, pour que la race ne s'éteigne pas, accepte de l'épouser.

L'intrigue policière n'est pas le seul intérêt de ce roman. Balzac a su y peindre les dessous d'une politique où certains intrigants, tout en servant en apparence Napoléon, mènent en sousmain des manœuvres tortueuses, assez habilement pour n'en point être éclaboussés lorsqu'elles échouent. Plusieurs personnages évoquent des types qui ont été campés par l'auteur dans d'autres œuvres : Michu, comme Chesnel (Cabinet), est le modèle de ces vieux serviteurs dévoués à des familles nobles qu'ils essaient d'arracher à la mort ou au déshonneur. Le policier Corentin, parangon du mouchard et de l'argousin qui se donne des allures de gandin, reste égal à lui-même partout où il apparaît (Chouans, Splendeurs).

Un personnage domine le roman : celui de la fière et indomptable Laurence de Cinq-Cygne, qui fait irrésistiblement penser à la Diana Vernon de Walter Scott, en particulier dans la très belle scène où elle oppose sa dignité, son courage et son mépris à « la flétrissante courtoisie » de Corentin.

termolama, tissu de soie brodé à la main, d'origine circassienne, et dont était faite une robe de chambre que Mme Hanska donna à Balzac à Wierzchownia lors de sa maladie, parure dont il se montra ravi et naïvement fier.

TERNAUX (Louis), manufacturier et homme politique (1765-1833). C'est le manufacturier qui intéressait Balzac ; il avait essayé d'acclimater des chèvres du Tibet et avait créé des châles appelés cachemires de Ternaux ; certaines élégantes de la Comédie portent des châles de sa fabrication.

testament. Le 28 juin 1847, dans un moment de découragement, Balzac rédigea un testament où il désignait comme exécuteur testamentaire l'avocat général Glandaz, qui avait été son camarade de collège, et comme légataire universelle sa mère, si Mme Hanska, qu'il désignait

d'abord comme légataire, décidait de ne pas accepter l'intégralité des biens du romancier. Divers legs d'objets de valeur étaient prévus en faveur de plusieurs amis. Balzac ne demandait qu'un convoi de dernière classe, ce qui explique que, comme il l'avait souhaité, ses obsèques* se soient déroulées sans nul apparat.

thé. Le thé est loin d'avoir été pour Balzac une boisson aussi exclusive et aussi nécessaire que le café*. Mais comme le romancier était volontiers porté à la fabulation, le thé qu'il offrait à ses convives était censé être exceptionnel, d'une cueillette réservée à l'empereur de Chine, et dont il recevait, par faveur exclusive, une livraison par l'intermédiaire de la Russie.

théâtre. Le théâtre de Balzac est peu connu : la gloire du romancier a éclipsé celle du dramaturge. Et pourtant Balzac a toujours été convaincu que le théâtre pouvait ou aurait pu lui apporter la fortune, plus vite et plus sûrement que le roman. Illusion que les pires échecs n'ont pu dissiper. Il ne faut pas oublier que la première œuvre élaborée dans la mansarde de la rue Lesdiguières* fut ce Cromwell* dont la lecture fut mal accueillie. Le Corsaire* était resté à l'état de projet. Il n'en fut pas de même, en 1822, du Nègre, mélodrame en trois actes et en prose, signé Horace de Saint-Aubin, et qui fut rédigé entièrement, et même présenté au Comité de lecture du théâtre de la Gaîté, qui le refusa avec des considérants polis. Obnubilé par le souci de marcher sur les traces de Beaumarchais ou de Molière, Balzac accumule des titres et des projets qui n'aboutissent pas. Parmi ces projets, il en retient pourtant un, qui deviendra l'École des ménages, première d'une série de six pièces de théâtre, dont les suivantes sont : Vautrin, les Ressources de Quinola, Paméla Giraud, la Marâtre, Mercadet (le Faiseur).

On trouvera ces œuvres à leur place alphabétique dans le présent dictionnaire. M. Milatchitch a consacré deux thèses excellentes au Théâtre de Honoré de Balzac et au Théâtre inédit de Honoré de Balzac (Hachette, 1930).

théâtre comme il est (Le), œuvre incomplète, prévue avec le n° 68 *(Scènes de la vie parisienne),* dont le début a été rédigé à Wierzchownia en décembre 1847. Ce début porte le titre : *les Acteurs en province,* et comme sous-titre : *Introduction ;* et l'auteur avait envisagé de déplacer cette première partie pour la transférer dans les *Scènes de la vie de province.*
Le personnage principal de ce début de roman (quelques pages) est Roger Médal, fils d'un savetier. D'abord petit clerc d'huissier, il est irrésistiblement attiré par le théâtre, et ses débuts enthousiasment le grand Talma.
Médal, dans *le Cousin Pons,* étant présenté comme le plus célèbre acteur de son temps, on peut présumer qu'en esquissant son histoire Balzac a songé à Frédérick Lemaître.

Théâtre historique, théâtre situé boulevard du Temple, et où fut jouée *la Marâtre.* Il était spécialisé dans la présentation du drame et du mélodrame. Il disparut en 1863.

théâtre des Italiens, théâtre de l'Opéra. De nombreux personnages balzaciens ont leur loge « aux Italiens » ou à l'Opéra. Le théâtre des Italiens était évidemment consacré à l'opéra italien. Il changea plusieurs fois de salle. L'époque où se situent la plupart des romans de Balzac qui y font allusion fut la plus brillante de son histoire, avec des compositeurs comme Rossini, ou des cantatrices comme la Malibran. L'Opéra fut, après 1820, installé rue Le Peletier, jusqu'à l'inauguration de l'Opéra actuel (1875).

théâtre de la Porte-Saint-Martin, théâtre spécialisé, à l'époque de Balzac, dans la présentation des œuvres romantiques. C'est là que fut joué le *Vautrin* de Balzac, interdit après la première représentation.

Théorie de la démarche, essai publié dans *l'Europe littéraire* en août-septembre 1833. Peut être considéré comme la suite du *Traité de la vie élégante,* demeuré incomplet, mais où l'auteur prévoyait un chapitre sur une *théorie complète de la démarche et du maintien.* L'un et l'autre essai eussent été insérés dans la *Pathologie de la vie sociale,* si l'auteur avait eu le temps de refondre cette œuvre méthodiquement.
Science « quasi vierge », dit Balzac, et dont il revendique avec humour l'exclusivité. Il prie le lecteur d'en apprécier l'importance et la gravité, seuls les sages étant capables de pardonner « l'apparente niaiserie » des observations de l'auteur. Un fait, parmi d'autres qu'il cite, lui a inspiré sur ce sujet de profondes réflexions : il a vu un ouvrier descendre de la diligence, manquer de tomber, et se rattraper de la main à un mur proche, puis, « emporté par le poids de sa main », se « plier pour ainsi dire en deux ». « Voici un phénomène auquel personne ne pense », et propre à provoquer la « perplexité ». D'où la profonde méditation que voici : « le MOUVEMENT comprit la Pensée, action la plus pure de l'être humain ; le Verbe, traduction de ses pensées ; puis la Démarche et le Geste, accomplissement plus ou moins passionné du Verbe ». De cette philosophie, Balzac, comme il aime à le faire dans ses traités ou ses théories, tire des « aphorismes », dont certains sont justes, d'autres amusants, mais dont la plupart ne sont pas neufs. Exemple : « La grâce veut des formes rondes. » « En marchant, les femmes peuvent tout montrer, mais ne rien laisser voir. » « Il y a des mouvements de jupes qui valent un prix Monthyon », etc.
C'est dire qu'on aurait tort de chercher dans ce traité, en dépit, ou peut-être à cause, du ton doctoral et définitif de certaines affirmations, autre chose qu'une distraction d'homme d'esprit. Il est certain qu'on ne saurait analyser gravement un traité où l'auteur, par exemple, établit une statistique sur « deux cent cinquante-quatre personnes et demie (car *il* compte un monsieur sans jambes pour une fraction) ». Il y avait du rapin dans Balzac. Il suffit, pour s'en convaincre, de se reporter aux dialogues des romans où les Bixiou et consorts font assaut de plaisanteries avec une gravité surnaturelle.

THUILLIER (famille), famille composée du père, concierge au ministère des Finances, de la fille aînée, Marie-Jeanne Brigitte (née en 1787), et qui reste célibataire, et du fils Louis Jérôme (né en 1791), qui épouse Céleste Lemprun (pas d'enfant de ce mariage) et qui a une liaison avec Mme Colleville, dont il a une fille, Céleste. Tous ces personnages apparaissent dans *les Employés* ou dans *les Petits Bourgeois*.

tigre, groom de très petite taille (ce mot n'est plus employé en ce sens). Dans la *Comédie*, Paddy *(Maison Nucingen)* et Paradis *(Député)* sont des tigres.

TILLET (Ferdinand, dit *du*), enfant naturel abandonné; il doit son nom à ce qu'il était né au Tillet. Il commence sa carrière chez Birotteau, à qui il vole de l'argent et de qui il tente de séduire la femme, ce qui lui vaut de quitter la maison. Il se vengera plus tard en contribuant à la faillite du parfumeur *(Grandeur)*. Entré chez un agent de change, il s'initie bien vite aux spéculations financières, fonde la banque du Tillet et Cie *(Melmoth)*, et s'enrichit rapidement, souvent en s'associant aux manœuvres d'autres banquiers comme Keller et Nucingen, bien qu'il ne leur « arrive pas à la cheville » *(Maison Nucingen)*. Il est cependant admis dans leur milieu; il est accueilli sinon dans les grandes familles, du moins dans le cercle des roués *(Prince)*, et fréquente aussi à peu près toutes les lorettes célèbres de *la Comédie (Fille d'Ève, Splendeurs, Cousine Bette)*, y compris Carabine, dont il est l'amant un certain temps *(Comédiens)*. Il avait pourtant une liaison régulière, en la personne de Mme Roguin, qu'il conserva comme maîtresse après son propre mariage *(Cousine Bette, puis Fille d'Ève)*. Il délaissa, en effet, sa femme peu après l'avoir épousée (v. ci-après).

Il avait des ambitions politiques, fut élu député d'un bourg pourri, fonda un journal dont il confia la direction à Nathan, quitte à couler l'affaire au détriment de celui-ci pour la reprendre à son compte; ayant acheté un château au Tillet, il rêvait de la Chambre haute. Mais, en fin de compte, la monarchie de Juillet le voit député du centre gauche *(Comédiens)*.

TILLET (Mme Ferdinand *du*), épouse du précédent, née Marie-Eugénie de Granville, donc belle-sœur du comte Félix de Vandenesse (qui n'était pas fier de se trouver le beau-frère d'un parvenu). Du Tillet ne l'avait épousée que par ambition, et elle-même accepta ce mariage pour se libérer de la tutelle d'une mère à la dévotion abusive *(Fille d'Ève)*. C'est à son intervention que Félix de Vandenesse doit d'être informé des entreprises de Nathan sur la vertu de sa femme (même roman).

tontines. Les tontines, qui ont joué un rôle important dans l'économie ménagère, surtout au XIXe siècle, bien qu'elles apparaissent déjà au XVIIe, doivent leur nom au Napolitain Lorenzo Tonti, qui en fut l'inventeur. C'était un système de rentes nominatives à capital aliéné. On remettait ce capital à l'État, qui répartissait les intérêts entre les souscripteurs vivants; ce revenu s'accroissait donc pour les survivants, au fur et à mesure que les autres bénéficiaires décédaient. À la mort du dernier bénéficiaire, qui recevait à lui seul la totalité des arrérages, la dette était éteinte, l'État conservant le capital. En vertu de ce principe, on avait intérêt à placer ce capital sur la tête de gens jeunes et en bonne santé, en espérant... qu'ils mourraient le plus tard possible.

La tontine qui intéressait la famille Balzac était la tontine Lafarge, fondée en 1790 par l'économiste Joachim Lafarge (milieu du XVIIIe siècle ?-1823). Le père de Balzac, qui était au nombre des souscripteurs, reçut très peu, d'après le principe même du système, pendant les premières années; petit à petit, le revenu s'accrut, pour arriver à 2 000 francs par an; en 1828, la famille toucha 6 000 francs; et la dernière année de la vie de M. de Balzac (1830), le revenu s'éleva à 9 000 francs (lettre de Mme de Balzac d'octobre 1847).

Tony Sans-Soin, courte histoire édifiante publiée en 1842 par Balzac dans le *Livre des petits enfants*, où l'on voit un petit garçon peu soigneux devenir un modèle d'ordre et de propreté.

L'histoire n'est pas niaise, mais on éprouve quelque peine à voir Balzac disperser,

**Tours,
telle que Balzac
pouvait voir
la ville,
de la rive droite
de la Loire
(de Saint-Cyr,
approximative-
ment).**
Phot. Bulloz.

pour un peu d'argent, son génie dans des
sens différents et inattendus.

Torpille (la), titre donné primitivement
à la première partie de *Splendeurs.*

TORPILLE (la), surnom d'Esther Gobseck.

TOUCHES (famille **des**), vieille famille
bretonne. Le père, la mère et le fils ne sont
évoqués que dans *Béatrix.*
Mais la fille, Félicité des Touches, reparaît
très souvent dans *la Comédie* (modèle probable, George Sand, bien qu'elle soit
signalée sous son pseudonyme de Camille
Maupin comme capable de rivaliser avec
cette même George Sand). Elle est le pivot
de l'intrigue de *Béatrix,* mais elle figure
dans bien d'autres œuvres, où sont rap-
pelés sa beauté, sa bonté, sa richesse, son
immense talent d'écrivain, ses qualités de
mondaine parfaite. Ses raouts sont célèbres, et de brillants causeurs y échangent
des propos spirituels, ou y content des
histoires, pittoresques ou effrayantes
(Autre Étude). C'est au cours d'un voyage
en Italie que lui est contée l'histoire désolante d'*Honorine.* Elle a reçu chez elle
Rubempré à son premier voyage à Paris,
l'a secouru dans le malheur, en lui remettant de l'argent à la mort de Coralie *(Illusions),* et le reçoit à nouveau au cours de
son second séjour *(Splendeurs).*

Tours. La ville natale de Balzac n'a pu
conserver la maison où le romancier est

né ; cette maison n'a pas échappé aux
destructions de la dernière guerre. En revanche, le musée de Tours offre au balzacien de nombreux éléments d'intérêt, en
particulier deux fort beaux portraits célèbres, dont l'un est dû à Louis Boulanger
(sépia de 1821), et dont l'autre a été
peint d'après un pastel de Gérard Seguin.
C'est à juste titre que s'est constituée une
Société Honoré-de-Balzac de Touraine, car
cette région (v. *Saché*) a toujours été la
province de prédilection du romancier. La
ville de Tours elle-même était nécessairement celle par où il devait passer pour se
rendre à Saché (il faisait parfois le trajet
à pied, comme ce fut le cas lorsqu'il quitta
Saché pour gagner Angoulême, en juillet
1832). Mais il lui arriva également de
séjourner à Tours (sans parler, bien
entendu, des années de jeunesse qu'il y
passa). Une lettre de juin 1829 à Laure
Surville nous renseigne sur un de ces
séjours : il a été visiter la ferme de Saint-
Lazare, tout près de Tours, et qui était la
propriété de Mme de Balzac, et y a vu
« bien des choses à faire ». Il ajoute : « Je
vais ce soir au bal chez Mme d'Outre-
mont » (une famille amie des Balzac). C'est
également dans un bal, à Tours (coïncidence !), que Félix de Vandenesse verra
pour la première fois Mme de Mortsauf
(Lys).

TOURS-MINIÈRES (baron **des**). V. *Contenson.*

241

Traînards (les), titre portant le n° 92 (*Scènes de la vie militaire*). On ne sait rien de cette œuvre, qui n'a jamais été rédigée. Comme elle se situe après *la Bataille de Dresde* (n° 91), il est possible (?) qu'il y eût été question des soldats laissés à la traîne après cette bataille.

TRAILLES (comte Maxime **de**), né en 1792, type parfait du lion, duelliste redoutable, joueur impénitent, d'ailleurs habile, et souvent heureux. Il n'est guère de romans de *la Comédie* se déroulant à Paris (et même éventuellement en province, comme *le Député*) où il n'apparaisse et ne soit évoqué. On ne peut guère que situer ses principales interventions. Il n'a pas de fortune et dépense somptueusement; il vit des femmes de mauvaise vie, comme Sarah van Gobseck (*Grandeur*), ou de la haute société, comme la comtesse de Restaud (*Père Goriot*). Cependant, on le rencontre à peu près dans tous les salons du Tout-Paris. Il a naturellement affaire aux usuriers (*Gobseck*), et, malgré son habileté, il lui arrive d'être roulé par des partenaires retors (*Homme d'affaires*). Lassé de son existence de dandy, il accepte, pour faire une fin, un double marché : il se charge de ramener Calyste du Guénic à sa femme (*Béatrix*); moyennant quoi, les salons les plus fermés s'ouvriront à celle dont il compte faire la comtesse de Trailles (Balzac ne précise pas; il s'agit probablement de Cécile Beauvisage, fille d'un négociant d'Arcis). Il achève de se ranger en se lançant dans la politique. Rastignac le charge d'une mission d'information à Arcis-sur-Aube (*Député*). Et, dans *les Comédiens*, on le retrouvera député de la majorité, en passe de devenir ambassadeur.

Traité de la prière, étude que Balzac avait projetée en 1824, et à la rédaction de laquelle il renonça, sur les conseils d'un ami qui lui représenta que cette œuvre eût exigé de son auteur un spiritualisme qui manquait à l'écrivain.

Traité de la vie élégante, essai dont le début a paru dans le périodique *la Mode,* d'octobre à novembre 1830, mais qui est resté inachevé. Il eût figuré dans la *Pathologie de la vie sociale,* si Balzac avait pu effectuer la refonte de cette œuvre.

C'est une étude volontairement dogmatique de l'élégance, parsemée d' « aphorismes » et de « définitions ». L'exposé se veut magistral : l'œuvre débute par des « généralités ». Des « prolégomènes » tendent à distinguer « trois formules d'existence » : la « vie occupée », la « vie d'artiste », la « vie élégante », sur la nature de laquelle il est longuement disserté. L'auteur suppose ensuite que le plan de l'ouvrage a été établi après une minutieuse discussion avec Brummel. On convient d'abord d'établir des « principes généraux », exposés sous forme de « dogmes ». Puis viendra une partie traitant « des choses qui procèdent immédiatement de la personne », et là on distinguera « Les principes œcuméniques de la toilette », « De la propreté dans ses rapports avec la toilette », « De la toilette des hommes », « De la toilette des femmes », « Des variations du costume ». En fait, ce qui a paru du projet n'a pas dépassé les « Principes œcuméniques ». La suite du traité devait comporter une « théorie complète de la démarche et du maintien ». Cette étude, parue à part ultérieurement, est devenue la *Théorie de la démarche* (v. ce titre).

Malgré le ton doctoral, et en même temps parfois paradoxal, adopté par l'auteur, on ne peut pas dire que l'œuvre apporte des éléments puissamment originaux. Certains aphorismes sont justes, mais ne sont pas nouveaux : « La prodigalité des ornements nuit à l'effet » ; « L'élégance travaillée est à la véritable élégance ce qu'une perruque est à des cheveux ». Le traité n'est, en fait, qu'une paraphrase lourdement dogmatique des principes de bon goût que le célèbre dandy introduit par Balzac avait depuis longtemps établis. Mais l'œuvre est révélatrice des préoccupations de Balzac, de l'homme et de l'auteur. Balzac a toujours été hanté par le souci de l'élégance vestimentaire, même lorsque l'effet obtenu, selon certains contemporains, n'était pas celui qu'il avait recherché. Une caricature le montre en dandy. Et son apologie de la simplicité dans la parure fait sourire, quand on songe à la somptuosité de la fameuse canne*, aussi peu discrète que possible, qui fit, pour son époque, une partie de sa célébrité.

Mais ce souci de la toilette, Balzac *auteur* l'a poussé au plus haut point. Dans sa description des « choses » (v. *Avant-propos de la Comédie*), il insiste très souvent sur la manière dont ses héros sont habillés, et cette description, parfois extraordinairement minutieuse, lui paraît un élément primordial propre à expliquer, mieux, à trahir, la personnalité de ses héros.

Traité de la volonté. Balzac, s'il faut en croire Laure Surville, aurait rédigé un traité portant ce titre lorsqu'il était élève chez les Oratoriens*.

Traité des excitants modernes, écrit en 1838 et imprimé pour compléter une réédition de la *Physiologie du goût*, de Brillat-Savarin. Aurait pris place dans la *Pathologie de la vie sociale* si Balzac avait eu le temps de faire de cette œuvre un tout cohérent.

L'auteur commence par énumérer les cinq substances « introduites depuis environ deux ou trois siècles dans l'économie humaine », et qui sont l'eau-de-vie, le sucre, le thé, le café, le tabac. Avant d'étudier les effets de chacune d'entre elles, il pose un grand principe dont il reproche à Brillat-Savarin d'avoir sous-estimé l'importance dans sa *Physiologie*, à savoir que « l'alimentation est la génération ».

Cela posé, il passe à l'examen des produits énumérés en préambule, et des conséquences de leur usage ou de leur abus. Cela vaut au lecteur, à propos de l'eau-de-vie, une page tout à fait amusante : Balzac raconte comment il a voulu étudier les jouissances que procure l'ivresse ; s'étant un jour enivré volontairement (avec du vin ; l'eau-de-vie et ses méfaits ont été exécutés en quelques lignes), il s'est rendu au théâtre. Il y a là une description savoureuse de l'état de douce hébétude où vous plonge l'ivresse, qui « jette un voile sur la vie réelle ». Ce qui n'empêche pas l'auteur de conclure que « l'ivresse est un empoisonnement momentané ».

Sur le café, dont il est un spécialiste, Bal-zac est intarissable ; sur les manières de le préparer, sur ses constituants, sur ses effets, qui peuvent varier selon les tempéraments ; ceux que le café endort étant mal *outillés* pour les travaux de la pensée. Le thé, en revanche, est l'objet de sa méfiance : « Il donnerait la morale anglaise ». « Là où les femmes boivent du thé, l'amour est vicié dans son principe. »

Le tabac est aussi l'objet de la méfiance de notre auteur, encore qu'il lui inspire une jolie page sur le « houka » de l'Inde et le narguilé de la Perse.

En conclusion, Balzac affirme que « tout excès qui atteint les muqueuses abrège la vie ».

Treize (les). V. *Histoire des Treize.*

Treize (les), société secrète (v. *Histoire des Treize*). Les principaux membres paraissant dans *la Comédie* sont Ferragus, Marsay, Montriveau, Trailles, la plupart dans *Ferragus* et *la Fille aux yeux d'or.*

Treizième arrondissement, arrondissement imaginaire (il n'en existait que douze à Paris, à l'époque de Balzac), désignant ironiquement le quartier des lorettes, dont certaines sont qualifiées dans *la Comédie* de « reines du XIII° arrondissement ».

TROISVILLE (famille de [on prononce **Tré-ville**]), famille de vieille noblesse normande, dont l'antiquité est évoquée dans *l'Envers, la Vieille Fille,* et le *Cabinet des antiques*. Le principal personnage est Guibelin, comte de Troisville (né en 1770), dont l'apparition à Alençon fait croire à la naïve demoiselle Cormon qu'il représente un parti possible (*Vieille Fille*). Sa fille Virginie épousera le général de Montcornet (*Paysans*), puis, devenue veuve, se remariera avec Blondet.

TRUMILLY (Éléonore **de**), jeune fille que Balzac avait songé à épouser ; ce mariage aurait pu servir ses ambitions* politiques.

TULLIA. V. *Bruel (comtesse du).*

TURHEIM (comtesse Louise **de**), sœur d'une amie de Balzac, et qu'il avait rencontrée lors de son voyage à Vienne ; c'est à elle qu'est dédiée *Une double famille.*

Ursule Mirouet, roman écrit en vingt jours, paru dans *le Messager,* du 25 août au 23 septembre 1841, en volume l'année suivante. Dédié à Sophie Surville*. N° 34 *(Scènes de la vie de province).*

C'est l'histoire d'une tentative de captation d'héritage déjouée par les puissances occultes. Si les péripéties en sont nombreuses, les grandes lignes de l'intrigue sont simples. Le Dr Denis Minoret, qui vit à Nemours dans une belle maison, ayant eu la douleur de perdre sa femme et son fils, a reporté son affection sur sa nièce et pupille, Ursule Mirouet. À sa mort, il laisse, avec une dot destinée à la jeune fille, un testament par lequel il lègue ses biens au jeune Savinien de Portenduère, pour qui la jeune fille, le docteur le sait, éprouve un vif sentiment, d'ailleurs partagé. La conversation qu'il a eue à l'article de la mort avec Ursule a été surprise par le neveu du docteur, Minoret-Levrault, qui avait compté fermement sur l'héritage de son oncle. Ce personnage, que Balzac a peint sous les plus noires couleurs, et marié d'ailleurs à une femme aussi méprisable que lui, n'hésite pas à voler la dot de la jeune fille et à détruire le testament. Le voilà donc héritier légal de la totalité des biens du docteur. Il s'installe dans sa maison, et tente d'en chasser Ursule. Mais celle-ci, en rêve, voit apparaître plusieurs fois l'ombre de son oncle, qui lui révèle les manœuvres dont elle a été victime. Elle va raconter ces apparitions à l'abbé Chaperon, vieil ami du docteur, et qu'elle connaît depuis l'enfance. L'abbé informe Minoret-Levrault, dans l'espoir de le voir se repentir et réparer. L'autre refuse d'ajouter foi aux révélations qui lui sont rapportées. À la longue, cependant, le remords

l'assaille. La main de la Providence s'appesantit sur le coupable : son fils unique meurt des suites d'un accident de voiture. Minoret-Levrault se résout enfin à restituer ses biens à l'orpheline, qui aura le bonheur d'épouser Savinien de Portenduère.

Si le roman décrit d'un trait vigoureux les âpres convoitises, les menées sournoises qui poussent un misérable à dépouiller une orpheline, il est surtout curieux par l'importance que Balzac attache aux forces occultes, et par le rôle qu'il leur impartit dans l'intrigue. Il a voulu, comme il le dit dans la dédicace à Sophie Surville, écrire un livre « pur », et ce livre ne pouvait l'être si le vice triomphait, si la pure jeune fille était, à la fin du récit, la victime des machinations d'un voleur. L'apparition surnaturelle du Dr Minoret permettait le châtiment du coupable et le triomphe de la fraîcheur et de l'innocence.

Mais le surnaturel intervient d'une autre manière dans le roman, et, il faut bien le dire, sans se rattacher rigoureusement à l'intrigue. Le docteur Minoret, d'abord adepte du mesmérisme, s'en est détaché ; mais, au cours d'un voyage à Paris, il a été mis en relation avec une voyante extralucide qui lui a décrit avec une exactitude troublante ce que sa pupille, restée à Nemours, est en train de faire au même moment. Le docteur revient alors aux doctrines qu'il avait abandonnées. On voit dans *Ursule Mirouet* l'importance que prend l'ésotérisme dans la pensée et l'œuvre de Balzac.

UXELLES (d'), vieille famille noble, propriétaire d'un « magnifique château » près de Sancerre, que la duchesse douairière dut vendre, faute d'argent, au baron de La Baudraye *(Muse).* La famille est représentée par :

1. La duchesse douairière (née en 1769), maîtresse du duc de Maufrigneuse, à qui elle fait épouser sa fille Diane *(Secrets)* ;
2. Diane d'Uxelles, duchesse de Maufrigneuse, princesse de Cadignan (v. ce nom) ;
3. Une vieille marquise d'Uxelles (filiation ?), marraine de César Birotteau *(Grandeur).*

Valentine et Valentin, ébauche d'une nouvelle dont le projet date de 1842. Il n'en est resté que des fragments, et un semblant d'intrigue. Le début évoque la rue des Marais-Saint-Germain, où Balzac avait eu une imprimerie*. L'intrigue met en scène le policier Peyrade*. Les événements dont il est ici le héros s'insèrent assez mal dans la vie que lui prête Balzac, de *Ténébreuse* à *Splendeurs.* Peyrade, dans *Valentine,* est censé avoir épousé Valentine Ridal. Elle l'a suivi à Turin, où il exerce de hautes fonctions dans la police impériale. Elle se laisse séduire par le duc de Belgirade, ce qui amène Peyrade à demander son changement pour la Hollande. Sa femme, pour obtenir le divorce, le pousse à se compromettre dans une affaire de prévarication. Il est chassé de la police, et s'installe dans un appartement de la rue des Marais, avec sa fille Valentine, née de ce mariage, et dont il a obtenu la garde. Son épouse, de son côté, s'est remariée avec le duc.

Il ne sera plus question, dans *la Comédie,* ni de ce ménage ni de la jeune Valentine. L'œuvre ne figure pas dans le plan établi par Balzac pour *la Comédie.* Sa place eût été évidemment dans les *Scènes de la vie privée.*

VALETTE (Hélène **de**) [1808-1873], fille d'un officier de marine. Veuve, elle a habité près de Batz-sur-Mer (Loire-Atlantique). Elle entretint avec Balzac, à partir de 1838, une correspondance, et sans doute une liaison, qui semble avoir pris fin vers 1844. Il lui avait dédié *le Curé de village,* sous cette forme énigmatique : À *Hélène.* La dédicace fut supprimée ultérieurement.

VAL-NOBLE (Suzanne *du*), nom de guerre d'une jeune blanchisseuse d'Alençon, qui s'essaya dans la carrière de la galanterie, à Alençon même. Elle feignit d'être enceinte et tenta de faire endosser la paternité par le chevalier de Valois; n'ayant pas réussi à l'intimider, elle se rabattit sur du Bousquier, à lui extorquer 600 francs *(Vieille Fille).* Elle alla ensuite tenter sa chance à Paris, et, admirée comme l'une des plus jolies parmi

les lorettes, eut d'innombrables amants (divers romans, en particulier *Illusions* et *Rabouilleuse).* Elle joue un rôle important dans *Splendeurs :* un de ses amants, agent de change, lui avait offert un charmant petit logement. Mais après la faillite de cet amant, ruiné comme par hasard par Nucingen, elle dut quitter cet hôtel, que Nucingen reprit pour y installer Esther Gobseck. Elle végéta ensuite, grâce au policier Peyrade; celui-ci avait pris le déguisement d'un prétendu lord anglais, et l'entretenait pour pouvoir plus facilement s'introduire chez Esther et participer à l'enquête sur l'abbé Carlos de Herrera, soupçonné par la police. C'est elle qui procura à Esther le poison avec lequel elle se tua. Suzanne du Val-Noble finit par avoir une liaison durable avec un de ses anciens amants, le journaliste Théodore Gaillard, qui l'épousa *(Béatrix, Comédiens).*

VALOIS (chevalier *de*), né en 1759. Avant d'être un des personnages principaux de *la Vieille Fille* et *du Cabinet,* il s'était trouvé, pendant les guerres de Vendée, en relation avec le Gars *(Chouans)* et avec Contenson *(Envers).*

VANDENESSE, vieille famille noble de Touraine, dont le chef est le marquis de Vandenesse (prénom et date de naissance non précisés, mort vers 1827), qui épouse une Listomère (non identifiée dans la filiation de cette dernière famille), dont la dureté à l'égard de son fils Félix est signalée dans *le Lys.* Le marquis et la marquise sont les parents de Charles et de Félix.

VANDENESSE (comte Alfred *de*), fils du marquis et de la marquise *Charles* de Vandenesse. Il a une liaison avec la comtesse de Saint-Héréen, née Moïna d'Aiglemont, qui se trouve être sa demi-sœur, puisqu'elle est la fille adultérine du marquis (*Femme de trente ans*).

VANDENESSE (*Charles*, comte, puis marquis *de*), frère aîné de Félix et père du précédent. Il fut longtemps l'amant de la marquise d'Aiglemont (*Femme de trente ans*), dont il eut plusieurs enfants adultérins. Il épousa la veuve de l'amiral de Kergarouët (v. rubrique suivante), et on le retrouve dans les salons les plus aristocratiques de Paris (*Contrat, Cabinet*, notamment).

VANDENESSE (marquise Charles *de*), née Émilie de Fontaine, femme du précédent. Ayant dédaigné Maximilien de Longueville, elle dut se résigner à épouser son vieil oncle, l'amiral comte de Kergarouët (*Bal*), mais sut, en attendant la mort de ce vieil époux, mener une vie exempte d'intrigues et repousser les avances de son cousin Savinien de Portenduère (*Ursule*); elle se remaria, après la mort de l'amiral, avec Charles, comte, puis marquis de Vandenesse; jalouse de sa belle-sœur, la comtesse Félix de Vandenesse, elle essaya, avec d'autres, et sans succès, de la faire succomber aux avances de Nathan.

VANDENESSE (vicomte, puis comte *Félix-Amédée de*) [le premier prénom, dans le *Lys*, est réservé à Mme de Mortsauf, le second à lady Dudley], héros principal du *Lys*. Après les aventures dont ce roman est le récit (qu'il a rédigé lui-même), il mène à Paris une existence très mondaine, et on le retrouve dans divers salons et dans divers raouts (*Autre Étude*, notamment). Il a quelque temps pour maîtresse Nathalie, comtesse Paul de Manneville (*Contrat*); c'est à sa demande qu'il a écrit l'histoire de ses amours de jeunesse (*Lys*), et la franchise de ce récit amène la comtesse à rompre avec lui. Il réapparaîtra comme personnage essentiel dans *Une fille d'Ève* où, ayant épousé Marie-Angélique de Granville, il réussit, par son tact et son calme, à sauver le bonheur de son ménage, compromis par les entreprises de Nathan.

VANDENESSE (comtesse Félix *de*), née Marie-Angélique de Granville, femme du précédent. Elle n'apparaît guère que comme comparse, notamment aux raouts de Félicité des Touches (*Autre Étude*), avant d'être l'héroïne *principale* d'*Une fille d'Ève*.

VARÈSE (Emilio **Memmi**, prince *de*) et son épouse, née Massimila Doni, en 1800, sont les principaux protagonistes de *Massimila*. Mais le prince apparaît aussi dans *Facino Cane*, et le ménage à la fin de *Gambara*.

Vautrin, drame en cinq actes, en prose, représenté pour la première fois sur le théâtre de la Porte-Saint-Martin, le 14 mars 1840.

La genèse de cette œuvre est assez confuse; si l'on en croit Théophile Gautier, Balzac convoqua d'urgence ses amis pour « bâcler le dramorama (*sic*) » en collaboration avec eux. Il avait besoin d'argent et voulait que la pièce fût jouée dans le plus bref délai. Quoi qu'il en soit, cette pièce fut interdite après la première représentation, Frédérick Lemaître* ayant eu l'idée saugrenue de se composer une tête à la Louis-Philippe. Les amis de l'auteur firent plusieurs démarches pour faire rapporter l'interdiction, mais en vain. On fit offrir officieusement à Balzac de l'argent « dans une enveloppe », en réparation du dommage causé; il refusa, disant qu'il avait droit à une indemnité, mais pas à une aumône.

Dix ans plus tard, le théâtre de la Gaîté reprenait *Vautrin*, le 23 avril 1850, et cette fois avec succès. Balzac n'avait pas été prévenu. Il rentrait de Pologne, malade, et se trouvait à Dresde quand il apprit la chose; il entra dans une violente colère et écrivit à Laure Surville qu'on fît interdire par huissier la poursuite des représentations, qui furent suspendues le 17 mai. La pièce ne fut reprise qu'en avril 1869, à l'Ambigu-Comique, avec peu de succès (Frédérick Lemaître, qui avait repris le rôle, n'était plus, trente ans après, que l'ombre de lui-même), et de nouveau en septembre 1917, au théâtre Sarah-Bernhardt, reprise que la critique accueillit assez froidement.

Il faut reconnaître que la pièce n'était pas excellente. Il n'y faut pas chercher une transcription théâtrale de la ou des intrigues romanesques où apparaît le célèbre forçat. Et le caractère de Vautrin est loin d'avoir l'admirable et monstrueuse grandeur du personnage qu'a créé Balzac dans *la Comédie*. Si on dégage l'intrigue des méandres où elle se perd, il reste le mélodrame que voici :

La scène se passe après le retour des émigrés. La duchesse de Montsorel a mis au monde un fils, Fernand ; son mari, qui a d'excellentes raisons de croire ce fils illégitime, oblige sa femme à l'abandonner. Vingt et un ans après, la duchesse se trouve en présence d'un beau jeune homme, Raoul de Frescas, en qui elle reconnaît le fils abandonné. Il est accompagné d'un étrange visiteur : c'est Vautrin, ancien forçat, évadé, qui, ayant rencontré un jour un enfant de douze ans abandonné et mendiant sur la route, l'a pris en affection, l'a élevé, a fait de lui un homme, qui, dans ce milieu de forçat, est resté d'une parfaite pureté morale (?). Pour finir, le protégé de Vautrin se mariera, grâce à l'intervention de l'ancien forçat, et celui-ci, dénoncé par un sbire, se laissera arrêter sans résistance.

Évidemment, on retrouve le thème général de Vautrin : la protection accordée à des jeunes gens que le forçat façonne moralement et pousse dans le monde. Mais la personnalité des protagonistes, et de Vautrin lui-même, est tellement effacée que l'on a peine à reconnaître le type extraordinaire que Balzac avait su créer dans le roman.

VAUTRIN, de son vrai nom Jacques Collin (né en 1779), surnommé au bagne, par ses camarades, Trompe-la-Mort, et portant dans *Illusions* et *Splendeurs* le nom du chanoine Carlos de Herrera, qu'il a assassiné et dont il a pris l'identité. Avec Rastignac et Rubempré, c'est l'un des trois personnages les plus importants de *la Comédie* ; création extraordinaire, certainement la plus prodigieuse de Balzac et l'une des plus étonnantes de la littérature romanesque universelle. Toute son histoire tient dans trois romans. Il est, dit Balzac

lui-même, « une espèce de colonne vertébrale qui, par son horrible influence, relie pour ainsi dire *le Père Goriot* à *Illusions perdues*, et *Illusions perdues* à cette étude » (il s'agit de *Splendeurs*). Évadé du bagne, où l'a conduit un faux en écritures, commis par amour pour le colonel Franchessini, il vit discrètement dans la pension Vauquer, où il rencontre Rastignac, et où il est arrêté par son vieil ennemi Bibi-Lupin, devenu chef de la Sûreté *(Père Goriot)*. Il s'évade de nouveau, puis, revenant d'Espagne après l'assassinat de l'abbé Carlos de Herrera, dont il a pris l'identité, il rencontre Rubempré, prêt à se donner la mort, et, séduit par la beauté du jeune homme, le sauve en lui demandant en échange une absolue obéissance *(Illusions)*. Vautrin protégera les amours de Rubempré et d'Esther Gobseck jusqu'au moment de la mort de celle-ci ; et c'est alors que le suicide de Rubempré le conduira, dans un accès de désespoir, à révéler au procureur sa véritable identité, et à se mettre, comme chef de la Sûreté, au service de la société qu'il a si longtemps combattue et narguée *(Splendeurs)*. Si Vautrin « n'aime pas les femmes », ce serait une pitoyable interprétation de son caractère que de voir en lui un banal homosexuel. Ce qu'il cherche, c'est à se donner à lui-même, et à donner aux autres l'impression de son pouvoir; il veut « aimer sa créature, la façonner, la pétrir à son usage » (Illusions), dominer par elle la société qu'il méprise, être « l'homme supérieur » qui « épouse les événements et les circonstances pour les conduire » (Père Goriot). Sa lucidité, son cynisme lui ont fait juger avec une redoutable et cruelle perspicacité les dessous de la haute société parisienne; et ce qu'il aime dans ses créatures, c'est surtout peut-être leur désir de « parvenir à tout prix », qui fera d'elles les instruments aveugles de son inflexible volonté. Il est certain que (les mœurs et les instincts criminels mis à part) le personnage de Vautrin est la projection dans le domaine romanesque de cette volonté de puissance qui, dans le domaine littéraire, permit à Balzac de créer une œuvre aux dimensions gigantesques.

Vendéens (les), titre portant le n° 80 (Scènes de la vie militaire). Balzac avait conçu ce roman comme une sorte de pendant aux Chouans, et comptait sur lui pour « arracher la palme à Walter Scott » (Lettres à l'Étrangère). Il affirmait d'ailleurs l'avoir écrit. Ce n'était pas exact. Il lui arrive souvent d'annoncer comme déjà écrites des œuvres seulement imaginées, ou comme achevés des romans dont à peu près tout reste à faire. Nous n'avons pas une ligne de cette œuvre.

Vendetta (la), roman paru en avril 1830, le début dans la Silhouette, l'ensemble, la même année, en volume. N° 11 (Scènes de la vie privée). Dédié à Puttinati.
Dans les environs de Bastia, une vendetta féroce oppose la famille des Porta et celle des Piombo. En l'absence du baron Bartolomeo di Piombo, les Porta incendient sa maison, tuent ses deux fils. La baronne et sa fille Ginevra échappent par miracle à la tuerie. Par vengeance, le baron di Piombo massacre la famille Porta; il croit l'avoir exterminée, mais un fils, Luigi, tout jeune, a pu être sauvé.
Obligé de s'enfuir, le baron di Piombo vient s'installer à Paris avec sa femme et

sa fille; l'amitié du Premier consul, avec qui sa famille était liée en Corse, le protège.
De son côté, Luigi di Porta, entré dans l'armée, est devenu officier de l'armée napoléonienne. Mais, après les Cent-Jours, il est proscrit et contraint de se cacher dans la maison du peintre Servin.
C'est là qu'il rencontre une jeune fille, excellente élève du peintre, et qui n'est autre que la jeune Ginevra di Piombo. Les deux jeunes gens s'aiment. Ginevra demande à son père l'autorisation de se marier. Mais quand le baron apprend l'identité du jeune homme, il entre dans une violente colère et chasse sa fille, dont il refusera toujours d'entendre parler, et qu'il ne voudra jamais secourir. Le jeune ménage vivra dans la misère et finira par mourir de faim, ainsi que le bébé issu de cette union. Le baron di Piombo, apprenant de sa femme l'extrême dénuement où végétait le jeune ménage, déclare, enfin, sa haine vaincue par l'affection paternelle. Trop tard! Luigi di Porta, presque mourant, lui apporte la chevelure de sa femme morte.
Comme dans El Verdugo, Balzac a visiblement donné libre cours à son goût pour les scènes féroces et mélodramatiques.

Verdugo (El), court récit paru en janvier 1830 dans la Mode, avec le sous-titre (supprimé ultérieurement) : Guerre d'Espagne 1809. N° 120 (Études philosophiques). Dédié à Martinez de la Rosa.
L'action se déroule au cours de la guerre franco-espagnole, à la date précisée par le sous-titre. Le marquis de Leganes, grand d'Espagne, est soupçonné de préparer un soulèvement contre l'occupant français. Le jour de la fête de saint Jacques, la population massacre la petite garnison française. Personne n'en réchappe, sauf le commandant, Victor Marchand; la fille du marquis, Clara, lui a sauvé la vie; elle l'a prévenu que ses frères se disposaient à le tuer, et lui a dit de s'échapper en prenant le cheval de son frère Juanito. Le général français G.. t.. r (l'anonymat est de Balzac) ordonne des représailles. Marchand essaie de plaider pour la famille Leganes. Le général accepte qu'un fils ait

la vie sauve, pour perpétuer le nom, à condition qu'il consente à être lui-même le bourreau *(el Verdugo)* du reste de la famille. Celle-ci supplie Juanito d'accepter cette affreuse mission. Clara, sur sa demande, est la première exécutée. Quant à la marquise, pour épargner à son fils le crime de matricide, elle se tue en se jetant du haut de la terrasse du château.

VERNEUIL (famille *de*), famille alliée aux plus hautes familles de France, et comprenant de nombreux personnages :
1. Un marquis de Verneuil, lointain ancêtre qui vivait au XVIe siècle *(Enfant maudit)* ;
2. Victor-Amédée, duc de Verneuil, qui, d'une liaison avec Mlle Blanche de Castéran, a une fille naturelle, qu'il reconnaît *(Chouans* [v. 5] *)* ;
3. Une duchesse de Verneuil, sans doute épouse du précédent, née Blamont-Chauvry *(Lys)* ;
4. Un duc de Verneuil, fils des précédents *(Cabinet des antiques, Vieille Fille)* ;
5. Marie-Nathalie de Verneuil, demi-sœur du précédent, fille naturelle reconnue du duc Victor-Amédée (v. 2), héroïne principale des *Chouans*.
(La filiation des autres personnages devient tout à fait confuse et impossible à préciser [le titre de prince de Loudon revient de droit aux fils des ducs].)
6. Une demoiselle de Verneuil, sœur du *premier* prince de Loudon, et qui meurt, ainsi que son frère, sur l'échafaud *(Chouans)* ;
7. Gaspard, duc de Verneuil, et son épouse Hortense, qui organisent une chasse en l'honneur de Modeste Mignon *(Modeste)* ;
8. Gaspard, duc de Verneuil (né en 1791), *second prince* de Loudon, et qui semble (?) être le fils des précédents *(Modeste)* ;
9. Laure, fille du duc Gaspard et de la duchesse Hortense (v. 7) ;
10. (Pour mémoire) un duc de Verneuil, impossible à identifier, dans *la Cousine Bette.*

VERNISSET (Victor *de*), poète qui apparaît dans *Béatrix*, reçoit les secours des Frères de la Consolation *(Envers)*, fréquente les Marneffe *(Cousine Bette)* et,

pour finir, essaie d'épouser une des demoiselles Hannequin de Jarente *(Femme auteur)*.

VERNOU (Félicien), journaliste, qui apparaît surtout, à ce titre, dans *Illusions*, et épisodiquement dans quelques autres romans *(Splendeurs, Fille d'Ève, Cousine Bette)*.

Vers écrits sur un album, poème anonyme publié en 1828 dans *les Annales romantiques*, et que l'on retrouve dans *Illusions*.

Vicaire des Ardennes (le), roman paru en novembre 1822 chez Pollet, sous la signature d'Horace de Saint-Aubin. C'est en principe un roman d'amour. Un jeune homme, Joseph, trompé sur sa propre identité, veut échapper à l'amour d'une jeune fille qu'il prend faussement pour sa sœur. Il se fait prêtre. Plus tard, mieux informé, il épouse la jeune fille, alors qu'il n'est pas encore relevé de ses vœux ; au moment où il va l'être, sa femme apprend le caractère sacerdotal de son époux, et meurt de saisissement.
Se greffe sur cette intrigue une autre histoire de rivalité sentimentale entre Joseph et un officier de marine, d'où enlèvement, et tout l'attirail classique des romans à épisodes.
A peine paru, le roman fut interdit, comme attentatoire aux mœurs et à la religion.

VIDOCQ (François-Eugène), personnage réel, dont on s'accorde à considérer qu'il est l'original de Vautrin, et, à des degrés divers, de plusieurs policiers mineurs qu'on rencontre dans *Splendeurs*. Né à Arras en 1775, d'origine modeste, il quitta sa famille après avoir dérobé de l'argent. Engagé dans le régiment de Bourbon, il déserta pour reprendre du service en Autriche. De retour en France, il réintégra l'armée, mais s'engagea bientôt dans une vie d'escroquerie et de vol, qui devait le conduire au bagne de Nantes. Il s'en échappa deux fois, et, las de se heurter à la police, trouva plus simple d'y entrer et de mettre à la disposition du ministre de la Police, le baron Pasquier, en 1809, son expérience des milieux de la pègre. Chef des brigades de la police de sûreté (composée en majeure partie de forçats repentis comme lui) jusqu'en 1827, il quitta la police pour prendre la direction d'une fabrique de papier, qui le ruina. Réintégré dans la police en 1832, il fut finalement révoqué pour avoir organisé lui-même un vol dont il feignait de rechercher le coupable. Il mourut dans l'oubli en 1857.

Il est prouvé, notamment par le témoignage de Gozlan, que Vidocq eut à plusieurs reprises ses entrées rue Basse, et que Balzac, toujours friand de documents, l'écouta bien volontiers lui confier des souvenirs susceptibles d'utilisation.

Vie (la) et les aventures d'une idée. V. *Aventures administratives d'une idée heureuse.*

1. **Vieille Fille (la),** titre donné d'abord au *Curé de Tours* (aucun rapport avec le roman suivant).

2. **Vieille Fille (la),** roman paru du 23 octobre au 4 novembre 1836 dans le journal de Girardin, *la Presse,* comme première partie d'une suite de deux récits groupés sous le nom *les Rivalités* (le deuxième récit est *le Cabinet des antiques*). N° 46 (*Scènes de la vie de province*). Dédié à Surville.

À Alençon, Mlle Rose Marie Victoire Cormon, vieille fille dévote et quelque peu naïve, mène une vie cossue, mais ennuyeuse, auprès de son oncle le vieil abbé de Sponde. Sa fortune lui permet de se considérer comme une des femmes les plus importantes de la société de la ville. Mais elle n'est pas heureuse. Elle a quarante-trois ans et rêve depuis longtemps d'un mari. Deux rivaux sont sur les rangs : le vieux chevalier de Valois, qui représente l'Ancien Régime, et un libéral, un certain du Bousquier, agioteur ruiné par le Consulat, et qui s'est retiré à Alençon pour y refaire sa fortune. Sur ces entrefaites, Mlle Cormon croit avoir trouvé le mari idéal en la personne du vicomte de Troisville, ancien émigré, qui s'est rendu à Alençon pour y chercher une maison. Il est l'hôte de l'abbé de Sponde, et le bruit se répand dans la ville que Mlle Cormon va l'épouser, lorsque Troisville, en toute candeur, a l'occasion de dire qu'il est marié et père de famille, ce dont la vieille fille ne s'était jamais douté. La désillusion est d'autant plus amère et l'affront plus cuisant que les paroles du vicomte ont été prononcées devant la meilleure société de la ville, réunie dans le salon de Mlle Cormon. Elle ne peut accepter cette avanie : elle décide de se marier au plus tôt. Du Bousquier, profitant de l'occasion, gagne de vitesse le galant chevalier de Valois, est accueilli, et épouse la vieille fille. Elle sera déçue, car son mariage restera « essentiellement négatif », et elle n'aura pas l'enfant qu'elle aurait voulu acheter « par cent années d'enfer ».

On retrouvera Mme du Bousquier dans le récit suivant, sous le nom de Mme du Croisier. L'intrigue de ce récit est, au fond, accessoire. Le roman vaut par une description minutieuse des milieux de la société provinciale. Elle est dominée aussi par la rivalité de deux hommes, incarnant deux conceptions politiques. L'Ancien Régime, avec tout son charme, est vaincu par le libéral, moins galant, mais plus réaliste.

VIELLERGLÉ, pseudonyme de *Le Poitevin.*

Vieux Musicien (le). V. *Cousin Pons (le).*

VIGNON (Claude) [né en 1799], d'abord professeur de grec, doit à sa culture, à sa finesse, à sa pénétration, de faire une carrière brillante. Ses qualités sont déjà signalées dans *Illusions*. Il tient la rubrique littéraire dans le journal fondé par Nathan (*Fille d'Ève*). Son rôle est particulièrement important dans *Béatrix*; il y est l'amant de Félicité des Touches, et, au cours d'un voyage avec elle, entend raconter les malheurs du comte de Bauvan (*Honorine*). On le retrouve dans *la Cousine Bette*; maître des requêtes au Conseil d'État, il fréquente le salon de Mme Marneffe. Enfin, sa carrière est couronnée par sa nomination comme professeur en Sorbonne, puis au Collège de France, et par son élection à l'Académie des sciences morales et politiques (*Comédiens*).

Villeparisis, localité du canton de Claye-Souilly (Seine-et-Marne). Un cousin de

Mme de Balzac, Marie Claude Antoine Sallambier, drapier à Paris, possédait dans cette localité une maison que la famille Balzac décida de louer, et où elle s'installa, quittant la rue du Temple, dans le quartier du Marais, à Paris, où elle avait habité près de cinq ans. En 1821, la maison devint la propriété d'un autre Sallambier, à qui Mme de Balzac la racheta en 1824 pour 10 000 francs.
C'est à Villeparisis que Balzac fit la connaissance de Mme de Berny, la « Dilecta ».

VILLERS-LA-FAYE (Louis-Philippe **de**), maire de L'Isle-Adam*, vieil ami de la famille Balzac. Le futur romancier, dans sa jeunesse, allait passer régulièrement quelques semaines chez lui. Cet homme était le type du vieux gentilhomme de l'Ancien Régime, et il n'est pas impossible que Balzac se soit souvenu de lui en traçant le portrait du vieux chevalier de Valois (Vieille Fille).

VINET (père), d'abord avocat à Provins, personnage qui joue un rôle actif dans Pierrette. Procureur général, il est élu député et ambitionne de devenir garde des Sceaux (Député, Petits Bourgeois). Il a toujours cette ambition dans le Cousin Pons. On le retrouve encore chez les Hannequin de Jarente (Femme auteur).
Sa femme, née de Chargebœuf, figure dans Pierrette et dans le Député.
Olivier Vinet, fils des précédents (né en 1816), magistrat (Député), poursuit sa carrière dans les Petits Bourgeois et le Cousin Pons. On le trouve avocat général dans la Femme auteur.

VISSARD (famille **du**), évoquée presque totalement dans Mademoiselle du Vissard ; le personnage le plus important est Charles Amédée Louis Joseph Rifoël, chevalier du Vissard, qui a déjà paru dans les Chouans, et dont la fin est évoquée dans l'Envers.

Voleur (le), publication créée en 1828 par Émile de Girardin, et où Balzac écrivit plusieurs articles et certaines de ses œuvres, notamment :
avril 1830 : Une double famille (fragment sous le titre la Grisette parvenue) ;

novembre 1834 : Un drame au bord de la mer (extrait).

VORDAC (marquise **de**) [née en 1769], mère d'Henri de Marsay, et qui épousa le marquis de Vordac après la mort de son premier mari (Fille aux yeux d'or). Elle réapparaît dans le Contrat, où elle marie son fils avec miss Dinah Stevens.

Voyage en coucou (le). V. début dans la vie (Un).

Voyage de Paris à Java, récit publié en novembre 1832 dans la Revue de Paris, amputé d'un passage que le directeur de la revue avait jugé trop érotique. C'est naturellement un voyage imaginaire, d'un exotisme facile.

voyages. Si l'on appelle grand voyageur celui qui va chercher systématiquement dans son pays ou à l'étranger des souvenirs, des impressions, pour en tirer la matière de récits et de descriptions, Balzac ne répond pas à cette définition ; pourtant, il voyagea beaucoup, mais rarement pour se documenter, le plus souvent pour des raisons financières, et surtout sentimentales. Ce qui ne veut pas dire, naturellement, que ces voyages aient été inutiles à un romancier doué d'un sens étonnant de l'observation, et d'une prodigieuse mémoire.
A. En France. Lorsqu'il n'est pas à Paris, ou dans la région parisienne, on le revoit presque toujours chez des amis, et dans les mêmes lieux : à L'Isle-Adam*, à la Bouleaunière*, à Saché*, à Angoulême*, ou à Frapesle* ; la Touraine l'attire spécialement ; il en fera les honneurs à Mme Hanska, comme il l'avait fait pour Mme de Berny ; avec cette dernière, il avait descendu la Loire ; et il devait venir dans la Loire-Inférieure pour y rencontrer Hélène de Valette*. Peut-on parler ici proprement de voyages ? On pourrait signaler également des déplacements pour affaires, comme celui qu'il fit à Alençon*, ou de documentation, comme celui qui l'amena à Arcis-sur-Aube en vue de la rédaction du Député, ou même à Fougères (en vue de la rédaction du Dernier

Chouan). Encore faut-il remarquer que son séjour dans cette dernière ville était plutôt une visite amicale aux Pomereul*. Il est certain qu'il n'a pas eu l'intention d'*explorer* la France d'une manière systématique ; et il est curieux de noter (v. carte du domaine géographique de *la Comédie humaine*) qu'au-dessous d'une ligne approximative Bordeaux-Grenoble, aucune ville de France n'est le cadre d'un roman balzacien, et que, seuls, les *abords* de la Bretagne (et non la péninsule elle-même) figurent dans *la Comédie*.

B. **À l'étranger**, en revanche, Balzac entreprit de nombreux voyages, dont certains furent de véritables expéditions ; mais, là encore, on ne saurait parler d'une recherche de documentation littéraire. Les éléments recueillis *au cours de ces voyages* furent parfois exploités par le romancier dans son œuvre, mais leur recherche n'était pas le but que Balzac s'était proposé.

Ces voyages sont si nombreux qu'il est utile, par souci de clarté, d'en dresser rapidement le catalogue.

1° La première incursion de Balzac à l'étranger ne fut pas heureuse ; de Savoie, il avait suivi Mme de Castries à Genève, et, devant l'attitude de la marquise, avait renoncé à la suivre en Italie.

2° La Suisse devait lui être plus favorable, à la fin de décembre 1833 et au début de 1834, puisqu'il y rencontra Mme Hanska, d'abord à Neuchâtel, puis à Genève.

3° C'est encore pour rencontrer Mme Hanska qu'il se rend en Autriche (mai-juin 1835). Et si c'est l'amant qui a entrepris le voyage, le romancier a su en tirer parti. Balzac est reçu par la meilleure société de Vienne, notamment chez Metternich, et visite le champ de bataille de Wagram (en vue de la rédaction de *la Bataille*, qui ne sera jamais écrite).

4° En 1836, voici un voyage d'affaires, et cette fois en Italie (juillet-août). Il s'agit d'aller régler à Turin une querelle de succession pour le compte des Guidoboni-Visconti*, empêchés de se déplacer. Accompagné de Mme Marbouty*, Balzac, par le Mont-Cenis, gagne Turin, d'où il revient par la Suisse, le Tessin, le Valais et Genève. Il n'a pu conclure l'affaire, mais

il a été reçu, grâce à sa réputation de romancier et aux recommandations de ses amis italiens de Paris, dans la plus haute société piémontaise.

5° La même affaire Guidoboni-Visconti le ramène en Italie (février-avril 1837), mais cette fois à Milan ; et là encore, il est reçu dans les maisons les plus aristocratiques, entre autres chez la comtesse Maffei*, le prince Porcia* ; le sculpteur Puttinati* fait de lui une statuette ; tous ces personnages seront plus tard dédicataires d'œuvres diverses. À noter, détail prosaïque, qu'un pickpocket lui vola sa belle montre, qu'il put d'ailleurs récupérer. De Milan, en mars, il alla à Venise, où il resta une semaine, qu'il employa à visiter la ville, puis revint à Milan, et de là gagna Gênes, où il entendit parler des mines de Sardaigne* ; peut-être eut-il la velléité, non suivie d'exécution, de se rendre dans cette île, car en avril il s'embarqua pour Livourne, puis se rendit à Florence, pour regagner Milan par voie de terre, et rentrer enfin en France au début de mai par le Saint-Gothard.

6° Cette affaire des mines de Sardaigne lui paraissant vraiment intéressante, Balzac, en mars 1838, par Marseille et Toulon, gagne la Corse, puis, après un séjour à Ajaccio, se rend en avril en Sardaigne sur un rafiot ; il arrive trop tard : il ne lui reste plus qu'à se rembarquer pour rallier Gênes, et de nouveau Turin et Milan, d'où il rentre en France au début de juin.

7° C'est pour rejoindre Mme Hanska qu'il part en 1843 pour Saint-Pétersbourg, où elle se trouve à ce moment-là. Il s'embarque en juillet à Dunkerque, et gagne Saint-Pétersbourg par bateau à vapeur. Il quitte cette ville au début d'octobre, et, par Tilsit, atteint Berlin. Après un bref séjour dans cette capitale, il revient en France par Leipzig, Dresde, Mayence, Liège et Bruxelles (en partie par chemin de fer).

8° En avril 1845, il rejoint de nouveau Mme Hanska, qui, cette fois, est à Dresde, avec sa fille Anna et le fiancé de celle-ci, le comte Mniszech. En mai, ils redescendent ensemble à Hombourg, dans le Palatinat, puis à Cannstatt, dans le Wurtemberg, où Mme Hanska prend les eaux. Au début de

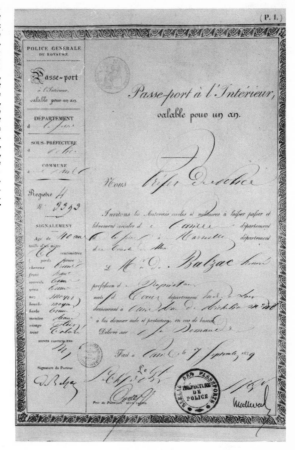

**Passeport
délivré à Balzac
le 7 septembre
1839.**
Bien que
l'adresse
le domicilie
rue de Richelieu,
où il avait
un pied-à-terre
chez Buisson,
il est mentionné
comme exerçant
la profession
de propriétaire...
(Il était alors,
en effet,
propriétaire
des « Jardies ».)
*Coll. Lovenjoul,
Chantilly.
Phot. Larousse.*

juillet, les voyageurs rentrent en France par Strasbourg. Ce fut le premier séjour à Paris de Mme Hanska, qu'on installa en grand secret, avec sa fille, rue* de La Tour, et à qui Balzac fit visiter la Touraine.
9° En août 1845, Mme Hanska et sa fille se rendent à Strasbourg, d'où elles partent pour la Hollande rejoindre le comte Mniszech. Balzac les a accompagnées jusqu'à Bruxelles et est rentré seul à Paris.

10° En septembre, nouveau voyage à Strasbourg (très court) pour rejoindre Mme Hanska, qui y est revenue.
11° Octobre 1845-mars 1846. Dernier voyage italien de Balzac (en fait, il correspond à deux déplacements) :
a) Balzac rejoint Mme Hanska et Anna à Chalon, où elles se sont rendues en venant de Strasbourg ; ils descendent ensemble la Saône et le Rhône par bateau, et arrivent

à Marseille. Départ en bateau pour Naples (début de novembre). Les affaires de Balzac le rappellent presque immédiatement à Paris (par Marseille). Mme Hanska reste en Italie ;

b) Mme Hanska quitte Naples, où elle a passé l'hiver, pour Rome, où Balzac (fin mars 1846) la rejoint par Marseille. En avril et mai, les voyageurs rentrent par Gênes, le Simplon, Genève, Heidelberg, d'où Balzac, laissant Mme Hanska en Allemagne, regagne Paris.

12° et 13°. Deux voyages éclair successifs (septembre et octobre 1846) pour Wiesbaden, où le romancier assiste, le 16 octobre, au mariage d'Anna avec le comte Mniszech.

14° et 15°. En février 1847, Mme Hanska est à Francfort. Balzac va la chercher pour lui faire visiter la maison de la rue Fortunée (2e séjour de Mme Hanska à Paris, rue* Neuve-de-Berry). Il la reconduit en mai en Allemagne.

16° Septembre 1847 : premier voyage de Balzac à Wierzchownia. Retour en février 1848, par Lwow, Breslau et Francfort.

17° Dernier voyage (et dernier séjour en Ukraine) de Balzac ; il part en septembre 1848, restera à Wierzchownia (avec des déplacements à Kiev) pendant un an et demi, et ne rentrera en France qu'après son mariage, accompagné de Mme Honoré de Balzac, en mai 1850.

Il fallait la prodigieuse résistance physique de Balzac pour concilier ces nombreux voyages et ces longs déplacements avec la lourde tâche d'écrivain qu'il assumait. Il faut songer aux conditions dans lesquelles s'effectuaient ces voyages, et qui ne décourageaient nullement son intrépidité. C'est seulement à la fin de sa vie que, sur certains parcours, il put utiliser le chemin de fer ; et le train était encore un mode de locomotion bien lent et précaire, surtout en Allemagne. L'essentiel de ces voyages fut entrepris par la route (quelques-uns en bateau), et certaines routes étaient des fondrières. Lors du voyage n° 5, au retour de Milan, Balzac n'hésita pas à affronter (au début de mai) le Saint-Gothard, où, dit-il, il faillit périr de froid. Le premier voyage d'aller à Wierzchownia (n° 16) fut épuisant : il

avait mis huit jours pleins (du 5 au 13 septembre) pour atteindre la demeure de Mme Hanska. « Je suis arrivé ici sans autre accident qu'une excessive fatigue, car j'ai fait le quart du diamètre de la Terre, et plus même, en huit jours, sans m'arrêter ni me coucher » (lettre à Laure Surville). Ce voyage est décrit en détail dans sa Lettre* sur Kiew.

Mais on peut vraiment parler de calvaire pour caractériser le dernier voyage de retour de Wierzchownia (mai 1850). « Nous avons mis un grand mois à faire le chemin qui se fait en six jours. Ce n'est pas une fois, mais cent fois par jour que nos vies ont été en danger. Nous avons souvent eu besoin de quinze ou seize hommes et de crics pour nous retirer des bourbiers sans fond où nous étions ensevelis jusqu'aux portières (...) Un pareil voyage use la vie pour dix ans, car juge de ce que c'est que de craindre de se tuer l'un l'autre ou l'un pour l'autre quand on s'adore » (Lettre du 11 mai, de Dresde, à Laure Surville). Il n'y a pas là d'exagération littéraire, et il ne faut pas oublier que ce voyage était subi par un grand malade, épuisé par une maladie de cœur, et qui, dans ses crises d'étouffement, cherchait avec peine sa respiration. C'est cependant dans cette même lettre, alors que « sa maladie d'yeux l'empêche de voir les lettres qu'il trace », qu'il trouve le courage de s'indigner de la reprise de Vautrin, faite sans son accord, et de demander énergiquement qu'on mette fin à cet « acte de piraterie ». Dans ses voyages, comme dans sa création littéraire, Balzac a témoigné d'une prodigieuse et admirable énergie.

vue du Palais (Une), mentionnée dans une note manuscrite avec le titre le Palais. Cette œuvre, qui porte le n° 65 (Scènes de la vie parisienne), ne fut jamais rédigée. Sans doute, Balzac a-t-il pensé que la description très complète des milieux judiciaires qui figure dans Splendeurs la rendait inutile.

vue de Touraine (Une), courte description parue dans la Silhouette en février 1830, et que Balzac réutilisera presque telle au début de la Femme de trente ans.

Château de Wierzchownia. Lithographie. Voici comment se présentait le « temple grec » dont parle Balzac.
Maison de Balzac. Phot. Lauros-Giraudon.

Wann Chlore, roman paru, *anonyme,* en 1825 chez Canel et Delongchamp. Le nom de l'auteur, Horace de Saint-Aubin, n'apparaîtra que dans la réédition de 1836, chez Souverain, où l'œuvre prend le titre de *Jane la Pâle* (v. *Œuvres de jeunesse*). Le duc de Landon a été victime d'une douloureuse désillusion sentimentale. Dans le village où il s'est retiré pour essayer d'oublier, il rencontre une jeune fille, Eugénie d'Arneuse, auprès de qui il espère trouver la consolation, et qu'il épouse sans l'aimer vraiment. Il apprend trop tard que, s'il a dû renoncer à celle qu'il aimait d'abord, c'est à la suite des machinations d'un traître (élément mélodramatique). Il revient à celle qu'il n'a pas cessé d'aimer, et l'épouse sous un faux nom. Mais sa première épouse le retrouve et s'engage dans le ménage comme servante. D'où la fin dramatique qu'il était facile d'entrevoir : les deux amants meurent de douleur.

C'est un des essais les plus intéressants parmi les œuvres de jeunesse de Balzac. Il y a là une tentative de roman psychologique, genre auquel le romancier reviendra plus tard.

WERDET (Edmond). On lui doit d'intéressants souvenirs sur Balzac : *Portrait intime de Balzac : sa vie, son humeur, son caractère* (Dentu, 1859) ; *Honoré de Balzac,* dans les *Souvenirs de la vie littéraire* (Dentu, 1870). Mais son expérience malheureuse comme éditeur de Balzac ne l'a

évidemment pas incliné à une particulière bienveillance. (V. *éditeurs.*)

Wierzchownia, domaine et château que M. Hanski tenait de son père, qui les avait acquis vers 1780. L'ensemble est situé près de Berditcheff, ville de l'actuelle R. S. S. d'Ukraine, à environ 200 km à l'ouest-sud-ouest de Kiev. Balzac a donné lui-même, notamment dans la Lettre* sur Kiew et dans une lettre adressée en octobre 1847 à Laure Surville, des précisions sur l'immense domaine qu'habitait Mme Hanska, ainsi que le jeune comte Mniszech* et sa femme. « Une espèce de Louvre, de temple grec. » Le château passe pour « l'habitation la plus luxueuse de l'Ukraine, qui est grande comme la France ». Cependant, « à côté des plus grandes magnificences, on y manque des plus vulgaires choses de notre confort ». Mais la demeure possède plusieurs petits appartements destinés aux hôtes, et Balzac en occupe un, où il s'enferme pour travailler avec acharnement. Le château est à lui seul une ville, où il faut avoir « toutes les industries à soi », confiseur, etc., « attachés à la maison ». Balzac comprend que M. Hanski, de son vivant, ait pu lui parler d'une maisonnée de trois cents domestiques.

Quant aux terres, quoique le comte Mniszech et la jeune comtesse « aient à eux deux quelque chose comme vingt mille paysans mâles, il en faudrait quatre cent mille pour les cultiver toutes ».

« Mais ces immenses fortunes ont d'immenses dettes. » Mme Hanska doit faire face à trois procès ; diverses catastrophes naturelles, incendies, etc., aggravent les choses. Si bien que Mme Hanska mit fin à toutes ces difficultés en se dessaisissant, en 1847, de ses biens au profit de sa fille, en échange d'une rente viagère. Balzac séjourna au château de septembre 1847 à février 1848, et d'octobre 1848 à mai 1850.

WURTEMBERG (comte Guillaume **de**), cousin germain du roi Guillaume Ier de Wurtemberg, et à qui Balzac a dédié *Z. Marcas* « comme marque de la respectueuse gratitude de l'auteur ». Le comte avait reçu le romancier à Cannstatt, près de Stuttgart, où Balzac avait suivi Mme Hanska, qui y prenait les eaux.

WYLEZYNSKA (Denise), épouse de Thaddée **Wylezynski** (modèle du Thadée de *la Fausse Maîtresse ?*) et cousine de Mme Hanska. *La Grenadière* lui est dédiée ; elle est désignée dans la dédicace sous les initiales D. W.

Z

ZANELLA, servante qu'avait Balzac rue Fortunée, et dont le nom revient interminablement dans la correspondance du romancier avec sa mère. Déjà, en 1848, il est question de la renvoyer, car ses gages et sa nourriture coûtent cher, et, en outre, on l'accuse de faire de la mauvaise cuisine. Elle est pourtant là encore en 1849 ; mais elle est mauvaise langue, elle fait des « cancans », et Mme de Balzac mande à son fils à Wierzchownia qu'elle a fini, sur ses instructions, par la congédier pour le 31 juillet.

Zéro. V. *Jésus-Christ en Flandre*.

Z. Marcas, courte nouvelle parue le 25 juillet 1840 dans le premier numéro de la *Revue parisienne*. N° 77 (*Scènes de la vie politique*). Dédiée au comte Guillaume de Wurtemberg.
Zéphirin Marcas, fils d'une famille pauvre de Vitré, est venu à Paris pour faire son droit. Docteur en droit, homme d'une pénétration et d'un sens politique étonnants, il ne réussira jamais. L'homme influent au service duquel il est entré s'empresse, après avoir utilisé ses talents, de mettre « des obstacles invincibles » à l'avancement de Marcas, qui en est réduit à vivre misérablement. Le personnage influent, devenu ministre de la monarchie de Juillet, se ressouvenant des qualités exceptionnelles de Marcas, a de nouveau recours à lui, et lui offre « une place éminente ». Le ministère dure trois mois, et Marcas, qui a « sondé le cratère du pouvoir », épuisé de travail, malade, meurt sans même laisser de quoi se faire enterrer. Son corps est jeté à la fosse commune. Le nom de Marcas était réellement celui d'un tailleur. Balzac était déçu de voir porter par un artisan un nom qui lui paraissait si bien convenir à un être d'élite (v. noms* de personnes) : il le donna à son héros.
Le titre de l'œuvre est bien Z. *Marcas*. Le Z « offre à l'esprit je ne sais quoi de fatal ». Et le groupe de sept lettres explique, par son « assemblage fantastique », toute la vie de l'homme. Balzac, une fois de plus, révèle ici l'importance qu'il attache à l'occultisme.

ZOLA (Émile). Cet auteur (1840-1902) a consacré à Balzac, dans son ouvrage *les Romanciers naturalistes* (1881), une étude où il tente de présenter Balzac comme un précurseur de l'école naturaliste.

Imprimerie Larousse, 1 à 9, rue d'Arcueil, Montrouge (Hauts-de-Seine).
Mars 1969. — Dépôt légal 1969-1er. — N° 4349. — N° de série Éditeur 4550.
IMPRIMÉ EN FRANCE (*Printed in France*). — 75.456-3-69.